# UWIKŁANI

Dla Ukochanego

♡

Z Okazji Urodzin

17.11. 2016r.

Kocham Cię,

Martyna

# Laurelin Paige

# UWIKŁANI
## *Hudson*

Przełożyła
Sylwia Chojnacka

WYDAWNICTWO
KOBIECE

TYTUŁ ORYGINAŁU: *Hudson*

Redakcja: Ewa Kosiba
Korekta: Anita Rejch
Projekt okładki: Łukasz Werpachowski
Skład: skladigrafika@gmail.com

Hudson © Laurelin Paige 2014

Copyright © 2016 for Polish edition by Wydawnictwo Kobiece,
an imprint of ILLUMINATIO Łukasz Kierus
Copyright © for Polish translation by Sylwia Chojnacka

Wydanie I
Białystok 2016
ISBN 978-83-65506-46-7

 Bądź na bieżąco i śledź nasze wydawnictwo na Facebooku:
**www.facebook.com/kobiece**

www.wydawnictwokobiece.pl

Wydawnictwo Kobiece
E-mail: redakcja@wydawnictwokobiece.pl
Pełna oferta wydawnictwa jest dostępna na stronie
www.wydawnictwokobiece.pl

*Z łatwością mogę podzielić swoje życie*
*na dwa etapy – przed nią i po niej.*

# Rozdział 1

Podpisuję się na dokumencie przypiętym do podkładki z klipsem, po czym oddaję ją człowiekowi za biurkiem. Brwi młodego mężczyzny unoszą się, gdy rozpoznaje moje nazwisko.

– Panie Pierce! – Wstaje i wyciąga rękę, by uścisnąć moją dłoń. – Nie spodziewałem się, że Pierce Industries będzie reprezentowane przez pana. Myślałem, że wyśle pan kogoś na zastępstwo.

Potrząsam jego ręką z grzeczności, a potem zmuszam się do uśmiechu.

– Niespodzianka. – Boże, jak ja nienawidzę small talk. Szczególnie z takim dwudziestodwuletnim lizusem, który uważa, że ta nasza krótka rozmowa zapewni mu umowę w mojej firmie na stałe. Obawiam się, że trudno jest się dostać nawet na rozmowę kwalifikacyjną.

Skupia się na stole, na którym znajdują się plakietki, i szuka tej z logo Pierce Industries. Podaje mi jedną, a ja chowam ją do kieszeni. Nie chcę jej nosić. I bez tego jestem łatwo rozpoznawalny.

Mężczyzna – a właściwie chłopak – wygląda na zawiedzionego. Może dlatego, że nie jestem aż taki charyzmatyczny czy czarujący, jak sobie wyobrażał, a może z tego powodu, że nie chcę przypiąć tej cholernej plakietki. Nie jestem pewny. Tak szczerze – mam to gdzieś. Kiedyś jego reakcja by mnie obeszła. A teraz nawet mnie nie ruszyła. I tak tego nie zrozumiem. Nie ma sensu tracić czasu. Z profesjonalnym uśmiechem podaje mi program wieczoru dotyczący dzisiejszych prezentacji. W tej samej chwili czuję rękę na dolnej części moich pleców. Napinam się. Znam tę dłoń.

Spoglądam za siebie i mam już pewność. Zaczynam iść w stronę sali wykładowej.

– Co ty tu ciągle robisz? Dostałaś, co chciałaś.

– Po prostu byłam na miejscu i pomyślałam, że zostanę. – Na marmurowej podłodze w Kauffman Management Center, gdzie mieści się Szkoła Biznesu Stern, rozlega się odgłos szpilek próbującej nadążyć za mną Celii.

Zatrzymuję się przy drzwiach na korytarzu i obracam w jej stronę.

– Nie zostałaś zaproszona.

Porusza szybko powiekami. Domyślam się, że poczuła się zraniona.

– Mogłeś mnie zaprosić. Ostatnio rzadko się widujemy. – Jej głos staje się cichszy. – Tęsknię za tobą.

Mięsień drga na mojej szczęce. Wzdycham powoli. Nie powinienem spędzać z nią tyle czasu, chociaż Celia jest jednocześnie jedyną osobą, która rozumie mnie lepiej niż ktokolwiek inny. To wojna, którą toczę każdego dnia – będąc z nią, czuję się jak alkoholik w sklepie monopolowym.

Kusi mnie do nieodpowiednich rzeczy, nawet jeśli nie robi tego celowo. Chociaż czasem mam wrażenie, że jednak jej działania są dobrze przemyślane. Mimo wszystko jest moją jedyną przyjaciółką, jeśli w ogóle tak można nazwać naszą relację. Bez niej jestem sam jak palec.

– Dobra, jesteś zaproszona – mówię z rezygnacją. Otwieram drzwi i przytrzymuję je dla niej. – Nawet nie wiem, dlaczego chcesz tu być. To będzie cholernie nudne.

Idę za nią wzdłuż rzędu i zajmujemy dwa miejsca pośrodku, na końcu pomieszczenia. Nie jest ono duże i przebywa w nim około dziesięciu przedstawicieli innych korporacji. Moglibyśmy bez problemu usiąść gdzieś bliżej, jednak Celia doskonale wie, że lubię zachowywać dystans w takich sytuacjach.

Pochyla się w moim kierunku, a ja czuję jej zbyt mocne i zbyt drogie perfumy.

– Jeśli to takie nudne, to dlaczego przyszedłeś? Mogłeś wysłać kogoś, kto na drabinie kariery znajduje się dwadzieścia stopni niżej od ciebie.

Milczałem, zastanawiając się, czy chcę jej to wyjaśniać. Coroczne sympozjum w Sternie to jedyne takie wydarzenie, w którym biorę udział. Większość prezentacji jest nudna, ale czasem udaje się wyłapać jakiegoś wyróżniającego się studenta. To nie jest jedyny powód, dla którego pojawiam się tu co roku. Moje miejsce mógłby zająć ktokolwiek.

Zmuszam się jednak, by tutaj przychodzić. Po części dlatego, że jestem ciekawy. Chcę znać pomysły i trendy wypływające z najlepszych uczelni. Dzięki temu trzymam rękę na pulsie, przypominam sobie, jak to jest mieć świeże i innowacyjne pomysły, jak absolwenci MBA, którzy dzisiaj się zaprezentują.

Uczestniczę w tym również z innego powodu, który trudno opisać. Odkąd otrzymałem swój dyplom, minęło osiem lat. Potem od razu zacząłem zarządzać firmą ojca. Jestem znany z kontrowersyjnych decyzji i nowoczesnego podejścia do miejsca pracy. Ale prawda jest taka, że podano mi wszystko na srebrnej tacy. Nigdy nie musiałem o to walczyć ani na to zarobić, jak ci studenci. Jestem ambitny i inteligentny, ale oni mają w sobie pasję i siłę, które mnie intrygują. To stanowi dla mnie inspirację. Większość z nich zrobi wszystko, by dostać się na sam szczyt. Pragną być takimi jak ja, mieć to, co ja mam. Podziwiają mnie i chcą wiedzieć, jak to wszystko osiągnąć. A ja podziwiam ich.

Celia nigdy by tego nie zrozumiała, więc mówię tylko:

– Nigdy nie wiadomo, jakie perełki się trafią. – Podnoszę program z kolan i przeglądając go, dodaję: – Ale nie wiń mnie, jeśli zaczniesz przysypiać. I nawet nie myśl o tym, żeby mnie stąd wyciągnąć.

– Nie zrobię tego. Będę grzeczną dziewczynką.

Spoglądam na jej nogi, które właśnie skrzyżowała. Są pociągające, muszę to przyznać. Ona sama jest atrakcyjna. Skłamałbym, gdybym temu zaprzeczył. Ale Celia mi się nie podoba w ten sposób. W ogóle. To pewnie z powodu mojej nieumiejętności kochania, chociaż pociągają mnie inne kobiety. Kobiety, których nie znam. Pieprzę je i dobrze się z nimi bawię, ale to wszystko. Celia to jedyna kobieta poza moją matką i siostrą, którą znam lepiej. Jest jak członek rodziny, do którego po prostu nie mógłbym niczego poczuć.

– I tak jestem tu tylko dlatego, by być z tobą – przyznaje się i kładzie mi dłoń na ręce.

Patrzę na tę dłoń, ale jej nie odtrącam.

– Przestań mówić takie rzeczy, Celio. – Chociaż znam ją dobrze, nie rozumiem jej zamiarów. Jest wystarczająco mądra, aby wiedzieć, że nigdy nie odwzajemnię jej zainteresowania, choć tak naprawdę nie sądzę, by o to właśnie jej chodziło. Ona po prostu chce tego, co ja – kogoś, kto zrozumie mroczne pragnienia, które w niej żyją. I ja rozumiem ten jej mrok. Właściwie to jestem pewny, że powstał on z mojego powodu. Wiele razy się zastanawiałem, czy widziałem już tę mroczność, zanim Celia stała się obiektem w moim eksperymencie. Ale nigdy nie poznam odpowiedzi. Jak miałbym rozpoznać światło, skoro ja sam tonę w mroku? I chociaż już mi lepiej, chociaż już skończyłem tę grę, nadal otacza mnie tylko ciemność.

Skupiam się na trzymanym w ręce programie, ale kątem oka widzę, jak odwraca spojrzenie.

– Przepraszam – mówi cichym głosem. – Ja tylko... Sama już nie wiem.

Czuję ukłucie żalu.

– Nie musisz tłumaczyć, rozumiem.

Światła gasną, a na podium staje przewodniczący projektu biznesowego. Odkładam program na kolana. Prawie niczego się z niego nie dowiedziałem. I tak by to nic nie dało. Wolę usłyszeć, jak ktoś przemawia.

Po wystąpieniu przewodniczącego zaczyna się pierwsza prezentacja. Wiem, że zaprezentuje się sześciu studentów. Prawie tyle samo, co w zeszłym roku. Tylko najlepsi zostali zaproszeni na tę okoliczność. Są wisienką na torcie. Stern to nie Harvard, jednak i tak znajduje się w czołówce pierwszej dziesiątki szkół biznesowych. Ci studenci są jednymi z najlepszych w kraju.

Jak się spodziewałem, wieczór nie prezentuje się ciekawie. Dziwię się, że Celia nie zaczęła narzekać. Jest pogrążona w swoich myślach i pewnie już planuje swój następny spisek. I chociaż chciałbym wiedzieć, co jej chodzi po głowie, skupiam się na prezentacji. Najwyraźniej tematem wieczoru jest handel międzynarodowy, jednak pojawia się kilka wyjątków – jedna przemowa dotyczy najnowszych ustaleń podatkowych i ich pozytywnego wpływu na korporacje. No jasne. Kolejny student przedstawia stary model biznesowy. To oryginalny pomysł, ale w ogóle niepraktyczny.

Gdy piąty student schodzi ze sceny, kończy mi się cierpliwość. Wybudzam Celię z zamyślenia.

– Chcę już iść – stwierdzam, ale nagle milknę. Moje spojrzenie przyciąga kobieta zbliżająca się do sceny i wszystkie myśli uciekają mi z głowy. Jej sposób poruszania się przykuwa wzrok – kręci biodrami, podkreślając swoją seksualność, a wyprostowane plecy świadczą o pewności siebie. Kiedy zwraca się w stronę publiki, oddech grzęźnie mi w gardle. Nawet ze swojego miejsca, z dwunastego rzędu, mogę przyznać, że jest najpiękniejszą kobietą, jaką kiedykolwiek widziałem. Ciemnobrązowe włosy okalają jej twarz i uwydatniają ostre kości policzkowe. Oczy też ma ciemne. Krótka sukienka odkrywa jej długie nogi, a skromny dekolt nie jest w stanie ukryć idealnych piersi.

Jest w niej coś wyjątkowego, chociaż nawet się jeszcze nie odezwała. Siadam prosto i skupiam na niej całą swoją uwagę.

– Co? – pyta szeptem Celia, odpowiadając na moje wcześniejsze słowa. A może po prostu ciekawi ją moja reakcja na tego anioła na scenie.

– Nic. Nieważne. – Nasza wymiana zdań zbiegła się z przedstawieniem i nie usłyszałem imienia prezentującej ani tego, o czym zamierzała mówić. Nie potrafię oderwać od niej wzroku nawet po to, by zerknąć do programu. Jestem oczarowany. Naprawdę oczarowany.

Kobieta zajmuje miejsce na podium i zaczyna swoje wystąpienie. Po części spodziewałem się, że mój zachwyt minie, gdy otworzy usta, jednak tak się nie stało. Na dźwięk jej głosu przeszywa mnie dreszcz. Emanują z niego pasja i pewność siebie, jednak słychać w nim też odrobinę ostrożności. Przez następnych kilka minut z trudem skupiam się na wypowiadanych przez nią słowach. Jestem zaintrygowany jej wyglądem – uśmiechem, językiem ciała, tym, jak marszczy brwi, gdy zagląda do notatek. Otacza ją aura, która od razu mnie przyciągnęła. Wyczuwam, że życie musiało ją doświadczyć, ale się nie załamała. Wie, co to ból, lecz pokonała go i wyszła z tego silniejsza. Besztam się w myślach – niby skąd mogę wiedzieć coś takiego po kilku minutach jej prezentacji? Nie mogę. Ale nie potrafię się pozbyć wrażenia, że jednak mam rację. To mnie do niej przyciąga.

Gdy w końcu skupiam się na jej przemowie, jestem naprawdę zaskoczony. Temat jest prosty – marketing z użyciem materiałów drukowanych w dobie technologii cyfrowej – ale ona podeszła do tego w doskonale praktyczny sposób i jestem pewny, że każdy po tym wystąpieniu będzie chciał jej pogratulować.

Chcę być pierwszym, który to zrobi. To jest ta perełka, o której mówiłem.

– Alayna Withers – mówi cicho Celia.

– Co? – Skupiam się na niej na chwilę i widzę, że czyta program.

Kiwa głową w stronę sceny.

– Ona się nazywa Alayna Withers.

Wzdycham, wkurzony tym, że Celia zauważyła moje zainteresowanie. W tej samej chwili czuję ucisk w piersi. Znam jej imię! To nic wielkiego, a poza tym wszyscy w tym pomieszczeniu też na pewno to wiedzą. Ale mnie wystarczy ta jedna, drobna informacja o niej. Wymawiam to imię cicho pod nosem. Zaznajamiam się z nim. Czuję jego smak na języku.

Pomieszczenie nadal jest zaciemnione, a scena stanowi jedyne oświetlone miejsce. Ja jednak mam wrażenie, że otaczająca mnie ciemność się rozprasza.

I nagle widzę światło.

# Rozdział 2

---
PRZED
---

– Twój serw jest straszny! – krzyknąłem do Mirabelle. Chociaż moja siostra i tak poprawiła się od ostatniego lata. Prywatne lekcje sprawiły, że jej zagrywki i odbicia się wzmocniły. Jednak nie zamierzałem jej o tym mówić, bo miałaby z tego satysfakcję.

Oczy Mirabelle błysnęły, gdy zaczęła odbijać piłeczkę tenisową przed sobą.

– Mój serw jest dobry. W końcu to ja wygrywam, prawda?

Wygrała pierwszego seta, bo byłem dla niej łagodny. Nie spodziewałem się, że zrobiła takie postępy.

– Tylko dlatego, że bardziej się skupiam na twojej koszmarnej postawie niż na piłce.

Uśmiechnęła się.

– To twój problem, że łatwo cię rozproszyć. – Podrzuciła piłkę, ale zamiast ją odbić, puściła rakietę, która upadła u jej stóp. – Och, hej. Nie zauważyłam cię.

Podążyłem za jej wzrokiem i zobaczyłem Celię opierającą się o ścianę naszego prywatnego kortu. Nie byłem pewny, czy się cieszę na jej widok, jednak gdy się do mnie uśmiechnęła, odwzajemniłem uśmiech. Nie wiedziałem, że była w Hamptons, ale nie dziwiło mnie to. Oczywiście, że jeśli tu przebywała, to wpadłaby w odwiedziny. Nawet jeśli nasze matki akurat nie planowały się spotkać, Celia znalazłaby powód, aby się ze mną zobaczyć.

– Przyglądałam się waszej grze – powiedziała do mojej młodszej siostry, nie odwracając ode mnie wzroku. – Mam nadzieję, że nie przeszkadzam.

– Cóż, i tak już kończyliśmy. Huds, możemy zagrać później. – Mirabelle podniosła swoją rakietę i zaczęła się pakować.

– Mirabelle – rzuciłem z ostrzeżeniem w głosie. Wiedziałem, że nie lubiła Celii, ale nie musiała być taka niemiła.

Zignorowała mnie. Rzuciła mi gniewne spojrzenie i rzekła:

– Miłego dnia ze swoją dziewczyną. – Ruszyła w stronę przejścia w żywopłocie prowadzącego do domu.

– Nie jestem jego dziewczyną! – krzyknęła za nią Celia, po czym odwróciła się w moją stronę z zaciśniętymi pięściami. – Dlaczego jej nie poprawiłeś?

Przechyliłem głowę na bok, chcąc rozluźnić mięśnie szyi. Sam byłem zaskoczony, że to Celia zwróciła mojej siostrze uwagę. Myślałem, że ona będzie się cieszyć z tego tytułu. Ja wolałem pozwolić ludziom wierzyć w to, co chcieli. Życie było wtedy zabawniejsze.

Postanowiłem jednak zachować to dla siebie, więc odpowiedziałem:

– Mirabelle jest niepoprawną romantyczką. Ma swoją opinię. Nieważne, co ja powiem.

Celia patrzyła przez chwilę za dziewczyną, a potem podeszła do mnie.

– Ona mnie nie lubi. – W jej głosie wyraźnie dało się słyszeć zawód.

– Przykro mi – odparłem, ocierając pot z czoła. Podejrzewałem, że Celia, jako jedynaczka, traktowała Mirabelle trochę jak swoją młodszą siostrę. Nasze rodziny utrzymywały ze sobą bliski kontakt i było to możliwe. Ale z jakiegoś powodu nie doszło do tego. Nie wiedziałem dlaczego. Celia chyba też nie miała pojęcia.

– Ma czternaście lat. Rozumiem. Jednak żałuję, że nie jest inaczej.

– Musi się nauczyć dobrych manier.

– A ty musisz się nauczyć, jak odpuścić. Nic mi nie jest. Nie muszę być jej przyjaciółką. Jestem twoją. – Spojrzała na mnie ze zwątpieniem w oczach. – A przynajmniej myślę, że jesteśmy przyjaciółmi. Dziewięć miesięcy temu wyjechałam do San Francisco i przestałeś się do mnie odzywać. O co chodzi?

Wzruszyłem ramionami. To było celowe. Zanim Celia wyjechała na studia, powiedziała, że chce, by łączyło nas coś więcej niż przyjaźń. Mnie na tym nie zależało. Uznałem, że lepiej będzie jej nie zwodzić. Nie dlatego, że nie chciałem jej krzywdzić, ale z tego powodu, że jej zauroczenie było dla mnie uciążliwe. Nie odbierałem telefonów i kasowałem wiadomości.

Tak, byłem dupkiem. Wiedziałem o tym.

Teraz poczułem się zaskoczony tym, że dobrze jednak było ją widzieć. Nie w romantycznym sensie. Była mi bliska. Jak rodzina.

Postanowiłem nie odpowiadać od razu i zmienić temat.

– Millie niedługo poda lunch. Wezmę prysznic i może zjemy jakieś kanapki?

Celia zmarszczyła brwi.

– Dzisiaj nie mogę. Mam wolną tylko chwilę.

Uniosłem brwi. To dlaczego tu była, skoro nie mogła zostać?

Nie wyjaśniła, ale zamiast tego zapytała:

– Będziesz tutaj całe lato?

Nasze rodziny od zawsze spędzały letnie miesiące w Hamptons. Dziwne, że pomyślała, iż mogło być inaczej. Ale z drugiej strony dorośliśmy i wiele się zmieniło. Ja już zaczynałem się zastanawiać nad własnym lokum. Nie musiałem spędzać całego wolnego czasu od szkoły z rodzicami.

– Tak – odpowiedziałem. – A ty?

– Też. Chciałabym się z tobą zobaczyć. – Odchrząknęła i wbiła spojrzenie w swoje buty. – Przyszłam, żeby ci o czymś powiedzieć. Możliwe, że dzięki temu łatwiej ci się będzie ze mną potem widywać.

Założyłem ramiona na piersi zaintrygowany.

– Co takiego?

Spojrzała mi w oczy.

– Powinieneś wiedzieć, że się z kimś spotykam. Od roku. To poważne. – Wyglądała na zdenerwowaną. Myślała, że będę zazdrosny?

– No dobrze – rzekłem. – Gratulacje. – Potrafiłem się zachować w takich sytuacjach i coś powiedzieć, nawet jeśli tak nie uważałem. Ja po prostu teraz nic nie poczułem.

Odetchnęła głęboko.

– Myślałam, że to dlatego nie odpisywałeś. Bo może się martwiłeś, że ja ciągle...

Przechyliłem głowę zaciekawiony, czy dokończy zdanie.

Nie zrobiła tego, więc nie mogłem się powstrzymać. Chciałem wiedzieć, co zrobi, co powie.

– Że ci się ciągle podobam?

Jej policzki zrobiły się czerwone.

– Tak. Wtedy o tym wiedziałeś. Zaśmiałem się.

– Wszyscy o tym wiedzieli, Celio.

Pokręciła głową, jakby chciała zaprzeczyć, ale przyznała:

– No dobra, wszyscy wiedzieli. Ale to było tylko głupie zauroczenie. Już mi przeszło. Mam Dirka i...

– Dirk? Tak ma na imię? – Od razu wyobraziłem sobie długowłosego hipisa, chociaż Celia nigdy nie zainteresowałaby się kimś z niższej klasy społecznej. On pewnie był dobrze wychowany i bogaty jak ona.

– Zachowuj się, Hudson. – Uśmiechnęła się. – Mam Dirka i jestem w nim naprawdę zakochana. To chyba ten jedyny.

– Znowu się zarumieniła i teraz już wiedziałem, że rzeczywiście przeszło jej zauroczenie moją osobą. Fascynujące.

– To... świetnie. – Tym razem jednak nie wiedziałem, co powiedzieć.

– Więc ty i ja znów możemy być przyjaciółmi. Już nie będę robić do ciebie maślanych oczu. Okej? – Posłała mi niepewny uśmiech, z nadzieją, jakby moja odpowiedź była dla niej ważna. Jakby moja przyjaźń była ważna.

Zwilżyłem usta. Nie miałem powodu, by odmówić. Lubiłem ją.

– Jasne.

– Cudownie! – Jej ulga była widoczna. – Zadzwonię. Może zagramy w tenisa w następnym tygodniu czy coś?

– Brzmi świetnie. – A raczej nudno. Proponowała to, co w Hamptons uchodziło za rutynę.

Nastało niezręczne milczenie. W końcu powiedziała:

– No cóż. To ja już pójdę.

Mimo wszystko nadal byłem dżentelmenem.

– Odprowadzę cię. – Przerzuciłem ręcznik przez ramię i wziąłem pokrowiec na rakietę, po czym ruszyliśmy w stronę domu.

Nie odzywaliśmy się do siebie po drodze. Odprowadziłem ją do okrągłego podjazdu, gdzie zostawiła swój samochód. Otworzyłem dla niej drzwi i pochyliłem się, żeby cmoknąć ją w policzek. To był u nas standard. W końcu byliśmy prawie jak rodzeństwo.

Położyła rękę na moim ramieniu. Na jej twarzy malował się smutek.

– Dziękuję, Hudsonie. Do zobaczenia.

Patrzyłem, jak odjeżdża, i zastanawiałem się nad naszą relacją. Nasze matki się przyjaźniły, odkąd byliśmy dziećmi. Każde większe święto spędzaliśmy z rodziną Wernerów. Rodzice zapisali nas nawet do tej samej elitarnej, prywatnej szkoły. Dobrze się znaliśmy, chociaż wątpię, byśmy się wtedy ze sobą zaprzyjaźnili, gdyby nie nasze rodziny.

Byłaby idealną partią dla mnie. Oboje pochodziliśmy z bogatych domów i byliśmy ze sobą blisko. A jednak nigdy nic do niej nie poczułem. Co było ze mną nie tak? Nie czułem nic do niej ani do nikogo innego.

– Czy ona ci się podoba? – Usłyszałem za sobą cichy głos Mirabelle.

Odwróciłem się. Zobaczyłem, że siedzi na schodach, otaczając ramionami kolana.

Zacisnąłem szczękę zirytowany. Nigdy nikomu nie mówiłem o tym, że nie potrafię nic poczuć.

– To nie twoja sprawa. – Minąłem ją, idąc do domu.

Mirabelle wstała i podążyła za mną.

– Ona nie jest dla ciebie, Hudsonie. To małostkowa i powierzchowna osoba. Nie jest dla ciebie dobra.

Zmierzałem dalej w stronę schodów prowadzących na górę.

Mirabelle szła za mną i kontynuowała:

– Ona ci się nie podoba. Widzę to w twoich oczach. Nie interesujesz się nią wcale.

To była prawda, ale ciekawiło mnie, że moja siostra to zauważyła. Co jeszcze wiedziała? Co wiedziała o mnie? Zatrzymałem się i obróciłem w jej stronę.

– Jeśli wiesz, że ona mi się nie podoba, to dlaczego pytasz?

– Chciałam się upewnić, że ty też to wiesz.

Cóż, wiedziałem. Nie powiedziałem jednak tego na głos. Odwróciłem się i wbiegłem na górę, a następnie zamknąłem się w swoim pokoju.

Przez resztę dnia nie mogłem przestać myśleć o Celii i jej domniemanym chłopaku. Czułem ucisk w piersi. To nie była zazdrość – miałem gdzieś, co się dzieje w jej życiu miłosnym. Pociągała mnie intryga. Obsesyjna intryga. Już nie pierwszy raz. Byłem pewny, że nie będzie ostatnią.

Tematyka miłości od zawsze mnie pochłaniała. Zajmowałem się nią przy każdej wolnej okazji. Nie rozumiałem jej. Nigdy nie byłem zakochany. Nie wierzyłem, że to może być coś prawdziwego. Nie byłem prawiczkiem ani świętym. Spotykałem się z dziewczynami. A właściwie zabierałem je na kolację lub do kina, by potem się z nimi pieprzyć. Czasami pomijałem kolację czy kino i po prostu się z nimi pieprzyłem. Ale nigdy nie odczuwałem potrzeby, by spędzać z kimś normalnie czas. Nigdy nie czułem niczego do tych dziewczyn.

I chociaż Celia rok temu zrobiła ze mnie swój cel, ani razu nie zakładałem, że to może być coś głębszego niż głupie zauroczenie, o którym mówiła. Oboje byliśmy ulepieni z jednej gliny. Wiedzieliśmy, że romantyzm to niedorzeczność.

A przynajmniej tak myślałem.

I teraz ona znalazła tego jedynego. Ta myśl mnie męczyła.

I była wyzwaniem. Co sprawiało, że człowiek zaczynał myśleć, że jest zakochany? Czy można manipulować emocjami? Wymusić je? Pomyślałem, że to wymaga eksperymentu.

Jaka szkoda, że jego zasady nie będą za bardzo odpowiadać Celii. Ale jeśli miłość naprawdę była mitem, jak uważałem, to może uratuję ją przed kłamstwem.

Następnego dnia leżałem na słońcu ze swoim laptopem obok basenu. Wtedy zadzwoniła Celia, by się umówić. Trzymając się swoich planów, przesunąłem spotkanie na następny tydzień. Potrzebowałem czasu, by się przygotować, zanim ją zobaczę. W kwestii swoich eksperymentów byłem zawsze bardzo dokładny.

Stukałem rytmicznie w klawiaturę, opracowując dane. Po ostatniej porażce mojego eksperymentu tym razem chciałem osiągnąć sukces. Może słowo „porażka" było zbyt poważnym określeniem. Wyniki nie potwierdziły hipotezy, ale i tak zebrałem informacje. Pomysł na eksperyment przyszedł do mnie, gdy zaręczyło się dwoje moich znajomych ze studiów, Andrew i Jane. Wydawało się, że stracili dla siebie głowę, ogarnęło ich pożądanie, które najprawdopodobniej pomylili z czymś głębszym. Zastanawiałem się, czy jeśli uważali, że są ze sobą tak blisko, że powinni się już pobrać, czy to oznacza, że ich więź jest niezniszczalna?

I zacząłem szukać odpowiedzi.

Ponieważ mieliśmy ze sobą zajęcia, łatwo było flirtować z Jane tuż pod nosem jej narzeczonego. Najpierw było to bardzo spontaniczne – oczekiwałem wtedy jakiejś reakcji ze strony Andrew, ale nie doczekawszy się żadnej, podwoiłem wysiłki. Dotykałem Jane, gdy rozmawialiśmy, muskałem palcami jej palce, bawiłem się jej włosami. Naruszałem jej przestrzeń. Szeptałem sugestywne, a mówiąc dobitniej, sprośne rzeczy, które sprawiały, że się czerwieniła, a jej sutki twardniały. Cały semestr tak się zachowywałem i ani Jane, ani Andrew nie kazali mi przestać. Czy nie powinno być jakiegoś obwiniania? Jeśli nie mnie, to chociaż siebie nawzajem? Czy mówili o mnie za moimi plecami?

Czy ta para naprawdę miała wystarczająco zaufania i uczucia dla siebie nawzajem i oparła się zazdrości?

A może byli zainteresowani trójkątem?

Z powodu nieokreślonych odpowiedzi uznałem ten eksperyment za niewypał. Tym razem potrzebowałem konkretnych rezultatów i dobrej hipotezy.

Otworzyłem dziennik w komputerze i zacząłem w nim kolejną sekcję o nazwie „Odbicie". Idealnie pasowała po sekcji „Zaręczyny". W tym wypadku próbowałem doprowadzić do rozpadu pary, która wcześniej nie miała ze mną nic wspólnego. Teraz nowy obiekt, Celia, była wcześniej mną zauroczona. Zadałem pytanie, które brzmiało: „Czy wcześniejszy stan zauroczenia może wpłynąć na nowy związek, jeśli poprzedni obiekt zauroczenia nagle odwzajemni uczucia?".

Potem postawiłem tezę: „Jeśli obiekt uwierzy, że odwzajemnione uczucia są prawdziwe, to odpowiedź brzmi «tak»".

Skąd będę wiedział, że mi się powiodło? Przestałem pisać i spojrzałem na swojego młodszego brata, Chandlera, który właśnie fikał koziołki przy basenie. Jeżeli Celia uwierzy, że jestem nią zainteresowany, najprawdopodobniej: a) każe mi się odwalić, b) wda się w wakacyjny romans, c) zerwie z Dirkiem. Nie zamierzałem sypiać z Celią. To nie podlegało dyskusji. Nie mogłem uprawiać seksu z kobietą, która mnie nie pociągała, i na pewno nie miałem zamiaru iść do łóżka z kobietą, która znała mnie od podszewki. To by nas za bardzo zbliżyło. A ja nikomu nie pozwalałem się zbliżyć do siebie. Wpisałem to do dokumentu i oparłem się na siedzeniu. Teraz musiałem po prostu opracować cały plan. To była moja ulubiona część. Serce zaczęło mi bić szybciej z podniecenia. Będę musiał trochę o tym poczytać. Zwykły flirt nie podziała na ten obiekt – w moich oczach Celia była od teraz już tylko obiektem. Gdybym myślał o niej inaczej, zepsułoby to mój obiektywizm. Będę musiał spróbować okazać prawdziwe zauroczenie. To będzie wyzwanie, ale z odrobiną wysiłku na pewno sobie poradzę. Może powinienem obejrzeć kilka filmów romantycznych. Albo zapytać Mirabelle – ona jest chyba ekspertem w kwestii romansów.

Jak na zawołanie, Mirabelle usiadła na krześle przy mnie. Miała na sobie czarno-różowe bikini, które było bardzo dorosłe jak na jej wiek. Przynajmniej na naszym podwórku mogliśmy liczyć na odrobinę prywatności. Gdybyśmy mieli towarzystwo, włożyłaby jednoczęściowy strój, jeśli miałbym w tej kwestii coś do powiedzenia. A zawsze miałem coś do powiedzenia w każdej kwestii.

– Co robisz? – zapytała, zaglądając do mojego komputera.

Obróciłem się lekko, by nie mogła zobaczyć ekranu.

– Nic ważnego – powiedziałem, a potem zastanowiłem się nad tym. – Właściwie to pracuję nad projektem. Dla jednego mojego przyjaciela. Może mogłabyś mi pomóc?

– Jasne. – Wzięła butelkę z kremem do opalania, którą przyniosłem ze sobą wcześniej, i zaczęła smarować nim skórę. – O co chodzi?

Próbowała zachować pokerową twarz, ale w jej oczach widziałem błysk podekscytowania. Jeśli miałbym nauczyć się kochać, to na pewno zrobiłbym to dla swojej siostry. Uwielbiała mnie i jak wiele sióstr podziwiała starsze rodzeństwo. Ale w przeciwieństwie do innych braci, ja na to nie zasługiwałem. A jednak ona nadal miała nadzieję i uczucia do mnie. Z tego powodu chciałem, żeby mi się udało. Robiłem wszystko, by okazywać jej zainteresowanie – grałem z nią w tenisa, zabierałem na przejażdżki, gdy nie było szofera, chroniłem ją przed wybrykami naszej pijanej matki. Proszenie jej o pomoc było czymś zdecydowanie lepszym.

– Cóż – zacząłem. – Mój przyjaciel chce wiedzieć, jak najlepiej oczarować dziewczynę...

Jej oczy się rozszerzyły.

– I poprosił ciebie o pomoc? Każdy głupek wie, że ty nie jesteś w stanie nikogo oczarować.

Zdusiłem komentarz, który cisnął mi się na usta. Po części to była prawda.

– Dokładnie. Dlatego pytam ciebie.

– To nie jest tak naprawdę dla ciebie, co? Nie jesteś nikim zainteresowany? – Spojrzała na mnie znacząco. – Chyba nie próbujesz oczarować Celii, prawda?

Nigdy nie kłamałem. Nawet w trakcie eksperymentu przysięgałem sobie, że będę mówić prawdę. Miałem jeszcze trochę godności, mimo mojego egoizmu i skłonności do manipulacji. Postanowiłem wykręcić się od odpowiedzi.

– A dlaczego miałbym być nią zainteresowany? Sama powiedziałaś, że ona nie jest dla mnie.

– Tylko się upewniam. Pomyślmy... Kobiety lubią kreatywne, zaskakujące sposoby okazywania uwagi, związane ze sztuką. Można napisać wiersz lub narysować ich portret.

Zamrugałem. Nie miałem zdolności artystycznych.

– Kontynuuj.

– Są też łatwiejsze sposoby: wysyłanie kwiatów, kupowanie biżuterii, dawanie prezentów...

Stukałem w klawiaturę, gdy mówiła.

– Ale to i tak nic nie znaczy, jeśli prezent nie będzie osobisty.

Spojrzałem znad ekranu.

– Co masz na myśli?

– Nie możesz tylko dać jej róż. To nudne. Musisz podarować kwiaty, które ona lubi lub takie, które dla niej coś znaczą. Biżuteria powinna być wyjątkowa albo taka, jaka jej się podoba.

Boże, wychodziło na to, że romantyzm będzie bardziej skomplikowany, niż mi się wydawało.

– Właściwie każda kobieta chce tego, byś poświęcił czas na poznanie jej – stwierdziła Mirabelle.

Zaśmiałem się.

– Nie mów, że ty wiesz, jak to jest być kobietą, dzieciaku.

– Zamknij się – prychnęła i zmarszczyła brwi. – Wiesz, że dziewczyna to tylko młodsza wersja kobiety, tak?

– Coś mi się obiło o uszy. – Podrapałem się po szyi i zauważyłem, że spociłem się od tego siedzenia na słońcu. – No to muszę... – Przyłapałem się na pomyłce i poprawiłem: – No to mój przyjaciel musi tylko spędzać z dziewczyną trochę czasu?

– A potem pokazać, że zauważa to, jaka jest i co lubi. – Zmarszczyła brwi. – Czy to ma jakiś sens?

– Ma. – Właściwie dostrzeganie szczegółów było jednym z moich talentów. Gdy próbowałem zrozumieć ludzkie zachowania i emocje, nauczyłem się dokładnie przyglądać ludziom. Tylko potem będę musiał wykorzystać te szczegóły.

– Jestem pewny, że mój przyjaciel doceni tę radę.

Mirabelle założyła okulary przeciwsłoneczne i oparła się o krzesło.

– Żałuję tylko, że to nie dla ciebie. Byłbyś doskonałym chłopakiem.

Zmusiłem się do uśmiechu.

– Cóż, w takim razie zachowam notatki na przyszłość.

Tylko że potrzebowałem ich teraz, ale nie do tego, o czym myślała Mirabelle. Do tego nigdy mi się nie przydadzą. Moja siostra była bardzo mądra, ale się myliła – nie byłbym doskonałym chłopakiem.

Ona jednak nigdy się o tym nie dowie. Nie planowałem się zbliżyć do żadnej kobiety na tyle, by się przekonać.

Rozdział 3

---
PO
---

Mijają dwa dni od sympozjum w Sternie, a ja ciągle myślę o pięknej brunetce, która mnie wtedy oczarowała. Cały czas czytam program wieczoru, a konkretnie krótką informację o niej. I patrzę na jej zdjęcie. Twarz tej kobiety jest już wyryta w mojej pamięci, a nawet nie widziałem jej z bliska.

Oczywiście próbowałem się z nią zobaczyć. Po tym, jak pozbyłem się Celii, udałem się szybko na spotkanie po sympozjum, by poznać Alaynę Withers. Z miejsca chciałem jej zaoferować pracę. Na jakimkolwiek stanowisku, które by ją interesowało. To było szalone i nigdy czegoś takiego nie robiłem, ale było w niej coś wyjątkowego. Nie potrafiłem o niej zapomnieć.

Nie zjawiła się na spotkaniu. Byłem zawiedziony, łagodnie mówiąc. Ale też wściekły i zdezorientowany. Wściekły, bo zmarnowała czas, który mogłaby mi poświęcić. Mój czas. Jak można się nie pokazać na spotkaniu z najważniejszymi ludźmi biznesu? Było sześciu kandydatów i dziesięciu szefów. Dostałaby jakąś ofertę. Cholera, dostałaby ich nawet z pięć. Dziesięć. A ja przebiłbym każdą z nich, bo chciałem, żeby była moja.

A zdezorientowany byłem dlatego, że nie wiedziałem, czemu mnie to w ogóle obchodziło. Nie jestem całkowicie pozbawiony uczuć, ale prawie. Moje uczucia są poskromione, kontrolowane. Zaniepokoiła mnie ta desperacka potrzeba poznania kogoś. Zaburza mi to spokój nawet kilka dni później i jest tylko gorzej.

Nigdy w życiu nie czułem czegoś takiego do drugiej osoby. Czy to pożądanie seksualne? Przytłaczająca potrzeba, by ją zaliczyć? Minęło kilka tygodni, odkąd miałem kobietę w swoim łóżku. Może więcej. Ostatnio żadną się nawet nie zainteresowałem.

Ale teraz, gdy patrzę na jej zdjęcie, gdy przypominam sobie jej pewność siebie i żywiołowość, od razu mi staje.

Próbuję przekonać siebie, że moje zainteresowanie jest czysto fizyczne. A może chodzi o jej umysł. Jestem zaintrygowany jej pomysłami i innowacyjnym myśleniem tak bardzo, że to mnie podnieca. Bo jak inaczej to wyjaśnić?

Tak bardzo chcę poznać odpowiedzi, że wcześniej zadzwoniłem do swojego detektywa, aby się jej przyjrzał. Wmówiłem sobie, że chodzi o biznes. Może nie pokazała się na spotkaniu, bo już zaoferowano jej pracę? Jeśli ją odnajdę, złożę lepszą propozycję.

Jeżeli nie przyjmie oferty, będę musiał znaleźć inny sposób, by się do niej zbliżyć. Muszę wiedzieć, czy to zainteresowanie ma szansę przetrwać. Dociera do mnie, że moje podniecenie jest bardzo podobne do tego, którego doświadczam, gdy zaczynam nowy eksperyment. Ale nie chcę teraz o tym myśleć. Tym razem jest inaczej, ponieważ nie jestem zainteresowany czyimiś uczuciami, tylko swoimi.

Najwyższa pora.

Chociaż chyba nie do końca mi się to podoba.

Chwytam się za grzbiet nosa i pochylam nad biurkiem, próbując wymazać Alaynę ze swoich myśli. Przerywa mi moja sekretarka.

– Tak, Patricio? – Może chodzi o mojego detektywa...

– Spotkanie na drugą. Przyszedł doktor Alberts.

– Kurwa – wymyka mi się. – Dobra. Dziękuję. Wpuść go do środka. – Zapomniałem o moim spotkaniu z Albertsem, chociaż od dwóch lat widuję się z nim regularnie. Prawda jest taka, że nawet nie chcę pamiętać o jego wizycie. On mi pomógł – bez niego nie oparłbym się wielu pokusom – ale ostatnio jestem w beznadziejnym humorze. Brakuje mi ekscytacji, jaka towarzyszyła mi w moim starym życiu. Teraz moje dni wyglądają tak samo. Może dlatego tak intryguje mnie Alayna Withers. Gdy ją zobaczyłem tamtego wieczoru, poczułem coś – po raz pierwszy od wielu lat.

Wstaję i obchodzę biurko, żeby przywitać się z doktorem Albertsem. Wskazuję na siedzenia, a potem sam zajmuję miejsce na oparciu kanapy po drugiej stronie. Alberts siada jak zwykle na fotelu. To nasza rutyna. On zasugeruje, bym się położył, ja grzecznie odmówię. On wyciągnie swój elektroniczny notes i zacznie zapisywać odpowiedzi na pytania. Takie same, jakie zadał tydzień temu: „Jak się czujesz?", „Czy w twoim życiu pojawiły się nowe czynniki stresogenne?", „Jak sobie z nimi radzisz?", „Czy kusi cię, by zagrać?".

Jeszcze nie zaczął, a ja już czuję się znudzony.

Musi wyczuwać mój nastrój – albo pewnie widzi, jak się wiercę na kanapie – bo od razu pyta:

– Co cię dręczy, Hudsonie?

Zastanawiam się nad odpowiedzią. Mógłbym winić za ten niepokój pracę. Martwię się na przykład sytuacją w Plexis

– to jedna z moich mniejszych filii. Boję się, że stracę nad nią kontrolę. Przed sympozjum w Sternie to był mój największy problem. Teraz Plexis właściwie mnie nie interesuje. Jak się skoncentrować na prowadzeniu biznesu, gdy w głowie mam tylko brązowe oczy i pewny siebie, jedwabisty głos? To właśnie mnie dręczy. Ona.

Tylko co miałbym powiedzieć Albertsowi o Alaynie Withers? O studentce, którą widziałem przez dwadzieścia minut na evencie na uczelni? Rozmawianie z nim w teorii ma pomagać mi zrozumieć moje emocje, ale te są zbyt skomplikowane i nieokreślone. Zbyt dziwne i intensywne. Zamiast tego postanawiam wspomnieć o pewnym szczególe, który bardzo go zainteresuje.

– Widziałem się z Celią.

– Naprawdę? – Alberts unosi brew, pokazując tym swoją czujność i zainteresowanie. – Jakie były okoliczności tego spotkania?

– Chciałbym powiedzieć, że to tylko niewinne spotkanie. Ale tak nie było. – Przeczesuję włosy ręką, a on czeka na odpowiedź. – Zadzwoniła do mnie. Używała mojej tożsamości, by się kimś pobawić, a konkretnie pracownicą mojej siostry. – Krzywię się na myśl, jak bardzo dotyczyło mojej rodziny pogrywanie Celii ze Stacy.

– Byłeś świadomy tego, że ona to robi?

– Tak. – Przewiduję jego następne pytanie i dodaję: – Nie. Nie zachęcałem jej, ale wiedziałem o tym. – Wstaję, bo nie mogę usiedzieć w miejscu. – Celia prosiła mnie, by ustawić grę. Zgodziłem się. Powiedziałem jej, gdzie będę i kiedy. Ustaliła wszystko, a reszta się potoczyła.

Spoglądam na Albertsa, oczekując wyrazu dezaprobaty na jego twarzy. Ale nie dostrzegam nic. Ten mężczyzna jest równie ostrożny w okazywaniu emocji, co ja.

Teraz będzie chciał wiedzieć, dlaczego zgodziłem się jej pomóc. To proste – gra musiała mieć swój koniec. Nie podobało mi się, że moje imię zostało użyte w jej przekręcie, a dostosowanie się do jej prośby było najłatwiejszym sposobem na zakończenie tego.

Jednak on pyta o coś innego.

– Jak się z tym czujesz? Z tym, że znowu w to grasz, po tak długim czasie?

Milknę i rozważam odpowiedź. Poczułem przyjemny dreszcz, gdy pocałowałem swoją koleżankę z dzieciństwa. Nie miało to z nią ani z samym pocałunkiem nic wspólnego. Ja po prostu wiedziałem, jaki to wywrze efekt na Stacy – a to ona była celem Celii. W tamtym momencie chciałem, by ta chwila trwała jak najdłużej. Czułem coś, chociaż zazwyczaj byłem pusty w środku. Wystarczyło, że przestałbym walczyć i podekscytowanie znowu pojawiłoby się w moim życiu. Z Celią łatwo byłoby wrócić na starą ścieżkę, zaczynając kolejną grę.

Jednak wystarczył ból w oczach Stacy, kiedy poczuła odrzucenie z mojej strony, by przypomnieć mi, że moja zabawa wiązała się z krzywdzeniem innych.

– Czułem się jak na haju – odpowiadam szczerze. – A potem to się skończyło i do tej chwili nie myślałem o tym.

– Gdy byłem na sympozjum, nie potrzebowałem żadnych gier. Iskra, którą potrafiła wywołać Celia, została zastąpiona piorunem Alayny Withers.

Alberts chrząka, a ja widzę, jak przygląda mi się uważnie, mrużąc oczy.

– Ale nie martwi cię, że znowu weźmiesz udział w tej grze?

Oddycham z trudem. Zawsze się niepokoję, że do tego wrócę. Ale czy nie daje mi spokoju, że Celia znowu mnie do tego wciągnie?

– Nie. Nie martwię się.

– Planujesz się z nią znowu zobaczyć?

Otwieram szeroko oczy. Przez chwilę myślę, że mowa o brunetce, która zaprząta moje myśli.

Ale nie o to mu chodzi.

– Nie, nie planuję znów widzieć się z Celią. – Ona na pewno chciałaby się ze mną spotkać. Ciągle mnie do siebie zaprasza, ale ja widuję się z nią wystarczająco często na rodzinnych spotkaniach. Wbrew przekonaniom mojego terapeuty jej obecność nie stanowi dla mnie pokusy, ale zobaczenie się z nią nie jest dobrym pomysłem. W bolesny sposób przypomina mi o tym, co złego zrobiłem w swoim życiu. O tym, co złego zrobiłem jej.

Przestaję krążyć. Mam nadzieję, że dzisiaj nie zaczniemy rozmowy na temat mojej przeszłości.

– Hudsonie, usiądź.

Jestem zaskoczony, że wcześniej o to nie prosił. Siadam i krzyżuję nogi w kostkach.

– Przepraszam. Mam teraz dużo na głowie. – Próbuję odetchnąć, żeby się uspokoić, ale to nie działa.

Doktor Alberts odchyla się na krześle.

– Twój niepokój chyba nie ma nic wspólnego z Celią. Czy jest coś, o czym mi nie mówisz?

Już chcę powiedzieć mu o Alaynie Withers, ale nawet nie wiem, jak to ubrać w słowa.

– Nic takiego. Praca jest dla mnie stresująca.

Dopiero teraz uświadamiam sobie, że tym samym zacząłem rozmowę na bardzo męczący temat.

– Nie znoszę znowu tego powtarzać, Hudsonie, ale jeśli spotykalibyśmy się w moim gabinecie, a nie w twoim, miałbyś szansę trochę się odstresować, uciec od tego wszystkiego, chociaż na chwilę.

Rzucam mu wrogie spojrzenie.

– Gdybym przychodził do twojego gabinetu, to nigdy by mi się nie polepszyło.

– W tym problem, Hudsonie. Tolerowałem to przez ostatnie dwa lata, ale czuję, że jesteśmy na takim etapie terapii, że to dłużej nie będzie działać. Jeśli chcesz, żeby ci się polepszyło, musi to być twoim priorytetem. Musisz postanowić, że zdrowie jest ważniejsze niż praca.

Zaciskam mocno szczęki. Zgadzam się z tym, że moja terapia aktualnie stoi w miejscu. Ma rację. Jeżeli chcę się poczuć lepiej, muszę zaktualizować swoją listę priorytetów. Jednak to się nie stanie. Wcale nie chcę, by mi się polepszyło. I nie wierzę, że jestem ważniejszy niż moja praca. Sesje z doktorem sprawiły, że przestałem niszczyć życie innym ludziom, ale nie wpłynęły pozytywnie na moje własne. Ciągle nie znalazłem sposobu na to, by wypełnić pustkę we mnie. Gra, którą prowadziliśmy z Celią, przynajmniej odciągała od tego moją uwagę. Teraz mam świadomość tej pustki i tego, że nie jestem w stanie niczego poczuć. Kiedyś, gdy zaczynał się temat spotkania się w jego gabinecie, zawsze udało mi się go przekonać, by odpuścił. W tej chwili wydaje mi się, że tego nie zrobi. I chyba już nie chcę z nim dłużej walczyć. Poradzę sobie sam. Czy on pomógłby mi, gdybym się poddał? Gdybym bardziej się wysilił? Nie wiem. Muszę zdecydować, czy będziemy grać według jego zasad, czy w ogóle przestaniemy się widywać. Nie jestem jeszcze gotowy, żeby podjąć decyzję.

– Co racja, to racja – mówię. – Uważam, że ten układ nie działa już tak jak kiedyś. Może powinniśmy zakończyć naszą współpracę. – To technika manipulacji, mam tego świadomość. Przypomina zachowanie nadąsanego dziecka. Jeśli nie będziemy się bawić po mojemu, to nie będziemy się bawić wcale.

Mój psycholog jest zbyt dobry, by się na to nabrać.

– Jeżeli tego właśnie chcesz. Wiesz, że to zadziała tylko wtedy, gdy będziesz uczestniczyć z własnej woli.

Po części chcę wyciąć go ze swojego życia i ruszyć dalej, ale nie lubię podejmować decyzji pod wpływem impulsu.

– Muszę to przemyśleć.

– Dobrze. Jeśli zdecydujesz, że chcesz się ze mną znowu spotkać, w moim gabinecie, zadzwoń do mojej sekretarki i umów się na wizytę. – Wstaje. Nasza sesja najwyraźniej już dobiega końca, chociaż pozostaje nam jeszcze pół godziny. Chyba i tak nie ma sensu kontynuować, jeśli ja nie chcę robić żadnych postępów.

Podnoszę się, by uścisnąć jego dłoń.

– Dziękuję, doktorze.

– Mam nadzieję, że jeszcze się zobaczymy – mówi. Widzę po nim, że traktuje mnie bardziej jak dziadek wnuka niż jak doktor pacjenta. Lubi mnie. Ciekawe dlaczego.

Może nie byłem taki straszny dla niego.

Jest już prawie przy drzwiach, gdy się do mnie odwraca.

– Pamiętaj, Hudsonie, postępy się pojawią, kiedy zaczniesz nad sobą pracować. – I z tymi słowami odchodzi.

Kręcę głową sfrustrowany. Oczywiście, że o tym pamiętam. Harowałem jak wół, by Pierce Industries było takie, jakie jest dziś. Jeśli myśli, że nie doceniam ciężkiej pracy, to nie ma pojęcia, co robię i jaki jestem. Mimo to w głębi duszy wiem, o jakiej pracy mówił. Już nad sobą pracowałem, ale nie wiem, czy chcę to robić dalej.

W tym momencie swojego życia pragnąłem tylko się dowiedzieć więcej o Alaynie Withers.

Gdy tylko Alberts znika, biorę telefon i łączę się z sekretarką.

– Były do mnie jakieś telefony? – Ona wie, że podczas sesji nie wolno mi przerywać. Mam nadzieję, że dzwonił mój detektyw i ochroniarz w jednej osobie.

– Nie, panie Pierce.

Dziękuję jej i się rozłączam, po czym sam dzwonię do detektywa.

– Jordan przy telefonie – odzywa się po pierwszym sygnale. Ten mężczyzna należał kiedyś do Special Ops, sił specjalnych, więc jego umiejętności są przydatne w wielu sytuacjach.

– Dowiedziałeś się czegoś? – Dociera do mnie, że się niecierpliwię. Przecież minęło dopiero kilka godzin od mojego zlecenia.

– Niewiele. Na razie czekam na jej historię medyczną i informacje dotyczące jej przeszłości.

Historia medyczna niewiele mi da, ale coś związanego z jej dotychczasowym życiem na pewno.

– A co już wiesz?

– Tylko podstawy. Nazywa się Alayna Reese Withers. Urodzona i wychowana w Bostonie. Rodzice zginęli w wypadku samochodowym, gdy miała szesnaście lat. Mieszka między Lexington a Trzecią Ulicą, blisko Waldorf. Licencjat uzyskała na Uniwersytecie w Bostonie, a w następnym miesiącu ukończy studia magisterskie na Uniwersytecie w Nowym Jorku. Teraz pracuje jako asystentka menedżera w Sky Launch.

Sky Launch? Próbuję przypomnieć sobie tę nazwę.

– W klubie nocnym?

– Tak.

Niemożliwe, by planowała pracować w klubie po ukończeniu studiów. Na pewno ma inną ofertę.

– Możesz mi powiedzieć, czy ktoś próbował się czegoś o niej ostatnio dowiedzieć? – Jeśli proponowali jej pracę, na pewno musieli ją sprawdzać.

Przez telefon słyszę, jak Jordan szuka informacji.

– System mówi, że wczoraj ktoś szukał czegoś na temat jej karty kredytowej.

– Cholera. – Zastanawiam się, który z moich przeciwników ma to szczęście, że przystała na jego ofertę. – Dowiedz się, kto to zlecił. – A ja przygotuję kontrofertę.

– Już się robi.

– I zadzwoń do mnie od razu, gdy się czegoś dowiesz.

– Tak, panie Pierce.

Rozłączam się i w tym momencie dzwoni Patricia. Podnoszę słuchawkę, by odebrać, a wtedy drzwi do mojego biura się otwierają i do środka wchodzi Celia.

– Przepraszam, panie Hudson – mówi sekretarka w słuchawce. – Chciałam ją zapowiedzieć, ale ona po prostu sama weszła.

– W porządku. Zajmę się tym. – Przerywam połączenie, przeklinając pod nosem. Nie mam teraz ochoty widzieć się z Celią.

Mój niespodziewany gość siada na krześle naprzeciwko mnie.

– Czyli chcesz się mną zająć, tak?

Ignoruję jej sugestywny ton.

– Dwa dni w jednym tygodniu, Celio. Czemu zawdzięczam tę przyjemność? – Ostatnie słowo wymawiam z sarkazmem, tak dla jasności.

Jednak od razu czuję ukłucie wyrzutów sumienia. To nie wina Celii, że już nie chcę przebywać w jej towarzystwie. To moja wina.

Ale mój ton jej nie rusza.

– Och, no przestań, Hudsy. Nie bądź taki. Nie jestem twoim wrogiem.

Nie, nie jest. Ja nim jestem. Ale ona nigdy nie może się o tym dowiedzieć, więc muszę się trzymać na dystans.

– Dlaczego tu jesteś?

Uśmiecha się z błyskiem w oku.

– Mam coś, co może cię zainteresować.

– Naprawdę? – odpowiadam ze znudzeniem w głosie.

– Mówię poważnie. Będziesz chciał wziąć w tym udział.

Wziąć udział? Na pewno mówiła o kolejnej grze.

– Celio, już ci mówiłem, że nie mam zamiaru więcej z tobą grać. – Udaję, że skupiam się na czymś na ekranie komputera.

Nie łapie tego, że chcę ją odprawić. Albo ma to gdzieś.

– Mówiłeś, mówiłeś. A teraz ja ci mówię, że cię to na pewno zainteresuje.

Powinienem ją teraz wyrzucić, ale nie mogę się zmusić. Mimo że udaję brak zainteresowania, mój puls przyspiesza. Jej podniecenie jest zaraźliwe. Jestem ciekawy. Zbyt ciekawy.

Nie mogę pozwolić, by się o tym dowiedziała.

– Nie chcę brać w niczym udziału. – Znowu spoglądam na nią. – Ale skoro już tu jesteś, co knujesz?

Jej uśmiech się poszerza.

– Popatrz tylko. Chcesz się dowiedzieć. Twoje oczy rozbłysły, gdy tylko się domyśliłeś, co oferuję.

Nawet nie zaprzeczam – jestem zainteresowany i chociaż próbuję utrzymać pokerową twarz, ona to widzi. Nie znoszę tego, że nauczyłem ją, jak czytać z ludzkich twarzy. I nie podoba mi się, że wykorzystuje tę wiedzę przeciwko mnie.

Wkurza mnie to nawet.

Moja ciekawość w końcu wygrywa. Nie kusiła mnie swoimi grami od dłuższego czasu. Dlaczego robi to teraz?

– No mów, Ceeley. – Krzywię się, gdy nieświadomie wypowiadam zdrobnienie jej imienia, którego używałem, gdy byliśmy mali. Pomyśli, że coś się za tym kryje. A wcale tak nie jest.

Wstaje i zaczyna grzebać w torebce.

– To standardowy scenariusz – stwierdza. – Spraw, aby dziewczyna się w tobie zakochała, a potem ją porzuć i patrz, jak rozpada się na kawałki.

To nasz ulubiony motyw. Nieważne, ile razy to przerabiałem, zawsze mnie to interesowało. To było niesamowite badanie dotyczące miłości, nigdy jednak nie uzyskałem odpowiedzi, których szukałem.

Udaję, że ten pomysł mnie nie rusza.

– Jak oryginalnie. A co według ciebie mnie aż tak zainteresuje?

Uśmiecha się pewna siebie.

– Dziewczyna.

Unoszę brew. Zamiast odpowiedzieć, kładzie przede mną teczkę. I czeka.

Oddycham powoli i zaglądam do środka. Od razu widzę brązowe oczy i ciepły uśmiech.

Celia ma rację – interesuje mnie dziewczyna. I wiem, że wysłucham jej do końca. Wchodzę w to, bo Celia zna sposób, by bliżej poznać Alaynę Withers.

# Rozdział 4

W teczce Celii jest wiele innych zdjęć. Mam ochotę przyjrzeć się im, zapamiętać każdy szczegół Alayny Withers, jej wyraz twarzy, sylwetkę. Nie robię tego jednak, bo jestem świadomy przenikliwego wzroku Celii. Czeka, aż skończę czytać raport.

Coś mnie męczy, zmusza do tego, by zamknąć teczkę, by nie grać w tę grę. Moje wahanie ma bardzo prymitywne źródło – ja nie chcę się dzielić. Już mnie irytuje fakt, że Celia zauważyła moją słabość do tej dziewczyny. Chciałbym zachować wszystkie nowe informacje o niej dla siebie. Najwyraźniej jest już na to za późno, ale mogę spróbować.

Zamykam teczkę, nie zapoznawszy się z jej zawartością. To trudniejsze, niż mi się wydawało.

– Nie jestem zainteresowany.

Podsuwam teczkę Celii. Mój puls przyspiesza, gdy moje palce przestają jej dotykać. Korci mnie, by ją przejrzeć. To jak obsesja. Od lat tego nie czułem. Przypominam sobie, że Jordan znajdzie dla mnie te same informacje. Cierpliwość zawsze była moją najlepszą cechą.

Celia bierze teczkę. Próbuję nie skupiać się na niej, jednak mimowolnie zerkam na nią po raz ostatni.

Celia wstaje.

– No to chyba się myliłam. – Jej ton sugeruje, że mi nie wierzy. – Będę musiała zachować to wszystko dla siebie. Ty rzeczywiście wypadłeś już z gry, prawda?

Celia jest prawie tak dobra w manipulowaniu jak ja. To jednocześnie błogosławieństwo i przekleństwo. Dzięki temu potrafię przewidzieć każdy jej ruch. Na nieszczęście ona potrafi przewidzieć każdy mój. Jest najlepszym przeciwnikiem, jakiego miałem.

Próbuję ją zmylić. Za łatwo mi odpuszcza, a to znaczy, że wcale nie ma ochoty mi odpuścić. Chce, żebym spytał, co planuje zrobić z Alayną, a skoro tak jest, właśnie tego pytania nie mogę zadać. Mimo że najbardziej chciałbym o to zapytać.

Mam jednak własny plan. Muszę ją powstrzymać, cokolwiek zamierza. Nie jest to altruistyczny motyw. Znowu chodzi o to, że nie mam zamiaru się dzielić. Nie chcę, by Celię cokolwiek łączyło z Alayną Withers, bo tę pragnę mieć tylko dla siebie. Tylko jeszcze nie wiem po co. Nie odczuwam żadnej potrzeby, by bawić się tą kobietą, ale chcę mieć z nią jakikolwiek kontakt. Tylko nie poprzez Celię.

Muszę więc zakończyć jej plany, udając, że mnie w ogóle nie obchodzą. Opieram się na krześle i patrzę jej w oczy.

– Nie bawię się już w tę grę, Celio. Wiesz o tym. Kiedy to w końcu zaakceptujesz?

Byłem szkolony do tego, by nie dać po sobie nic poznać, nawet gdy stawka jest wysoka. Zawsze się zastanawiałem, czy byłbym w stanie przechytrzyć wykrywacz kłamstw, nie będąc przy tym szczerym. Nie chciałbym się znaleźć w sytuacji, kiedy zostanę zmuszony do takiego badania, ale po prostu mnie to ciekawi.

Celia zaczyna się śmiać.

– Ja tego nigdy nie zaakceptuję, Hudsonie. Musiałabym wierzyć w to, że ludzie się zmieniają, a wcale w to nie wierzę. Prędzej czy później zrozumiesz, że to cię zabija. Jesteś uzależniony od własnych eksperymentów. Są powodem, dla którego żyjesz. Co może to zastąpić?

Odkąd przestałem grać, zadawałem sobie to samo pytanie. Szukałem jakiegoś substytutu – praca, treningi, seks, alkohol. Ale nic mnie nie satysfakcjonowało. Nie zamierzam jednak zakończyć poszukiwań.

Nie podzielę się tą informacją z Celią.

– Życie mi to zastępuje, Ceeley. Wcześniej czy później trzeba dorosnąć. Nawet my.

– Hm. Brzmisz jak Alayna Withers. Nieprawdopodobne.

I tutaj popełniam błąd.

– Co masz na myśli?

W jej oczach pojawia się błysk i rozumiem dlaczego. Właśnie okazałem swoje zainteresowanie. Nie mogę już nic zrobić. Wygrała. Próbuję się pocieszyć, że to tylko małe zwycięstwo, ale to nic nie daje.

– Jeśli przeczytałbyś zawartość teczki – mówi cicho – to byś się dowiedział.

Jestem w kropce. Albo każę jej powiedzieć, albo poproszę o teczkę. Obie te rzeczy wciągną mnie bardziej w tę intrygę.

Mógłbym też poprosić ją, by wyszła. Jeżeli to zrobię, będę musiał odpuścić. Zapomnieć o moim własnym planie. Zapomnieć o kobiecie z brązowymi oczami i kontroli, jaką ma nade mną.

Ta kontrola jest niezaprzeczalna. Nie mogę tak po prostu pozwolić Alaynie Withers odejść. Jeśli wyrzucę stąd Celię, stracę szansę na dowiedzenie się, co ona knuje. Jestem i tak stracony. Teraz sam muszę odzyskać kontrolę.

Wstaję i ruszam do windy, która prowadzi do mojego prywatnego apartamentu na poddaszu.

– Na górę – mówię do niej.

Nie patrzę, czy za mną idzie. Wiem, że to robi. Wchodzi do windy tuż przed tym, jak zamykają się drzwi.

– Tak jak za starych dobrych czasów – stwierdza cicho pod nosem.

Przełykam ślinę, czując niesmak w ustach. Mówiła do mnie, chociaż wydawało się inaczej. Robi mi się niedobrze, gdy znowu wymykamy się na górę, by rozmawiać o czymś, co nie ma nic wspólnego z biznesem i pracą. Kiedy jesteśmy już w lofcie, czuję, że muszę sprostować sprawy.

– Moje biuro nie jest odpowiednim miejscem na taką rozmowę. To wszystko.

Odnoszę wrażenie, że mi nie wyszło.

– Dokładnie – potwierdza. – Jak wszystkie inne rozmowy, które odbyliśmy w przeszłości.

Znowu czuję niesmak w ustach. Chociaż w apartamencie zaliczam kobiety i mogę się tu zdrzemnąć po całym dniu pracy, tak naprawdę od początku był naszym miejscem. Moim i Celii. Stanowił naszą bazę, gdy zaczynaliśmy swoje intrygi. Tutaj sporządzaliśmy plany. Tu sprowadzałem obiekty eksperymentu, tak aby nie miały kontaktu z moją osobistą przestrzenią.

Ale teraz to nie to samo. Przyprowadziłem w to miejsce Celię, by myślała, że wygrywa. W apartamencie będzie mniej czujna. To moja gra. Tylko że mnie samego wspomnienia też rozpraszały. Jestem na to przygotowany. Czasami trzeba poświęcić pionka, żeby uratować króla.

Udaję się do lodówki. Bez pytania wyciągam butelkę wody, bo wiem, że to jedyne, co by teraz wypiła. Podaję jej butelkę, po czym idę do barku, aby przygotować sobie drinka. To spotkanie wymaga szkockiej. Jakie szczęście, że na resztę dnia nie mam nic zaplanowanego. Nalewam do szklanki bursztynowego płynu i wracam do swojego gościa.

– Dawaj.

Siada na kanapie.

– Teczkę czy mam ci opowiedzieć historię?

– Teczkę. – Nie interesuje mnie historia przedstawiona przez Celię. Będzie pozmieniana tak, by jej pasowała. Biorę teczkę z jej wyciągniętej ręki. Oczekuje, że usiądę obok niej. Zamiast tego wybieram fotel.

Otwieram teczkę ze spokojem, chociaż w środku cały się trzęsę. Nie mam pojęcia, jak na mnie wpłynie to, co tu zobaczę, ale boję się, że wpadnę po uszy. Tak na mnie właśnie działa Alayna Withers. Opieram się o skórzany fotel i zaczynam czytać.

Oglądam dokumenty. Są tutaj kopie jej transakcji z kart, akt urodzenia, akt zgonu jej rodziców. Nie skupiam się na tym zbyt długo – zauważam tylko, że w listopadzie skończy dwadzieścia sześć lat i że naprawdę pracuje w Sky Launch.

Celia milczy, gdy czytam. Ona wie, kiedy trzeba dać mi spokój, a kiedy można naciskać, ale nie potrafi się powstrzymać od komentarza, widząc, że dłuższą chwilę skupiam się nad jej wypłatą.

– Ona zamierza tam zostać. W klubie. Nawet po ukończeniu studiów.

Nie staram się dowiedzieć, skąd o tym wie. To musi być prawda, ale wolę się później sam upewnić.

– Dlaczego? – pytam.

– Chce użyć swojej magisterki, by zarządzać klubem. Przejąć go któregoś dnia. Takie odniosłam wrażenie. – Upija łyk wody. – Rozmawiałam z właścicielem, gdy poszłam tam, aby zaproponować zmianę wystroju.

Celia pracuje szybko. Jestem pod wrażeniem.

Wiem, że ma coś jeszcze do powiedzenia, więc drążę dalej.

– I właściel tak po prostu ci o tym powiedział?

– W tym rzecz. On już nie chce być właścicielem. Sprzedaje klub. Pytał mnie, czy znam jakichś kupców. Zatrudnił swoich najlepszych pracowników, by kogoś znaleźli. Powiedziałam mu, że chyba kogoś znam. – Pochyla się, a na jej twarzy widać podekscytowanie. – I tu wkraczasz ty, Hudsonie.

Ta wiadomość mi się podoba, bo już szukałem wymówki, żeby kupić klub. Czy to nie będzie dobra inwestycja? Jeśli nie da się zdobyć pracownika, można kupić miejsce, w którym pracuje.

Okej, sam właśnie wymyśliłem tę zasadę, ale chodzi o to, że jestem właścicielem innowacyjnej firmy. Mogę robić, co chcę.

A jednak nadal nie jestem przekonany. Nie potrzebuję Celii, by podejmować decyzje.

Ponownie skupiam się na teczce.

– Jest tego więcej – mówi Celia.

Ignoruję ją. A potem to zauważam. Akta policyjne.

– Była aresztowana?

– Dwa razy naruszyła zakaz zbliżania się. Jej brat jest prawnikiem i sprawił, że jej akta zniknęły.

– Ale ty je odnalazłaś. Niech zgadnę: Don Timmons. – Don jest gliną, z którym przyjaźni się Celia. Od lat bawi się jego emocjami, pieprzy się z nim, gdy potrzebuje jakichś informacji. Ale on nie jest z jej klasy społecznej. Dla niej to ma znaczenie, jeśli miałaby się spotykać z kimś na poważnie.

Poza tym Celia nie wierzy w romantyczne zobowiązania. Już nie. Ja ją tego nauczyłem.

Zakłada nogę na nogę.

– Nie patrz tak na mnie. Don też coś z tego miał.
Nie wiem, dlaczego ją osądzam. Sam robiłem to niejednokrotnie. Może terapia ma na mnie tak dobry wpływ. Nie żebym nagle odnalazł w sobie sumienie. To tylko system obronny – jeśli nie będę aprobował jej czynów, to istnieje mniejsze prawdopodobieństwo, że sam się ich dopuszczę.

– Może więc z powodu tego aresztu nie chce szukać innego zajęcia. Może nie chce, by ktoś się o tym dowiedział, a pewnie wie, że każda dobra firma prześwietla pracowników.

– To możliwe. – Zajmę się tym i pozbędę się tej kartoteki Alayny na dobre. Znam ludzi bardziej wpływowych niż Don Timmons. I nie muszę im obciągać, żeby coś dla mnie zrobili. Alayna jest zbyt inteligentna, by przeszłość powstrzymywała ją przed sukcesem w przyszłości.

Po części wiem, że sam siebie okłamuję co do tego, dlaczego mi zależy na przyszłości tej kobiety. Moja motywacja nie ma nic wspólnego z jej karierą czy tym, jak mogę skorzystać z jej inteligencji. Choć szczerze mówiąc, nie wiem, co jest moją motywacją. Dlatego trzymam się tego kłamstwa, jak tylko mogę.

– Z drugiej strony właściciel ciągle mówił o jej szczerej miłości do pracy. Najwyraźniej to jej pasja. Naprawdę interesuje ją ten klub.

To ma sens. Dlaczego w ogóle zależało jej na tym, żeby mieć tę magisterkę? Bo chciała sprawić, by klub należał kiedyś do niej. Jest ambitna. Ma cel. To było widoczne w jej prezentacji. Mój szok wywołany jej wyborem kariery został zastąpiony podziwem. Jestem w stanie coś takiego poprzeć. Chcę pomóc tej kobiecie osiągnąć cel.

– Jednak sam areszt to nic takiego. – Celia przywołuje mnie do rzeczywistości. – Chodzi o przyczynę. Ona leczyła się z powodu zaburzeń psychicznych.

Wracam wzrokiem do teczki i przewracam jej zawartość. Są tam karty lekarskie, wywiady, dokument potwierdzający ukończenie terapii. Wystarczy mi chwila, by poskładać całą jej historię. Alayna Withers cierpi na zaburzenia kompulsywne, które najprawdopodobniej zostały wywołane w młodym wieku śmiercią jej rodziców. Jej obsesyjne tendencje skupiają się w szczególności na mężczyznach, co prowadzi do nienormalnych zachowań, jak prześladowanie, wandalizm i zakłócanie porządku publicznego. Według raportu od dwóch lat jest z nią lepiej. To samo mogę powiedzieć o sobie.

Część mnie jest przerażona tymi informacjami. Kobieta, którą zobaczyłem w Sternie, nie była krucha. Była pewna siebie, opanowana, miała nad sobą kontrolę. Uświadamiam sobie, dlaczego tak mnie do niej ciągnie. To bardzo znajome zachowanie. Jest silna na zewnątrz, ale w środku walczy ze swoimi demonami. Jest do mnie podobna.

Zamykam oczy i rozmasowuję grzbiet nosa. Czy to stanowi przyczynę mojego zainteresowania? Podobieństwo? Nie wierzę, że to takie proste, ale po usłyszeniu nowych informacji jestem nią jeszcze bardziej zafascynowany. Nigdy nie wierzyłem, że ktoś taki jak ja może wyzdrowieć. Czy naprawdę mogę? Czy mam szansę na pełne, zdrowe życie?

Celia miała rację. Chcę przeprowadzić ten eksperyment bardziej niż kiedykolwiek. Ale nasze cele są inne. Wiem, że Celia zamierza sprawić, że obiekt znowu się załamie. Chce zobaczyć, czy Alayna wróci do starych nawyków, jeśli zostanie odpowiednio nakierowana.

Ale ja nie planuję doprowadzać do ponownego załamania Alayny. Chcę, by z nią wszystko było dobrze. Bo jeśli w jej przypadku tak będzie, to może ze mną też.

Już jestem zdecydowany. Nie spuszczę Alayny z oka. Zajmę się nią. Będę ją badał, ale nie mam zamiaru z nią pogrywać. I czas się upewnić, że Celia także tego nie zrobi. Zamykam teczkę i wstaję. Podaję ją Celii.

– Nie będziemy w to grać. – Mój ton sugeruje, że to zamknięty temat.

Celia podnosi się z westchnieniem.

– Jaka szkoda. A już miałam świetny scenariusz. Udawalibyśmy, że nasi rodzice chcą naszego ślubu; najlepsze kłamstwa to te najbliższe prawdy, jak zawsze mówisz. – Tak naprawdę to wcale nie jest kłamstwo. – Twoja matka wierzy, że nigdy nikogo nie pokochasz, więc najlepiej ożenić się ze mną. Zatrudnisz Alaynę jako swoją dziewczynę, żeby przekonać swoich rodziców, by zostawili w spokoju twoje życie osobiste. W związku z całym tym udawaniem dziewczyna się w tobie zakocha. Scenariusz się skończy i zobaczymy, co się stanie. Ciekawe, prawda?

Kręcę głową.

– Nie będziemy grać.

– To byłaby twoja wymówka, by się do niej zbliżyć. Nie zaprzeczaj, chcesz tego. Widzę to po tobie, Hudsonie.

Nie patrząc na nią, ruszam w kierunku drzwi.

– Skończyliśmy, Celio.

Odkłada butelkę wody na stolik i idzie w tę samą stronę.

– Ty skończyłeś – mówi. – Ja nie. Mogę się nią bawić bez ciebie. – Patrzy na mnie. – I żebyś nie miał wątpliwości, ja będę się nią bawić. Na pewno.

– Nie tym razem, Celio. Znajdź inną zabawkę. – Przyznałem się do zainteresowania osobą Alayny. Jest już za późno.

– Nie, chcę tę. Gra już się zaczęła.

Czuję panikę. Jednak tego nie okazuję. Zaciskam mocno szczęki.

– Co zrobiłaś?

Wiem, że już poczuła zwycięstwo, ale dobrze to ukrywa. Widzę to tylko po jej rozszerzonych oczach.

– Zaproponowałam kupno klubu.

Od razu się uspokajam.

– Nie było czasu. Właściciel nie mógł się od razu na to zdecydować. – Nie przyznaję się, że mam zamiar przebić jej ofertę.

Celia unosi podbródek.

– Powiedziałam mu, że moja propozycja obowiązuje tylko przez następną godzinę. Nie miał innych ofert, więc zaakceptował ją od razu.

Kurwa!

Jakim cudem mnie to ominęło? Zardzewiałem, podczas gdy Celia się rozwinęła. Poprawnie oceniła, co jest moją słabością w tej sytuacji, i się zabezpieczyła. To cholernie genialne.

Nawet nie zakładam, że mogłaby mówić nieprawdę. Ona wie, że potwierdzę jej słowa, gdy tylko stąd wyjdzie. Nie ryzykowałaby, kłamiąc. Poza tym nasz kodeks nauczył nas, że musimy być ze sobą szczerzy, kiedy tylko to możliwe. Wtedy kłamstwa są mniej pokręcone. A gra bardziej wymagająca.

Nie wiem, jaki powinien być mój następny ruch. To dla mnie rzadkość. Mam do niej pytanie, które by mi jakoś pomogło.

– Dlaczego? – Przechylam głowę na bok, przyglądając się jej. – Dlaczego ci tak zależy na tym, żeby to była ta dziewczyna, a nie jakaś następna?

– Bo tobie na niej zależy. – W jej głosie nie ma złośliwości. Tylko szczerość.

Chciałbym ją teraz znienawidzić. Gardzić nią za to, w co mnie wplątała. Za to, że zniszczyła coś, co mnie interesowało. To podłe.

Ale nie potrafię czuć do niej nienawiści. Ona nie robi tego celowo. To ja ją nauczyłem wyszukiwania słabości i manipulowania tak, by osiągnąć swoje cele. Ona nie zna innej drogi.

Szczerze mówiąc, nie mam pojęcia, czy sam znam inną drogę. Czuję w sobie jakieś pragnienie, ale doktorowi Albertsowi nie udało się jeszcze tego zdefiniować. Sam nie wiem, co to jest, ale dzięki temu jeszcze nie stałem się skończonym socjopatą. Nie zależy mi na ludziach, ale chciałbym, żeby mi zależało.

I Celia też tego chce.

– Jeśli zgodzisz się zagrać, pozwolę ci wykupić swoją ofertę. – Mruga. – To takie proste.

Teraz mój ruch. Zawsze mógłbym odejść. Ale wtedy Celia będzie się bawić Alayną Withers. Nie mam co do tego wątpliwości. Nigdy nie wycofała się z gry, gdy już zaczęła.

Więc dlaczego mi na tym zależy? Pozwalałem pogrywać Celii z innymi, kiedy przestaliśmy współpracować – Stacy była ostatnim przykładem. Nigdy nie zrobiłem nic, by ją powstrzymać. Dlaczego miałbym to robić teraz?

Bo jestem zaintrygowany. Oczarowany. Omamiony. Mam obsesję. Może to jest najlepsza szansa, by zbliżyć się do Alayny. Nawet jeśli przystąpię do gry, nie będę musiał postępować tak, aby osiągnąć cel mojej przyjaciółki. Mógłbym mieć własny cel – nie zniszczyć Alayny. To okropna wymówka, ale w naszym kodeksie nie ma nic o okłamywaniu siebie.

Są inne sposoby, by walczyć z Celią, i dobrze o tym wiem. Jeśli naprawdę bym się postarał, wymyśliłbym coś innego, żeby pokrzyżować jej plany.

Mam tego świadomość, a mimo to poddaję się tak łatwo. Nie będzie bitwy. Nie będzie kontrataku. Nie będę próbował przekonywać jej, by się wycofała. Nie będzie kolejnego spotkania z doktorem Albertsem. Nie będę już walczył.

– Ile wynosi twoja oferta, jeśli chodzi o Sky Launch?

Parska śmiechem, po czym podaje mi sumę. Prostuję się. Jeśli mam się poddać, to chociaż z dumą.

– Każę wypisać czek.

– A więc zaczynamy grę?

Mój plan nie ma teraz sensu. Nawet jeśli Alayna nauczy mnie, że ludzie tacy jak ja mogą przetrwać, następnym krokiem udowadniam, że jest inaczej.

– Zaczynamy grę. – Tymi słowami podpisuję swój cyrograf.

## Rozdział 5

### PRZED

– ...i jeśli Sherry nie powie mu, że go lubi, to wtedy on będzie z Marisą. A to będzie straszne. To Lance powinien być z Sherry. Nie sądzisz? – Mirabelle dźgnęła mnie w moje nagie udo swoim palcem u stopy. – Hudson, czy ty mnie słuchasz?

– Nie. – Zazwyczaj nie przeszkadza mi paplanina Mirabelle o jej znajomych, głównie dlatego że psychologia nastolatków i ich tak zwanych związków była fascynująca. Ale dzisiaj zajmowałem się psychologią związaną z Celią.

Mirabelle strzeliła focha.

– Mógłbyś przynajmniej udawać.

Dzień był ciągle ciepły, chociaż zaczynało zmierzchać. Jeszcze się nie przebrałem ze spodenek kąpielowych po moim wcześniejszym treningu pływania. Teraz słońce już je wysuszyło, a moja skóra mieniła się w jego promieniach. To była moja ulubiona rozrywka tego lata – pływanie, a potem wysychanie w słońcu. I myślenie w tym czasie o swoim projekcie.

– Mógłbym udawać – powiedziałem. – Ale to nie byłoby fair. Jeśli chcesz mówić dalej, nie przeszkadza mi to. – Zsunąłem okulary z nosa, by spojrzeć prosto na nią. – Ale wiedz, że będziesz mówić tylko do siebie.

Mirabelle prychnęła wkurzona.

– Jesteś taki podły! – A potem wbiegła szybko do domu.

Właściwie to wydawało mi się, że byłem nawet cierpliwy. Mogłem powiedzieć jej, by się zamknęła, ale tego nie zrobiłem. Spojrzałem na zegarek. Dochodziła szósta. Szacowałem, że za jakieś siedem minut moja matka wyjdzie i zacznie się na mnie wydzierać za dokuczanie siostrze, w dzień swojego wielkiego przyjęcia. A goście nawet się jeszcze nie pojawili. Na pewno już była wstawiona i wredna. Nie, z pewnością już się zaczęła zachowywać jak podła suka. To w końcu moja matka.

Impreza nie była niczym specjalnym, chociaż ona lubiła udawać, że jest inaczej. To tylko dwanaście różnych rodzin, różni przyjaciele moich rodziców, łącznie z Wernerami. Warren i Madge z Celią mogli przybyć w każdej chwili. Oni zawsze pierwsi pojawiali się na imprezach na koniec lata. To oznaczało, że miałem bardzo mało czasu, by dopracować szczegóły swojego planu.

Założyłem okulary na nos i oparłem się o siedzenie. Odkąd zacząłem eksperyment, zaszedłem bardzo daleko. Wziąwszy pod uwagę rady Mirabelle dotyczące poznania obiektu, spędzałem z Celią bardzo dużo czasu. Prawie codziennie graliśmy w tenisa i często zabierałem ją, żeby popływać jachtem. Ona cały czas była w związku na odległość z Dirkiem, a ja pozwalałem jej o nim mówić, kiedy tylko chciała. Popierałem ich romans, chwaliłem prezenty, które jej wysyłał co tydzień, i często zaznaczałem, że ma na nią pozytywny wpływ.

Moje zainteresowanie i akceptacja uspokajały ją. Opuściła gardę.

A wtedy ja mogłem zaatakować.

Zacząłem delikatnie sugerować, że jestem zazdrosny. Najpierw dotyczyło to innych par. Mówiłem: „Ludzie w związkach są szczęściarzami, że mają siebie nawzajem". A potem komentowałem w tym stylu jej związek z Dirkiem: „Ty i Dirk macie takie szczęście, że na siebie trafiliście". Niedawno moje aluzje zaczęły się skupiać tylko na Dirku: „Dirk ma takie szczęście, że jesteś jego". I dodałem do tego spojrzenie pełne tęsknoty.

Ostatni komentarz musiał być gwoździem do trumny. Jak mogła jeszcze nie zauważyć, że jej pragnę?

Nie kłamałem – nie okazywałem uczuć, których nie miałem. Po prostu manipulowałem prawdą. Mimo wszystko wierzyłem, że nie kłamiąc, nadal postępuję dobrze. Poza tym dzięki temu mój eksperyment był prawidłowy. Kłamstwa były przyczyną problemów. Kłamstwa były za łatwe.

Moje próby oczarowania Celii nie kończyły się tylko na słowach. Z wcześniejszych eksperymentów wiedziałem, że dotyk ma bardzo dobry wpływ na obiekt. W jej przypadku ignorowałem przestrzeń osobistą i muskałem ją dłonią delikatnie przy każdej okazji.

Moje czyny miały na nią wpływ. Jej wzrok skupiał się na mnie coraz dłużej i dłużej i wkrótce sama wymyślała wymówki, by mnie dotknąć. W końcu po dwóch miesiącach zrobiłem większy krok. Na ganku domu Wernerów pochyliłem się z zamiarem pocałowania jej. Uniosła podbródek w oczekiwaniu na moje usta.

Odsunąłem się, gdy nasze usta dzielił tylko centymetr.

– Przepraszam – powiedziałem, wkładając w to tyle smutku, ile tylko się dało. – To jest złe. Przepraszam. – Pobiegłem do swojego samochodu i odjechałem, słysząc za sobą jej głos każący mi się zatrzymać. Zostawiłem ją z niespełnionym pragnieniem. To mnie pragnęła.

Potem nie odzywałem się i nie widziałem się z nią przez dwa tygodnie. Taki dystans sprawił, że mogłem się wydawać dupkiem, ale wierzyłem, że po tym niedokończonym pocałunku moje zachowanie będzie wytłumaczalne. Usprawiedliwione. Nie chciałem przecież zrujnować jej związku, więc odsunąłem się od niej. A przynajmniej taki scenariusz chciałem przedstawić.

Mimo mojego wycofania Celia chciała się ze mną skontaktować. Ja jednak nie odbierałem jej telefonów i unikałem jej, gdy przyjeżdżała do mojego domu. Dzisiaj miał być przełom. Wydarzenie było niby wymuszone – bo spodziewano się nas obojga na przyjęciu – ale ja dobrze się przygotowałem, by ten wieczór się udał. Byłem pewny mojego planu, lecz zawsze coś mogło pójść nie tak. Czy ona będzie na mnie zła? Czy poczuje ulgę, że mnie widzi? Czy będzie udawać, że ten prawie pocałunek nie miał miejsca? Jednak nie martwiło mnie to za bardzo. Dzięki temu zabawa będzie lepsza.

Na kamiennej ścieżce przy basenie rozległy się kroki. Nadchodziła Sophia. W samą porę.

Zdjąłem okulary i przygotowałem się, żeby się zmierzyć ze swoją matką.

Ale to nie była Sophia, tylko Celia. Nawet lepiej.

Wstałem.

Zacisnęła dłonie w pięści.

– Nawet nie myśl o tym, by gdzieś iść, Hudsonie Pierce. Dzisiaj tu utknąłeś. Musisz ze mną porozmawiać, czy ci się to podoba, czy nie.

W jej głosie dało się słyszeć frustrację. Była poirytowana, ale na pewno nie wściekła.

Interesujące.

Stwierdziłem, że będę się zachowywał, jakby nic się nie stało.

– Nigdzie się nie wybieram, Ceeley – powiedziałem, celowo używając zdrobnienia jej imienia z przeszłości. – Ja tylko chciałem wstać, by się z tobą przywitać.

Zmarszczyła brwi, a na jej twarzy pojawiło się niedowierzanie.

– Jasne, a zaraz zaczniesz udawać, że nie unikałeś mnie od dwóch tygodni.

Pokręciłem głową i wzruszyłem ramionami, skupiając wzrok gdzieś za nią. To była postawa, którą dopracowałem do perfekcji – wycofana i oziębła.

– Nie, nie mam takiego zamiaru. – Spojrzałem jej w oczy. – Przy tobie nie umiem udawać, Ceeley. Już nie.

Nie planowałem tego powiedzieć – to było jawne kłamstwo. Zamierzałem udawać przy niej tak długo, jak się dało, ale gdy tylko wypowiedziałem te słowa, wiedziałem, że postąpiłem słusznie.

Jej wyraz twarzy to potwierdził. Frustracja zniknęła, a rysy twarzy złagodniały, jakby się uspokoiła.

– No to nie udawajmy. Porozmawiajmy o tym.

Nie byłem na to gotowy. Jeśli wyznałaby mi miłość albo zadeklarowała, że zostawi dla mnie swojego chłopaka, przez resztę wieczoru musiałbym udawać, że mi się to podoba. To było pieprzone przyjęcie w ogrodzie moich rodziców. Nie mógłbym jej zostawić i wyjść. Nie posunąłbym się tak daleko. I na pewno nie zamierzałem jej pocałować.

Próbowałem więc się wykręcić.

– A może dzisiaj nie będziemy rozmawiać? Może zamiast tego będziemy się cieszyć jednym z ostatnich dni lata? Możemy porozmawiać jutro. Idziesz na domówkę u Brooke'ów? – zapytałem, chociaż już znałem jej odpowiedź. Brooke'owie, bliźnięta Thomas i Christina, byli w naszym wieku. Christina była jedną z przyjaciółek Celii. U nich w domu miała się odbyć impreza – to oznaczało dom pełen rozpuszczonych, bogatych dzieciaków. Bez nadzoru rodziców. To idealna sceneria do tego, by ukończyć mój projekt.

Celia uśmiechnęła się z zadowoleniem.

– Oczywiście, że idę. Christina kopnęłaby mnie w dupę, gdybym nie poszła. – Miała nadzieję, że spytałem, bo chciałem być tam z nią sam na sam.

Nie zamierzałem.

– Ja też idę. Spotkamy się tam. Będziemy mogli się wymknąć, a rodzice nie będą nas pilnować. – Spojrzałem na dom, dając do zrozumienia, że nasi rodzice byli teraz bardzo blisko. – Dzięki temu będziemy mieć okazję, żeby... – Urwałem, pozwalając dojść jej do takiej konkluzji, jaka jej się podobała. – Porozmawiać.

– Jasne. – Jej policzki zrobiły się czerwone i wiedziałem, że pomyślała o czymś sprośnym. – No to wtedy... porozmawiamy.

– Dobrze. – Uśmiechnąłem się szerzej niż zazwyczaj. – Widzę, że pod sukienką masz strój kąpielowy. Jeśli chcesz, możemy popływać.

Przez jakiś czas bawiliśmy się w basenie. Niedługo zaczęli przyjeżdżać goście i dołączyło do nas więcej naszych rówieśników. Christina Brooke flirtowała ze mną – jak zawsze – chociaż tym razem nie odpowiadałem jej tym samym. Oprócz niej było jeszcze kilka atrakcyjnych dziewczyn. Z niektórymi miałem okazję się pieprzyć. W innych okolicznościach zabrałbym już którąś z nich za domek nad basenem, by ją przelecieć.

Ale tym razem była tu Celia. Tego dnia ważniejszy był eksperyment. Ignorowałem spojrzenia innych dziewczyn i skupiałem się tylko na obiekcie. Chciałem się upewnić, że ona wiedziała, że na nią patrzę, żeby pomyślała, że mi się podoba fizycznie, chociaż tak nie było. Nie chodziło o to, że nie była ładna. Wręcz przeciwnie. Była piękną dziewczyną, która w ciągu tego roku, gdy się nie widzieliśmy, wyrosła na jeszcze piękniejszą kobietę. Jej ciało się zmieniło – miała teraz pełniejsze biodra i wcięcie w talii. Mimo bikini widziałem, że małe piersi były jędrne. Jej sutki stanęły na baczność pod cienkim materiałem. Byłem pewny, że zadecydował o tym sposób, w jaki na nią patrzyłem. Każdy mężczyzna na moim miejscu by patrzył.

Ale ja nie byłem każdym mężczyzną. Mimo jej piękna Celia nigdy mnie nie podniecała. Znałem ją zbyt dobrze. Zależało mi na niej tak, jak tylko mogło mi zależeć. Dla mnie emocje nie szły w parze z seksem. To dwie kompletnie oddzielne rzeczy. Emocjonalne przywiązanie było zarezerwowane dla ludzi, z którymi chciało się spędzać czas – a w moim życiu takich osób było bardzo niewiele. Można by policzyć je na palcach jednej ręki.

Seks był czymś zupełnie innym. Seks uprawia się dla przyjemności. Dla wyżycia się. Dla uwolnienia nagromadzonej agresji. Bardzo dobrze to przetestowałem. Często pieprzyłem inne dziewczyny. Nauczyłem się, jak je zaspokajać i jak sam chcę być zaspokajany. Dopracowałem swoje techniki, stałem się doskonałym kochankiem, ale mimo tylu okazji nigdy nie odkryłem powiązania między seksem a uczuciami. Moje doświadczenia tylko potwierdzały oryginalną hipotezę – to były dwie kompletnie różne rzeczy. Albo tym samym udowodniłem inną tezę – że nie byłem zdolny do takich uczuć. Że nie byłem zdolny do miłości. Nie o takie wnioski mi chodziło.

Około dziesiątej nasza grupa zajęła miejsca siedzące wystawione w ogrodzie. Usiadłem na szezlongu, a Celia usadowiła się obok mnie. Christina przykucnęła tuż przy moich stopach. Pewnie już się trochę wstawiła, ale i tak dla zabawy będzie ze mną flirtować. Szukała wymówki, by oprzeć się o moją nogę. Nie miałem nic przeciwko. Podobało mi się to, że trzymała rękę na mojej nodze, a jej piersi wypychały bluzkę tuż przy mojej nagiej skórze. Z góry miałem fantastyczny widok na nią. Była niesamowicie seksowną dziewczyną z pełnymi, dużymi ustami. Łatwo było sobie wyobrazić, jak otaczają mojego fiuta.

Celia posłała przyjaciółce zirytowane spojrzenie.

– Wszyscy piją poza mną.

Z trudem skupiłem uwagę na Celii. Nie mogłem pozwolić, by pożądanie mnie rozproszyło.

– Ja nie piję.

Zmarszczyła brwi.

– Ale możesz, jeśli chcesz.

Rozejrzałem się po zgromadzonych. Nie mieli jeszcze dwudziestu jeden lat, by wolno im było legalnie pić, ale prawie wszyscy trzymali jakiś napój alkoholowy. Najwyraźniej barman, którego zatrudniliśmy, nie sprawdzał dowodów osobistych.

– Dlaczego nie chcesz wziąć drinka?

Zastanawiałem się, czy bała się, że zostanę sam z Christiną. Sądząc po tym, jak mój fiut wypełniał teraz moje spodnie, wolałem się nie ruszać.

– Mój ojciec stoi przy barze. Nie mogę pić. – Nie takiej odpowiedzi się spodziewałem. – Już mi powiedział, że lepiej, żeby nie widział mnie z żadnym drinkiem. Tylko dietetyczna cola. On mnie obserwuje. Widzisz?

Spojrzałem w stronę baru, gdzie stał Warren oparty plecami o bar. Na pewno na nas patrzył, ale miałem wrażenie, że nie chodzi tylko o alkohol. Obserwował mnie, bo był zainteresowany rozwojem spraw między mną a swoją córką, a nie tym, czy ona wypije łyczek wina. Warren Werner był nadopiekuńczym ojcem. Dotarło do mnie, że ten mężczyzna może mnie znienawidzić z powodu mojego eksperymentu.

Ale będzie warto.

Projekt pochłonął mnie w całości. Dopiero teraz to do mnie dotarło. Odmówię tej seksownej lasce u moich stóp, która na pewno dałaby się przelecieć, by udowodnić swoją hipotezę. Czy to nadal był eksperyment? Nie, to była moja obsesja. Inaczej nie da się tego nazwać.

– Wstaję – powiedziała Christina. Wymamrotała coś jeszcze pod nosem, a potem położyła się na trawie. Koszulka odsłoniła jej nagi brzuch. Zerknąłem na niego, a następnie szybko odwróciłem się do Celii.

– Chodź ze mną. Nie wierzę, że cała szafka z alkoholem została przeniesiona do baru na patio. A nawet jeśli, to wiem, gdzie moja matka trzyma swoje zapasy. – Wziąłem Celię za rękę i splotłem nasze dłonie. Jej palce były cieplejsze, niż się spodziewałem. Doznałem szoku, który sprawił, że prawie puściłem jej dłoń. Ale to pewnie było wywołane brudnymi myślami, które miałem o Christinie.

Stłumiłem myśli o seksie, idąc do domu. Przy drzwiach spojrzałem na moją przyjaciółkę i puściłem do niej oko.

– Poza tym mam coś dla ciebie.

– Naprawdę? – Jej oczy rozbłysnęły. – Co takiego?

– Wszystko w swoim czasie, skarbie. – Ta manipulacja sprawiała, że robiło mi się niedobrze. Szczególnie wtedy, gdy widziałem, jaki to miało wpływ na obiekt. Celia dosłownie promieniała.

Brzydziłem się sobą. To mnie zaskoczyło, jednak nazwanie jej tak nic dla mnie nie znaczyło. Tyle że przyzwoity człowiek miałby wyrzuty sumienia dużo wcześniej. To tylko więcej dowodów na to, że nie byłem ani przyzwoitym człowiekiem, ani takim, który mógłby coś poczuć. W tym momencie jednak coś poczułem. Gorzkie zniesmaczenie. To było strasznie nieprzyjemne. Nie podobało mi się. Stanowiło przeszkodę na mojej drodze do celu. Musiałem się napić.

Dziesięć minut później, gdy już uraczyłem się bourbonem z barku w salonie, przestałem się czuć tak słaby, jak przedtem. Może jednak to nie była słabość. Po prostu rozpoznałem to, co czułem. Nie było wątpliwości, że byłem odrażającą osobą. Każdy, kto by poznał moje myśli, zgodziłby się ze mną.

Ale nikt nie wiedział, co mi siedzi w głowie. Mój sekret należał tylko do mnie.

– Lepiej? – Wypiłem ostatni łyk bourbona.

– Zdecydowanie lepiej. – Celia opróżniła swoją szklankę, krzywiąc się z powodu gorzkiego smaku alkoholu. – Łuuu! – Wyciągnęła rękę, by się mnie przytrzymać. – Może nie powinnam była pić tak szybko.

– Chodź. – Pomogłem jej dojść do kanapy. – Usiądź, a ja przyniosę twój prezent.

Usiadła na kanapie.

– Nie mam urodzin. Dlaczego miałbyś mieć dla mnie prezent?

– A czy potrzebuję jakiejś okazji? Poza tym to nic takiego. – Zostawiłem ją i poszedłem do jadalni, gdzie schowałem prezent w szafce z chińską porcelaną. Już wcześniej to zaplanowałem. Nie chciałem być z nią zbyt odosobniony, więc ukryłem go jak najbliżej miejsca, w którym odbywało się przyjęcie.

Zabrałem mój podarunek i w myślach podziękowałem Mirabelle za wskazówkę dotyczącą osobistych prezentów. Celia jeszcze nie zdecydowała, jaki będzie kierunek jej studiów. Spędziła ze mną długie godziny, rozmawiając o tym, co powinna wybrać. Jej serce chciało studiować sztukę, ale rodzice nigdy by się na to nie zgodzili. Ja tylko słuchałem, ale nie bardzo się wtrącałem. Doceniałem sztukę w każdej postaci, jednak sam nie byłem ani trochę kreatywny. Nie wiedziałem, jak mogłaby połączyć swoją pasję z kierunkiem, który zaaprobowaliby Wernerowie.

Potem moja matka zatrudniła architekta wnętrz w naszym domu na Manhattanie. Ta osoba na miejscu naszkicowała piękny zarys tego, jak mógłby wyglądać nasz salon. Wykonała bardzo kreatywną i artystyczną pracę. Celia byłaby w stanie zrobić to samo. Przeszukałem ofertę szkoły Celii i wybrałem kilka broszur. Następnie zamówiłem album z fotografiami współczesnych designów z ostatniej dekady. To były moje prezenty dla Celii.

– To tylko sugestia. – Usiadłem i patrzyłem ponad jej ramieniem, jak przegląda broszury. – Możesz zrobić z tym, co chcesz. Nie obrażę się, jeśli powiesz, że to gówno warte.

Pokręciła głową.

– Nie. To doskonały pomysł.

Wzruszyłem ramionami. Byłem zadowolony z rezultatu mojego prezentu.

– Dziękuję, Hudsonie. – W jej oczach zebrały się łzy, a policzki się zarumieniły. Pewnie i z powodu alkoholu, i mojego gestu. – Jestem poruszona. Nawet sobie nie wyobrażasz, jak bardzo.

– Naprawdę to nic takiego.

– Przestań być taki skromny. To wiele dla mnie znaczy. Dziękuję. – Otarła łzy, a potem rzuciła mi się w ramiona. – Tak bardzo ci dziękuję.

Zawahałem się, ale potem ją przytuliłem. Nie oczekiwałem tego, lecz byłem jej za to wdzięczny. Poczułem ciepło rozchodzące się w mojej piersi. Nie potrafiłem jednoznacznie powiedzieć, czy moja satysfakcja była związana z progresem w eksperymencie, czy ze szczęściem mojej przyjaciółki. Czy byłem w stanie poczuć coś takiego? Czy obchodziło mnie, gdy coś dobrego jej się przytrafiało?

Chyba tak.

Więc gdy pochyliła się, by mnie pocałować, nie odsunąłem się. Pocałowałem ją delikatnie i pozwoliłem, by nasze usta poruszały się powoli. Smakowała słodko i niewinnie, ale też czułem jej potrzebę, jakby czekała na ten pocałunek tak długo, jak ja na niego pracowałem. Jej pragnienie było tak silne, że aż zaraźliwe. Mogłem kontynuować ten pocałunek. Mogłem zabrać ją do swojego pokoju. Mogłem rozebrać ją i nauczyć się jej ciała, sprawić, że będzie drżała. Mogłem zapomnieć o swoim eksperymencie, porzucić wszystko, co o sobie myślałem.

Mogłem. Tylko jak długo by to trwało? Aż oboje dojdziemy? A może dłużej – tydzień, miesiąc? Aż zauważy, jaki jestem chłodny i jak bardzo mam wszystko przemyślane? Aż się zorientuje, że wszystko, co we mnie lubiła, było tylko iluzją? Że wszystko, co czułem, to tylko kłamstwo?

Nie. Nigdy nie mogłem pozwolić komuś zobaczyć, jaki jestem naprawdę. Nikt by mnie nie chciał, gdyby się dowiedział, jaki jestem w środku. To nawet lepiej, że nie potrafię nikogo kochać, bo i tak nigdy bym nikogo przy sobie nie utrzymał. Dlatego też byłem zmuszony to zakończyć. W sensie ten pocałunek.

Poza tym musiałem wyciągnąć wnioski z eksperymentu. Przerwałem pocałunek i odsunąłem się od niej. To było łatwiejsze, niż powinno. Próbowała znowu mnie pocałować, ale się uchyliłem.

– Celia. – Mój oddech był urywany. – Masz chłopaka.

– A czy chociaż dzisiaj możemy udawać, że nie mam? – W jej oczach widziałem nadzieję.

Jednak mój stoicyzm wrócił i jej błagające spojrzenie nie miało dla mnie żadnego znaczenia.

Wstałem i przeczesałem włosy ręką.

– Powiedziałem ci, że skończyłem udawać. – Udawać przed sobą. Musiałem w końcu być szczery. Nie chodziło o to, że podejrzewałem, iż nie byłem zdolny do miłości – ja wiedziałem, że tak jest. Gdybym był do tego zdolny, to dalej całowałbym się z Celią. A nie mogłem.

Wstała i zrobiła krok w moją stronę, ale zamarła, gdy z kuchni dobiegły głosy. Głosy moich rodziców.

Podbiegłem tam, a Celia podążyła za mną. Stanąłem za ścianą i wyjrzałem. Zobaczyłem moich rodziców, moje rodzeństwo i ich nianię Erin.

– Myślisz, że ja nie wiem?! – krzyczała moja matka do ojca. – Ty i te twoje dziwki.

Spojrzałem na zewnątrz, gdzie impreza toczyła się dalej. Na szczęście wszystkie okna były zamknięte. Miałem nadzieję, że nikt tego nie usłyszy.

– Ile ich było, Jack? – spytała z pogardą. Była pijana. Ona często się upijała, ale zazwyczaj udawało jej się to ukryć. Wkurzało mnie to, że nie potrafiła się kontrolować akurat wtedy, gdy mieliśmy towarzystwo.

To miało niszczący wpływ na moje rodzeństwo.

– Mamo. – Mirabelle pociągnęła za brzeg sukni Sophii. – Przestań krzyczeć. Chandler przez ciebie płacze.

– Erin. – Mój ojciec spojrzał na nianię. – Zabierzesz Chandlera i Mirę?

Mirabelle zaprotestowała.

– Jestem wystarczająco dorosła, by tu zostać. Nie chcę przegapić...

– Idź. Przyjdę, gdy będę mógł. – Kiedy mój ojciec mówi takim groźnym tonem, nie było z nim dyskusji. Mirabelle wyszła z kuchni za Erin drugimi drzwiami.

Tata obrócił się do mojej matki i położył dłoń na jej ramieniu.

– Sophio, porozmawiajmy o tym później.

Strząsnęła jego rękę.

– Po prostu idź już sobie. Przestań udawać, że zależy ci na dzieciach i zajmij się tą swoją dupą. Wszyscy wiedzą, że ją pieprzysz.

– Nikt niczego nie wie. Bo nic się nie dzieje – poprawił się szybko. – Wypiłaś za dużo i tyle. Planowanie tego przyjęcia cię wykończyło. Połóż się na chwilę i...

Matka uderzyła go. Wystarczająco mocno, by został ślad.

– Nie mów mi, co mam robić. Ja wiem, Jack. Wiem o wszystkim od początku. I nie chcę już słyszeć żadnych wymówek. Będziesz pieprzyć dupy, czy będę w pobliżu, czy nie. Ale ja nie muszę pozwalać na to pod moim dachem. Twoje kurwy nie są tu więcej mile widziane. Ty też nie jesteś już dłużej mile widziany w moim domu.

– Sophia. – Ojciec wyciągnął rękę do swojej żony, zaciskając szczęki.

– Od teraz możesz mieszkać w domku gościnnym. Pieprz się z kimkolwiek chcesz. Ale nie w moim domu. Nie przy moich dzieciach. – Wskazała ręką w kierunku, w którym zniknęła niania. – A Erin nie jest już dłużej na mojej liście płac.

Ojciec stracił cierpliwość.

– To nie ty płacisz za wszystko, Sophio! – krzyknął. – To ja przynoszę te pieprzone pieniądze do tego domu.

– Naprawdę? A jak to się stało, że w ogóle masz swoje firmy?

– Tak, tak. Masz rację. Zawdzięczam ci wszystko, co posiadam. Zapomniałem. – Nie pierwszy raz słyszałem ten argument. Gdy się pobrali, to moja matka miała pieniądze. To ona przekazała ojcu firmy, które zmienił w Pierce Industries. I nigdy nie pozwalała mu o tym zapomnieć.

Ojciec potarł twarz ręką. Wydawało się, że dzięki temu się uspokoił.

– Słuchaj, możesz krzyczeć na mnie, ile chcesz, Sophio. Jutro. Nawet później w nocy. Ale teraz mamy ogród pełen ludzi i ja zamierzam do nich iść. Z tobą lub bez ciebie. – Odwrócił się od niej i ruszył w stronę drzwi wychodzących na patio.

– Mówię poważnie w kwestii domku dla gości. Nawet nie próbuj wracać tu na noc! – krzyknęła za nim, gdy on już zniknął.

Patrzyłem, jak matka się załamuje. Jej twarz się wykrzywiła, jakby poczuła fizyczny ból. Wstrząsnął nią potężny szloch. I to wszystko z powodu miłości.

Dzięki Bogu, że nie byłem zdolny do kochania. Moi rodzice stanowili najlepszy przykład tego, że miłość się nie opłaca, i dzięki nim wiem, że to dobrze, że coś takiego mnie ominęło. Może zawdzięczałem im więcej, niż myślałem.

– Sądzisz, że powinieneś do niej iść?

Dopiero teraz przypomniałem sobie o Celii.

– To nie mój problem. – Moje słowa były bardziej bezduszne, niż mi się wydawało. Musiałem się poprawić. – Nie to miałem na myśli. Po prostu nie chcę zawstydzić jej tym, że wiem, co się wydarzyło. Pójdę tam za chwilę.

– Pomogę – zaoferowała Celia.

– Nie. Ja to zrobię. Ona jest pijana, nie musisz się z tym mierzyć. – To była upokarzająca scena. Nie podobało mi się, że Celia była jej świadkiem.

Spojrzałem na nią. Zagryzła wargę.

– Czy twój tata naprawdę... – Odetchnęła głęboko. – Czy on naprawdę spał z nianią?

Nie zdziwiłoby mnie to. Nie wierzyłem w wierność ojca. Ale nie winiłem go. Moja matka nie była łatwą kobietą. Jeśli miałbym obwiniać kogoś za mój brak człowieczeństwa, to tą osobą byłaby moja matka. Ona nauczyła mnie bycia oziębłym. Ona zmusiła mnie do tego, by otoczyć się murem. Ale Celia nie musiała znać wszystkich sekretów mojej rodziny.

– Nie wiem – wymamrotałem. – Matka jest pijana. Nie wie, o czym mówi.

Celia odchrząknęła w sposób, który jasno pokazywał, że mi nie wierzyła.

Położyła rękę na moich plecach.

– Przykro mi, Hudsonie.

Z trudem powstrzymałem się od tego, by nie napiąć wszystkich mięśni. Nie chciałem czuć jej dotyku. To było trudniejsze, niż powinno. Ostatnio często mnie dotykała, ale wcześniej mi to nie przeszkadzało. Jednak w tej chwili, gdy byłem w jakiś sposób rozproszony i nie miałem kontroli nad sytuacją, jej ręka mi przeszkadzała. Ale odepchnięcie jej teraz przekreśliłoby całą pracę, jaką do tej pory wykonałem, więc ani drgnąłem.

Potem stało się coś bardzo dziwnego – poczułem żal, smutek. Gdy moja matka załamała się na naszych oczach, zrobiło mi się przykro. Poczułem silną potrzebę, by obrócić się do Celii i powiedzieć jej, żeby mnie przytuliła, pocieszyła.

Jakbym był Chandlerem, który zaczyna płakać, kiedy mama płacze. To były najsilniejsze emocje, jakie czułem od dawna. Nie miałem nad sobą kontroli. Nie byłem twardy. To było straszne.

Musiałem to zakończyć. Musiałem stąd uciec, nieważne, czy to zrujnuje mój eksperyment, czy nie.

– Idę do niej teraz. – Nie obróciłem się, nie pozwoliłem jej zobaczyć moich oczu, bo za bardzo się bałem, co w nich zobaczy. – Pomogę jej się położyć, a potem sam pójdę do łóżka. Zobaczymy się jutro u Brooke'ów. Dobranoc, Celio.

Zrobiłem krok w stronę kuchni, a wtedy usłyszałem szept Celii, która wołała mnie po imieniu. Zatrzymałem się, ale nie odwróciłem do niej.

– W porządku – powiedziała. – Uczucia są dobre.

Kurwa, co ona o mnie wiedziała? To mnie rozzłościło. Chciałem, żeby sobie poszła, by przestała zakładać, że coś rozumie. Jeśli takie są właśnie uczucia, to wolałem nic nie czuć. Jeszcze odzyskam nad sobą kontrolę. Przejdzie mi.

Gdyby teraz sobie poszła, byłoby mi o wiele łatwiej.

Ale tego nie zrobiła.

– I rozumiem, jeśli musisz przejść przez to sam. Gdy będziesz gotowy, będę przy tobie, Hudsonie. Kocham cię.

Skinąłem głową, przyjmując do wiadomości jej deklarację. Nawet nie próbowałem się odzywać. Nie byłem pewny, czy bym potrafił. Jej słowa były przerażające i jednocześnie uspokajające. Paliły mnie, dawały ulgę, a przede wszystkim niepokoiły. Chciałem je usłyszeć – to było potwierdzenie mojej tezy. Ale w tym momencie zagrażały innej mojej teorii. Bo część mnie pragnęła odpowiedzieć jej tym samym. Część mnie wierzyła, że byłbym w stanie odwzajemnić jej uczucia.

Sparaliżowały mnie te wszystkie emocje. Żal, ból, radość, ulga. Stałem w miejscu i nic nie mówiłem.

Moja matka pozbierała się, a do mnie dotarło, że czekałem zbyt długo na to, by jej pomóc. Pomogła sobie sama, idąc do szafki, by nalać wódki, którą wyjęła spod zlewu. Myślała, że nikt nie wiedział, gdzie ją trzymała.

Zrozumiałem, że ona tak to robiła. Kiedy kobieta o lodowatym sercu, jak moja matka, czuła coś – co zdarzało się rzadko – próbowała to przytłumić. Pijąc. Piła, by ulżyć swoim cierpieniom. By pozbyć się smutku. By zabić swoją miłość. Rozumiałem jej motywację, ale nie chciałem być równie żałosną istotą, co ona. Bo w ten sposób właśnie w kogoś takiego się zmieniła.

W tym momencie przysiągłem sobie, że będę silniejszy. Nie sięgnę po alkohol, żeby sobie poradzić. Sam odzyskam kontrolę. Tak jak kontrolowałem innych i wszystko wokół siebie. Najlepszy tego przykład stał ciągle za mną. Celia właśnie powiedziała, że mnie kocha.

Nie miała pojęcia, co to dla mnie oznaczało. Życzyła mi dobrej nocy, a potem odeszła. Pozostała po niej tylko cisza.

Gdy emocje opuściły moje ciało, uśmiechnąłem się. Tak jak szybko straciłem kontrolę, tak szybko ją odzyskałem. Poczułem w piersi znajome uczucie pustki, które pochłonęło wszystkie uczucia. Moja matka była pijana – niedługo zaśnie. Mój ojciec to zdradliwy dupek, ale radził sobie z matką równie dobrze, jak z przyjęciem na zewnątrz. Erin może i była dziwką, lecz dobrze zajmowała się moim rodzeństwem.

Nic się nie rozpadało. Wszystko było w porządku.

A Celia mnie kochała.

Musiałem wierzyć, że jej rozstanie z chłopakiem było bliskie. Mój eksperyment został prawie ukończony. Dokładnie tak, jak zaplanowałem.

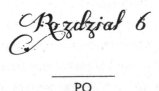

## Rozdział 6

---
PO
---

Kwadrans po szesnastej podchodzę do otwartych drzwi gabinetu Normy Anders. Norma jest moim głównym dyrektorem finansowym i nie dziwię się, że pracuje po godzinach. Jednak widok jej asystenta jest dla mnie zaskoczeniem. Pochyla się nad biurkiem w jej stronę. Dyskutują o czymś gorączkowo. Pukam we framugę, by dać o sobie znać.

Mężczyzna od razu się prostuje i przesuwa, więc Norma może mnie zobaczyć.

Patrzę jej w oczy.

– Muszę podpisać to pełnomocnictwo, jeśli już jest gotowe.

– Jak najbardziej. – Kiwa głową na asystenta. – Boyd, mógłbyś...

– Oczywiście. – Młody chłopak mija mnie w drodze do swojego biurka, najprawdopodobniej po to, żeby wziąć mój dokument. Zastanawiam się, czy zawsze jej taki niespokojny, czy tylko wtedy, gdy pokazuje się tu właściciel firmy.

Szczerze mówiąc, rzadko odwiedzam Normę w jej biurze. Zazwyczaj to ona jest wzywana do mnie. Mimo moich nieczęstych wizyt czuję się w tym otoczeniu swobodnie. Nie czekam, aż Norma zaprosi mnie do środka.

– Rozgość się, Hudsonie – drażni się ze mną, gdy już zdążyłem zająć miejsce naprzeciwko niej. – Spodziewałam się, że poprosisz o dokument wcześniej po południu.

– Straciłem poczucie czasu. – To nie jest całkowite kłamstwo. Skupiałem się wtedy na innych rzeczach, takich jak plany na wieczór, ale celowo przeciągałem tę wizytę. Po prostu nie chciałem spędzać tutaj zbyt dużo czasu, czekając na przygotowanie dokumentów dotyczących przejęcia Sky Launch. Wolałem zlecić to Normie wcześniej. Podpisanie papierów będzie tylko deklaracją, że naprawdę mam zamiar wprowadzić w życie ten szalony plan.

Dlatego nie prosiłem, żeby je do mnie przyniosła. Wolałem poczekać, aż moja sekretarka i reszta pracowników wyjdą z budynku. Przyszedłem tu już przygotowany, z długopisem w butonierce.

Boyd wraca i podaje papiery Normie.

– Jeśli to już wszystko, zacznę się zbierać.

– Tak, oczywiście. – Patrzy na zegarek. – Jest już późno. Dziękuję, że zostałeś. Zobaczymy się rano.

– Tak, rano, pani Anders.

Wystarczyło na nich spojrzeć, by się domyślić, że się pieprzyli. Dla innych to nie byłoby takie oczywiste, ale ja bardzo dokładnie przyglądałem się ludzkiej naturze i związkom. Znam to spojrzenie, które mówi: „Widuję cię nago codziennie".

Mimo to nie daję po sobie poznać, że czegoś się domyślam. Musiałbym wtedy udzielić Normie pouczenia. Zażyłe relacje nie są dozwolone między pracownikami zarówno wyższego, jak i niższego szczebla. To nietaktowne. Ona jest jednak zbyt cennym pracownikiem, więc nie dbam o takie szczegóły.

Gdy Boyd znika, Norma otwiera teczkę i znajduje dokument, który muszę podpisać. Przegląda go, a potem podaje mi. Nie czytam. Podpisuję się, gdzie trzeba, i oddaję jej papier.

– Jesteś pewny, że chcesz to zrobić? – pyta, biorąc ode mnie dokument. Wkłada go od razu do teczki. Wie, że nie zmienię zdania, mimo że o tym rozmawiamy.

– Jestem pewny. – Nie jestem. Nigdy nie brałem udziału w przedsięwzięciu, co do którego miałbym aż tyle wątpliwości. Nie martwię się pieniędzmi. Nawet jeśli na tym stracę, dla mojej firmy to tak niewielka suma, że nawet tego nie poczuję.

– Cena jest wystarczająco rozsądna, ale to nie jest dobra inwestycja, Hudsonie. – Nie próbuje mnie przekonać. Wiem, że zadawanie pytań jest związane z jej pracą.

– Czy to aż taka zła decyzja? – Przynajmniej powinienem jej wysłuchać.

Zaczyna przeglądać finanse Sky Launch.

– Niekoniecznie. O ile jesteś w stanie poświęcić temu klubowi trochę czasu i uwagi.

– Jestem. – Mam nawet zbyt dużo czasu i uwagi. Na szczęście aktualnie w Pierce Industries wszystko idzie gładko.

Zamyka teczkę i opiera się o krzesło, podpierając podbródek ręką.

– Dlaczego tak cię interesuje klub nocny?

– Posiadam przecież kluby w innych miastach. – Mam jeden w Atlantic City. Kolejny w Miami, dwa w Vegas. To nie jest moja pierwsza inwestycja w tej branży. Jak zapewnił mnie właściciel Sky Launch, pracownicy świetnie radzą sobie bez nadzoru. Przekażę kierownictwo Alaynie najszybciej, jak się da. Potem moje zaangażowanie w sprawy klubu będzie minimalne.

– To zapytam inaczej. Dlaczego jesteś tak zainteresowany akurat tym klubem? Mogłabym zagonić swoich ludzi do pracy i znaleźliby bardziej opłacalny klub, który pochłonie mniej twojego czasu.

Unikam odpowiedzi.

– Jak twoja rodzina?

– To urocze, że uważasz, że zmiana tematu rozproszy mnie i zapomnę o pytaniu. Ale okej, odpowiem ci. Mój brat wrócił do domu. Żałuję, że jeszcze nie wyzdrowiał całkowicie, ale to tylko kwestia czasu.

Brat Normy przeszedł ostatnio załamanie nerwowe i został zatrzymany w szpitalu psychiatrycznym. Zwykle nie interesuje mnie prywatne życie pracowników, ale Norma opowiedziała mi o tym po to, by czasem w razie poważnego wypadku mogła wziąć szybko wolne.

– Na pewno mu się polepszy – zapewniam ją.

– Wiem o tym. A Gwen nadal pracuje w Eighty-Eight Floor.

– Marszczy brwi. – To ten klub powinieneś był kupić.

Wiem, że mi nie odpuści, dopóki nie dostanie bardziej zadowalającej odpowiedzi dotyczącej tego, dlaczego chcę akurat klubu Alayny.

– Sky Launch ma coś, czego nie mają inne kluby. Najlepszego pracownika. Będzie wyjątkowo dobra w zarządzaniu i to ja chcę być jej pracodawcą.

Norma myśli nad tym przez chwilę, po czym wzdycha.

– Nie jestem pewna, czy mówisz szczerze, czy robisz mnie w konia. Ale dobra, wygrałeś. Przestanę się do tego mieszać.

– Jesteś jedną z czterech najważniejszych osób w moim życiu, poza moją rodziną. Cenię sobie twoją opinię.

Zazwyczaj doceniam jej starania, chociaż teraz wolę, żeby nie drążyła tematu.

– Naprawdę? – Pochyla się i opiera łokcie na biurku. – A kim są pozostałe trzy osoby?

Odpowiadam bez wahania.

– Moja sekretarka, mój asystent i kierownik ochrony. – Dla Jordana to najlepszy z możliwych tytułów.

Norma marszczy brwi.

– Czy to nie smutne, że wszyscy są na twojej liście płac?

– To nie jest smutne. Jest tak, jak mi się podoba. – Strzepuję ze spodni jakiś pyłek, nie patrząc jej w oczy. Nie uważam, że moje relacje z innymi są smutne. Ja jestem z nich zadowolony. Ale czy chcę, żeby tak było przez resztę życia? Być tylko zadowolonym?

– Czy dobrze widziałam, że wcześniej była tu Celia Werner?

Nie podoba mi się, że Norma interesuje się moim życiem towarzyskim lub jego brakiem. Dzięki temu ma wymówkę, by się pobawić w swatkę, a to mi się nigdy nie podobało. Dlatego też w kwestii Celii pozwalam jej wierzyć, w co tylko chce. Tak jest łatwiej.

– Owszem, była tutaj.

– Ale teraz nie masz w planach żadnej zmiany wnętrza, prawda?

Nie odpowiadam, bo najwyraźniej moja mina mówi sama za siebie. To jedyny powód związany z pracą, dla którego Celia mogłaby tu przyjść – gdyby zajmowała się zmianą wystroju wnętrz. Norma dochodzi do własnych wniosków.

– Byłabym szczęśliwa, gdybym widziała cię z jakąś kobietą, jednak wolałabym, żeby to nie była ona.

To dopiero smutne – Celia to jedyna kobieta w moim życiu. Przeszłość związała mnie z osobą, którą gardzę bardziej niż... sobą.

Wstaję, bo nie chcę już kontynuować tej rozmowy.

– Normo, dziękuję za pomoc.

Wychodzę szybko, jakbym poprzez uniknięcie dalszej rozmowy chciał nie mieć nic wspólnego z tym, co było jej najważniejszym punktem. Ale od przeszłości nie dało się uciec. Nawarzyłem piwa. Teraz muszę je wypić.

Jest prawie dziesiąta wieczorem, gdy parkuję samochód przy Columbus Cirle. Zaciskam ręce na kierownicy. Wkładam w ten uchwyt całą swoją agresję. A potem puszczam. To pomaga mi się uspokoić. Jestem podenerwowany i muszę się jakoś wyładować.

Tak naprawdę potrzebuję iść do domu i przebiec kilka kilometrów. Ale już i tak tu jestem. Wysiadam z samochodu i idę do drzwi klubu.

Wcześniej byłem w Sky Launch dwa razy. W obu przypadkach było to w ciągu dnia – raz ze sprzedawcą, a drugi raz z moim rzeczoznawcą. Nigdy nie widziałem klubu w trakcie imprezy ani nie spotkałem żadnego z pracowników. Zanim to teraz zrobię, chcę się im przyjrzeć w ich naturalnym środowisku.

Co za głupia wymówka. Tak naprawdę chcę obserwować Alaynę w jej naturalnym środowisku. Reszta mnie nie obchodzi. Rozpiska pracy na ścianie poinformowała mnie wcześniej, że Alayna bierze wolne od następnego tygodnia. Jutro ma absolutorium, więc pewnie będzie chciała świętować. Dzisiaj jest jedyna szansa, aby zobaczyć ją w pracy. Gdy wróci po urlopie, klub będzie należeć do mnie, a ja będę jej szefem.

Jest środek tygodnia i lato jeszcze się nie zaczęło, ale przed klubem już ustawiła się kolejka. Udaje mi się szybko dostać do środka – drogi garnitur od Armaniego jest biletem prawie do każdego miejsca. Przez kilka minut przyglądam się parkietowi. Didżej jest całkiem niezły, a układ klubu prezentuje się dobrze. Patrzę na bąbelkowe pokoje, które otaczają drugie piętro. To one są najmocniejszym punktem tego miejsca. Przyciągają tłumy. Właściwie z paroma nowymi pomysłami ten klub mógłby odnieść ogromny sukces. Przyłapuję się na burzy mózgu, więc przestaję. To zadanie Alayny. Na studiach to ona interesowała się marketingiem. Sądząc po prezentacji, którą pokazała na sympozjum, jej pomysły będę sto razy lepsze od moich.

Myśląc o Alaynie, nie mogę się już doczekać, aż ją zobaczę. Muszę jej poszukać. Na planie pracy, który wcześniej widziałem, było napisane, że dzisiaj powinna stać za barem na pierwszym piętrze. Przeciskam się przez tłum, który przy barze jest jeszcze większy.

Widzę ją już z daleka.

Po sympozjum mającym miejsce trzy tygodnie temu często się zastanawiałem nad tym, jaki wpływ miała na mnie Alayna Withers. Nie jestem do końca zdrowy na umyśle, bo w końcu moja obsesja na punkcie nieznajomej sama w sobie nie jest normalna.

Jednak nawet teraz, z dystansu, gdy muzyka ryczy głośno, a ja nie mogę usłyszeć jej głosu, gdy światła są przygaszone i nie widzę dobrze jej twarzy, przyciąga mnie do niej magnetyczna siła, której nie potrafię wyjaśnić. Mój wzrok skupia się na niej, jakby była jedynym jasnym punktem w ciemnym pomieszczeniu.

Jest pogrążona w swojej pracy. To, jak się porusza wśród swoich współpracowników i jak obsługuje klientów, jest niczym taniec, piękny i hipnotyzujący. Uśmiecha się i kiwa głową do wszystkich wokół. Jestem zazdrosny o każdego, kto się znajduje przy niej. Chcę, żeby to do mnie się uśmiechała. W moją stronę kiwała głową. Chcę, żeby to mną się zajmowała.

Nie chodzi tu teraz o moje skłonności do rywalizacji. To nie ma nic wspólnego z moimi grami czy eksperymentami, jednak uczucie podniecenia jest podobne. Wprawia mnie to w zakłopotanie, a to nie jest łatwe w moim przypadku. Odwracam od niej wzrok, by dostać się do pustego miejsca na końcu baru. A potem znowu spoglądam na nią. Moje uporczywe patrzenie się pewnie zostanie wzięte przez nią za spojrzenie klienta, który po prostu chce się napić, ale nie obchodzi mnie to, dopóki ona w ogóle o mnie myśli. W jakikolwiek sposób. Pragnę jej uwagi. Patrzy na mnie przelotnie. Odrzucę każdą próbę obsłużenia mnie przez innego pracownika. Chcę, by to była ona. Muszę wiedzieć, czy wywieram na nią taki wpływ, jaki ona ma na mnie.

Gdy się jej przyglądam, inny barman – mężczyzna, który chyba nazywa się David Lindt, menedżer baru – zbiera przy sobie wszystkich pracowników. Nalewa im shoty i wszyscy piją.

Gdybym naprawdę był tutaj, by szpiegować swoich pracowników, ten epizod przyciągnąłby moją uwagę. Picie za barem nie jest akceptowalne wśród osób, które nim zarządzają. Mimo że ze swojego miejsca nie słyszę dobrze, wiwaty i okrzyki wskazują na to, że to jakaś specjalna okazja.

Patrząc przy tym, jak wszyscy skupiają się na Alaynie, musi chodzić o nią.

– Juhu! – krzyczy, co potwierdza moje podejrzenia. – Cholera, dobre to jest!

Zauważam, że jest rozrywkowa. Poza tym mądra i odpowiedzialna, wie, jak się bawić. W przeciwieństwie do mnie – powinno mnie to zniechęcać. A zamiast tego intryguje jeszcze bardziej. Jakby to było jeszcze możliwe. Po wypiciu shotów pracownicy się rozpraszają. Alayna staje za barem. Ulżyło mi, chociaż z trudem się do tego przyznaję. Moja ulga zostaje zastąpiona zazdrością, gdy przytula innego klienta. Kim jest ten mężczyzna? Jordan śledził Alaynę przez ostatnie dwa tygodnie. Odkrył, że ma dość ubogie życie towarzyskie, wychodzi głównie do pracy, na uczelnię i poćwiczyć – czyli pobiegać. Nie było dowodu na to, by miała chłopaka lub innego bliskiego przyjaciela. Czy Jordan pominął coś istotnego?

Wyciągam się, by usłyszeć rozmowę między nimi. Szybko dochodzę do wniosku, że ten mężczyzna jest tylko regularnym klientem w tym klubie. Znowu czuję ulgę. Ale chyba będę musiał się wtrącić, jeśli dalej będzie się tak przyglądał piersiom Alayny. Z drugiej strony, nie winię go. Jej piersi są wyjątkowe. Sam nie mogę przestać na nie patrzeć. Jednak nie powinny być tak eksponowane przy bandzie pijanych dupków, którzy chcą tylko zaliczyć.

Dzięki Bogu, że nie jestem pijany i nie chcę tylko zaliczyć. Chcę to zrobić z nią powoli. Nie będę się śpieszył, ale gdy będziemy się pieprzyć, to nie będzie wyłącznie jednorazowy numerek.

Jezu, gdzie zawędrowały moje myśli? Nie planowałem seksu z Alayną. I to na pewno nie było częścią planu Celii. Ale teraz, gdy o tym myślę, nie mogę się pozbyć tego pomysłu z głowy.

To przez ten jej cholerny ubiór. Jest chodzącym seksem.

Muszę pamiętać, żeby porozmawiać z Alayną na temat jej stroju w pracy.

Udaje mi się przestać myśleć fiutem i skoncentrować na innej informacji, którą podsłuchałem. Alayna powiedziała, że nie ma planów na wakacje. Nie podoba mi się to. Powinna świętować swoje osiągnięcia. Wygląda jednak na lekko zawiedzioną, więc myślę, że chciałaby mieć jakiś urlop. Nie mogę się teraz nad tym zastanawiać, bo właśnie idzie w moją stronę. W końcu przyciągnąłem jej uwagę.

– Co dla ciebie...? – Urywa, patrząc mi w oczy. Jej intensywne spojrzenie prawie odbiera mi oddech. Widzę, że ona też nie ma pojęcia, co powiedzieć. Zaciska mocno szczęki.

I wtedy już wiem.

Wiem, że nikt wcześniej nie patrzył na mnie w ten sposób. Wiem, że ta więź nie jest tylko jednostronna. Wiem, że ona też to czuje. Wiem, że ją przerażam i fascynuję, tak samo jak ona mnie. Wiem, że prędzej czy później będę się z nią pieprzyć i spodoba jej się to. Podobnie jak mnie. I jakimś cudem, mimo że nawet jeszcze ze sobą nie rozmawialiśmy, wiem, że moje życie już nie będzie takie samo.

W końcu przypominam sobie, że powinienem coś zamówić.

– Pojedynczą szkocką single malt. Czystą, proszę.

Kręci głową, jakby chciała się obudzić.

– Mamy Macallana. Dwunastoletnią whisky.

–W porządku. – Ledwo udaje mi się to powiedzieć. Nie patrzy na mnie, gdy nalewa mojego drinka, a ja już tęsknię za jej ciepłym spojrzeniem. Kiedy podaje mi szklankę, celowo muskam przy tym jej palce. Musiałem to zrobić. Musiałem wiedzieć, jak to jest ją dotknąć.

Jej skóra jest bardziej miękka, niż mi się wydawało, a między naszymi dłońmi niemal pojawia iskra. Widzę, jak ona przy tym drży. To widoczne. Mam na nią taki wpływ. Bardzo mi się to podoba.

Jednak ona jest wobec mnie nieufna. Wyszarpuje rękę i odchodzi na drugi koniec baru.

Pijąc drinka, zastanawiam się, o czym może myśleć. Znając jej historię, mogę się założyć, że w podobny sposób reaguje również na innych mężczyzn. Obserwuję ją jeszcze trochę i dochodzę do wniosku, że zachowuje się swobodnie przy wszystkich, poza mną. Boi się mnie, ale myślę, że bardziej boi się siebie. Nie zrobiłem nic, by ją wystraszyć, ale nie próbowałem ukryć pożądania, jakie we mnie wzbudziła. Czy tyle wystarczy, by ją przestraszyć?

Już prawie jestem w stanie sformułować tezę, ale skupiam się na czymś innym. W tej chwili potwierdzam moje intencje związane z Alayną Withers. Zagram w tę głupią grę Celii. Będę w niej uczestniczyć, ponieważ się na to zgodziłem. Ale oprócz tego będę ją uwodzić, bo gdy nasze ręce się zetknęły, zapragnąłem dotknąć jej wszędzie i nie mogę o tym zapomnieć.

Alayna nie będzie moim kolejnym obiektem badań. Nie będę eksperymentował z jej emocjami. Nie pozwolę, by się załamała. Jeśli już, to będzie eksperyment na mojej osobie. To będzie szansa, by zobaczyć, czy ktoś może złamać mnie, dotrzeć do mnie.

Precyzuję swoje plany i jednocześnie przyglądam się jej, sącząc drinka. Wkrótce tylko ona zostaje za barem. Zaczyna czyścić blat, ale wydaje się przy tym jakaś nerwowa. Potem patrzy na mnie. Gdy jej oczy odnajdują moje, czuję się, jakby znowu zaświeciło słońce po burzy.

Podchodzi do mnie i kiwa głową na pustą szklankę.

– Jeszcze jeden?

– Nie, już wystarczy. – Nie potrzebuję więcej. Jestem upity jej obecnością. Sięgam do kieszeni i wyjmuję studolarowy banknot. I nie mam zamiaru przyjąć reszty.

Podlicza moje zamówienie przy kasie, a do mnie dociera, że nasze spotkanie dobiega końca. Czuję potrzebę, by z nią porozmawiać, by napawać się nią dłużej, póki jeszcze jestem dla niej kompletnie obcy.

Zastanawiam się nad krótką rozmową, która nie sprawi, że będę się jej wydawał straszny. Przypominam sobie toast wzniesiony przez jej współpracowników.

– Specjalna okazja?

Unosi brwi.

– Ach, tak. Mój dyplom. Ukończyłam studia menedżerskie.

Już o tym wiem, ale i tak jestem nią szczerze zachwycony, więc nie muszę tego udawać.

– Gratulacje. To za twoje sukcesy. – Unoszę szklankę i dopijam drinka.

– Dziękuję. – Patrzy na moje usta, a ja nie mogę się powstrzymać i oblizuję wargi, i z zadowoleniem widzę, jak jej źrenice się rozszerzają.

Wyciąga rękę, by dać mi moją resztę.

Jestem gotowy zmienić zdanie i ją przyjąć, byle tylko znowu jej dotknąć. Pragnę tego. Ale i tak już jestem twardy z pożądania. Dzisiaj nie potrzebuję więcej. Kręcę więc głową i mówię:

– Zatrzymaj resztę.

– Nie mogę.

– Możesz, i to zrobisz. – To nie jest pierwszy raz, gdy daję takie hojne napiwki, ale po raz pierwszy zależy mi na tym, żeby został zaakceptowany. – Potraktuj to jako nagrodę za ukończenie studiów.

– Okej. Dzięki.

Poddaje się, a mnie jeszcze bardziej to podnieca. Odwraca się ode mnie, ale ja nie jestem jeszcze gotowy, by się z nią rozstać.

- Czy to przy okazji impreza pożegnalna? - Znowu na mnie patrzy. - Jakoś nie mogę wyobrazić sobie tego, że z tytułem magistra dalej będziesz pracować jako barmanka.

- Boże, jakie ona ma oczy.

Waha się.

- Tak się składa, że chcę tu zostać i awansować. Ubóstwiam klubowe środowisko. - Wygląda tak, jakby szykowała się na moją krytykę.

Trzy tygodnie temu bym ją skrytykował. Teraz przyznaję:

- To sprawia, że żyjesz.

- Właśnie tak. - Uśmiecha się.

- To widać. - Gdy po raz pierwszy dowiedziałem się, że postanowiła zostać w Sky Launch, zamiast wykorzystać swój dyplom w bardziej tradycyjny sposób, pomyślałem, że musi być jakoś powiązana z tym klubem. Ale po tym, jak zobaczyłem ją w tym środowisku i usłyszałem jej prezentację, wiem, że to coś więcej. Ona żyje dla tego miejsca. Jej piękno uderza mnie za każdym razem, gdy ją spotykam. Ale tym razem to piękno jest bardziej wewnętrzne.

- Laynie! - krzyczy jakiś dzieciak siedzący niedaleko przy barze.

Alayna zostawia mnie, by go obsłużyć. Podsłuchuję i widzę, jak daje jej swój numer. Krzywię się na ten widok. Zastanawiam się, ile razy ktoś uderza do niej danego dnia. Przeszkadza mi to bardziej, niż powinno. Ponownie winię jej strój.

Na szczęście ona nie wygląda na zainteresowaną tym chłopakiem. Gdy tylko tamten odchodzi, wyrzuca numer, zerkając przy tym na mnie.

Mógłbym się uśmiechnąć, pokiwać głową i nie musielibyśmy tego omawiać. Ale chcę wiedzieć, więc pytam:

- Robisz tak z każdym numerem, jaki dostajesz?

Tak naprawdę po prostu chcę, by ciągle mówiła. Pragnę mieć jej uwagę.

Przygląda mi się.

– Próbujesz sprawdzić, czy twój też wylądowałby w koszu?

Śmieję się.

– Być może.

Uśmiecha się, przez co wydaje się jeszcze piękniejsza. To rodzaj uśmiechu, dla którego niektórzy mężczyźni zrobiliby wszystko. Zastanawiam się, jak to jest być takim mężczyzną.

Pochyla się nad barem, a jej niesamowity biust przyciąga mój wzrok.

– Nie wyrzuciłabym twojego. W ogóle bym go nie przyjęła.

Udaje mi się spojrzeć w jej oczy.

– Nie twój typ?

– Nie do końca.

Ta rozmowa podoba mi się bardziej, niż powinna.

– A dlaczego?

– Bo szukasz czegoś przelotnego. Chcesz się zabawić. – Pochyla się jeszcze bardziej, a ja z całych sił próbuję nie zaglądać ponownie do jej dekoltu. Chciałbym sprawdzić, czy jej sutki sterczą za cienkim materiałem, chciałbym ich dotknąć i zacząć pieścić palcami.

– A ja się przywiązuję. – Prostuje się. – I co? Napędziłam ci strachu?

Strachu? To mnie podnieca. Wszystko, co robi i mówi, sprawia, że moje pożądanie rośnie i powoli mnie pochłania. Zaczynam myśleć, że zrobiłbym wszystko, by być przy niej. A właściwie już zrobiłem wszystko.

I ona zakłada, że z nas dwóch to ona jest bardziej pokręcona. Zabawne.

– Alayno Withers, nie robisz nic innego, tylko mnie przerażasz. – Wstaję i zapinam marynarkę. Kusi mnie, by zostać dłużej, ale właśnie się zdemaskowałem i powiedziałem na głos jej imię. Nie powinno mnie tu być, gdy to do niej dotrze.

– Jeszcze raz gratuluję. To spore osiągnięcie.

Jeszcze długo po moim odejściu czuję na sobie jej spojrzenie. Ogrzewa mnie ono nawet wtedy, gdy już jestem w domu. Pochłania mnie. Myślę o niej pod prysznicem, robiąc sobie dobrze. Dochodzę szybko i mocno. Czuję ją przy sobie.

Muszę ją znowu zobaczyć, więc postanawiam podarować jej tydzień w spa, w górach, niedaleko od Poughkeepsie. Pojadę tam i dołączę do niej. Będę miał okazję ją poznać, spędzić z nią trochę czasu, uwieść ją. To pewnie pokrzyżuje plany Celii, ale właśnie o to mi chodzi.

Ten pomysł podnieca mnie i bardzo mi się to podoba.

Ale postanawiam odpuścić.

Z doświadczenia wiem, że Celia jest równym przeciwnikiem. Każde naruszenie jej planu z mojej strony będzie miało konsekwencje. Nie boję się, co mogłaby zrobić mnie, ale w dziwny sposób przywiązałem się do Alayny Withers. Obchodzi mnie, co mogłaby z nią uczynić. Moja ochrona będzie działać tylko wtedy, gdy będę się trzymać planu.

Jestem osobą raczej bez poczucia humoru, jednak śmieszy mnie własna próba oszukania samego siebie. W tym wszystkim nie chodzi o Alaynę. Chodzi o mnie. Chcę być blisko tej kobiety. Chcę badać wpływ, jaki ma na mnie. Chcę wiedzieć, czy to przetrwa, ale tylko dla mojej własnej, chorej satysfakcji.

Mimo to nadal postanawiam podarować jej wycieczkę do spa. Nie wiem, co mnie do tego motywuje. Na kartce nie zostawiam swojego imienia, więc nie chodzi o to, że zamierzam ją do siebie przekonać. Naprawdę chcę, by tam pojechała, bo uważam, że to się jej spodoba. Chcę, by w swoim trudnym życiu zaznała trochę przyjemności. Może jednak potrafię zrobić coś bezinteresownego.

A może wiem, że Alayna będzie miała większe szanse w grze Celii, jeśli poczuje się wypoczęta i wypieszczona. Ale to chyba znowu wymówka dla moich czynów. Może i potrafię manipulować ludźmi, ale nie umiem przekonać siebie, że jestem lepszą osobą niż w rzeczywistości. Nieważne, jak bardzo się staram.

# Rozdział 7

Jestem poukładanym człowiekiem. Zawsze się kontroluję. Potrafię zarządzać nieogarniętymi członkami zarządu, nawet się przy tym nie męcząc. Zakupiłem drogie i ważne akcje i nawet mi przy tym puls nie przyspieszył. Bez mrugnięcia mogłem manipulować innymi.

A dzisiaj, w obecności kobiety, którą ledwo znam, wpadłem po uszy.

Może się starzeję. A może po prostu spotkałem swoją drugą połówkę.

Alayna wchodzi do bąbelkowego pokoju przede mną. Wczoraj, podczas jej pierwszej zmiany po wakacjach w spa, które jej zafundowałem, zostałem jej przedstawiony jako nowy właściciel klubu. Jeszcze nie mieliśmy okazji, by porozmawiać o rodzaju naszej współpracy. Chodzi o to, że nie chcę, by traktowała mnie jak swojego szefa czy współpracownika. Chcę, by traktowała mnie jak mężczyznę. Jak potencjalnego kochanka.

Z tego też powodu znaleźliśmy się w prywatnym pokoju, w środowisku niezwiązanym z pracą. Będzie mi towarzyszyć podczas kolacji. Te okoliczności mogą wyglądać dla niej jak randka. Bo dla mnie też tak to wygląda i dlatego jestem odrobinę spięty. Przynajmniej oboje będziemy spięci.

Alayna włącza światło wskazujące na to, że bąbelkowy pokój jest zajęty, a następnie podaje mi menu. To trochę zabawne. Nie powinna teraz pracować, jednak cały czas się tak zachowuje.

Wskazuję miejsce, które mamy zająć.

– Panie przodem.

Siada, a ja przyglądam się jej uważnie. Kostki na jej dłoniach są prawie białe, bo tak mocno zaciska je na stoliku. Stuka obcasem w podłogę. Denerwuje ją to, że jest tu ze mną. Sam na sam. Mówiąc szczerze, też jestem zdenerwowany. Ale to ja muszę ukoić jej nerwy. I swoje.

Jezu, mam przesrane.

Zdejmuję marynarkę i niespiesznie odkładam ją na wieszak za mną. Czuję, że to jest moment, gdy zaczynam się zbierać do kupy. Mam tylko jedną szansę, by zrobić to dobrze i jeśli tego nie zrobię, cała gra się skończy, zanim w ogóle się zacznie. A ja wyjdę na idiotę.

Oddycham głęboko i jestem gotowy, by się z nią zmierzyć.

Gra się zaczęła.

Siadam naprzeciwko niej i odkładam menu, które mi podała.

– Nie potrzebuję tego. A ty?

– Nie, dziękuję, panie Pierce.

– Hudson – poprawiam ją.

– Nie, dziękuję, Hudsonie. – Na dźwięk mojego imienia wypowiedzianego przez nią od razu robi mi się ciasno w spodniach. – Już jadłam.

– Wobec tego może coś do picia? Wiem, że dopiero o jedenastej zaczynasz pracę. – To tylko podstęp. Już zamówiłem dla nas obojga. I to ja potrzebuję się napić.

Alayna zwilża językiem dolną wargę.

– Może mrożoną herbatę.

A teraz myślę o tym, jak ten jej język zwilżyłby mojego fiuta.

– Dobrze.

Naciskam przycisk na środku stołu, który wzywa kelnerkę. Nasze palce spotykają się w tym samym momencie, bo ona robi to samo. Jej dotyk jest ciepły i uderza mi do głowy. Chcę więcej. Zamierza odsunąć rękę, ale nie pozwalam jej na to. Ujmuję jej dłoń w swoją.

Oddycha ciężko, gdy gładzę palcami grzbiet jej dłoni. Patrzę jej głęboko w oczy i widzę, że jej źrenice się rozszerzają. Mówię o wymówce dotyczącej tego, dlaczego ją tak często dotykam. Uznaje ją. Biorąc pod uwagę jej spojrzenie, w tej chwili zaakceptowałaby wszystko, co bym powiedział. Leci na mnie. To dobrze.

Bałem się, że nasze nieprzyjemne spotkanie z poprzedniego dnia zabiło jej pożądanie. Tak szczerze, nie byłem zbyt... przyjazny w stosunku do niej. Znowu była prowokująco ubrana, a ja zrobiłem z tego powodu scenę. Musiałem pokazać swój autorytet przed Davidem. Musiałem pokazać, że Alayna na początku nie była moją ulubienicą – chociaż to nieprawda.

I musiałem położyć kres jej prowokacyjnym strojom, które były zaproszeniem dla innych do nagabywania jej. Może i potrafiła radzić sobie z ich zainteresowaniem. Ja nie umiałem.

Mimo że było to konieczne, zmartwił mnie błysk gniewu w jej oczach po tym wydarzeniu. A teraz, gdy gładzę jej skórę, a ona praktycznie topnieje pod moim dotykiem, wiem, że mój niepokój nie był konieczny. Ponadto zauważam, że dotykanie jej w ten sposób jest bardzo miłe.

Mój telefon zaczyna dzwonić, przerywając nasz kontakt.

– Przepraszam. – Wyciągam komórkę ze spodni i wyciszam ją. Po dzwonku wiem, kto to. Celia. Na pewno sprawdza moje postępy.

Niech się pieprzy. Jest zbyt nachalna i wkurza mnie tym. Zadzwonię do niej, gdy będę gotowy, czyli po wszystkim.

– Możesz odebrać, jeśli chcesz – mówi Alayna.

– To na pewno nic na tyle ważnego, by przerywać tę rozmowę. – To typowy tekst z mojej gry. Jednak czy można być szczerym i jednocześnie prowadzić grę? Mój scenariusz jest bardzo luźny. Wiem, na czym powinienem skończyć, nim wyjdę z tego pokoju, ale wszystko, co się ma wydarzyć wcześniej, to jedna wielka improwizacja. W moich poprzednich grach badałem obiekt i wymyślałem, co by chciał usłyszeć. Zdolnie nim manipulowałem.

Ale teraz jest inaczej.

Chociaż wszystko, co do tej pory powiedziałem i zrobiłem, idealnie przygotowało mnie do mojego zadania, większość z tych rzeczy przyszła naturalnie. To jest szczere.

Cała sytuacja jest jednak dla mnie obca i mam wrażenie, że jestem w czarnej dupie.

Wchodzi kelnerka i z ulgą przerywam swój tok myślenia. Stawia przede mną moją kolację i kieliszek wina Sancerre. Przed Alayną stawia szklankę z mrożoną herbatą.

Alayna unosi brwi, a ja odpowiadam na jej nieme pytanie.

– Zapytałem Liesl, co zazwyczaj pijesz. Gdybyś powiedziała, że chcesz coś innego, nie byłbym wtedy taki wyluzowany i schłodzony jak ta herbata.

Moja gra działa – relaksuje się nieco i uśmiecha lekko.

– Hm... cóż, „schłodzony" nie jest słowem, którym bym cię określiła.

A to ciekawe.

– Zatem jakim?

Rumieni się i bierze łyk herbaty. Idę o zakład, że pomyślała o czymś sprośnym. Koniecznie chcę to wiedzieć. Kelnerka przerywa jednak moją próbę dowiedzenia się.

– Coś jeszcze, panie Pierce?

– Na razie dziękuję. – Czekam, aż zniknie, by wrócić do poprzedniej rozmowy. – A jakie to słowo, Alayno?

Nie waha się.

– Opanowany.

– Interesujące. – Nie to chciała powiedzieć. Biorę kęs swojej ryby, by na chwilę skupić się na czymś innym. – Nie twierdzę, że to błędne określenie. Ale po twojej minie sądziłem, że to będzie coś innego.

Nie odpowiada, a ja jestem jeszcze bardziej przekonany o tym, że pomyślała o czymś niestosownym. Przenosi wzrok na klub pod nami. Przyglądam się jej, jedząc swój posiłek. Nie jest tak łatwa do odczytania, w przeciwieństwie do innych ludzi, których spotykam na swojej drodze. A może chodzi o to, że chcę wiedzieć o niej więcej, niż sam jestem w stanie wyczytać z jej osoby. Chcę wiedzieć, co myśli. A w szczególności, co myśli o mnie.

Co to, do cholery, ma być? Nie przypominam sobie, żebym kiedykolwiek przejmował się tym, co ktoś o mnie myśli. A jednak teraz nie pragnę tylko jej ciała – pragnę również jej umysłu. Chcę wiedzieć, co jej siedzi w głowie. Chcę, by była tak pochłonięta moją osobą, jak ja jestem pochłonięty nią.

To mnie przeraża.

Dlatego też zmieniam temat.

– Wiem, dlaczego zgodziłaś się zjeść ze mną posiłek, Alayno. – Tak naprawdę nie dałem jej wyboru. Ale na pewno ma jakieś swoje wytłumaczenie odnośnie tego, dlaczego ją tu zaprosiłem, i najwyższa pora, by rozwiać wszelkie wątpliwości. – Muszę być z tobą szczery. Nie zamierzam pomóc ci w zdobyciu awansu.

Właściwie wcześniej rozmawiałem o tym z Davidem. Słuchałem, jak w szczegółach opowiada mi o umiejętnościach Alayny. Pozwoliłem mu „przekonać" mnie, że jej awans jest najlepszym rozwiązaniem dla Sky Launch. Dopiero wtedy, gdy miałem pewność, że na pewno ją awansuje, powiedziałem mu, że nie zamierzam mieszać się w codzienne sprawy tego klubu. Oboje wyszliśmy ze spotkania zadowoleni.

Alayna drga niespokojnie i widzę, że jest zawiedziona moimi słowami.

Próbuję ją pocieszyć.

– Ale to nie znaczy, że nie zostaniesz menedżerką. David powiedział, że nadajesz się na to stanowisko, a ja jestem pewny, że uda ci się je objąć bez mojej pomocy. Może i kupiłem Sky Launch, ale nie jestem twoim szefem. To David nim jest i będzie, dopóki pod jego zwierzchnictwem interes będzie kwitł.

Oddycha z ulgą i wiem, że już jej lepiej.

A teraz, gdy wszystko zostało omówione…

– Ale nie zaprosiłem cię tu, by rozmawiać o klubie.

Jej ciało się napina.

– A po co?

To chwila, w której czas na bombę. Nie mogę się jednak powstrzymać i nie wykorzystać okazji, by z nią flirtować. Bo właśnie to pewnie przeszło jej przez myśl.

– Może trochę cię lubię.

Dopiero, gdy to powiedziałem, pojmuję, że mówię szczerze. Naprawdę ją lubię. Ludzie bardzo często mnie intrygują – nie tak, jak Alayna, ale wielu z nich mnie ciekawi. Jednak rzadko się zdarza, bym ich polubił. Ale lubię Alaynę. Właściwie to bardzo ją lubię.

Wzrusza ramionami. Cieszy mnie, że udaje mi się ją zawstydzić. Upija łyk herbaty.

– Może się z kimś spotykam.

A jeszcze bardziej podoba mi się, że mi się stawia, chociaż jest wytrącona z równowagi.

Przyglądałem się jej, a więc wiem, że nie ma chłopaka, ale zgadłbym to nawet bez swoich szpiegów.

– Z nikim się nie spotykasz. Żaden facet nie pozwoliłby swojej dziewczynie ubierać się do pracy tak, jak ty się ubrałaś wczoraj. – Widzę, że jest wkurzona.

Może nie powinienem wspominać o tym, jak ją publicznie upokorzyłem. Moje myśli krążą wokół jej ciasnego gorsetu i tego, jak jej piersi pięknie go wypełniały u góry. Nie miałbym nic przeciwko, gdybym mógł zobaczyć ją znowu w tym gorsecie. Sam na sam.

Dlatego dodaję:

– A przynajmniej nie publicznie.

Jej oczy robią się błyszczące na moją oczywistą insynuację, jednak ona zaciska szczęki.

– Może nie lubię apodyktycznych chłopaków?

W sumie racja.

– No dobrze, Alayno. – Unoszę brew. – Wobec tego spotykasz się z kimś?

Teraz ją mam. Nie zawstydza się i podziwiam to w niej. Zamiast tego siada prosto i używa jednej z moich ulubionych technik – unikania.

– Nie dlatego mnie tu zaprosiłeś, Hudsonie. Masz jakiś ukryty cel.

– Ukryty cel. – Próbuję się nie śmiać. Jest taka bezpośrednia. To dla mnie nowość. – Tak, Alayno. Mam cel. Ale jeszcze nie jestem gotowy się nim podzielić. A właściwie to ona nie jest gotowa o nim usłyszeć. Zamiast tego mówię o czymś innym.

– Jak zakładam, podobał ci się wyjazd do mojego spa w tamtym tygodniu.

Szkoda, że nie zostawiłem tego spa jako anonimowego prezentu, szkoda, że włączyłem go do tej gry. Ale obawiam się, że ona może nie zaakceptować jeszcze większego podarunku, który jest jej częścią. Muszę ją przygotować, musi się czuć komfortowo z moim bogactwem. Jeśli zauważy, że już skorzystała z tego, co mogę zaproponować, to nie przytłoczy ją jeszcze większa oferta.

– Och, nie wiedziałam, że masz własne spa... Chwila... – Gdy dociera do niej, co właśnie powiedziałem, od razu widać to na jej twarzy. – To był prezent od ciebie?

– Tak. Podobał ci się?

– Niemożliwe. – Otwiera usta zdziwiona.

– Nie? – To nie jest odpowiedź na moje pytanie i wiem o tym.

Jest w szoku. Teraz się cieszę, że jednak jej o tym powiedziałem. Dzięki temu będę mógł odkryć, co jeszcze może ją tak zaskoczyć. W szczególności mam na myśli coś, przy czym nie trzeba się ubierać.

– To znaczy tak, podobało mi się! Było wspaniale, jeśli mam być szczera, ale to niemożliwe, że to twoja sprawka. Dlaczego miałbyś to zrobić? Nie powinieneś był.

– Dlaczego nie?

Oczy Alayny się rozszerzają.

– Bo to było kosztowne! To wielki gest!

– Nie dla mnie. – Nie jestem idiotą. Wiem, jak to wygląda. To był bardzo ekstrawagancki prezent jak dla nieznajomej. Na pewno myśli, że chcę zaciągnąć ją do łóżka. Chcę, ale prezent nie ma z tym nic wspólnego.

– Ale dla mnie tak. To ogromny wydatek! A ty nawet mnie nie znasz! To zupełnie niestosowne i nieprofesjonalne. Gdybym wiedziała, że to od ciebie, nigdy bym tego nie przyjęła.

Mimo jej słów nie żałuję swojej decyzji. Jestem bogatym mężczyzną. Nie zawsze bywam szczodry, ale gdy już tak się dzieje, to za każdym razem ze szczerych pobudek.

– To wcale nie było niewłaściwe. To był po prostu prezent. Potraktuj to jako niespodziankę na zachętę. Na powitanie. –

Znowu usiłuję zmienić podejście. Albo przynajmniej próbuję. Ta taktyka chyba jednak nie działa.

– Ale nie możesz dawać prezentów kobietom, które dla ciebie pracują, no chyba że prowadziłbyś klub zupełnie innego rodzaju.

– Przesadzasz, Alayno. – Chociaż uważam, że jest urocza, gdy się tak przejmuje.

– Wcale nie przesadzam! – Wyraz jej twarzy już nie jest sfrustrowany, raczej zdezorientowany. – Co masz na myśli, mówiąc o niespodziance na powitanie? Że co, to dodatek do umowy o pracę?

– Tak, Alayno. – Już wystarczająco przedłużam tę rozmowę. – Taki jest mój plan. Chciałbym cię zatrudnić.

– Ja już dla ciebie pracuję i odpowiada mi ta praca. – Jest zaskoczona, a jej zdezorientowanie się pogłębia.

Ale przynajmniej skupia się na mnie.

– Powtarzam, nie czuję, żebyś dla mnie pracowała. Nie jestem twoim szefem. Jestem właścicielem miejsca, w którym pracujesz. To wszystko. Czy to jasne?

Kiwa głową, a ja się rozluźniam. Muszę to wyjaśnić, bo to dla mnie ważne. Jako jej szef miałbym możliwość pracowania z nią. Jednak chcę, by miała wybór. To nie ma nic wspólnego z grą Celii. Ja po prostu chcę tak postąpić z Alayną. Chcę, by nasza znajomość nie była wymuszona. Chcę, by rozwijała się naturalnie.

Jestem osobą z kiepskim poczuciem humoru, ale moje myśli zaczynają mnie bawić. Jak to może się dziać naturalnie, jeśli wszystko jest zaplanowane w każdym szczególe? Cóż, może nie wszystko. Kurwa, już sam nic nie wiem. Teraz dopiero dociera do mnie, że gdy już jestem właścicielem klubu, Celia nie ma na mnie nic. Nie może mnie szantażować. Mógłbym odejść w tej chwili. Mógłbym spędzać czas z Alayną na własnych warunkach – nawet zaprosić ją na prawdziwą randkę.

Ten pomysł jest jednak absurdalny. Nigdy nie chodzę na randki. I znam Celię – ona nie podda się łatwo. Poza tym nie jestem osobą, która podejmuje decyzje impulsywnie.

– To w żaden sposób nie będzie kolidować z twoją pracą w klubie. – Pochylam się w jej kierunku. – Może „zatrudnienie" nie jest dobrym słowem w tym wypadku. Chciałbym zapłacić ci za pomoc w rozwiązaniu pewnego problemu. Uważam, że jesteś idealną osobą do tej pracy.

– Wygrałeś. Zaciekawiłeś mnie. Co to za praca?

Zaintrygowałem ją, tak jak planowałem. Milczę przez chwilę dla lepszego efektu.

– Potrzebuję cię, byś zerwała zaręczyny. – Boże. Grę aktorską doprowadziłem do perfekcji. To żałosne, naprawdę.

Alayna kaszle zszokowana.

– Że co? Czyje?

Odchylam się na krześle i rzucam bombę.

– Moje.

Patrzy na mnie z otwartymi ustami, a ja zaczynam mieć brudne myśli z nimi związane.

– Zamknij usta, Alayno. Chociaż widok ciebie zdumionej jest uroczy, to przy okazji bardzo rozprasza.

Zamyka usta, ale nadal jest zszokowana. Widzę to. Podaję jej swoje wino. Bierze łyk i potem mówi:

– Nie wiedziałam, że jesteś zaręczony. – Rumieni się, gdy wypowiada te słowa, a ja muszę odwrócić wzrok. Ona jest zbyt kusząca. Rozważam porzucenie gry i skupienie się na uwiedzeniu jej. Ale przede mną jest jeszcze dużo pracy, więc wstrzymuję się i wyjaśniam Alaynie zawiłość mojej relacji z Celią i naszą sytuację. Pomijam wiele rzeczy, ale prawie nic nie jest kłamstwem. Mówię jej o tym, że nasi rodzice się przyjaźnią, że chcą, byśmy się pobrali, że moja matka uważa, że nie ma dla mnie nikogo lepszego niż Celia.

Nie wspominam, że nasi rodzice chcą naszego ślubu z powodu naszego wyimaginowanego związku. W głowach naszych rodziców Celia i ja od zawsze jesteśmy parą, odkąd poznaliśmy się dziesięć lat temu. To nie jest istotna informacja i wolę o tym nie mówić. Dlatego to pomijam.

Chyba jednak pominąłem zbyt wiele szczegółów, bo stwierdza:

– Czegoś mi tu brakuje.

Kiwam głową.

– Domyślam się. – Biorę od niej kieliszek i dopijam wino, zanim powiem o ostatnim szczególe. To również będzie prawda – największa prawda w całej tej grze i taka, do której nigdy nie chciałem się przyznać. Aż do teraz. – Alayno, jeżeli jakakolwiek osoba na świecie miałaby mieć władzę nade mną, to byłaby nią moja matka. – I Mirabelle, ale o tym na razie nie wspominam. – Ona wie, że jestem... – Nie muszę szukać odpowiedniego słowa, ale i tak milczę przez krótką chwilę, po czym kończę: – Niezdolny... do miłości. Martwi się, że... będę sam. A ślub z córką jej najlepszych przyjaciół by temu zapobiegł.

Żałuję, że nie mam nic więcej do picia, bo właśnie nachodzą mnie wątpliwości. Czy naprawdę jestem niezdolny do miłości? Czy może to była tylko sugestia psychologa, który stwierdził to, gdy byłem nastolatkiem? Może ta teza nie ma podstaw? Nigdy nie próbowałem jej obalić i nagle zaczynam się zastanawiać, czy byłbym w stanie to zrobić.

To jednak zburzyłoby wszystko, co mam.

Szybko pozbywam się tej myśli i zaczynam jej wyjaśniać, że gdybym był zakochany w kimś innym, to nasi rodzice byliby zachwyceni. Bardziej niż zachwyceni – moja matka dostałaby ataku serca. Albo po prostu by w to nie uwierzyła. To chyba bardziej prawdopodobne.

Alayna mruży oczy i pyta:

– Miałabym się wcielić w zdzirę, w której ty się niby zakochasz?

Bawi mnie to. Kobieta siedząca przed mną nie jest ani zwyczajna, ani tym bardziej podobna do zdziry.

– Nikt nie pomyliłby cię ze zdzirą, Alayno. Nawet kiedy się tak ubierasz. – To ostatnie było zamierzone. To moja wymówka, by znowu pomyśleć o jej gorsecie. Kurwa, wyglądała w nim bosko.

Ale ona nie jest zachwycona moim komentarzem.

– To dlaczego nie zatrudnisz prawdziwej dziwki, która zagrałaby w twoim teatrzyku?

– Bo moja matka nigdy by nie uwierzyła, że ulokowałem uczucia w dziwce. A ty masz pewne zalety, dzięki którym ta historia będzie wiarygodna.

– Niby jakie zalety?

Widzę, że jej cierpliwość się kończy. Szczerze mówiąc, moja też. Nie mogę już ukrywać mojego pożądania w stosunku do niej. Patrzę jej prosto w oczy.

– Alayno, jesteś niezwykle piękna i niezwykle inteligentna.

– Och.

Jest zaskoczona. Ja też, bo w jej oczach widzę odbicie swojego pożądania i chcę coś z tym zrobić. Chcę wiedzieć o niej wszystko. W mojej głowie zaczynają się pojawiać jednoznaczne myśli. To, co mógłbym z nią zrobić...

Jeszcze nie. Ale wkrótce.

Przerywam nasz kontakt wzrokowy.

– I jesteś brunetką. Czyli, żeby uściślić, masz trzy cechy, które sprawiają, że jesteś w moim typie.

Nie spotykam się z kobietami, ale pieprzę się z nimi. Kobiety, z którymi uprawiam seks, są piękne i wystarczająco inteligentne, bym mógł bez cierpienia przetrwać z nimi wieczór. I w większości są brunetkami. Nie wiem, czy chodzi o to, że lubię, gdy mają ciemne włosy, czy po prostu szukam przeciwieństw Celii, która jest blondynką. Ale to nieważne, bo Alayna pasuje do wytycznych.

Tak bardzo, że nie mogę trzeźwo myśleć.

Jak podejrzewałem, zaczyna się śmiać, gdy mówię, że chcę spłacić osiemdziesiąt tysięcy jej studenckiej pożyczki w zamian za udział w moim przedstawieniu. Jeszcze tego nie wie, ale ja już spłaciłem ten dług. Jestem pewny, że gdyby o tym wiedziała, już by jej tu nie było.

Ale nadal tutaj jest. Ciągle słucha uważnie każdego mojego słowa, jednak nie jest przekonana co do mojej propozycji. Obawiałem się, że będę musiał ją odpowiednio przekonać i najwyraźniej się nie myliłem. Nie pomaga mi też fakt, że jestem bardzo rozproszony. Myślę tylko o niej, jak jest pode mną.

Przypominam sobie jednak, że to nie stanowi celu tego spotkania. Celem dzisiejszego wieczoru jest przekonanie Alayny, żeby zagrała moją dziewczynę. Pieniądze powinny ją przekonać, ale tak się nie stało. W sumie jestem z tego zadowolony.

Ona chce wiedzieć więcej i to też mnie cieszy.

– Co dokładnie miałabym zrobić? – pyta. Jej ciekawość wygrywa. Wiem, że nie może się powstrzymać od pytań.

Rozluźniam się. Moja propozycja jeszcze jej nie zainteresowała, nie tak naprawdę.

– Mielibyśmy udawać parę. Zaprosiłbym cię na kilka spotkań, żeby matka zobaczyła nas razem. A ty kurczowo trzymałabyś się mojego ramienia i zachowywała tak, jakbyś była we mnie szaleńczo zakochana.

– I to wszystko?

– Owszem. – To nie wszystko, czego chcę, ale tylko tyle mam zaplanowane na dzisiejszy wieczór. Ale moje plany na pewno się jeszcze zmienią.

Zauważam, jak przełyka ślinę.

– A w tym udawanym związku w jakim zakresie miałabym odgrywać swoją rolę?

Nie wiem, czy jestem zły, czy podniecony faktem, że zrobiła się taka nerwowa na myśl o spaniu ze mną.

Decyduję, że podniecony. Widzę, że ja też się jej podobam. Lustruje mnie wzrokiem od góry do dołu, skupia spojrzenie na moich ustach. Ona po prostu nie chce być uważana za dziwkę. I ja też bym tego nie chciał.

Będzie musiała się oswoić z tą myślą. Mogę przymknąć oczy na nieśmiałość, ale nie będę tolerował dwuznaczności, jeśli chodzi o kontakt fizyczny.

– Nie owijaj w bawełnę. Chodzi ci o seks.

I w tym momencie podejmuję ostateczną decyzję. Muszę ją mieć i nie mogę czekać dłużej, by jej o tym powiedzieć. Nawet jeśli to nie jest częścią gry i nawet jeśli nie zostało zaplanowane na dzisiejszy wieczór.

– Ja nigdy nie płacę za seks, Alayno. Jeśli cię przelecę, to za darmo.

Jej oczy rozszerzają się i ciemnieją. Kręci się niespokojnie na swoim krześle. Odkryłem jej słabość do mnie i ona teraz nie wie, jak ma zareagować. Jest bezbronna.

A ja jestem taki podniecony.

– Chyba powinnam już iść – mówi.

– A chcesz iść? – Wiem, że nie chce. Zachęcam ją do tego, by została.

– N-nie jestem pewna. Tak. Myślę, że powinnam iść. – Plącze się w swojej odpowiedzi.

To cholernie seksowne. Chcę usłyszeć, jak drżąc, jęczy, gdy mój język znajdzie się na jej muszelce. Jestem twardy na samą myśl o tym.

– Bo czujesz się niezręcznie z moją propozycją pracy? – Nie mogę się powstrzymać, muszę się jeszcze nad nią trochę poznęcać. – Czy dlatego że ci powiedziałem, że cię zerżnę?

– Ja... Tak. Tamto.

Przechylam głowę zaintrygowany. Czy ona gra trudną do zdobycia, czy po prostu ignoruje chemię między nami?

– Ale jestem pewny, że to nie jest dla ciebie zaskoczeniem, Alayno. Czujesz chemię między nami. Język twojego ciała wyraża to dość jasno. Nie zdziwiłoby mnie, gdyby się okazało, że już jesteś mokra.

Rumieni się, a ja mam ochotę wziąć ją w tej chwili.

Uśmiecham się.

– Nie wstydź się. Nie wiesz, że czuję to samo? – Mój fiut robi się jeszcze twardszy i teraz to ja muszę się kręcić na siedzeniu, bo mi niewygodnie. – Gdybyś uważniej mi się przyglądała, zobaczyłabyś dowód. Mam gdzieś plan dzisiejszego wieczoru. Nie ma sensu już o tym gadać. Teraz interesuje mnie tylko jedno – jej usta, jej piersi, jej długie, zgrabne nogi. To mój klub. Mógłbym bez problemu oprzeć ją na stole i wejść w nią. Moje jądra uderzałyby w tył jej ud, a jej cipka zaciskałaby się na moim penisie.

Zatrzymuje mnie tylko jedna kwestia – ona tu pracuje. To nie byłoby fair w stosunku do niej, więc muszę się kontrolować.

Nie jest mi dobrze z tą decyzją, ale nie zamierzam jeszcze zakończyć tego gorącego flirtu.

– Dobrze, weźmy na tapetę moją ofertę zatrudnienia, a tę konkretną sprawę przedyskutujemy później. Proszę, zrozum, że to dwie odrębne rzeczy. Nie chciałbym, żebyś pomyślała, że mój seksualny pociąg do ciebie ma jakikolwiek związek z teatrzykiem dla moich rodziców i przyjaciół.

– J-ja nie wiem, jak mam zareagować, gdy ktoś mówi, że mnie pożąda. – Czerwieni się. Nie zaskakuje mnie to.

Ale jestem zaskoczony z innego powodu.

– Czy żaden facet przede mną ci tego nie powiedział? – Ona musi wiedzieć, jaka jest atrakcyjna. Jej piękno nie jest tylko fizyczne – to się wiąże z aurą, jaka ją otacza, usposobieniem, z tym, jak jej oczy błyszczą i jak jej czoło się marszczy, gdy się martwi. To idealna kombinacja siły i słabości – niczym piękna waza, która została rozbita i ponownie sklejona w całość, więc widać rysy na jej powierzchni, kiedy się bliżej przyjrzeć. Ona jest uosobieniem Feniksa powstającego z popiołów. Wielu musiało spłonąć w jej obecności.

Zaczyna się bawić kieliszkiem.

– Nie tak dosłownie. Czasem poprzez zachowanie. Generalnie nie tak bezpośrednio.

Mam ochotę przekląć, słysząc jej słowa.

– Co za szkoda. – Jak to się stało, że nikt przede mną nie dostrzegł takiej perełki? Ona nawet nie wie, jaka jest wyjątkowa. To smutne.

Nie myśląc, sięgam po jej dłoń i zaczynam gładzić kciukiem gładką skórę.

– Ja mam zamiar mówić ci to przy każdej możliwej okazji.

Skąd to się w ogóle u mnie wzięło? Ale gdy tylko wypowiadam te słowa, wiem, że są prawdziwe. Przy tej kobiecie łamię wszystkie swoje zasady, działam wbrew swojej naturze. Może inni mężczyźni przetrwali jej płomienie, ale ja obawiam się, że już zostałem sparzony.

Uwalnia swoją rękę.

– Och.

Widzę, jak zaczyna myśleć intensywnie. Wycofuje się. I to szybko.

– Hm, czuję się trochę przytłoczona. Muszę iść. Dałeś mi wiele powodów do zastanowienia.

Wstaje, a ja razem z nią. Nie chcę, by sobie szła. Mój puls przyspiesza i czuję pot na czole. Czy to panika? To nieznane mi doznanie, ale czuję się, jakbym tracił kontrolę.

Niemal błagam ją, żeby została.

– Szkoda, że musisz iść. Ale skoro tak...

Unika mojego wzroku.

– Muszę iść do pracy.

Kieruje się w stronę drzwi, a ja idę za nią. Gdy kładzie rękę na klamce, ja dotykam jej dłoni i powstrzymuję ją przed otworzeniem drzwi. Tego nie ma w moim planie. Wiem tylko tyle, że nie mogę pozwolić jej wyjść tak szybko.

Pochylam głowę, a moje usta znajdują się tuż przy jej uchu.

– Zaczekaj, Alayno. – Mój fiut robi się jeszcze twardszy, kiedy czuję jej zapach. Aromat jej szamponu, żelu pod prysznic i urzekającą woń piżma. Słodkie perfumy nie są w stanie zakryć naturalnego zapachu jej ciała.

Odzywam się bez zastanowienia:

– Nie chciałem, żebyś poczuła się przytłoczona. To nie było moim zamiarem. Ale chcę, żebyś wiedziała, że bez względu na twoją decyzję dalej będę próbował cię uwieść. Jestem mężczyzną, który zawsze dostaje to, czego chce. A ja chcę ciebie. Już się dłużej nie mogę powstrzymywać – chwytam zębami jej ucho. Wydaje zduszony dźwięk i odchyla głowę na bok. Teraz jej szyja jest odkryta, a ja się z tego bardzo cieszę. Przygryzam ją i liżę, a ona chwyta mnie za rękę. Otaczam ją drugą ręką w pasie. Po chwili kładę dłoń na jej piersi. Czuję twardy sutek. Myślę tylko o tym, by wziąć go do ust, przygryźć zębami.

Ściskam jej pierś i ukrywam twarz w jej włosach.

– Wyglądasz dzisiaj prześlicznie. Powinienem był ci to powiedzieć wcześniej. Nie potrafię oderwać od ciebie wzroku. Poważna, oficjalna i sexy w jednym. – To nie jest odpowiednie miejsce, ale nie mogę już wytrzymać. – Pocałuj mnie, Alayno.

Powoli odwraca głowę w moim kierunku. Nasze usta się spotykają. Przesuwam językiem po jej wargach. Jej usta są miękkie i jedwabiste. Całuje mnie równie żarliwie, jak ja ją. Pragnę jej, chcę, by zrozumiała, jak to jest być ze mną, by wiedziała, że to ja będę dominować. Nawet jeśli teraz nad sobą nie panuję, to ja będę kontrolował nasze zbliżenie.

Jej smak jest niesamowity. Uzależniam się od niego. Jest pyszny.

Chcę spróbować jej wszędzie. Chcę przesunąć językiem po jej pępku i niżej. Chcę posmakować jej cipki. Chcę zlizać soki z jej szparki.

Obraca się do mnie przodem i nasze ciała przyklejają się do siebie ponownie. Chwytam ją za tyłek, a ona otacza mnie ramionami za szyję. Boże, jak ja jej pragnę. Nigdy wcześniej nikogo tak nie pragnąłem. Wiem, że nie mogę jej teraz wziąć, ale jednocześnie nie jestem pewny, czy potrafię się powstrzymać. Szczególnie gdy ona zaczyna poruszać biodrami przy moim fiucie. Jest jak matador powiewający czerwoną płachtą, a ja jestem bykiem, który zamierza zaatakować.

Mimo wszystko nic w tej sytuacji nie jest takie, jakie powinno być. Miejsce, czas... a przede wszystkim okoliczności. Dzisiejszej nocy chodzi o grę. Nie chcę, by gra popsuła nasz wieczór, nie chcę o niej myśleć, gdy będę wchodzić w tę kobietę. Nie chcę, by Celia i jej scenariusz miały coś wspólnego z moim seksem z Alayną.

Na myśl o Celii łatwiej jest mi się wycofać. Trzymam ręce na ramionach Alayny, zachowuję dystans. Wystarczy jeszcze jedno dotknięcie jej i zmienię zdanie. Zerżnę ją wtedy. Oboje dyszymy równo i patrzymy sobie w oczy.

Widzę w jej spojrzeniu rozczarowanie i smutek. Chcę ją pocieszyć, więc przesuwam dłonią po jej policzku.

– Nie tutaj, skarbie. Nie w ten sposób. – Otaczam dłonią jej szyję i przyciskam czoło do jej czoła. – Znajdziesz się pode mną. W łóżku. Tam będę mógł cię ubóstwiać, jak należy. – Ta obietnica jest jedyną rzeczą, która mnie powstrzymuje przed kolejnym krokiem. Nie wezmę jej dzisiaj, ale zrobię to później.

Przesuwam rękę w kierunku jej stanika, gdzie trzyma swój telefon. Odblokowuję ekran, wpisuję swój numer i dzwonię do siebie. Po chwili się rozłączam. Już mam jej numer, wcześniej go znalazłem, ale chcę, by zobaczyła, że zdobyłem go w tej chwili, w normalny sposób.

– Teraz mamy już do siebie kontakt. Oczekuję, że to wykorzystasz.

Wkładam jej telefon z powrotem do stanika, zatrzymując spojrzenie chwilę dłużej na jej piersiach. Mój penis jest tak twardy, że aż boli. Kolejny pocałunek byłby ryzykiem, więc tylko delikatnie muskam jej wargi swoimi.

– Zadzwoń, gdy już będziesz gotowa. – Bojąc się, że nie nastąpi to tak szybko, jakbym chciał, dodaję: – Jutro.

Całuję ją przelotnie i szybko wychodzę. Dzisiaj zdecydowanie będę musiał jechać na ręcznym. Ale chyba nawet dwa razy mnie nie zadowolą.

# Rozdział 8

---
PRZED
---

Pojechałem sam na imprezę do Brooke'ów. Zazwyczaj, gdy zamierzałem pić, brałem szofera. Ale dzisiejszej nocy musiałem zachować kontrolę i być trzeźwy, a także mieć możliwość szybkiej ucieczki. Po kiepskim zakończeniu wczorajszego wieczoru zdecydowałem, że najwyższa pora doprowadzić eksperyment z Celią do końca. Jasno dałem do zrozumienia, że nie będzie żadnych „nas", dopóki nie zerwie z chłopakiem. Jeśli w tym momencie nie będzie chciała się z nim rozstać, to wtedy będę musiał zmienić wnioski, jakie już zdążyłem wyciągnąć. Może jej głupie przywiązanie do niego było silniejsze, niż myślałem. Może się myliłem.

Chociaż wątpiłem w to.

Przyjechałem na miejsce po zachodzie słońca, gdy impreza zdążyła się już rozkręcić. Chciałem, by Celia czekała na mnie. Byłem nieco zaskoczony, że nie próbowała do mnie zadzwonić, aby się upewnić, że przyjdę. Pomyślałem jednak,

że po tym, co wczoraj widziała, chciała dać mi trochę przestrzeni. I byłem pewny, że ją to bardzo męczyło.

Zaparkowałem samochód dalej od domu, żeby nikt mnie
nie zablokował. Idąc długim podjazdem, zauważyłem, że nie
było tu auta Celii. To jeszcze niczego nie oznaczało. Mógł ją
ktoś przywieźć. I pewnie wymyśliła, że dzisiaj to ja ją od-
wiozę do domu. Ale ja nie miałem tego w swoich planach.
Zawahałem się. A jakie były moje plany na dziś? Jeśli Celia
zdecyduje, że zrywa z Dirkiem, będę jej musiał powiedzieć,
że to jakieś nieporozumienie. Ona zacznie płakać i pewnie
będzie zła... I co ja zrobię z tym potem? Chciałem poznać
jej pełną reakcję. W moim wymyślonym zakończeniu Celia zrobiłaby scenę, a ja stałbym i patrzył. W końcu to był
najciekawszy punkt całego eksperymentu – emocje. To, jak
umiały osłabić silną osobę. Jak potrafiły ogłupić kogoś inte-
ligentnego. Jak były w stanie zmienić kogoś w zupełnie inną
osobę. Teraz miałem przewagę nad Celią, której brakowało mi w moich poprzednich eksperymentach – tym razem
znałem ludzi będących częścią jej życia i wiedziałem, co się
później stanie. Usłyszę od matki, że szybko sobie poradziła,
więc nieważne, czy Celia postanowi wrócić do Dirka, czy
nie. Sophia pewnie mnie za to na jakiś czas znienawidzi, ale
przynajmniej będzie okazywać w stosunku do mnie jakieś
emocje. To lepsze niż nic.

Chwila. Celia jeszcze nie zerwała ze swoim chłopakiem.
Zapędziłem się. Nie musiałem się martwić tym, co będzie
potem, kiedy jeszcze do niczego nie doszło.

Będąc już w domu, wziąłem piwo i dołączyłem do znajomych. Nie planowałem pić zbyt wiele, ale potrzebowałem
atrapy. Dzięki temu będę wyglądał na wyluzowanego. Im
mniej zdesperowany wydam się Celii, tym lepiej. Gdy zobaczy, że nie śpieszyło mi się ze znalezieniem jej, wtedy jej

własna desperacja wzrośnie. Zacznie ze mną rozmawiać, a ja wzruszę ramionami i pójdę. Moje oziębłe zachowanie sprawi, że będzie chciała się postarać bardziej.

To tylko przypuszczenia, jednak bardzo realistyczne i wierzyłem, że tak się stanie.

Minęła prawie godzina, a nadal nigdzie nie zauważyłem obiektu. Zacząłem się zastanawiać, czy się przeliczyłem. Czy postanowiła nie przychodzić? Nie zamierzałem jej szukać ani o nią pytać, bo to zadziałałoby na moją niekorzyść. Ale gdybym zapytał w odpowiedni sposób...

Nawiązałem kontakt wzrokowy z Christiną, która siedziała po drugiej stronie pokoju. Od piętnastu minut próbowała skupić na sobie moją uwagę, a ja udawałem, że tego nie zauważam. Tylko że, cholera, zauważyłem. Miała na sobie bardzo krótką spódniczkę i tak skąpy, wycięty top, że było jej widać cały brzuch. Ociekała seksem. Pełne usta wymalowane błyszczykiem wyglądały tak, jakby właśnie się całowała. Rozpraszała mnie... a ja tego nie potrzebowałem.

Ale jeśli ktokolwiek wiedział coś o Celii, to na pewno ona.

Patrzyliśmy na siebie, aż nie wytrzymała i przyzwała mnie. Udawałem, że to rozważam, a potem zacząłem się przeciskać przez tłum w jej kierunku, mając nadzieję, że Celia nie widziała tej scenki. Może jeśli dobrze rozegram tę partię, to dzisiaj Christina będzie moją nagrodą. Ostatnio byłem zbyt zajęty, by skupić się na swoich potrzebach. Minęły tygodnie, odkąd ostatnio zaliczyłem. Zbyt długo. Musiałem znowu poczuć jakąś cipkę. A Christina Brooke stanowiła idealny wybór.

Oparła się o ścianę przy jadalni i spojrzała na mnie, gdy się do niej zbliżyłem.

– Hudson Pierce – wypowiedziała moje imię i nazwisko powoli i zmysłowo. – Dużo czasu ci to zajęło.

Udawałem niewiniątko.

– W sensie dotarcie na imprezę?

– Znalezienie mnie. – Oblizała usta, a mój wzrok od razu skupił się na jej języku. Cholera, przez nią trudno będzie mi się skoncentrować. Ale i tak będę próbował.

– Nie musiałem cię szukać. Wzywałaś mnie.

– Co racja, to racja. – Przeniosła spojrzenie na moje usta, a potem ponownie popatrzyła mi w oczy. – A ty nie miałeś problemów z dojściem.

– Nie. Jeszcze nie doszedłem. – Flirtowanie z Christiną Brooke było łatwe. Przeleciałbym ją w liceum, gdyby nie fakt, że miała wtedy chłopaka. Dla mnie to nie byłby problem, ale Christina była wierna. Poza tym wtedy była niewinna. Ale od ostatniego lata się zmieniła. Studia chyba pozbawiły ją tej niewinności.

Teraz byłem w stanie myśleć tylko o pozbawieniu jej ubrań.

– Och, jaki ty jesteś niegrzeczny. – Uśmiechnęła się lubieżnie. – Mam nadzieję, że jeszcze nie obrałeś celu.

– A to dlaczego?

– Bo chciałam się zgłosić na ochotnika.

Stłumiłem śmiech i zachowałem pokerową twarz.

– To zabawne, że myślisz, że masz jakiś wybór. – Położyłem rękę na ścianie nad jej głową i się pochyliłem. – Chodzi mi o to, że jeśli jesteś moim celem, trafię do niego sam, nieważne, czy będę zaproszony, czy nie.

Wzięła głęboki oddech.

– Cholera. Właśnie zrobiło mi się mokro w majtkach.

Spojrzałem na jej ciasną spódniczkę i najpierw wyobraziłem sobie, jakie musiała mieć pod nią majtki, a potem ich zawartość.

– To może nie powinnaś nosić żadnych majtek.

– To można załatwić.

Było coraz ciekawiej. Rozgrzewałem się i zapomniałem, po co tak naprawdę do niej przyszedłem. Opuściłem rękę i wziąłem łyk piwa, które nadal trzymałem, zmuszając się do myślenia trzeźwo.

– Dlaczego jesteś sama, Christino? Oczekiwałem, że Celia będzie się trzymać twojego boku.

Wzruszyła ramionami.

– Była tu wcześniej.

Cholera.

– I już wyszła? – Byłem zbyt pewny siebie, myśląc, że na mnie poczeka.

– Może wróci później. Powiedziała, że musi trochę odetchnąć. – Christina odrzuciła włosy na plecy.

Uniosłem brew. Od czego chciała odetchnąć? Zaniepokoiłem się, myśląc, że gdzieś popełniłem błąd. Może to egoistyczne myślenie, ale i tak mi nie pomogło.

Christina musiała odgadnąć moje myśli.

– Zerwała dzisiaj ze swoim chłopakiem.

Zaczęło mi szumieć w uszach. Celia zerwała ze swoim chłopakiem. To nie mogło być aż takie łatwe, prawda? Byłem na to przygotowany. Chciałem pokazać Celii, jak bardzo mi z tego powodu przykro. Ale i tak czułem satysfakcję.

– Jesteś pewna, że naprawdę zerwali? – Wziąłem łyk piwa, by ukryć swoją radość. A potem wypiłem całą butelkę.

Christina wzięła ją ode mnie i postawiła na stoliku za sobą.

– Tak, jestem pewna. Była tu, gdy zadzwonił. Chyba nie planowała tego, bo w jednej chwili witała się z nim, a w drugiej mówiła, że jej przykro, ale to koniec. Tak, podsłuchiwałam, lecz nie wyszła z pokoju, więc to chyba nic złego.

– Cholera. – Przecież nie osądzałbym jej za podsłuchiwanie. Pocałowałbym ją za to. I pocałuję – bardzo, bardzo szybko. Pocałunek zwycięstwa, a następnie numerek zwycięstwa.

Ale nadal wielu rzeczy nie wiedziałem. Celia i Dirk mogli się pokłócić o coś, co nie miało ze mną nic wspólnego. Potrzebowałem więcej szczegółów, zanim zacznę świętować. I musiałem tak wykorzystać Christinę, moje źródło, by nie domyśliła się, że bardzo mnie to interesuje.

Teraz, gdy miałem wolne ręce, zbliżyłem się do niej i przycisnąłem ją do ściany. Mój fiut zrobił się twardy, gdy nasze ciała się zetknęły.

– Dlaczego Celia to zrobiła? Myślałem, że naprawdę coś czuła do swojego chłopaka.

Christina parsknęła.

– Nie. Myślałeś, że leciała na ciebie. – A więc nie musiałem ukrywać swojego zainteresowania. – I leci na ciebie. Dlatego go rzuciła. – Wypchnęła biodra w kierunku moich bioder.

Zalało mnie poczucie zwycięstwa. Mój puls przyspieszył z podniecenia związanego z wygraną i z tym, że teraz miałem okazję pieprzyć się ostro. Byłem niecierpliwy, ale dobrze wiedziałem, że im dłużej czeka się na przyjemność, tym lepiej.

Christina przesunęła palcem po mojej szczęce.

– Najwyraźniej nie odwzajemniasz jej uczuć.

– Najwyraźniej ona uważa cię za bliską przyjaciółkę. I najwyraźniej ty również nie odwzajemniasz jej uczuć. – Boże, jakimi strasznymi ludźmi byliśmy. Zasługiwaliśmy na siebie. A przynajmniej tej nocy.

– Wręcz przeciwnie, kocham ją jak siostrę. – Przesunęła dłońmi wzdłuż mojej koszuli. Poczułem, jak krew się we mnie gotuje z podniecenia. – Ale ona nie nadaje się dla Hudsona Pierce'a. Nigdy by sobie z tobą nie poradziła.

– A myślisz, że ty tak? – Tym razem to ja parsknąłem śmiechem. Nikt by sobie ze mną nie poradził. To ja musiałem sobie radzić z ludźmi. Tak jak teraz miałem okazję poradzić sobie z Christiną Brooke. Myślała, że mnie uwiodła, będąc po drugiej stronie pomieszczenia, ale tak naprawdę to ja tu miałem kontrolę. I jeśli ją wezmę, to na moich warunkach. Pozwoliłem jej, by myślała, że to ona ma władzę, bo bardzo mnie to bawiło.

– Ja wiem, że tak. – Uniosła buntowniczo podbródek. Albo chciała, żebym ją pocałował. Albo jedno i drugie.

– Interesujące.

– Naprawdę? To ja ci powiem, co jeszcze może być interesujące. – Chwyciła mnie w kroczu, a ja zrobiłem się jeszcze bardziej twardy od jej dotyku. Jeśli nie przestanie, to szybko dojdę.

Nie mogłem do tego dopuścić. Musiałem się znaleźć w niej. Głęboko. Musiałem się wyżyć, czując mieszaninę zwycięstwa i pogardy dla siebie, które właśnie mnie ogarniały. Miałem już dosyć czekania. Chciałem zrealizować swoje pragnienia.

Pochyliłem się, by powiedzieć jej do ucha:

– Nie chcę tego słuchać, chyba że ma to coś wspólnego z moim językiem w twoich ustach i moim fiutem w twojej cipce.

Jej oczy rozbłysnęły. Spojrzała na mnie spod gęstych rzęs.

– Chodźmy do mojej sypialni.

Nie musiałem iść do sypialni. Nawet nie potrzebowałem prywatności.

– Masz dwie minuty, a potem cię zerżnę, nieważne, gdzie będziemy.

Zaprowadziła mnie na górę, a następnie do swojego pokoju i czas już się skończył. Ledwo weszliśmy do sypialni, a już wziąłem się do roboty. Zmiażdżyłem jej wargi w brutalnym, erotycznym pocałunku. Wsunąłem język w jej usta, by podkreślić swoją dominację. To nie będzie seks dla zabawy. To nie będzie delikatny seks. To będzie ostry seks. Na moich warunkach.

Przerwałem pocałunek na chwilę, żeby ściągnąć jej bluzkę przez głowę. Moje ręce znalazły się na jej piersiach i znowu ją pocałowałem. Jęknęła, gdy przygryzłem jej wargę. Westchnęła, kiedy ścisnąłem jej cycki. Wrzasnęła, gdy uszczypnąłem jej sutki. Uwielbiała to.

Straciłem dziewictwo przed szesnastymi urodzinami i przez ponad trzy ostatnie lata mojej aktywności seksualnej miałem dużo okazji, by eksperymentować z różnymi technikami i stylami. Kiedyś bardzo podobało mi się podniecanie kobiety. Mnie też to podniecało – nie chodziło o to, że mi na niej zależało i że chciałem, aby coś z tego miała, ale to była po prostu okazja dla mnie, żeby pokazać swoją władzę. Jak w przypadku każdego mojego eksperymentu chodziło mi o przyczynę i skutek. Zastanawiałem się, jaki wpływ będą miały moje czyny na każdą z moich kochanek.

Wiedziałem, co Christinie się spodoba, bazując na naszej wcześniejszej rozmowie. Nie miała nic przeciwko, bym dominował. Jakie szczęście, że dzisiaj właśnie chciałem w ten sposób ją zaliczyć.

Nie przerywając pocałunku, popchnąłem ją w stronę łóżka. Zaczęła siadać i ciągnąć mnie w dół, ale nie ona miała tu dowodzić. Ja miałem. Odsunąłem się, pokazując swoją dominację, i nakazałem jej ponownie wstać. Obróciłem ją tak, że znalazła się plecami do mnie, i pochyliłem ją w stronę łóżka, tak by wypięła pośladki w moim kierunku. Podciągnąłem jej kieckę aż do talii. Jej tyłek był okrągły i odstający, idealny do klapsów. I gryzienia.

Odsunąłem cienki materiał stringów. Przesunąłem językiem po jej skórze, a potem ugryzłem ją w pośladek. Zawyła, a mój fiut drgnął. Przesunąłem palcami po jej szparce. Już była mokra i gotowa. Dzięki Bogu, że nie musiałem się starać, by ją przygotować. Chciałem się już w niej znaleźć. Zdjąłem z niej majtki całkowicie.

– Rozłóż nogi – nakazałem i odpiąłem zamek spodni. Ściągnąłem spodnie na tyle, by uwolnić swojego pulsującego kutasa. Potem bez ostrzeżenia wszedłem w nią mocno, wypełniając ją w całości tym pierwszym pchnięciem. Cholera, była ciasna. Dotarło do mnie, że nie była aż tak gotowa, jak założyłem. Ale to nic. Było mi tak nieziemsko dobrze, gdy zaciskała się wokół mnie.

Chwyciłem ją za biodra i zacząłem poruszać się rytmicznie. Patrzyłem, jak mój fiut wsuwa się i wysuwa z niej. To mnie jeszcze bardziej podniecało. Ta pozycja, od tyłu, była moją ulubioną. To był najbardziej erotyczny, podniecający widok i zdecydowanie mniej intymny niż twarzą w twarz. A poza tym te doznania...

– Proszę, powiedz mi, że bierzesz tabletki. – To było bezmyślne z mojej strony. Nie użyłem kondomu, ale szczerze mówiąc, czułem się niezniszczalny. Ten moment był jedyny w swoim rodzaju – odczuwałem zwycięstwo po zerwaniu Celii, mój plan się udał, byłem teraz z dziewczyną, którą upolowałem i rżnąłem tak, jak chciałem. Napawałem się tym uczuciem władzy i zwycięstwa.

– Tak. Pigułka. – Jej głos zadrżał, gdy naparłem na nią mocniej, szybciej, a dźwięk moich jąder uderzających o jej skórę podniecał jeszcze bardziej.

– Oczywiście, że je bierzesz. Jesteś nieprzyzwoitą, małą dziwką, prawda? Musisz je brać, bo nigdy nie wiesz, kiedy będziesz wyruchana. Kiedy tylko będzie okazja. – Nie zawsze zaczynałem tego typu wymianę zdań podczas seksu, ale było fajnie, gdy dziewczynę też to kręciło.

Pochwa Christiny zacisnęła się na moim fiucie. Zdecydowanie jej się to podobało.

– Powiedz to – nakazałem. – Powiedz, że jesteś małą dziwką. Powiedz, że lubisz być ruchana.

– Jestem małą dziwką. I lubię być ruchana. – Jej słowa przypominały jęki. Od razu zrobiła się bardziej mokra.

– Tak, podoba ci się to. – Puściłem jej biodra i pochyliłem się do jej ucha. – A teraz, Christino, musisz się przygotować, by dojść. Ja niedługo dojdę i nie będę na ciebie czekał. Ale jesteś tak dobra w ruchaniu, że nie sądzę, by to był dla ciebie problem. – Wyciągnąłem rękę, by pomasować jej cipkę. Chciałem, żeby jej pochwa zacisnęła się wokół mnie w trakcie jej orgazmu.

W wyniku moich słów albo pocierania Christina pisnęła, a potem krzyknęła.

Tego właśnie potrzebowałem. Doszedłem zaraz potem, pomrukując cicho. Zacisnąłem ręce na jej biodrach i wsunąłem się w nią po raz ostatni, aż mój orgazm się skończył.

Byłem ciągle w niej, gdy otworzyły się drzwi sypialni.

Od razu sprawdziłem, kto to był. Zobaczyłem znajome niebieskie oczy – to była Celia.

Czy ta noc mogła się stać jeszcze lepsza? Myślałem, że plan zakończył się wcześniej w tak doskonały sposób, ale to była wisienka na torcie. Teraz Celia naprawdę zobaczy, że nic nie czuję i że pozwoliłem jej wierzyć, że jest inaczej. Myślałem, że będę musiał jej o tym powiedzieć. Ale czyny mówią więcej niż słowa.

Celia zamarła. Jej wzrok krążył między mną a Christiną. Wydawało się, że trwa to długie minuty, ale w rzeczywistości po kilku sekundach zasłoniła oczy rękami.

– O, mój Boże.

Dopiero wtedy Christina zauważyła, że ktoś wszedł do pokoju.

– Kurwa! Celia! – Chciała się ode mnie uwolnić, ale przytrzymałem ją w miejscu.

– Przepraszam – powiedziała Celia łamiącym się głosem.

– Popełniłam straszny błąd.

Obróciła się i wyszła.

Mógłbym przejść do kolejnej rundy – byłem znowu twardy z powodu tego wtargnięcia, a mój fiut wcale nie chciał wychodzić z ciepłego miejsca – ale bardzo chciałem zobaczyć, jaka będzie dalsza reakcja Celii. To był ostatni etap eksperymentu – podsumowanie. Musiałem wiedzieć, co myśli, co czuje. Co myślała, że czuje.

Wyszedłem z Christiny i włożyłem spodnie.

– Zdejmij spódniczkę i majtki i czekaj tu na mnie. Następnym razem nie będę taki delikatny.

Zaczęła robić to, co jej kazałem, a ja wyszedłem. Mój fiut pulsował i niemal słyszałem jego nakaz, by zostać. Jednak moje serce biło szybko na myśl o wynikach eksperymentu. Adrenalina i fakt, że zgadłem, dokąd Celia się udała – uciekła do swojego samochodu – pozwoliły mi nadgonić dzielący nas dystans. Zauważyłem ją dopiero, gdy byłem na zewnątrz.

– Celia, zaczekaj! – zawołałem z drugiego końca ogrodu. Starałem się, by mój głos zdradzał zaniepokojenie, a nawet panikę, ale obawiałem się, że wyrażał jednak zadowolenie.

Nie odwróciła się do mnie, tylko pokazała mi środkowy palec.

– Pieprz się, Hudson.

– No dalej, zaczekaj. – Zacząłem biec. Gdy byłem wystarczająco blisko, chwyciłem ją za ramię.

117

Wyrwała się z mojego uścisku, a potem obróciła się twarzą do mnie.

– Co? Czego ty ode mnie chcesz? – Po jej policzkach spływały łzy, ale głos miała zaskakująco spokojny. Widok był jednak niepokojący. Trudno było nie zauważyć, że pękało jej serce. Nagle poczułem coś głęboko w trzewiach i nie wiedziałem, co to było.

Przeczesałem włosy ręką, wytrącony z równowagi. Odetchnąłem i powiedziałem:

– Mieliśmy porozmawiać. Przyszedłem tu dzisiaj, żebyśmy porozmawiali.

Zaśmiała się. Wyraz jej twarzy zupełnie nie współgrał z potokami łez.

– Jakie to, kurwa, zabawne. Przyszedłeś tu porozmawiać ze mną i co potem? Nie mogłeś mnie znaleźć, więc „porozmawiałeś" z Christiną?

To było niesamowite. Jej emocje okazały się czyste, silne. Wpływały na mnie tak jak mało co. Chciałem napełnić nimi butelkę, wdychać je, zażyć, a potem przetrawić. Nic z tego nie było możliwe, więc chciałem wyciągnąć z tego jak najwięcej, zanim ona stąd odejdzie.

Zrobiłem krok w jej kierunku. Cofnęła się.

– Co zrobiłem nie tak, Celio? – Mój głos był spokojny, w przeciwieństwie do jej głosu. – Zachowujesz się tak, jakbym był ci coś winny. Co według ciebie jest między nami?

Zaszlochała i wytarła łzy ręką.

– Powiedziałam ci, że cię kocham, Hudson. A ty mnie pocałowałeś.

Zrobiłem kolejny krok w jej stronę.

– To ty pocałowałaś mnie.

– A ty dałeś do zrozumienia, że jedynym powodem, który cię powstrzymuje, jest fakt, że mam chłopaka.

Punkt dla niej. Szczegóły mojego okrutnego zagrania wróciły do mnie. Były jak melodia, którą skomponowałem, ale teraz tylko się jej przysłuchiwałem. To było piękne. Spojrzałem na swoje stopy, żeby ukryć lekki uśmiech.

– Nie. Nie, Ceeley. – Popatrzyłem jej w oczy. – Naprawdę mi przykro, jeśli odniosłaś mylne wrażenie. Ja po prostu przypominałem ci, żebyś nie kończyła swojego związku z Dirkiem tylko dlatego, że kiedyś coś do mnie czułaś.

– Kiedyś coś do ciebie...? – Jej oczy wypełniło niedowierzanie. – Nie to się stało. Ty też coś do mnie czułeś.

– Nie. Nie czułem. – To był punkt kulminacyjny mojego przedstawienia. Podobało mi się ono, a to tylko potwierdzało moją sadystyczną naturę. Postarałem się, by moje spojrzenie złagodniało. – To znaczy, zależy mi na tobie. Zawsze tak było i zawsze będzie. Wiem, że pewnie trudno to słyszeć, ale tylko to czułem w stosunku do ciebie.

Byłem bardzo dobry. Wiedziałem o tym. Miałem tego świadomość.

Tylko że Celia nie załamała się tak, jak zakładałem. Zamiast tego jej łzy przestały szybko płynąć. Zmarszczyła brwi zdezorientowana.

– Co... co ty robisz, Hudsonie?

Widząc jej przeszywające spojrzenie, zacząłem się zastanawiać... Czy ona mogła wiedzieć? Czy domyśliła się, że to wszystko było tylko grą? Niemożliwe, żeby to wiedziała. Kto by wpadł na coś takiego?

Milczałem zbyt długo, zanim odpowiedziałem:

– Próbuję naprostować sytuację, bo mamy tu małe nieporozumienie.

Przyglądała mi się uważnie.

– Wcale nie. Uciekasz. – Wyprostowała ramiona, jakby odzyskała siłę. Teraz to ona zrobiła krok w moją stronę.

A ja się cofnąłem.

– Jesteś przekonany, że nie powinieneś niczego czuć lub że odczuwanie jakichś emocji cię osłabi albo coś równie śmiesznego. I dlatego mnie odpychasz.

Mój spokój był pozorny. Jej słowa mnie zabolały. Uwierały. Paliły. Poczułem narastający gniew.

Wykorzystała moje milczenie.

– Przestań mnie odpychać – poprosiła.

To mnie ocuciło – jej łagodna prośba, słodycz jej spojrzenia, szczerość postawy. Znowu zakładała, że coś o mnie wie. Chciała, bym coś poczuł? Cóż, teraz czułem wściekłość.

– Nie masz, kurwa, pojęcia, o czym mówisz – wysyczałem.

Jej atak na moją osobę – bo nie chciałem nazwać tego inaczej – nie ustał.

– Przestań, Hudson. Przestań mnie okłamywać. Przestań okłamywać siebie. Nie jesteś taki.

Furia rozprzestrzeniła się w moim ciele. Ruszyłem i znalazłem się tuż przed nią.

– Ja właśnie taki jestem, Celio. Nie waż się myśleć, że wiesz lepiej. To, co widzisz, jest prawdą.

– Jesteś pieprzonym tchórzem. – Jej głos się załamał, a ja wyczułem swoje zwycięstwo. Ale musiałem przyznać, że się nie wycofała, mimo wszystko. – To była twoja szansa, by zachować się jak mężczyzna, Hudsonie. Mogłam ci wybaczyć to, co zrobiłeś z Christiną, gdybyś był teraz ze mną po prostu szczery.

– Co miałabyś mi wybaczyć? – Moje oczy rozszerzyły się w udawanym zdziwieniu. – Och, to straszne. Jak ja przeżyję bez twojego przebaczenia? – Mówiłem teraz bardzo głośno. Miałem to gdzieś. Mój głos był wypełniony jadem, czy mi się to podobało, czy nie. Już nie chodziło o mój eksperyment z emocjami. Chciałem zranić Celię. Stanowiła doskonały przykład tego, jak miłość osłabia ludzi. Była żałosna. Gardziłem nią.

Czułem pogardę dla siebie, bo sprawiłem, że stała się taką osobą.

– Nie, nie jesteś tchórzem. Jesteś po prostu dupkiem. – Była dla mnie zbyt miła.

Odsunąłem się od niej – nie wycofywałem się, po prostu czułem obrzydzenie. Pochłaniało mnie to w całości.

– Jezu, jesteś niesamowita, Celio Werner. Myślałaś, że między nami do czegoś dojdzie? Myślałaś, że cię pokocham? Myślałaś, że odjedziemy razem w stronę zachodzącego słońca? To ty musisz przestać się okłamywać. To wszystko jest tylko bajką, Ceeley, a ja dawno przestałem w nie wierzyć. Czas, żebyś ty też dorosła.

Skończyłem z nią. Z tym wszystkim. Zostawiłem ją tam, płaczącą, na środku parkingu. Nie odwróciłem się ani razu.

Przez następne dwie godziny wyżywałem się na Christinie. Pieprzyłem ją mocno i długo, aż była cała otarta, a ja już nic nie czułem. Przed wyjściem z jej domu wypiłem trochę whisky, by nadal odczuwać błogie otępienie, które minęło dopiero, gdy zaparkowałem przy Mabel Shores. Zamknąłem oczy i oparłem głowę o kierownicę mojego bmw Z4, prezentu od rodziców na zakończenie szkoły. Czułem się... zmęczony. Wykończony. Pozbawiony sił. Na pewno zdobyłem materiał, który będę mógł dodać do swoich zapisków. Moje wyniki satysfakcjonowały mnie, ale nie były takie, jak oczekiwałem. Część mnie dalej chciała badać ten temat – zastanawiałem się, czy inny obiekt zareagowałby tak jak Celia? Czy jej reakcja była spowodowana tylko tym, że łączyła nas bliska relacja?

Większa część mnie już nigdy nie chciała eksperymentować na kimś tak mi bliskim. Test byłby wtedy mało wiarygodny. Obiecałem sobie, że teraz moje eksperymenty będą przeprowadzane z dala od domu.

Byłem bardzo rozkojarzony, więc dopiero gdy wysiadłem z samochodu, zauważyłem przed domem samochód Celii. Stał zaparkowany na drugim końcu podjazdu. Nie podobało mi się to. Podszedłem do niego, żeby sprawdzić, czy Celia jest w środku. Drzwi były zamknięte, więc musiała być w moim domu.

Postanowiłem jej poszukać, ale po drodze zauważyłem Mirabelle czytającą na schodach.

– Dlaczego jeszcze nie śpisz?

– A co się to obchodzi? – Musiała wyczuć, że nie jestem w humorze, bo szybko dodała: – Jest lato. Nie mam godziny policyjnej. Ani niani, najwyraźniej.

Ach. Erin musiała zostać zwolniona. Matka wygrała tę bitwę.

Gdybyśmy mieli rodziców, którym by zależało, Mirabelle miałaby godzinę policyjną, nieważne, czy było lato, czy nie.

– A skoro jeszcze nie śpisz... – Przydadzą mi się jakieś wieści. – Co tu robi samochód Celii?

Moja siostra wzruszyła ramionami.

– Przyjechała tutaj. Szukała cię, ale powiedziałam jej, że cię nie ma. Stwierdziła, że poczeka na ciebie na patio. To było ze dwie godziny temu. Pewnie tam zasnęła.

– Kurwa – wymamrotałem pod nosem. Nie byłem w nastroju, by się teraz z nią męczyć. Ale pewnie wytłumaczenie jej tego jutro rano będzie jeszcze gorsze.

Skinąłem głową w stronę schodów.

– Idź do łóżka, Mirabelle.

– Nie...

– Idź do łóżka.

– Dobra. – Wstała, mrucząc coś o tym, że nigdy nie ma okazji, by się pobawić.

Poczekałem, aż zniknie mi z oczu. Nie chciałem, żeby była świadkiem tego, co się stanie po tym, jak spotkam się z Celią. Patio było puste, więc podszedłem do basenu, żeby sprawdzić, czy jej tam nie ma. Nie było. Już miałem iść w kierunku plaży, gdy zobaczyłem światło w domku dla gości. Mój ojciec mieszkał tam od ostatniego przyjęcia. Dzisiaj rano moja matka kazała tam przenieść jego rzeczy. Może Celia poszła mnie tam poszukać.

Zrobiłem dwa kroki w stronę domku, kiedy nagle otworzyły się drzwi. Ze środka wyszła Celia, a za nią pojawił się mój ojciec. Mimo że było ciemno, wydawało mi się, że miał na sobie tylko bokserki. Wyciągnął rękę i musiał coś powiedzieć, bo Celia się obróciła. Ujęła jego dłoń, a on przyciągnął ją do siebie. I pocałowali się. To nie był długi pocałunek, ale wiedziałem, co wyraża. To był pocałunek mówiący: „Dzięki za seks".

Ścisnęło mnie w żołądku. Odwróciłem wzrok i cofnąłem się do cienia, żeby mnie nie zobaczyła. Poza tym wolałbym znajdować się na trawniku, a nie na ścieżce, w razie gdybym zwymiotował.

Ich pocałunek musiał się skończyć, bo gdy ponownie spojrzałem w tamtym kierunku, drzwi były zamknięte, a Celia przeszła już połowę drogi. Kiedy mnie zobaczyła, zwolniła, ale się nie zatrzymała. Minęła mnie i wtedy zobaczyłem, jak wyglądała – usta miała opuchnięte, włosy zmierzwione, ubranie w nieładzie. Nie odzywaliśmy się do siebie, ale konwersacja nie była potrzebna. Mój wzrok oświadczył, że wiem. Ona swoim spojrzeniem powiedziała, że byliśmy kwita.

Cisza mówiła, że między nami wszystko skończone. Rozumieliśmy się. Potem zniknęła, a chwilę później usłyszałem, jak odpala swój samochód.

Spojrzałem na domek gościnny. Może Celia i ja skończyliśmy, ale ja z ojcem miałem coś do omówienia. Zrobił wcześniej wiele głupich rzeczy, ale tego nie mogłem tak zostawić. To był cios poniżej pasa. Pieprzył się z córką przyjaciółki swojej żony trzydzieści metrów od miejsca, gdzie jego żona spała? Nic dziwnego, że brak mi poczucia moralności.

Światło w domku już zgasło, ale zapukałem do drzwi na tyle delikatnie, by pomyślał, że to znowu Celia, a nie jego dorosły syn. Po chwili stanął w drzwiach, a gdy to zrobił, byłem gotowy. Uderzyłem go w twarz bardzo mocno.

Zaczął przeklinać, trzymając się za policzek, a ja zostawiłem go w takim stanie. Nie potrzebował wyjaśnienia. Może i był dupkiem, lecz nie idiotą.

Noc nie przebiegła tak, jak to sobie zaplanowałem. Ale doprowadziłem eksperyment do końca. Zakończyłem tę szopkę z Celią. Nauczyłem się, jak miłość może wpływać na ludzkie zachowanie. Nawet miałem okazję zaliczyć.

Skoro to był taki udany wieczór, to dlaczego czułem się tak cholernie pusty?

Nie mogłem zasnąć, bo głowa mi pulsowała, a ciężar w klatce piersiowej dławił. Gdy w końcu mi się to udało, śniło mi się, że płonąłem – płomienie lizały mnie, parzyły, pozbawiały tlenu, niszczyły.

Obudziłem się zlany potem. Pierdolony koszmar. Nie miał nic wspólnego z rzeczywistością.

W rzeczywistości się nie paliłem. To ja byłem ogniem.

## Rozdział 9

---
PO
---

Minęły dwa dni, odkąd pocałowałem Alaynę po raz pierwszy. Wczoraj przyszła do mojego biura i przyjęła moją propozycję. Byłem zaskoczony, łagodnie mówiąc, bo myślałem, że będę musiał dłużej nad nią popracować, żeby się zgodziła. Cieszyłem się jednak, bo to oznaczało, że mogłem się skupić na innych aspektach tej znajomości.

Gdy skończyliśmy omawiać naszą umowę, zabrałem ją na górę do swojego mieszkania na poddaszu i zrobiłem jej dobrze, używając tylko palców i języka. Nie doświadczyłem czegoś podobnego z innymi kobietami. To nie był pierwszy raz, kiedy zaspokajałem kogoś, nie oczekując niczego w zamian, ale po raz pierwszy nie chodziło tylko o mnie. Zazwyczaj skupiam się na swoich umiejętnościach. Analizuję, testuję. Patrzę i zapamiętuję, jak moje czyny wpływają na kobiety. Uwielbiam odnajdywać ich słabe punkty, dowiadywać się, co muszę zrobić, by doszły. To intrygujące. Fascynujące. To także bardzo egoistyczne.

Ale z Alayną moje myśli nie są skupione na mnie, tylko na tym, co mogę zrobić, żeby jej było jak najlepiej. Stałem się niewolnikiem tej kobiety od jej pierwszego jęku. Wszystko, co potem zrobiłem, miało na celu jej zaspokojenie. Przestałem się skupiać na sobie. To było najlepsze doświadczenie seksualne, jakie przeżyłem, chociaż potem mój fiut był twardy jak skała i nie czułem się z tym komfortowo. Umówiliśmy się na dzisiejszy wieczór. Nie mogę przestać myśleć o tym, jakie to byłoby uczucie być w jej cipce. Te myśli tak mnie pochłaniają, że bez entuzjazmu wykonuję swoje obowiązki. Przypominam sobie o Celii. Nie rozmawiałem z nią od kilku dni, a ona już się niecierpliwi i chce wiedzieć, co się dzieje. Nie zamierzam psuć sobie wieczoru później, więc lepiej porozmawiam z nią, zanim przyjedzie Alayna.

Po trzeciej wychodzę z biura z teczką w ręce i proszę sekretarkę, aby anulowała resztę moich spotkań na ten dzień. Potem idę na poddasze, używając głównej windy, by nie wiedziała, że nadal będę w budynku. Wtedy na pewno nikt mi nie będzie przeszkadzał.

Gdy jestem już na górze, wybieram odpowiedni numer.

– No, kurwa, najwyższa pora – mówi Celia w ramach powitania.

– A od kiedy regularne sprawdzanie jest wymogiem? – Patrzę tęsknie na mój barek, ale wolę być trzeźwy, gdy Alayna się pojawi.

– Nie są wymogiem. To z grzeczności – odpowiada spokojniejszym tonem. – W tej chwili nawet nie wiem, czy gra się zaczęła, czy nie.

– Zaczęła. – Masuję grzbiet mojego nosa. Czuję w ustach gorzki posmak. To poczucie winy. Jest niewiele emocji, które są mi znane, ale poczucie winy znam aż za dobrze. To moja kula u nogi.

– Okej. – Słyszę w jej głosie nutkę satysfakcji. – A więc nasze pierwsze wyjście jest w tę niedzielę podczas eventu charytatywnego twojej matki?

– Tak. – Nie mówię Celii, że zobaczę się z Alayną wcześniej. Ani nie przyznam się, w jaki sposób będziemy spędzać czas, bo to po prostu nie jej sprawa. Ale jednocześnie myślę, że Celia zaaprobowałaby to. Im więcej czasu spędzam z Alayną, tym bardziej się ona do mnie przywiązuje. To ryzyko, jakie podejmuję z moją przyszłą kochanką, ale wierzę, że Alayna poradzi sobie z tym.

Poza tym nie mogę się powstrzymać.

Wcześniej uzgodniliśmy, że Celia będzie obecna na ważniejszych eventach dotyczących naszej gry, chociaż to nie jest konieczne. Podejrzewam, że chce być obecna jak najczęściej, ale na to nie pozwolę.

– Czy to już wszystko, Celio?

– Nie. Chciałabym usłyszeć jakieś szczegóły.

Kręcę głową, chociaż nie może mnie teraz zobaczyć.

– Nie podzielę się szczegółami. Nie dziś i nie w przyszłości. Nie będę ci się meldował. I nie dzwoń, żeby mnie sprawdzić. – Wyczuwam, że chce mi przerwać, ale nie dopuszczam do tego. – Zaaranżowałem wszystko tak, jak chciałaś. I zamierzam trzymać się planu, chociaż teraz nie mam powodu, by to robić.

– Bo jesteś właścicielem klubu? Hudsonie, dobrze wiesz, że znajdę inny sposób, by ten eksperyment dobiegł końca. – W słuchawce słyszę stukot jej obcasów o podłogę i wiem, że zaczęła chodzić podczas rozmowy. – Ja już zaangażowałam się w ten projekt i nie odpuszczę. To ma wielki potencjał. I szczerze mówiąc, jestem zawiedziona tym, że nie jesteś zaintrygowany emocjami i psychiką Alayny Withers w takim stopniu jak ja.

Ja jestem nią tak zaintrygowany, jak Celia. A nawet bardziej, ale nie przyznam się do tego. Nie dam jej tej satysfakcji. Dlatego nie odpowiadam na to pytanie.

– Nie wierzę, że uzyskasz takie rezultaty, jakich oczekujesz. – Im więcej czasu spędzam z Alayną, tym bardziej jestem przekonany, że jest ona silniejsza, niż się wydaje.

Celia się śmieje.

– Mamy różne hipotezy. To tylko jeszcze bardziej mnie intryguje. Wiesz o tym.

Wiem. I rozumiem to. Nagle w mojej głowie pojawia się wspomnienie – podobna sytuacja, podobna rozmowa. Obiektem była kobieta, która pracowała dla Celii. Jej narzeczony flirtował z Celią. To był niewinny flirt na przyjęciu firmy. Tyle wystarczyło, by Celia wpadła na pomysł kolejnej gry. Wymyśliliśmy scenariusz, w którym ja miałem powiedzieć obiektowi, że jej narzeczony jest niewierny. Moja teoria zakładała, że obiekt wybaczy ukochanemu. Celia uważała inaczej.

Gra raczej mnie nie interesowała poza tym, że Celia i ja mieliśmy różne teorie. Sfabrykowaliśmy dowód, który przedstawiliśmy kobiecie. Był wiarygodny. W rezultacie wybaczyła swojemu narzeczonemu.

Ale też pozwoliła mi się przelecieć przy ścianie w damskiej łazience.

Albo nie ceniła wierności, albo chciała się zemścić. Nieważne – ja byłem zadowolony. Moja hipoteza się potwierdziła. Celia się pomyliła.

Teraz nasze opinie znowu się różniły i to tylko bardziej ją ciekawiło. Już wiedziałem, że popełniłem błąd. Zazwyczaj nie jestem taki nieuważny. Czy to dlatego, że tak dawno nie brałem udziału w grze. Czy to Alayna ma na mnie taki wpływ?

Naprawdę nie mam pojęcia.

Pikanie w słuchawce przy moim uchu informuje mnie, że dostałem wiadomość na telefon.

– Celia, mam teraz sprawę, którą muszę się zająć. – Nieważne, co to za wiadomość, ważne, że jest wymówką i mogę zakończyć tę rozmowę. – Do zobaczenia na evencie w niedzielę.

Nie czekam, aż się pożegna, i się rozłączam. Potem sprawdzam wiadomości. Ta nowa jest od Jordana, który już jedzie tu z Alayną. Wcześniej tylko ją śledził. Właśnie ją odebrał i niedługo będzie u mnie.

Przygotowuję się najlepiej, jak potrafię. Myję zęby i zdejmuję marynarkę. W środku jestem kłębkiem nerwów. Nie przypominam sobie, kiedy ostatni raz tak się denerwowałem i ekscytowałem tym, że będę uprawiał seks. Może na studiach. Albo w liceum.

Nie, wydaje mi się, że nigdy nie czułem takiego niepokoju. Zamieram. Nie chcę, by sytuacja wymknęła mi się spod kontroli, nie chcę też przestraszyć Alayny, więc postanawiam, że rozegram to powoli. Gdy przyjedzie, ograniczę nasz kontakt cielesny do minimum, aż oboje będziemy mieć szansę się przyzwyczaić. Zamówię kolację. A potem powoli przeniesiemy się do sypialni.

Chodzę po pokoju i zniecierpliwiony oczekuję jej przybycia. Nagle dostaję telefon. Interesy – dzwoni Roger Kingsley, członek zarządu w Plexis. Gdyby to nie było ważne, nie kontaktowałby się ze mną w piątek po południu.

– Roger – mówię, odebrawszy telefon. – O co chodzi?

Roger przedstawia mi sytuację w Plexis. Zyski spadły, a niektórzy członkowie zarządu chcą sprzedać swoje akcje. W najgorszym wypadku sprzedaż przyczyniłaby się do upadku firmy. Wielu ludzi straciłoby pracę.

– Rada poważnie zastanawia się nad tą ostatnią ofertą – informuje mnie.

– Kurwa – mamroczę pod nosem.

Poluźniam krawat i odpinam górne guziki koszuli, bo czuję, że robi mi się gorąco. Te wieści mnie zdenerwowały. Firma jest jedną z niewielu rzeczy, na których naprawdę mi zależy. Nie chcę, by moi pracownicy na tym ucierpieli.

– Jest jeszcze coś, Pierce – mówi Roger. – Wiem, że przyjeżdżasz w poniedziałek, ale Grand i paru innych planują głosować w ten weekend.

Już mam zamiar puścić wiązankę przekleństw, gdy rozlega się pukanie do drzwi.

Już tu jest.

Otwieram drzwi i widzę ją – taką cudowną i zarumienioną. Jest skromnie ubrana w porównaniu z jej poprzednimi strojami, chociaż uważam, że spodenki w paski mogłyby być nieco dłuższe. Ma smukłe, opalone nogi, a ja już wyobrażam sobie, jak owijają się wokół mnie.

Nagle mam gdzieś Plexis. Zależy mi tylko na niej.

Jakoś udaje mi się wrócić do rozmowy.

– Roger, nie chcę nawet słyszeć, że stracimy tę firmę, bo moja załoga nie przewidziała możliwości rozdzielenia. – Odsuwam słuchawkę od ust i mówię szeptem: – Wejdź.

Wchodzi, a ja zamykam za nią drzwi. Obracam się, by na nią patrzeć. Pożera mnie wzrokiem. W jej oczach widzę pożądanie, które musi odzwierciedlać moje własne. Napięcie między nami można by kroić nożem. Jezu, a myślałem, że wcześniej byłem podekscytowany. Teraz jest to wręcz desperacka potrzeba.

Roger zaczyna coś mówić, ale mu przerywam:

– Roger, zajmij się tym. Oczekuję, że do poniedziałku sytuacja się rozwiąże.

Rzucam telefon na stół, cały czas patrząc na Alaynę. Cisza między nami jest niezręczna.

– Hej – odzywa się szeptem. Ona już nie może wytrzymać. Denerwuje się. To urocze. I cholernie seksowne.

Uśmiecham się.

Chwilę później mam ją w ramionach, a jej usta znajdują się na moich. Przypominam sobie, że miałem się nie spieszyć. I szybko o tym zapominam. Smakuje zbyt dobrze. Nasze języki pieszczą się nawzajem. Jej potrzeba jest równie silna, co moja, a ja chcę ją zaspokoić.

Pragnę jej dotknąć. Wsuwam ręce pod jej bluzkę i zaczynam pieścić piersi. Są jędrne i doskonałe. Jej sutki już sterczą. Muszę ją rozebrać, żeby móc je lizać i ssać. Muszę się znaleźć nad nią.

A potem wraca to dziwne uczucie z wczoraj. To, które sprawia, że chcę, by było jej dobrze, że zależy mi na tym bardziej niż na własnym zaspokojeniu. To jest tak intensywne, że zapominam o palącym pożądaniu w moich żyłach.

Zmuszam się, żeby odsunąć ją od siebie.

– Jezu, Alayno. Pragnę cię tak bardzo, że nie potrafię nad sobą zapanować. Źle się zachowuję.

– Hudson. – Brakuje jej tchu, a głos ma przepełniony pożądaniem. Robi krok w moją stronę. – Jeśli to ma być złe zachowanie, to proszę, nie przestawaj. – Zdejmuje koszulę z moich ramion (cholera, nawet nie zauważyłem, kiedy rozpięła guziki) i pochyla się, żeby polizać mnie po klatce piersiowej.

Wydaję z siebie jęk.

– Pozwól mi przynajmniej zabrać cię do łóżka. Jeśli na chwilę nie przestaniesz, to będę cię pieprzył przy drzwiach. – Teraz nie mogę się pozbyć tego obrazu z głowy. To by było cholernie seksowne, ale ona na to nie zasługuje.

– Nie brzmi źle – mamrocze, gdy prowadzę ją do sypialni. Zapamiętuję, żeby jeszcze kiedyś wrócić do seksu przy drzwiach.

– Racja. – Przy łóżku biorę ją w ramiona i chowam twarz w zagłębieniu jej szyi. – Ale wtedy nie będę mógł się rozkoszować tobą, jak należy, i już zawsze będę tego żałować. Chcę ją wielbić. Naprawdę. Chcę, by było jej dobrze. Wiem, że nigdy nikt jej tak nie zaspokoił, jak ja mam zamiar to zrobić. Nie dlatego, że uważam jej poprzednich kochanków za gorszych ode mnie – chociaż to pewnie prawda – ale z tego powodu, że nie pozwolę, by była niezadowolona.

A teraz naprawdę muszę poczuć jej piersi w swoich ustach.

Zdejmuję jej bluzkę. Moje oczy rozszerzają się, gdy widzę, jak seksownie wygląda w koronkowej czarnej bieliźnie. Ale ja i tak chcę zobaczyć ją nago. Rozpinam jej stanik i rzucam go na podłogę. Alayna odpycha mnie. Widocznie chce się zakryć. Nie mogę na to pozwolić. Cieszę oczy jej widokiem. Przytrzymuję ją, żebym mógł się jej dobrze przyjrzeć.

Boże, ona jest idealna.

– Wyobrażałem sobie, że masz piękne piersi, Alayno. Ale nie miałem pojęcia... – Nawet nie mogę dokończyć.

Mój wzrok jest przyklejony do jej piersi. Popycham ją, by usiadła na łóżku. Przyklękam przed nią i zaczynam ucztę moimi ustami. Chwytam jej pierś jedną ręką i drążnię językiem sutek. Oddycha drżąco, ale wiem, że nie o to jej chodziło. Ona woli ostro.

Z głośnym pomrukiem biorę jej sutek do ust i zaczynam go ssać i kąsać mocniej, a potem to samo robię z drugim. Wydaje z siebie okrzyk i chwyta mnie za włosy. Pewnie doszłaby w ten sposób. Jest tak cholernie seksowna, podniecają mnie jej jęki i zapach. Jeszcze chwila, a dojdę w spodniach.

Przesuwam usta niżej i zaczynam całować ją wzdłuż brzucha.

– Jesteś taka wrażliwa. Mógłbym spędzić cały dzień, pieszcząc twoje cudowne piersi. Ale jest w tobie jeszcze tyle do ubóstwiania.

Zdejmuję jej spodenki i majtki. Pyta o swoje buty. Patrzę na nie. To przynajmniej siedmiocentymetrowe szpilki. Wygląda w nich niesamowicie. Zależy mi na tym, żeby miała na sobie tylko te buty.

– Chcę, żebyś wbijała mi je w plecy, gdy opleciesz mnie nogami – mówię.

Alaynę przeszywa dreszcz, a ja czuję euforię. Już wiem, że lubi ostry seks, że lubi być dominowana. Dam jej to, co chce, bo w obu rzeczach jestem najlepszy. Zaspokojenie jej będzie łatwiejsze, niż mi się wydawało. I będzie niesamowicie.

– Oprzyj się na łokciach – nakazuję. Robi to, a wtedy ja uginam jej nogi w kolanach i rozsuwam uda. Jezu Chryste. Oddycham głęboko, przesuwając dłońmi po wnętrzu jej ud.

– Wyglądasz teraz tak seksownie. Cała otwarta dla mnie. – Widzę, jak jej szparka się zaciska, gdy przesuwam po niej palcami. – Chcesz mnie. Popatrz, jak ślicznie pulsuje dla mnie twoja cipka.

Ja też jej pragnę. Mój penis tętni.

Ale tak naprawdę ledwo to zauważam. Jestem kompletnie skupiony na Alaynie. Drażnię ją palcami. Gdy już nie mogę wytrzymać, zamiast palców używam ust. Zaczynam ją tam lizać, smakować, ssać. Dochodzi szybko, ale ja chcę, by miała z tego jeszcze więcej przyjemności.

– Jeszcze raz. – Wsuwam w nią palce i pieprzę ją ręką, jednocześnie liżąc jej szparkę. Jest blisko – czuję, jak drży pod moim językiem – więc wyciągam dłoń i szczypię ją w sutek. W tej chwili szczytuje. Czuję, jak zaciska się wokół moich palców i widzę, jak rzuca się na łóżku. Jestem zachwycony jej pięknem i chcę patrzeć, jak dochodzi w ten sposób.

Teraz jeszcze bardziej pragnę być w niej. Zdejmuję spodnie i znajduję kondom. Gdy kładę się nad nią, ona ciągle drży po orgazmie. Opieram się na ramionach.

– Jesteś na mnie gotowa – mówię bardziej do siebie niż do niej.

Mój fiut napiera na jej wejście i wiem, że już dłużej nie mogę czekać. Wchodząc w nią, nagle czuję, że zaraz się zatracę.

Mam nadzieję, że tak będzie.

To mi pozwala wsunąć się w nią głębiej.

– Jezu, Alayno. – Już jestem w niebie, a nawet nie wszedłem w nią do końca. – Jesteś wspaniała.

Jest taka ciasna i mokra. Rozsuwam jej nogi szerzej i wciskam się w nią do końca.

– Taka cudowna. – Alayna jest teraz dopasowana do mnie.

Wychodzę z niej powoli. Zastanawiam się, czy zacząć spokojnie, ale i tak wiem, że żadnemu z nas by się to nie spodobało. Więc gdy wchodzę w nią ponownie, robię to bardzo mocno.

Alayna krzyczy, a jej twarz wykrzywia się z przyjemności. Pochylam się, by ją pocałować, jednocześnie cały czas się w niej poruszam. Chociaż jestem pogrążony w ekstazie, mam świadomość jej potrzeb. Chwilę później wypycha biodra w moją stronę, napotykając każde moje pchnięcie. Muszę dać jej to, czego chce.

Nie zwalniając tempa, nakazuję jej otoczyć mnie nogami. Gdy to robi, nowa pozycja sprawia, że jestem w niej jeszcze głębiej. Obcasy jej butów wbijają się w mój tyłek. Jestem w niej tak głęboko.

I właśnie wtedy – gdy moje jądra obijają się o nią z każdym pchnięciem, gdy ona zaciska się wokół mnie, gdy już jestem blisko orgazmu – zaczynam rozumieć moje obawy i nadzieje. Całkowicie zatracam się w Alaynie Withers. Dosłownie i w przenośni. Jestem stracony.

– Zaraz dojdę – jęczy.

– Tak, tak, dojdź, Alayno! – Bo ja już nie mogę wytrzymać i chcę ulecieć wraz z nią.

Orgazm wstrząsa nią i po chwili ja też dochodzę, krzycząc jej imię. Odczuwam ulgę, która jest nawet lepsza niż szczytowanie. Tak wiele chciałbym powiedzieć. To był jedyny taki intymny moment, jaki przeżyłem z kobietą. I najlepszy. Czuję się tak, jakbyśmy się nie pieprzyli, ale komunikowali, chociaż słowa nie są potrzebne. Jakbyśmy wynaleźli własny język i dzięki niemu w końcu jestem w stanie wyrażać swoje emocje, które były we mnie, ale o tym nie wiedziałem.

Albo po prostu przeżyłem naprawdę dobry orgazm i po nim mam zapędy poetyckie.

Opadam obok Alayny i chowam twarz w zagłębieniu jej szyi. Mam nadzieję, że to nie jest tylko wina hormonów i orgazmu, że nie chodzi tylko o to, że nagle odnalazłem w sobie duszę poety. Jakakolwiek by nie była przyczyna mojego emocjonalnego uniesienia, było to prawdziwe i bardzo, bardzo przyjemne. Jestem bardziej zaintrygowany tą kobietą niż kiedykolwiek. Przywiązałem się do niej mocno, chociaż nie myślałem, że jestem w stanie. Mogę mieć ją tylko w ten sposób. W swoim łóżku. Mogę wielbić ją sobą i swoim ciałem, bo nie mam jej nic innego do zaoferowania. Niczym nie mogę się z nią podzielić. Fascynuje mnie to, że chcę być przy niej. To głupi impuls, który muszę zacząć kontrolować.

Trzymam się tego, bo to wszystko, co mogę mieć. Przychodzi mi teraz na myśl dziecko, które kurczowo zaciska piąstki na swoim kocyku. Może zaczynam dramatyzować i może brzmi to żałośnie, ale mówię szczerze.

Czuję, że muszę jej coś powiedzieć, wyszeptać to tuż przy jej skórze.

– Wiedziałem, że seks z tobą taki będzie. Potężny, intensywny i cholernie nieprawdopodobny. Wiedziałem. Tylko że to kłamstwo. Nie miałem pojęcia, że będzie tak dobrze. Nie miałem bladego pojęcia.

# Rozdział 10

Alayna zasnęła.

Idę do łazienki, żeby się umyć, a potem wracam i słucham jej rytmicznego oddechu. Czuję coś nieokreślonego, gdy dociera do mnie piękno tej sytuacji.

Wyciągam spod niej koce i przykrywam ją nimi.

Alayna chce usiąść.

– Śpij, skarbie. – Podoba mi się, że śpi w moim łóżku, chociaż to nie jest łóżko, w którym często sypiam. Trochę przeszkadza mi fakt, że widzę ją w miejscu, w którym przed nią było tyle innych kobiet. Ona tu nie pasuje.

Ale gdzie indziej miałbym ją mieć? Na pewnie nie w Bowery, gdzie mieszkam. Tam nikogo nie sprowadzam. Chociaż nie mogę przestać wyobrażać sobie jej właśnie w tamtym łóżku...

To dziwne uczucie nie ustaje, a ja nie mogę tego znieść. Część mnie chce się nad tym zastanowić, wiedzieć, co to jest i dlaczego się pojawiło, ale wiem, że to nie jest czas i miejsce na takie badania. To nie byłoby fair w stosunku do Alayny.

Chcę, by wyszła z tego bez szwanku, a moje eksperymenty nigdy dobrze się nie kończą.

Muszę się skupić na rzeczywistości i porzucić myśli o czymś, co jest niemożliwe.

Całuję ją lekko w czoło.

– Trzeba zamówić jakiś obiad. Może być chińszczyzna?

– Brzmi pysznie.

Przeciąga się, a jej piersi wystają teraz spod kołdry. Są wspaniałe i rozpraszają mnie, ale Alayna później idzie do pracy i muszę się nią zająć.

– No to zamówię.

Wychodząc z pokoju, czuję na sobie jej wzrok. Chcę do niej wrócić, ale jestem zdyscyplinowanym mężczyzną. Dam radę wytrzymać bez rzeczy, których nie mogę mieć. Co do Alayny Withers – mogę ją mieć tylko w ten sposób, w odmierzonych porcjach. Raz na jakiś czas.

Ale gdy już z nią będę, to skupię się na tym kompletnie.

Dzwonię do chińskiej knajpy na rogu. Mam ich numer na szybkim wybieraniu, więc dobrze mnie znają.

Potem dochodzę do wniosku, że potrzebuję paru minut, żeby pozbierać swoje myśli, przypomnieć sobie o grach, w których uczestniczę i takich, w których nie chcę brać udziału. Wiem, że muszę się od niej oddalić. Ten wieczór nie może być niczym innym, niż jest – zwykłym pieprzeniem. Ona nie może uważać, że pragnę czegoś więcej.

Bo wcale nie pragnę niczego więcej. Nie pozwolę sobie na to, nieważne, jakie pomysły rodzą się w mojej głowie.

Zbieram ubrania z salonu, które zostawiliśmy tam wcześniej, rozbierając się. Nie pozwalam myślom płynąć w kierunku tej podniecającej sceny. Gdy wracam do pokoju, Alayna już jest w połowie ubrana. To powinien być dobry znak

– ona rozumie zasady i wie, czym było to spotkanie. Nie wyolbrzymia zwykłego, fizycznego aktu, nie czyni z niego czegoś znaczącego, jak zrobiłaby większość kobiet.

Jestem rozczarowany.

– Już się ubierasz?

Zaskakuję ją tym. Otacza się ramionami, ukrywając swoją nagość przede mną. Nie lubię tego.

Ale to nie jest fair, bo ja sam robię to samo. W przenośni. Ukrywam się przed wszystkimi. Przed nią.

Tylko że nie mogę pozwolić jej tak odejść.

Wrzucam koszulę i krawat do kosza na bieliznę.

– Czyżbyś śpieszyła się do wyjścia? – Prześlizguję się wzrokiem po jej ciele, po jej zgrabnych nogach i ogolonej cipce. Mój penis drga z podniecenia.

Alayną wstrząsa dreszcz. Zastanawiam się, czy jest jej zimno, czy wyczuła moje pożądanie.

Potem jednak odwraca wzrok, a do mnie dociera, że ona nie wie, jak na mnie wpływa. To głupie, że tak mądra kobieta nie widzi rzeczy oczywistych.

– Faceci zazwyczaj nie chcą spędzać ze mną czasu po seksie – mówi.

Jej słowa mnie denerwują.

– To stwierdzenie wywołuje tyle problematycznych tematów do dyskusji, że sam nie wiem, od czego zacząć.

Jest taka idealna, a mężczyźni ją wyrzucali? Kierowany impulsem podchodzę do niej.

– Co jest nie tak z facetami, że... – Nie mogę dokończyć tego zdania, bo ja też powinienem ją wyprosić. Słowa takie jak te prowadzą do dzielenia się emocjami. A poza tym myślenie o niej i innych mężczyznach sprawia, że skręca mnie w żołądku.

Ale muszę coś powiedzieć.

– Alayno, proszę, nie wkładaj mnie do jednego worka z innymi facetami. Wolę myśleć, że nie jestem jak inni. I nie chcę myśleć ani wiedzieć, że uprawiasz seks z innymi mężczyznami. Nie lubię się dzielić.

Nie patrzy mi w oczy, ale wiem, że podoba jej się to, co powiedziałem.

– A myślałam, że ty się w związki nie bawisz, a to tak właśnie dla mnie zabrzmiało – stwierdza, wkładając spodenki.

To nie jest wyzwanie – ona po prostu chce wyczuć, jakie są granice tego, co się między nami dzieje. Podziwiam ją za to.

– W romantyczne związki rzeczywiście nie. Ale łóżkowe to zupełnie inna bajka. Dlaczego szykujesz się do wyjścia?

Sięga po swoją bluzkę, ale ubiegam ją.

– Przestań – mówię, trzymając ubranie z dala od niej. Kładę palce pod jej podbródkiem i odchylam jej głowę, by móc popatrzeć w jej oczy. To bardzo intymny gest. Zbyt intymny. Czuję się zagubiony w jej spojrzeniu i dlatego mówię coś, czego nie powinienem, chociaż pali mnie to od środka. – Chcę, byś została. – Aby mnie źle nie zrozumiała, dodaję: – I jeśli żebyś mogła, wolałbym, żebyś się nie ubierała.

Jest uparta. Albo ostrożna.

– Ale ty jesteś ubrany. – Krzyżuje ramiona na piersi i wydyma wargi w taki sposób, że z trudem powstrzymuję się od pochylenia się i chwycenia ich zębami.

– Jak tylko przyjdzie zamówienie, z przyjemnością pozbędę się ubrań. Czy to cię zadowala? – Lepiej by było, gdybym też był nagi wraz z nią. Udziela mi się ta dziwna energia między nami. Ona chce fizycznej bliskości i mogę jej to dać. To musi być najważniejszy element naszej relacji.

– Tak – odpowiada, a ja czuję ulgę.

Jednak postanawia zmienić zdanie.

– Nie wiem.

Muskam jej policzek dłonią. Inne kobiety tak łatwo odczytać, tak łatwo nimi manipulować, bo rozumiem, co myślą. Alayna jest inna. Wiem tylko tyle, że potrzebuję jej więcej.

– Co się dzieje w twojej głowie, skarbie? Czy za każdym razem po upojnych chwilach masz zamiar uciekać?

Odwraca się ode mnie.

– Tak naprawdę nie myślałam, że będzie kolejny raz.

Szczerze mówiąc, sądziłem, że ona mi szybciej przejdzie. Ale tak nie jest. Potrzebuję jej, chociaż nie bardzo rozumiem dlaczego.

Coś między nami każe mi myśleć, że ona też to czuje. Więc dlaczego ucieka?

Łapię ją za ramię i przyciągam do siebie.

– Alayno. – Patrzę jej głęboko w oczy. – Jeśli nie chcesz więcej uprawiać ze mną seksu, musisz mi o tym powiedzieć.

– Chcę! Chcę.

Otacza mnie ramionami i ukrywa twarz na mojej piersi. Nie powinienem tego robić, ale mimo to ją przytulam. Zależy mi na tym, by zapewnić jej komfort.

– O co chodzi? – Głaszczę ją po włosach. – Powiedz mi. – Chcę znać jej myśli, motywację, zmartwienia. Nawet jeśli sam nie mogę dać jej tego w zamian.

– Ja nie jestem dobra w związkach. Żadnych relacjach w sumie. Mam... problemy.

– Jakie? – Wiem więcej o jej przeszłości, niż myśli. Jej problemy są niczym w porównaniu z moimi. Nie powinienem jej mówić, że się o nich dowiedziałem, że ją sprawdzałem. Powinienem odpuścić, pozwolić, by zachowała swoje trudne sprawy dla siebie. Ja się swoimi nie podzielę.

Mimo to część mnie chce, aby mi o tym powiedziała, a ta mroczniejsza część nawet zmusiłaby ją do tego. Ponieważ obie części wygrywają, pytam:

– Czy to ma coś wspólnego z tym sądowym zakazem zbliżania się?

Alayna zamiera w moich ramionach.

– Wiesz o tym?

Przeszywa mnie uczucie satysfakcji. Jestem uzależniony od tego rodzaju władzy – od tego, że jestem w stanie sprawić, że ktoś coś poczuje. Ona jest teraz upokorzona, czuje się niekomfortowo.

Wyrywa się z moich objęć i chowa twarz w pościeli.

A ja właśnie zaczynam się nienawidzić.

Nie chcę tego rodzaju władzy. Nie, jeśli chodzi o nią. Chcę, by wróciła beztroska, wesoła Alayna – ta, która krzyczała z przyjemności przy mnie i nie czuła się zawstydzona.

Powinienem zostawić ją w spokoju. Muszę to teraz naprawić.

Kładę się na łóżku obok niej i zmuszam się do śmiechu. Zaczynam masować jej plecy. Jej naga skóra pod moimi palcami jest niesamowicie miękka i ciepła. Nie mogę przestać jej dotykać.

Zbliżam nas ponownie do siebie – kontakt fizyczny to coś, co nas łączy.

– Znam trochę intymnych szczegółów dotyczących ciebie, skarbie, wiem, jak wyglądasz i jakie wydajesz dźwięki, gdy dochodzisz, a ty martwisz się czymś takim?

Jęczy, a mój fiut zaczyna pulsować.

– To wielka sprawa. Ogromna. To mój największy sekret. Myślałam, że mojemu bratu udało się to ukryć na zawsze.

– Unosi się na łokciu i patrzy na mnie. – A ty mi mówisz,

że mam się czuć bardziej zawstydzona tym, jak wyglądam i jakie odgłosy wydaję, gdy... no wiesz? Słysząc ostatnią część jej wypowiedzi, mam ochotę zareagować, ale muszę wyjaśnić coś innego.

– Musiałem się dowiedzieć każdego szczegółu o mojej rzekomej dziewczynie. Ten akurat nie był najprostszy do wytropienia, ale też nie okazał się ekstremalnie trudny. Ale teraz nikt tego nie znajdzie. Ujmuję jej policzek w dłoń i zatapiam się w jej brązowych oczach.

– I nigdy nie powinnaś być zawstydzona tym, jak wyglądasz lub brzmisz w żadnej sytuacji, a już na pewno nie wtedy, gdy dochodzisz. – Pocieram delikatnie nosem czubek jej nosa. – Jestem zaszczycony tym, że mogłem być tego świadkiem. – Właściwie to znowu chciałbym tego doświadczyć.

– To upokarzające. – Ponownie opada na łóżko. – Ten zakaz zbliżania się. Co do tego drugiego – nie wiem, jak teraz zareagować.

– Dlaczego? – Jej przeszłość jest niczym w porównaniu z moją. Patrząc na wszystkie osoby, którym zrujnowałem życie, to naprawdę tylko mały, głupiutki szczegół.

Mimo to rozumiem jej żal i zmartwienie. Intryguje mnie to i chcę, by wiedziała, że potrafię to zrozumieć, nawet jeśli nie powiem jej nic o sobie. Przesuwam dłonią po jej twarzy, a potem gładzę jej włosy. Nie powinienem jej tak dotykać – tak się robi, gdy chce się okazać uczucia – ale nie mogę się powstrzymać.

– Bo przez to czuję się dziwnie. Ale też podnieca mnie to.

– Fantastycznie. – Powinienem wziąć ją znowu. Teraz. Jednak nie mogę.

– Ale mi chodziło o to, dlaczego jesteś taka przerażona.

– Och. – Rumieni się, a mój penis robi się twardy. Kolor jej twarzy jest taki piękny – tak samo wygląda, gdy ją pieprzę, gdy jestem w niej. Moja potrzeba tylko przybiera na sile. Mimo to muszę usłyszeć jej odpowiedź. To ważne.

– Bo to dowód na moje szaleństwo – wyznaje. – Pamiętasz, jak powiedziałam, że kocham za bardzo? Ten zakaz zbliżania się ma coś z tym wspólnego, a ja lubię udawać, że to nigdy nie miało miejsca.

Udawać, że to nigdy nie miało miejsca? Tego nie rozumiem. To, co ja zrobiłem, nadal żyje w moim umyśle, każdy moment, każdy dzień. To mnie pochłania, zżera od środka. I chociaż nauczyłem się tego żałować, to nie mogę się tego pozbyć. Wiele bym dał, by móc udawać, że to się nigdy nie stało.

Podejrzewam, że mimo tego, co mówi, z nią jest tak samo – ona nigdy nie potrafi uciec całkowicie od tego wszystkiego. Podziwiam ją za próbowanie.

Dlatego mówię to, co zamierzam, jakbym miał możliwość sprawienia, że jej przeszłość zniknie.

– W takim razie to się nigdy nie stało. – Całuję ją w nos i na tę jedną chwilę pozwalam słowom zmyć przeszłość i nasze grzechy. – Wszyscy mamy na koncie zwariowane rzeczy, które zrobiliśmy w przeszłości. Nigdy nie wykorzystam tego przeciwko tobie.

Wtedy wracam do rzeczywistości. Nie mogę pozwolić, by ta więź się utrzymała. Muszę odpuścić, muszę ją odepchnąć. Alayna Withers nie może należeć do mnie.

– To kolejny powód, dla którego nie zainteresuję się romantyczną miłością. Ludzie dostają przez nią świra.

Dlaczego czuję skurcz w żołądku, gdy to mówię? Między nami nie może być nic więcej. Co innego miałoby być? Nawet jeśli czuję coś do niej – co jest bardzo mało prawdopodobne – nie jestem zdolny do żadnych emocji, na jakie ona zasługuje.

Z trudem rozluźniam się i skupiam na niej.

– Ale wracając do sedna tej rozmowy, dlaczego to ma zaważyć na relacji między tobą a mną?

Alayna siada nagle na łóżku.

– Hudsonie, zwariowałam. Na punkcie faceta. Na punkcie paru facetów, jeśli chodzi o ścisłość, ale to z ostatnim nie skończyło się najlepiej.

Sadowię się obok niej.

– I myślisz, że na moim punkcie też zwariujesz? – Boję się jej odpowiedzi. Nie chcę, by jej odbiło. Nie chcę jej zniszczyć.

A mimo to jest we mnie taka część – chora i odrażająca – która właśnie tego by sobie życzyła. Nie dlatego, że chcę ją doprowadzić do upadku, że chcę, by Celia wygrała, ale z tego powodu, że pragnę uwagi Alayny. Chcę, żeby była skupiona tylko na mnie.

Uświadamiam sobie, że cokolwiek powie, będę zawiedziony.

Wstrzymuję oddech, czekając na jej odpowiedź.

– Szczerze mówiąc, nie jestem ci w stanie powiedzieć. Przez jakiś czas trzymałam się z dala od związków, by nie musieć się z tym borykać. Ale próba nawiązania relacji z tobą to dla mnie jak wejście na niezbadany teren. – Unosi głowę, by spojrzeć mi w oczy. – Jeszcze nie oszalałam. Na twoim punkcie. I nie chciałabym już nigdy nie móc uprawiać z tobą seksu. To znaczy... – Odwraca głowę, rumieniąc się.

Widzę, jak się męczy i żałuję, że nie mogę jej odpuścić. Dla jej dobra, nie mojego. Gdybym tylko mógł odejść, byłoby dla niej znacznie łatwiej. Nawet jeśli zakończę grę Celii, wiem, że to – nasza relacja poza grą – najbardziej wpłynie właśnie na Alaynę.

Tylko że ja nie mogę pozwolić jej odejść. Jestem zbyt wielkim, egoistycznym dupkiem.

Otaczam ją ramionami i przygryzam jej ucho.

– Uroczo wyglądasz, gdy jesteś zakłopotana. Też bym nie chciał już nigdy nie móc się z tobą przespać, więc po prostu nie dopuśćmy do tego. Zamiast tego uprawiajmy cudowny seks do woli.

Poddaje się moim objęciom.

– Jeszcze się nie zgodziłam. Wolę nie robić dalekosiężnych planów.

Gdybym miał sumienie, byłbym bardziej skłonny przyznać jej rację.

– Alayno, może i nie chcesz robić daleko idących planów, ale wiesz dobrze, że między nami będzie mnóstwo pieprzenia. – Przyciągam ją do siebie. Robię się twardy, gdy jest tak blisko mnie, w taki intymny sposób. – Tak się składa, że mam zamiar się w tobie znaleźć, jeszcze zanim wyjdziesz do pracy.

Zerka na moją erekcję, a potem znowu na mnie.

– Że niby teraz?

Patrzy na mnie tymi dużymi, pełnymi pożądania oczami tak, że z trudem powstrzymuję się od wzięcia jej w tej chwili. Zamiast tego pochylam się, by ją pocałować, i właśnie wtedy odzywa się interkom. Jest nasza kolacja.

Idę odebrać i zapłacić. W ciągu tych paru chwil, gdy jestem sam, próbuję się pozbierać. Wracając do sypialni, czuję się już lepiej. Ciągle doprowadza mnie do szaleństwa, gdy widzę jej długie nogi i pełne usta, ale jakoś daję radę. Flirtujemy ze sobą, karmię ją, żartujemy sobie. Jest miło. Komfortowo.

Potem przechodzimy do tematu, który próbowaliśmy omijać – naszego związku. Nasze pragnienia są tak naprawdę bardzo podobne. Alayna chce być ze mną bez zobowiązań.

Ja chcę być z nią bez zobowiązań. Tylko seks. A jednak oboje obawiamy się, że to nie jest możliwe.

Udaję, że wszystko kontroluję, i mówię jej, że w przyszłości będzie mieć kontrolę nad seksem. To będzie jej decyzja, czy zechce go ze mną uprawiać, czy już nie. Chociaż nie jestem pewny, czy nie będę nalegał i próbował ją przekonać, jeśli do tego dojdzie. Nie mogę się jej oprzeć. Już to wiem. Teraz jednak liczy się mój cel i ona chyba to docenia. Ustalamy granice i zasady. Zwykłe rozmawianie relaksuje nas. Dopóki nie zaczyna tematu wierności.

Alayna nie będzie się pieprzyć z innymi, gdy coś nas łączy. To nie podlega dyskusji. Ściska mnie w piersi na samą myśl, że mogłaby dotknąć innego mężczyznę. Wkurza mnie to. Znowu powraca mój brak kontroli, bo nigdy nie byłem taki zaborczy w stosunku do kobiety, z którą spałem. Nigdy nie wymagałam wierności. Sam jej ani razu nie oferowałem. Przez pewien czas byłem lojalny jednej partnerce seksualnej, ale tylko dlatego, że tak było łatwiej. A nie że wierność coś dla mnie znaczyła.

Alayna zgadza się na lojalność – dzięki Bogu – jednak chce znać moje intencje. Gdyby to była każda inna kobieta, uniknąłbym odpowiedzi na to pytanie albo sprawiłbym, że zupełnie by o nim zapomniała. Teraz tego nie robię.

Patrzę Alaynie w oczy i kładę ręce na jej nogach.

– Nie jestem męską dziwką, Alayno. Ten apartament był wykorzystywany jako miejsce do uprawiania seksu, ale tylko dlatego, żebym był blisko swojego biura. – Odgarniam kosmyk włosów z jej twarzy. – Będę wierny i tego samego oczekuję od ciebie.

Czuję, że to sprawiedliwe w stosunku do tej dziewczyny. Te słowa są obietnicą i wiem, że nie będę miał problemów z dotrzymaniem jej, jednak przerażają mnie.

Najwyraźniej w niej budzą takie same uczucia, bo nagle wstaje i zaczyna zbierać swoje ubrania.

– Nie mogę na razie o tym myśleć.

Podnoszę się, ponieważ rozpoznaję emocje na jej twarzy.

– Dlaczego panikujesz? – Nie mam zbyt wiele doświadczenia w takiej sytuacji, ale to nie jest reakcja, jakiej bym się spodziewał.

Obraca się do mnie, a w jej oczach płonie gniew.

– Wiesz, łatwo ci powiedzieć, że chcesz związku ze zobowiązaniami opierającego się tylko na seksie. Nie masz problemu z emocjami, potrafisz zupełnie nie angażować się emocjonalnie. Nie widzisz, że prosisz mnie o coś, co dla mnie jest praktycznie niemożliwe?

Jeszcze chwila, a zacznie płakać. Byłem świadkiem bardzo wielu scen płaczu. Stanowiły oznakę mojego zwycięstwa. Przyglądałem się im, studiowałem je. Fascynowały mnie i intrygowały.

I chociaż jeszcze żadna łza nie spłynęła po jej twarzy, to wiem, że nie chcę, by Alayna płakała.

Wyciągam do niej rękę, ale ona odsuwa się ode mnie.

– Im częściej będziemy uprawiać seks, Hudsonie, tym bardziej się do ciebie mogę przywiązać. I nawet jeśli by cię to interesowało, nie przywiązałbyś się do kogoś tak, jak ja to robię. Więc wierz mi, gdy mówię, że to nie jest dobry pomysł. Nazwijmy to cudownym, wręcz przecudownym spotkaniem, ale teraz czas, by nasze ścieżki się rozeszły.

Mój moment współczucia – jeśli tym właśnie to było – znika i znowu robię się oziębły.

– Jeśli tego właśnie potrzebujesz.

– Tak, tego potrzebuję. I muszę wziąć prysznic. Masz coś przeciwko?

– Absolutnie nie. Jest tam. – Wskazuję w stronę łazienki.

– Przyniosę ci ręczniki.

Znika w łazience, a ja udaję się do szafki. Biorę dwa puchate ręczniki, rozmyślając nad swoim humorem. Kilka minut temu byłem wytrącony z równowagi i dociekliwy. Teraz czuję się... otępiały. Tak jak przez większość czasu. Szczerze mówiąc, można by to uznać za polepszenie. Niepokoi mnie, że przy Alaynie zachowuję się w tak dziwny sposób. Mimo to pod tym otępieniem odczuwam coś jeszcze. Coś, co mnie męczy i chce się wydostać na powierzchnię. Jakieś uczucie. W pewien sposób przyjemne. A z drugiej strony, w ogóle mi się ono nie podoba.

Nagle czuję, że chcę tego bardziej niż czegokolwiek. Tego uczucia. To impuls, który zmusza mnie, bym poszedł do łazienki. Odkładam ręczniki i rozbieram się, po czym wchodzę pod prysznic, żeby do niej dołączyć. Wiem, że nie tego chciała. Powiedziała, że potrzebuje czasu, jednak jestem tu i nie mogę się powstrzymać.

Obraca się do mnie, a na jej twarzy nie widzę zaskoczenia. Całuje mnie i wszystkie moje wątpliwości znikają. Mój pocałunek jest długi, bo chcę jej przekazać, że to ja tu rządzę. Gdy kończę, widzę, że brakuje jej tchu. Zaczynam ją myć. Odkrywam jej ciało w nowy sposób. Mam jej tyle do powiedzenia i tylko tak potrafię to zrobić – poprzez pocieranie, muskanie, głaskanie, uczenie się jej. Dotykam jej w każdym miejscu.

Gdy przesuwam palcami po jej szparce, wydaje z siebie jęk i opiera się o mnie.

Przypuszczam, że to była lekka manipulacja, by ją doprowadzić do tego momentu. Podniecam ją i rozgrzewam. Po raz pierwszy nie robię czegoś specjalnie. Jestem tu, bo tak naprawdę nie powinienem tutaj być.

– Hudson. – Gdy wypowiada moje imię, jej głos jest pełen zdezorientowania. Sam się tak czuję.

To, co się teraz dzieje, nie było zaplanowane. Nie wiem, kim jestem w tej chwili. Wpychając w nią dwa palce, opieram się na instynkcie.

– Tego chcesz?

– Tak! – Sapie. – To znaczy nie. Chcę ciebie.

Część mnie najchętniej usiadłaby pod prysznicem i ułożyła sobie wszystko w głowie. Ignoruję ją i skupiam się na innej – tej nowej, która chce tylko zadowalać, droczyć się i adorować kobietę, którą mam w swoich ramionach.

– Będziesz musiała poczekać – mówię jej. – Lubię, gdy musisz czekać.

Robię jej dobrze palcami, aż zaczyna jęczeć, drżeć i wbijać mi paznokcie w ramiona. Czując, że zaraz dojdzie, zabieram rękę.

– Mnie też trzeba umyć.

Bawię się z nią teraz i podoba mi się to. Kiedy ostatni raz się tak dobrze bawiłem? Nie próbując się na kimś odegrać albo mieć czegoś w zamian? Nie jestem pewny, ale chyba nigdy.

Zaczyna mnie dotykać. Coś w jej dotyku każe mi myśleć, że dla niej to też jest nowe. Jest delikatna. Przesuwa ręką po moim penisie raz, potem drugi. Po trzecim razie nie mogę już wytrzymać. Koniec zabawy.

Albo dopiero jej początek.

Unoszę ją, a ona otacza mnie nogami w pasie. Przyciskam ją plecami do ściany kabiny prysznicowej. Całuję ją mocno i wchodzę w nią. Nie jestem przy tym delikatny. Jestem brutalny. To nas łączy, oboje chcemy tego samego.

Rżnę ją szybko i mocno. Dochodzę, a ona zaraz po mnie.

W ciszy wycieram ją ręcznikiem i pomagam się jej ubrać. Teraz musi iść do pracy. Zawiązuję sobie ręcznik wokół bioder i odprowadzam ją do drzwi.

Mimo że nie odzywamy się do siebie, atmosfera nie jest napięta. Czuję, że ona... przetwarza całą tę sytuację. I ja też to robię. Chociaż nie jest łatwo. Całuję ją, a ona odchodzi. Decyduję, że lepiej teraz nie myśleć o tym wszystkim. Pozbywam się wszelkich myśli i cieszę się wolnym wieczorem.

Nigdy wcześniej nie zostałem w tym mieszkaniu na noc, gdy dopiero co była tu jakaś kobieta. Zawsze wolałem spać we własnym łóżku, w czystej pościeli, która nie pachnie seksem i tą kobietą. Ale gdy Alayna znika, nie mogę się zmusić, żeby wyjść. Wkładam bokserki i wchodzę do łóżka, które nadal pachnie jak ona.

# Rozdział 11

---
PRZED
---

Christina przesunęła językiem po główce mojego penisa, a ja poczułem dreszcz przechodzący po kręgosłupie.

– Przestań się, kurwa, ze mną drażnić – wysyczałem.

Tego wieczoru nie planowałem loda w ukrytej alkowie przy ulicy Cipriani 42, ale gdy ta dziewczyna, która miała być jednorazowym numerkiem, pojawiła się na Corocznej Gali Charytatywnej z Okazji Święta Dziękczynienia organizowanej przez Pierce Industries, a ja zobaczyłem jej wymalowane na czerwono usta, które wręcz prosiły się o mojego fiuta, moje plany od razu się zmieniły.

– Proszę mi powiedzieć, czego pan chce, panie Pierce? – Grała rolę z jakiejś gorącej fantazji seksualnej, gdzie ona była moją pracownicą, a ja jej szefem. To nie było aż tak nierealne, jak się mogło wydawać, ale zdecydowanie mnie podniecało, więc bawiłem się w to wraz z nią.

– Chcę, byś go ssała. Dobra dziewczynka. – Przesunąłem palcem po jej policzku. – Otwórz. – Posłuchała, a jej usta idealnie dopasowały się do mojego penisa. – Och, tak.

Zamknąłem oczy, zatracając się w odczuciu jej mokrych, ciepłych ust, które czułem na swoim twardym członku. Niewiele rzeczy na tym świecie zadowalało mnie tak, jak zrobienie mi loda. To była jedyna sytuacja, w której mogłem się odstresować i skupić tylko na sobie. Nie obchodziło mnie, czy dziewczyna była podniecona, czy jej się to podobało. Badania nad ludzką naturą w tej sytuacji nie istniały dla mnie. W *fellatio* chodziło tylko o przyjemność – moją przyjemność.

Christina jedną ręką trzymała podstawę mojego nabrzmiałego członka, a ustami poruszała w górę i w dół. Drugą ręką bawiła się moimi jajami. Nie była zbyt oryginalna, ale nadrabiała zapałem. A mówiąc szczerze, nawet takie oklepane robienie loda było fantastyczne.

Co do jej tempa... było trochę za wolne. To można by poprawić. Wsunąłem rękę w jej zmierzwione włosy i chwyciłem je w garść. Dopiero po chwili załapała tempo, które jej narzuciłem, i dopiero wtedy zrobiło mi się naprawdę dobrze. Byłem agresywny. Każde pchnięcie uderzało w tył jej gardła, łaskocząc główkę mojego penisa. Byłem coraz bliżej. Spojrzałem w dół na ten erotyczny widok – jej oczy wypełniły się łzami, gdy moim fiutem pieprzyłem jej usta. I nawet gdy poruszałem się szybciej i mocniej, pozwalała mi na to.

– Nie przerywaj, Christino. Pieprz mnie swoimi chciwymi ustami.

Jej wargi zacisnęły się wokół mnie. Była taka chętna, taka oddana. To dziwne, że nie uważała tego za upokarzające. Próbowała złapać oddech. Twarda podłoga musiała ranić jej kolana. To wszystko sprawiało, że sytuacja była jeszcze bardziej pikantna. Mój orgazm nadszedł szybko. Miałem czas, by ją o tym powiadomić, ale nie chciałem, aby się odsunęła. Spuściłem się w jej ustach i przytrzymałem jej głowę, żeby połknęła.

– Dobra sunia. Połknij wszystko.

Jak profesjonalistka nawet wylizała mojego fiuta do czysta. Wziąłem głęboki oddech i wypuściłem powietrze z płuc. Jezu, to było niezłe. Dzięki temu chociaż na chwilę mogłem zapomnieć o wieczorze moich rodziców.

Zapiąłem spodnie od smokingu i pomogłem jej wstać.

– Bardzo dobrze, panno Brooke. Chyba będę musiał zaaprobować pani prośbę o urlop.

Wytarła swoje usta, a potem uśmiechnęła się do mnie uwodzicielsko.

– Dziękuję, panie Pierce. Czy mogę coś jeszcze dla pana zrobić tego wieczoru?

– Myślę, że to już wszystko, panno Brooke. – Jeśli chciała, bym się jej odwdzięczył, to niestety nie miałem takiego zamiaru. Już ją zaliczyłem, a na tym evencie było sporo nowych, świeżych cipeczek. Mogłem przebierać, jeżeli chciałem znowu coś zaliczyć dzisiejszego wieczoru.

Mimo to nie warto palić za sobą mostów, więc podszedłem do niej i wyszeptałem jej do ucha:

– Muszę wracać na to nudne przyjęcie, ale jeśli będzie okazja, bym się wyrwał... – Ugryzłem ją w płatek ucha.

– Okej. Łapię. – Uśmiechnęła się, gdy ją puściłem.

Misja ukończona.

Wyciągnęła z włosów spinki, bo jej fryzura była kompletnie rozwalona, i ułożyła je ręką.

– Musisz stąd iść i poćwiczyć, bo kiedyś sam będziesz gospodarzem takiego eventu. Jestem pewna, że to już niedługo.

Rzeczywiście planowałem pracować dla ojca podczas przerwy świątecznej. Już mi przekazał projekty.

– Później będę właścicielem klubów, w których imprezujemy. – To miało znacznie większy sens, niż wynajmowanie kolejnego miejsca. Szczególnie że ten lokal był wynajęty ze względu na cele charytatywne. Widziałem wydatki z tym związane. Trudno sobie wyobrazić, że będzie nas jeszcze stać, by ofiarować coś na jakąś organizację, gdy to wszystko opłacimy.

– Mądry pomysł, szefie.

Skrzywiłem się. Gdy już przestaliśmy brać udział w fantazji seksualnej, to przestało być zabawne. Nadszedł czas, żebym zostawił ją tutaj.

– Masz jakieś wieści od Celii?

To pytanie zaciekawiło mnie na tyle, że postanowiłem zostać jeszcze na chwilę.

– Od wakacji się nie odzywała. – Nie miałem z nią kontaktu, odkąd pieprzyła się z moim ojcem. Unikałem jej, dopóki parę dni później nie wyjechała do szkoły w Kalifornii. Potem sam zacząłem zajęcia i nie słyszałem, co się u niej dzieje, ale często zastanawiałem się, jak mój eksperyment wpłynął na jej uczelniane życie. To była szansa, by się dowiedzieć.

– A ty coś słyszałaś?

– Dwa miesiące temu byłam ją odwiedzić – powiedziała Christina, zbierając z podłogi swoją torebkę. Włożyła tam spinki, które wyjęła z włosów. – Była w strasznym stanie.

To dopiero ciekawe.

– Co masz na myśli?

– Imprezy. Narkotyki. Gdy ją widziałam, brała kokainę. I kurwiła się. Rozkładała nogi przed każdym facetem, który poświęcił jej trochę uwagi.

Potarłem twarz, zastanawiając się, jak przetrawić tę informację. To był pewnie przypadek. Jej zachowanie nie mogło mieć ze mną nic wspólnego. Prawda?

– To straszne. – Mówiłem szczerze.

– Plotki mówią – Christina zmrużyła oczy – że próbuje wyleczyć swoje złamane serce.

– I to mnie winisz za jej autodestrukcję? – Nie podobał mi się ten pomysł.

Nigdy nie obchodziło mnie, co się stanie z moimi obiektami po eksperymencie, ale z Celią było inaczej. W pewien sposób stanowiła część rodziny. Ponownie przypomniałem sobie, by nie eksperymentować z bliskimi mi osobami.

Christina się zaśmiała.

– To duża dziewczynka. Sama jest odpowiedzialna za tę autodestrukcję. Ale pomyślałam, że chciałbyś o tym wiedzieć.

Wzruszyłem ramionami. Interesowało mnie to, lecz nie musiałem mówić o tym Christinie.

– Wróciła na święta.

Ponownie wzruszyłem ramionami.

– Wiesz co, Hudson? Jesteś dupkiem.

Tym razem to ja się zaśmiałem.

– I dopiero teraz to zauważyłaś?

– Nie. Ja o tym wiedziałam. – Przeczesała włosy palcami. – I mimo to pozwoliłam ci się przelecieć. Więc najwyraźniej mam to gdzieś.

Jaka szkoda, że gówno mnie obchodziło zdanie innych. Christina i ja bylibyśmy niezłą drużyną.

Ale skończyłem z nią. Zacząłem szukać drogi ucieczki. W końcu skinąłem głową w kierunku łazienek.

– Powinnaś iść doprowadzić się do ładu. Szczęśliwego Święta Dziękczynienia, jeśli byśmy się nie zobaczyli. – Zostawiłem ją, zanim zdążyła mi odpowiedzieć.

Gdy już byłem w głównej sali, zacząłem się przyglądać stołom hazardowym, szukając Celii. Myślałem, że będzie na tym evencie, ale wiedziałem, że to głupie. Nawet jej rodziców tu nie było, a Celia nie przyszłaby bez nich. Jednak chciałem ją zobaczyć. Chciałem wiedzieć, czy naprawdę była w takim złym stanie. Chciałem wierzyć, że tak nie jest. Nie oczekiwałem, że znajdę odpowiedź, której szukałem, ale gdy lustrowałem pomieszczenie, zauważyłem coś innego. Moja matka próbowała wejść na stół do blackjacka. Cholera.

Upijała się przez większość mojego życia, więc widziałem wszystkie stany jej upojenia alkoholowego. Zazwyczaj przy ludziach zachowywała się poprawnie. Nie chciałem wiedzieć, co dzisiaj sprawiło, że przekroczyła granicę. Ktoś musiał ją jednak uratować, a przynajmniej powstrzymać przed upokorzeniem siebie i rodziny.

Mój ojciec już jej pomagał zejść, gdy pojawiłem się przy niej. Uśmiechał się, jakby to wszystko było tylko zabawą.

– Sophio, ile razy ci mówiłem, że nie tak się gra w oczko?

Garstka świadków tego wydarzenia wybuchnęła śmiechem. Jack Pierce, chociaż był dupkiem, zawsze potrafił sobie poradzić z publicznością.

Matka zamrugała kilka razy, jakby próbując poprawić zdolność widzenia.

– Tu jesteś. Chciałam wejść na stół, żeby stamtąd lepiej widzieć i cię znaleźć.

Nie bełkotała. Nie była najwyraźniej tak pijana, jak myślałem.

Skupiła spojrzenie na blondynce stojącej przy ojcu.

– Czy to ta najnowsza? Powinnam była się domyślić. Gdy znikasz, to zazwyczaj z jakąś dziw...

Wkroczyłem, zanim zdążyła dokończyć zdanie.

- Mamo, przejdziesz się ze mną?
- I zostaw go w spokoju...
Tym razem mój ojciec jej przerwał.
- Hudsonie, w porządku. Skarbie, nie zostawię cię. Pójdę z tobą. - Otoczył ją ramieniem w talii i poprowadził w stronę wyjścia.

Moja matka była znana z głośnych oskarżeń skierowanych do mojego ojca, które były uważane za nieprawdziwe, jednak teraz sam się wydał, gdy rzucił spojrzenie tej blondynce. Tylko że Sophia już wiedziała. Ja też miałem świadomość, że to nie była zwykła znajoma, bo to spojrzenie mówiło, że później do niej wróci. Innymi słowy, zaprowadzi matkę do samochodu i będzie z powrotem.

Nic dziwnego, że Sophia Pierce musiała się trochę upić na firmowej imprezie swojego męża. Pierdolony dupek.

Potarłem ręką szczękę i zacząłem się zastanawiać, czy ja w ogóle chcę tu jeszcze zostać. W apartamencie moich rodziców było dla mnie wystarczająco dużo miejsca, jednak wolałem się zatrzymać w hotelu Plaza, dlatego też nawet gdybym opuścił imprezę, nie musiałbym się męczyć ze swoją matką. Chociaż może jednak powinienem iść do ich mieszkania. Najnowsza niania nie miała obowiązku zajmować się pijaną pracodawczynią. I jeśli ja się zajmę matką, będzie mogła zachować resztki godności.

Podjąwszy decyzję, od razu udałem się do szatni. Szatniarka podała mi mój płaszcz i wtedy zmieniłem zdanie. Do środka właśnie weszła Celia Werner z rękami w kieszeniach. Jej strój był daleki od formalnego.

Zaczęła iść w moim kierunku. Byłem tak zaskoczony jej widokiem, że nie potrafiłem się ruszyć. Otworzyłem usta ze zdziwienia. Nie była ubrana stosownie do okoliczności, ale nie wyglądała tak źle, jak mówiła Christina.

Albo doprowadziła się już do ładu, albo plotki były mocno naciągane.

Nie wiedziałem, czy to mnie cieszyło, czy czułem się zawiedziony.

– Czy chce pani oddać swój płaszcz? – zapytała szatniarka, gdy Celia zbliżyła się do nas.

Pokręciła głową, patrząc na mnie.

Miałem wystarczająco czasu, by się pozbierać.

– Spóźniłaś się, Celio. Mój ojciec właśnie wyszedł. Ale jeśli trochę zaczekasz, to chyba jeszcze się tu pojawi. Tylko że już wyrwał jakąś długonogą blondynę na ten wieczór. Więc jeśli interesują cię trójkąty...

– Nie przyszłam tu do Jacka, palancie.

Spiąłem się, słysząc, że mówi o moim ojcu, używając jego imienia.

– Jaka szkoda. Nikt inny nie spojrzy na ciebie, gdy jesteś tak ubrana.

– Będziesz tak stał i obrażał mnie całą noc? Czy może jednak potrafisz na chwilę odpuścić, żebyśmy mogli porozmawiać?

– Nie mam ci nic do powiedzenia.

– Świetnie. No to możesz się, kurwa, zamknąć i posłuchać, co ja mam ci do powiedzenia.

Zawahałem się, zastanawiając, co by chciała mi przekazać. Potem doszedłem do wniosku, że mnie to nie interesuje.

– Brzmi ciekawie, Celio, ale chyba spasuję. – Dałem napiwek szatniarce i zacząłem wychodzić z budynku.

– Hudson. – Jej ton był bardziej stanowczy niż zazwyczaj, ale ja się nie zatrzymałem. – Dobra – powiedziała, biegnąc, by mnie dogonić. – To znajdę twojego ojca.

To mnie zastopowało. Już ze sobą spali, ale odrażające było to, że mieliby zrobić to ponownie. Wolałbym sobie wyobrazić, jak mój ojciec pieprzy kogoś innego – chociażby tamtą blondynę – ale nie Celię.

Nie pokazałbym, jak bardzo mi to przeszkadza, lecz na pewno nie miałem zamiaru znowu do tego dopuścić.

– Celio, czego chcesz?

Spojrzała w kierunku szatniarki.

– Nie tutaj. Potrzebujemy prywatności.

– Nie będę... – Moją uwagę przyciągnął hałas przy drzwiach do sali. Wrócił mój ojciec. Jeszcze nie zdążył nas zauważyć, więc chwyciłem Celię za ramię i pociągnąłem ją w kierunku męskiej toalety. Przy drzwiach powiedziałem: – Zostań tutaj. – Wszedłem do środka, aby sprawdzić, czy pomieszczenie jest puste, a potem wciągnąłem ją tam.

Zamknąłem za nami drzwi i przez krótką chwilę zastanawiałem się, jakby teraz wyglądały nasze relacje, gdybym tego lata nie przeprowadził swojego eksperymentu. Może mógłbym wymykać się z Celią na szybki numerek, a nie chować przed moim ojcem, który był męską dziwką. A może wcale by tak nie było. Przecież nigdy tego nie chciałem, prawda?

Sytuacja byłaby inna, ale nie w ten sposób.

Jak powiedział Thoreau: „Nigdy nie patrz za siebie, chyba że planujesz iść w tę stronę". A ja nie zamierzałem się cofać. Jakby się nad tym zastanowić, to Celia mi o tym powiedziała.

Obróciłem się twarzą do niej.

– Masz trzy minuty. Potem wyciągnę cię na zewnątrz i wsadzę do taksówki. Nawet dam ci na nią pieniądze, jeśli przywykłaś do tego, że faceci ci płacą.

W jej oczach zobaczyłem gniew wywołany moim komentarzem.

– Czy ja ci już mówiłam, żebyś się pieprzył, Hudson?

– Nie zamierzam się zajmować resztkami po moim ojcu. Przepraszam. – Spojrzałem na swój zegarek dla lepszego efektu. – A teraz zostały ci dwie minuty i czterdzieści pięć sekund.

Założyła ramiona na piersi i oparła się o blat umywalki, mrużąc oczy.

– Założę się, że będę mieć więcej czasu, gdy już cię czymś zainteresuję.

Znowu popatrzyłem na zegarek.

– Dwie minuty czterdzieści.

– Wiedziałam, że powinnam była porozmawiać z Jackiem, a nie z tobą.

Zauważyła, że wspominanie o moim ojcu było jej najsilniejszym zagraniem. Już kilka razy tego użyła. Za każdym razem zadziałało.

Ale ja traciłem cierpliwość. Zapytałem po raz ostatni odpowiednim tonem:

– O co ci, kurwa, chodzi, Celia?

Odgarnęła włosy z twarzy i przełknęła ślinę.

– Jestem w ciąży.

Otworzyłem usta, by powiedzieć coś mądrego – wiedziałem, że to nie było moje dziecko – ale wtedy dotarło do mnie, kto jest ojcem. Czy jej brzuch wyglądał na bardziej zaokrąglony, czy mi się tylko wydawało?

Może to zmyśliła? To mogło być zwykłe kłamstwo.

– Zastanawiasz się, czy kłamię? O, mój Boże. Mogę to udowodnić, jeśli chcesz. Wierz mi, ciąża nie jest czymś, co mogłabym udawać przez cały czas.

Moje zaufanie w stosunku do ludzi było ograniczone, ale Celii wierzyłem. Nie podobało mi się to, co usłyszałem, lecz nie zakładałem, że mówi nieprawdę.

Przeczesałem włosy ręką.

– Jesteś pewna, że to jego?

Posłała mi lodowate spojrzenie.

– Ja się nie pieprzę, z kim popadnie, Hudson.

– Nie to słyszałem. – Przechyliłem głowę, przypominając sobie słowa Christiny. – Właściwie to podobno ostatnio zachowujesz się jak dziwka.

– Od kogo to słyszałeś? Od Christiny? I uwierzyłeś tej pieprzonej zdzirze? – Zamknęła oczy, przeklinając pod nosem.

– Dobra. Nieważne. Tak, trochę zaszalałam w tym semestrze. Przed tym, jak się dowiedziałam, że jestem w ciąży. Po tym, co się stało z tobą... – Poprawiła się szybko. – To znaczy z Jackiem. Ale czasowo... To dziecko twojego ojca, Hudsonie. Nikt inny nie pasuje. I pękła nam gumka.

– Nie chcę o tym słuchać. – Nie potrzebowałem tylu informacji. Nie tylko tej o kondomie, ale ogólnie. Wolałbym nie kontynuować tej rozmowy.

– Nie wątpię. – W jej słowach brzmiała nutka żalu. – Ale wysłuchasz mnie, bo winię za to ciebie.

Teraz się wkurzyłem.

– Mnie winisz za to, że pękła guma? Czy za podjęcie złej decyzji?

– Och, nawet nie udawaj, że to cię nie dotyczy. To przez ciebie do niego poszłam. Nie dałeś mi wyboru.

– Celio, to żałosne. Zacznij brać odpowiedzialność za swoje czyny.

– Biorę. I dlatego tu jestem. Teraz ty musisz wziąć odpowiedzialność za swoje. – Wycelowała we mnie palcem.

– I powiedz mi, co my z tym zrobimy.

– My? To nie mój problem. – Chociaż prawda była taka, że to był mój problem. Nie tylko biorąc pod uwagę powód, jaki podała, ale dlatego, że miałoby to zły wpływ na moją rodzinę. Na moje życie także, ale to nie oznaczało, że wiedziałem, co teraz należy zrobić.

Celia się wyprostowała.

– W takim razie porozmawiam z twoim ojcem. Jestem pewna, że mi pomoże. Nie będzie miał wyboru, gdy zdobędę test DNA. – Znowu użyła argumentu z Jackiem. Zaczęła iść w kierunku drzwi.

Mogłem pozwolić jej odejść i pójść prosto do ojca. Tylko że on nie byłby jedyną osobą, która by na tym ucierpiała. I Celia o tym wiedziała.

Uderzyłem pięścią w ścianę za mną.

– Kurwa. – Christina nie byłaby idealną partnerką. Celia w kwestii manipulacji była mistrzynią. – Czego ty ode mnie chcesz?

Rozłożyła ręce w geście desperacji.

– Chcę, żebyś powiedział mi, co mam zrobić!

To było nawet zabawne. Jakbyśmy byli parą, która rozmawiała na temat nieplanowanej ciąży. Normalnie taka sytuacja bardzo by mnie zaintrygowała.

Uderzyłem głową w ścianę.

– Jakie mamy opcje? – Zganiłem się za użycie słowa „mamy". To jej dawało więcej władzy, przez co mogła pomyśleć, że jesteśmy partnerami.

– Cóż. – Oparła się znowu o blat umywalki. Dotarło do mnie, że ona po prostu musiała się o coś oprzeć. Poza tym ta rozmowa był trudna. – Aborcja odpada. Może i dałabym radę to zrobić wcześniej, ale byłam na badaniu USG. Widziałam jego serce. Nie potrafię.

– A więc aborcja nie wchodzi w grę. – Właściwie cieszyło mnie to. Nie chciałem skazywać swojego nienarodzonego rodzeństwa na śmierć.

Moje rodzeństwo. Jezu, czy to naprawdę się działo?

– Ale ogólnie nie jestem przeciwna aborcji. – Mówiła tak, jakby już sama to wszystko wcześniej przemyślała. I pewnie tak zrobiła. Ale dla mnie to było nowe. To było dużo nowych informacji. Musiałem to przetrawić.

– Moja mama pewnie będzie chciała je zatrzymać. – Zaśmiała się ponuro. – Wyobrażasz sobie moją matkę jako babcię? W każdym razie moi rodzice będą chcieli wiedzieć, z kim zaszłam w ciążę. Ojciec by mnie zabił, gdyby poznał prawdę.

– Chyba zabiłby mojego ojca za to. – Jack był przyjacielem Wernerów. I zapłodnił ich córkę.

Celia westchnęła.

– Powiedzmy, że to nic dobrego dla żadnego z nas.

– To by zniszczyło moją matkę. – I nie tylko ją. – I mojego brata, i siostrę.

Skinęła głową, zagryzając wargę.

– Nie mogę mu powiedzieć, że Jack jest ojcem.

Była tylko jedna opcja, dzięki której to się nigdy nie wyda.

– Powiedz, że jest moje. – Przełknąłem ślinę. – Powiedz, że ja jestem ojcem.

– Co? – Uniosła głowę, jakby zaskoczona, ale jej głos wcale tak nie brzmiał. – Czy naprawdę… zrobiłbyś to? – W jej głosie pobrzmiewała radość, a nie nadzieja. To był bardziej triumf niż niedowierzanie.

– Przestań udawać. – Można było czytać z jej twarzy jak z otwartej księgi. – Przyszłaś do mnie, bo wiedziałaś, że to zaproponuję. Nawet nie próbuj zaprzeczać.

– Miałam taką nadzieję – wyszeptała.

– No w końcu dokądś z tym zmierzamy. – Westchnąłem.

– To zrobimy tak. Powiemy, że jest moje. – Z trudem przeszło mi to przez gardło. – Skończysz ten semestr. Wrócisz na święta i pójdę z tobą na zajęcia dla ciężarnych czy co tam chcesz. Będę grać wspierającego dawcę spermy. Jeśli będziesz chciała je zatrzymać, założę jakiś fundusz dla dziecka. Pieniądze ojca i tak będą moje, gdy przejmę firmę.

– Okej. – Odetchnęła głęboko. – A co z wychowaniem?

– Chcesz, żebym miał z tym jakąś relację?

– Nie mów tak, jakby to był ktoś obcy. To będzie twój brat lub siostra.

– Racja. – Już to do mnie dotarło, ale gdy mi o tym przypomniała, ścisnęło mnie w żołądku. Czy chciałbym nie mieć kontaktu z własnym rodzeństwem? Gdyby to był Chandler albo Mirabelle, chciałbym być zaangażowany we wszystko. Nawet na swój zimny, stoicki sposób. – Dobra. Jasne. Ale ograniczona relacja. Nie chcę żadnych praw rodzicielskich. Będę jednak chciał podejmować niektóre rodzicielskie decyzje. Czy tobie to odpowiada?

Wzruszyła ramionami, po czym powiedziała:

– Nie przeszkadza mi to. – Jej oczy błyszczały, jakby była tym wszystkim przytłoczona. – Jeszcze nawet nie jestem pewna, czy je zatrzymam.

Przeszło mi coś przez myśl.

– Ja się z tobą nie ożenię, Celio. – Wyprostowałem się. – To z nas nie czyni pary.

Popatrzyła na mnie z niedowierzaniem.

– Nawet przez chwilę o tym nie pomyślałam. – Ale jej ton był podszyty czymś innym. Jakby właśnie myślała o naszej przyszłości. – Nigdy bym tego od ciebie nie chciała. Odkryłam, że nie jesteś zdolny do żadnej relacji.

Może chciała mnie zranić tym stwierdzeniem, ale jej się nie udało. Sprawiła tylko, że nasza sytuacja stała się łatwiejsza. Popatrzyłem jej prosto w oczy.

– Cieszę się, że jesteś tego świadoma.

Przez chwilę wytrzymała moje spojrzenie, a potem wbiła wzrok w podłogę. Pokręciła głową, jakby w zdziwieniu. Jakby brakowało jej słów. W końcu ponownie na mnie spojrzała.

– Hudson, dlaczego to robisz?

Zacząłem się przyglądać moim butom, jakby miały mi pomóc wymyślić odpowiedź. Nie chodziło o mojego ojca. Byłem zawiedziony tym, że nie mógł ponieść konsekwencji swoich czynów. Co do matki, zrozumiałem, że jej problem z alkoholem był powiązany z niewiernością ojca. Moja relacja z nią była ograniczona, ale chciałem ją chronić. Czy to ona była powodem?

Potem znowu pomyślałem o swoim rodzeństwie. O Chandlerze. O Mirabelle.

Mirabelle.

Była dziewczyną, która wierzyła w miłość, tęczę oraz „i żyli długo i szczęśliwie" – wierzyła we wszystko to, co mnie przyprawiało o odruch wymiotny. Gdyby moi rodzice się rozwiedli, zaburzyłoby to jej wierzenia. A mnie by to zabolało. Wiedziałem, że zrobiłbym wszystko, by siostra nie musiała się z tym mierzyć. Moja decyzja była z nią powiązana.

Był jeszcze jeden powód – Celia. Miała wychudzoną i szarą twarz, oczy podkrążone, uśmiech bardziej wymuszony. Oskarżałem ją, że winiła wszystkich za swoją ciążę, ale przecież ja też byłem za to odpowiedzialny. To ja wprawiłem domino w ruch. Inaczej nigdy nie przyjechałaby tamtej nocy do Mabel Shores. Nigdy nie wskoczyłaby do łóżka mojego ojca. I nie byłaby teraz w ciąży.

Czy obchodziło mnie to, że byłem za to odpowiedzialny? Możliwe, że tak. Może nie zależało mi na ludziach w taki sposób, w jaki zależało innym, ale miałem jakieś poczucie obowiązku. Chociaż nawet przed samym sobą nie potrafiłem tego wyjaśnić.

I nigdy nie wytłumaczę tego komuś innemu.

– Hudson? – odezwała się Celia, bo milczałem chyba zbyt długo.

– Słyszałem. – Przełknąłem ślinę i spojrzałem na nią. – Moje nazwisko. – Ale też dlatego, że było mi niewygodnie z wynikiem mojego badania. – Firma Pierce Industries to moje dziedzictwo. Nie chciałbym, żeby została splamiona błędami mojego ojca.

Parsknęła i otworzyła usta, jakby chciała to skomentować, ale jej przerwałem:

– Dajmy naszym rodzinom spokój w Święto Dziękczynienia. Powiemy im następnego dnia. Zadzwonię do ciebie jutro, żeby omówić szczegóły. – Obróciłem się i patrząc w lustro, wyprostowałem swoją muchę. Nie zamierzałem wrócić na przyjęcie i nie chciałem zostawiać tu Celii. – Odprowadzę cię.

Nie odzywaliśmy się, dopóki nie znalazła się na tylnym siedzeniu taksówki. Już miałem zamykać drzwi, gdy zawołała:

– Hudson?

Pochyliłem się.

– Co?

– Dziękuję. – Jej warga zadrżała, a oczy zabłyszczały od łez. Przypomniałem sobie, że Celia nie była taka jak ja. Miała emocje, uczucia. Dla niej ta sytuacja była czymś więcej niż niedogodnością, jak dla mnie. Poczułem nagle przypływ... czegoś. Nie za bardzo mi się to podobało.

Ostatnio coraz bardziej sam siebie zaskakiwałem. Nie byłem zachwycony moimi nowymi „umiejętnościami".

Skinąłem głową i postanowiłem powiedzieć coś, co na pewno chciała ode mnie usłyszeć.

– Gratuluję, Ceeley. Wszystko będzie dobrze.

Nie musiałem udawać szczerości. To było szczere.

## Rozdział 13

---
PO
---

Gdy Alayna kładzie mi rękę na plecach, po ciele przebiegają mi ciarki, mimo że mam na sobie koszulę i marynarkę. Odwracam się, by na nią spojrzeć. Marzę o tym, byśmy znajdowali się teraz w zupełnie innym miejscu, a nie na charytatywnym pokazie mody organizowanym przez moją matkę. Ten event był planowany od tygodni jako część naszego teatrzyku. To był wybór Celii, nie mój. Wolałbym przedstawić matce Alaynę na osobności. A tutaj jest tyle osób. Celia chciała tego tłumu, bo miała wymówkę, by być przy tym obecna. Zamierzała na własne oczy zobaczyć, jak się toczy gra. Rozumiem ją. To najlepsza część przedstawienia. Ale jej bliskość przypomina mi o tym, że moja relacja z Alayną jest tylko eksperymentem.

Nie, to nieprawda. Moja relacja z Alayną de facto rozwija się na osobności. To jest tylko przedstawienie i o tym wiemy.

Trudno jest jednak o tym pamiętać, gdy przesuwa ręką po moich ramionach w taki sposób. Powinienem powiedzieć jej, by przestała, chociaż nie mam o to do niej pretensji. Nie potrafię się skupić na niczym, gdy ona jest w pobliżu. A nawet wtedy, gdy jej nie ma, bo myślę o niej nieustannie. Jej dotyk rozbudza moje pożądanie. Nie obchodzi mnie, że ktoś może nas obserwować. Nie interesuje mnie, do czego to doprowadzi. Nie dbam o to, że pewnie mi stanie, gdy tylko mnie pocałuje. Kładę jej rękę na udzie i pochylam się w kierunku jej ust.

– Och, przy mnie nie musicie udawać – przerywa mi znajomy głos. – Pamiętajcie, ja wiem.

Zamieram. Nie powinienem być wściekły z powodu jej przybycia, lecz tak się właśnie czuję. Jestem też zaskoczony, że nie pojawiła się wcześniej. Ale to nie znaczy, że musi z nami rozmawiać. Nie musi zajmować miejsca przy Alaynie. Nie podoba mi się to. Rzucam Celii zirytowane spojrzenie.

Alayna zdejmuje rękę z mojego ciała, a ja od razu czuję się zawiedziony, więc tylko wzmacniam uścisk na jej udzie.

– Jestem Celia – mówi do Alayny. – Pomyślałam, że powinnyśmy się spotkać. Chociaż Hudsonowi chyba się to nie podoba.

Celia za bardzo się stara. Co ona chce udowodnić? I dlaczego mnie to w ogóle obchodzi? Jeśli coś zepsuje, to eksperyment się nie uda, a ja będę mógł się skupić na mojej prawdziwej relacji z Alayną, a nie na tej szopce. Jak dla mnie same plusy.

– Nie, masz rację. Powinnyście się poznać. – Gładzę Alaynę po udzie, wyrażając tym, że jest moja. – No to już się poznałyście.

– Tak łatwo się mnie nie pozbędziesz, prostaku. – Celia parska, po czym obraca się do Alayny. – Wierz mi lub nie, ale naprawdę jesteśmy przyjaciółmi.

Przyjaciółmi. Naprawdę? W sumie zawsze ją tak określałem. Ona zna moje sekrety, ja znam jej. Jesteśmy ze sobą powiązani. To chyba najtrafniejsze określenie. I pewnie dlatego ją toleruję – ze względu na naszą przyjaźń. Chociaż to coś więcej. Skoro jesteśmy ze sobą powiązani, pobłażam jej, bo muszę.

Wzdycham i włączam się do gry.

– Czego chcesz, Ceeley? – To pytanie ma drugie dno, które pasuje do naszego scenariusza, ale też do naszej relacji.

– Chciałam osobiście podziękować Alaynie za tę całą maskaradę. – W oczach Celii dostrzegam błysk i zaczynam się martwić o Alaynę. Poradziła sobie z wrednymi komentarzami mojej matki. Czy może jeszcze znieść Celię?

Spinam się, gdy pochyla się w kierunku Alayny.

– Nawet nie masz pojęcia, jak potworna była perspektywa ślubu z tym wrzodem na dupsku – mówi, uśmiechając się drwiąco.

Alayna uśmiecha się nerwowo.

– Hm, wyobrażam sobie. Nie jest typem, którego łatwo usidlić.

Jej stwierdzenie mnie martwi. A nie powinno, bo to prawda. Ta dziwna więź z Alayną sprawia, że zapominam, kim jestem. Zabieram rękę z jej uda. Może dzięki temu będę o tym pamiętał.

– Wow. – Celia się śmieje. – Widzę, że znasz go już całkiem nieźle.

– Miło pogadać z kimś jeszcze, kto o tym wie – mówi Alayna.

– Ale czyż Hudson nie jest zachwycająco dobry w udawaniu? – Celia kieruje to pytanie do mnie. To gra w trakcie gry. Drażni się ze mną, a ja nie mam pojęcia, jakie są jej motywy. Alayna tkwi w tej grze mimo wszystko.

– Jest całkiem niezły.

Nie podoba mi się, w jaki sposób to mówi. Czy ona myśli, że to wszystko nie jest naprawdę? I nie mogę bronić naszej relacji, gdy jest tu Celia. Ale możemy stąd wyjść.

– Z nieopisaną radością kontynuowałbym tę zajmującą rozmowę, ale właśnie zobaczyłem kogoś, z kim muszę obgadać pewną sprawę. – Wstaję i wyciągam rękę. – Alayno?

Jednak ona ani drgnie.

– Idź śmiało sam, H. Ja zostanę z Celią.

– Damy sobie radę – nalega Celia. – I zakończymy naszą rozmowę bójką, jeśli życzysz sobie urozmaicenia w tej szopce.

Tak naprawdę chcę zabrać moją kochankę jak najdalej od mojej tak zwanej przyjaciółki. Czy naprawdę mogę zostawić je razem?

– Żadnych bójek pomiędzy kobietami. W moim scenariuszu jesteście do siebie nastawione przyjaźnie.

– To ja i ona tylko siedzimy razem i plotkujemy sobie w najlepsze jak dwie psiapsióły. – Celia puszcza oko do Alayny, a ja zaciskam dłonie w pięści. – Tak, Alayno?

– Racja. – Alayna też do niej mruga. – A ponieważ się przyjaźnimy, to możesz mi mówić Laynie.

Och, kurwa. Celia jest dobra. Czasem o tym zapominam. Nic dziwnego, że Alayna jest nią zachwycona.

Nie mam wyboru i muszę je zostawić. Razem. Same.

– Przyjaźnie nastawione, a nie przyjaciółki – mówię sam do siebie i biorę oddech. – Dobra. Niedługo wrócę.

Skoro tak naprawdę nie zauważyłem nikogo, z kim chciałbym porozmawiać, udaję się do baru w lobby. Jest tam tłoczno i muszę stać w kolejce. Czekając, wysyłam mojemu asystentowi wiadomość, żeby kupił jakąś bardzo dobrą kawę i zostawił pod drzwiami Alayny. Ma na sobie opaskę, która ma jej przypomnieć, aby ją sobie kupiła, ale jeśli wszystko pójdzie, jak należy, później będzie zbyt zmęczona, by iść na zakupy. Poza tym ten prezent sprawi, że będzie o mnie myśleć, gdy przez następne kilka dni będę w Cincinnati.

Ściska mnie w piersi na myśl, że się z nią nie zobaczę. Zastanawiam się, czy nie zapytać jej, by pojechała ze mną, ale szybko porzucam ten pomysł. Ona ma pracę, a ja mam swoją. Nigdy wcześniej nie wziąłem kobiety w podróż biznesową. Dlaczego miałbym zacząć teraz?

I o czym, kurwa, Celia rozmawia z Alayną?

Jestem na granicy wytrzymałości. Gdy dostaję swoją szkocką, wypijam ją szybko. Podoba mi się palące uczucie, które wywołuje. Uspokaja mnie.

Dlaczego w ogóle się martwię tym, że Celia i Alayna zostały tam razem? Może to coś dobrego. Celia będzie się czuła, jakby brała udział w tym przedstawieniu. Poda Alaynie szczegóły, dzięki czemu nasza historia okaże się bardziej wiarygodna. Nic nie może pójść źle.

A jednak nie mogę się pozbyć przeczucia, że to bardzo ryzykowne. Celia jest jedyną osobą, która może ujawnić prawdę o mnie. Wcześniej nigdy się tym nie martwiłem. Nigdy nie zależało mi na ludziach wokół mnie. Jeśli ktoś odkryłby moje sadystyczne eksperymenty, czy to w ogóle by mnie ruszyło?

Owszem, gdyby to Alayna się o tym dowiedziała. Nie chcę, żeby znała moje sekrety. Zamierzam ją chronić przed tą odrażającą stroną mojej osoby. I tak będzie.

Nagle widzę, że Alayna biegnie w stronę wyjścia. Próbuję sobie wmówić, że po prostu mnie szuka albo że moja matka się pojawiła i znowu ją obraziła. Tylko że Sophia stoi na drugim końcu foyer i była tam cały czas, odkąd wróciłem z baru.

Wyciągam rękę i łapię ją.

– Dokąd idziesz?

Wyrywa mi się.

– Nie dotykaj mnie!

– Hej. – Unoszę ręce w poddańczym geście. Niemożliwe, żeby to się działo. Niemożliwe, by Celia powiedziała jej, że to wszystko jest tylko grą. Muszę się dowiedzieć, co się stało, i to naprawić. – Co cię ugryzło? Co z tobą?

– Lepszym pytaniem jest, co z tobą jest nie tak! – Alayna patrzy w podłogę.

– Alayno. – Ściszam głos i robię krok w jej kierunku. – Nie wiem, o czym mówisz, ale robisz scenę. Musisz się uspokoić i zachować to, cokolwiek to jest, na później.

Chcę złapać ją za łokieć, ale ona się nie daje.

– Nie będzie żadnego później. Rezygnuję. – Mija mnie i kieruje się w stronę drzwi.

– Alayna! – krzyczę, ale wiem, że to nic nie da. Podążam za nią. Mam gdzieś nawet to, czy moja matka na to wszystko patrzy. Zależy mi tylko na tym, by ją zatrzymać.

Już zamierzam ją znowu złapać, gdy nagle sama obraca się w moją stronę. Jej oczy są wypełnione łzami, a mnie skręca w żołądku. Co ją tak zraniło? Wiem, że chodzi o mnie, ale nie mam pojęcia, czy to zniosę, kiedy usłyszę to od niej. Mimo to chcę się dowiedzieć.

– Powiedz mi, Hudsonie, wybrałeś mnie, bo myślałeś, że dzięki moim obsesjom twoja gra będzie jeszcze fajniejsza? Bardziej wymagająca?

Zalewa mnie gniew.

– Pieprzona Celia i jej długi język. – Przez mój umysł przetacza się milion pytań. Jak wiele jej powiedziała? Dlaczego ujawniła naszą grę? Jak mam to, do cholery, naprawić?

Robię krok w stronę Alayny, ale ona się cofa. Próbuję przekonać ją słowami:

– Porozmawiajmy o tym w limuzynie.

– Nie chcę…

– Alayna. To nie fair z twojej strony, że słuchasz historii z ust obcej osoby i nie dajesz mi szansy tego wyjaśnić. – Wiem, że nie potrafię błagać, więc zamiast tego nakazuję:

– Mówię ci, że porozmawiamy o tym w limuzynie, która stoi na parkingu. Ale najpierw, ponieważ moja matka patrzy, pochylę się teraz i pocałuję cię w czoło. Potem do niej podejdę i powiem jej, że nie czujesz się najlepiej, a następnie spotkamy się w samochodzie.

Spogląda przez ramię, jakby chciała sprawdzić, czy moja matka nas obserwuje, po czym kiwa głową. Pochylam się i całuję ją w czoło, zastanawiając się, czy to będzie nasz ostatni pocałunek.

Nie, nie dopuszczę do tego.

– Do limuzyny, Alayno – mówię. – Tam się spotkamy.

Alayna idzie na parking. Wyjmuję telefon z kieszeni i kierując się w stronę wejścia, piszę wiadomość do Jordana: „Zabierz Alaynę. Spotkamy się z przodu budynku".

Moja matka podchodzi do mnie, gdy już jestem w środku.

– Już masz problemy ze swoją zabaweczką? Szybko.

Jestem tak wściekły na Celię, że nie wiem, czy będę w stanie kontrolować się przy matce.

– Alayna źle się czuje. Nie jest odporna na truciznę w atmosferze, w przeciwieństwie do nas wszystkich. Zabiorę ją do domu i każę jej się położyć. Wrócę, gdy będziesz przekazywać czek Pierce Industries na cele charytatywne.

Znikam, zanim zdąży odpowiedzieć.

Jordan parkuje przed wejściem dokładnie w chwili, gdy wychodzę z budynku. Wsiadam na tylne siedzenie i samochód włącza się do ruchu.

Alayna przyciska się do rogu samochodu najbardziej od-
dalonego ode mnie, jakbym ją obrzydzał. Jakby się mnie
bała.

Żałuję, że nie wie, że nigdy bym jej nie zranił. Tylko skąd
ma to wiedzieć, skoro w sumie sam nie jestem tego pewny?
Naciskam przycisk na interkomie.

– Jordan, jedź dookoła, dopóki nie powiem ci inaczej. Albo
znajdź jakieś miejsce, żeby na chwilę zaparkować.

Siedzimy w ciszy, a Jordan krąży po mieście. Nie wiem,
jak zacząć rozmowę. Gdybym dokładnie wiedział, o co jest
wkurzona, byłbym w lepszej sytuacji, ale nie mam pojęcia,
co Celia zrobiła lub powiedziała. Cokolwiek to było, muszę
sam wymyślić, jak to naprawić.

Dociera do mnie, że najlepszym sposobem będzie wyjaś-
nienie wszystkiego. Alayna już i tak powiedziała, że rezyg-
nuje z naszej gry. I z mojego życia też zaczyna odchodzić.
Mimo to mam nadzieję, że mogę coś na to zaradzić. Tylko
że jeśli wszystko jej wyznam, nie będzie czego naprawiać.

Muszę być ostrożny. Muszę się dowiedzieć, co się stało,
i poradzić sobie z tym. Zaczynam mówić cicho, modląc się,
by w moim głosie nie było słychać desperacji.

– Co dokładnie powiedziała ci Celia?

– Och, tylko to, że potrafisz się bawić emocjami wrażli-
wych, podatnych kobiet. Czy to prawda? Mów!

Każdy włos na moim ciele staje dęba, a ja czuję się, jakbym się znalazł na polu minowym. Jak Celia mogła...? Dlaczego ona to...? Nie potrafię zebrać myśli. Nie mam pojęcia,
o co jej chodziło.

– Alayno... – Zbliżam się do niej i wyciągam rękę, by położyć ją na jej kolanie. Muszę jej dotknąć. W ten sposób
komunikuję się z nią najlepiej.

Tylko że ona wcale tego nie chce.

– Nie dotykaj mnie! I przestań wymawiać moje imię! Czy to prawda?

– Uspokoisz się na chwilę, żebym mógł to wytłumaczyć?

– Chociaż jeszcze nie wiem, jak to wyjaśnię. Staram się najlepiej, jak mogę, by się uspokoić, ale czuję, że niedługo eksploduję.

Patrzy na mnie, a w jej oczach płonie gniew.

– Czy. To. Prawda? – wymawia dobitnie każde słowo.

Czuję, jak panika wzbiera się w mojej piersi.

– To prawda! – O mój Boże. W końcu to powiedziałem. Ujawniłem najgorszą rzecz o sobie. Oddycham głęboko i próbuję odzyskać nad sobą kontrolę. – W przeszłości tak robiłem.

Nie potrafię na nią spojrzeć, nie mogę znieść rozczarowania w jej oczach. Nie powinienem mówić niczego więcej, ale skoro już zacząłem, nie umiem przestać.

– Ja... robiłem... rzeczy... z których... nie jestem dumny.

– Przyznaję się do winy powoli. To boli. – Manipulowałem ludźmi. Raniłem ich, najczęściej umyślnie. – Mówię o moich winach, jakby miały miejsce w przeszłości. Bo mają. A przynajmniej mam taką nadzieję.

W tym momencie obiecuję sobie, że nie zranię Alayny umyślnie. Może i utknąłem w tej grze, ale zrobię wszystko, żeby moje zamiary w stosunku do niej były szczere. Patrzę jej w oczy i mówię:

– Ale nie teraz. Już tego nie robię. Nie z tobą.

Modlę się o to, aby mi uwierzyła.

Jednak ona nie wierzy.

– Naprawdę? Bo wydaje mi się, że ze mną zrobiłeś dokładnie to samo. Wyhaczyłeś mnie na sympozjum, wyśledziłeś, a potem podarowałeś mi wakacje w spa. I, na Boga, kupiłeś klub!

Kręcę głową.

– To nie tak. Wyjaśniłem już, dlaczego dałem ci taki prezent, a klub i tak chciałem kupić. – Znowu łamałem własną obietnicę, zaczynałem manipulować faktami. – Ale przyznaję, gdy dowiedziałem się, że tam pracujesz, łatwiej mi było podjąć decyzję...

Przerywa mi.

– A potem „zatrudniłeś" mnie i uwiodłeś. I powiedziałeś, że nie potrzebujesz ode mnie seksu, a jednak do tego doprowadziłeś. Jesteś manipulantem. Jesteś tyranem, Hudsonie.

– Nie, Alayno. Nie chciałem, by tak było w twoim przypadku. – Boże, ona ma rację. Chciałem mieć ciastko i zjeść ciastko. Planowałem zbliżyć się do niej, wykorzystując w tym celu moje gry, a potem zamierzałem ją przed nimi bronić. To był żałosny plan. – Nie chcę, żeby z tobą tak było.

Tylko że nie znam innego sposobu, żeby z nią być. Lub z kimkolwiek innym.

– To jak chcesz, żeby ze mną było, Hudsonie? – Ociera łzy, a ja muszę się powstrzymać, by nie scałować ich teraz z jej twarzy.

– Szczerze? Nie jestem pewny. – To najprawdziwsza rzecz, jaką do tej pory powiedziałem.

Opieram się na siedzeniu. Czuję się zagubiony. Nigdy wcześniej tak się nie czułem. Odkąd ona pojawiła się w moim życiu, bardzo często dopadało mnie takie uczucie. Dlaczego ona? Dlaczego teraz? Czy terapia naprawdę mnie zmieniła? Czy to dlatego tak się przy niej czuję? Chociaż trudno mi to przyznać, to właśnie się przy niej dzieje – zacząłem coś czuć. Dzięki niej. Ale nie wiem, co dokładnie. Nie znam tych doznań.

To zabawne. Całe życie nic do nikogo nie czułem, a potem pojawia się ta kobieta i wszystko to idzie się pieprzyć. Ironia.

Zaczynam się śmiać, a później chcę to wyjaśnić.

– Pociągasz mnie, Alayno. I wcale nie chcę cię skrzywdzić lub sprawić, żebyś poczuła się w określony sposób. To dlatego, że jesteś piękna, bystra i seksowna, i fakt, może trochę szalona, ale nie złamana. I dzięki temu czuję, że i dla mnie jest nadzieja.

Boże, jak dobrze to w końcu powiedzieć. To prawdziwe. Czuję wolność.

Patrzę na nią i widzę, że mnie obserwuje. Zaczyna mi współczuć. Kiedyś zacząłbym świętować z tego powodu. To kluczowy moment, w którym mógłbym kogoś wykorzystać. Mógłbym wyciągnąć do niej rękę i idę o zakład, że pozwoliłaby mi się dotknąć. Jeszcze dzień wcześniej bym to zrobił. Teraz tego żałuję.

– I może byłem tyranem. Ale taki mam dominujący charakter. Mogę próbować zmienić w sobie niektóre rzeczy, jednak fundamentalnych cech, które tworzą moją osobowość, nie jestem w stanie wykorzenić. – Znowu doświadczam tego uczucia wolności i wiem, że ona mnie rozumie. – Ty powinnaś rozumieć to najlepiej.

– Przepraszam – mówi łamiącym się głosem. – Przepraszam. Ty mnie nie oceniałeś, ale ja ciebie tak.

Jej przeprosiny sprawiają, że ponownie czuję się jak w swoim własnym więzieniu. Uwolnienie od poczucia winy było krótkie. Teraz znów sobie przypominam, że jesteśmy w tym miejscu, bo ja to od początku wszystko ukartowałem. Mój żal jest tak wielki, że nie potrafię się odezwać. Mogę tylko skinąć głową.

Alayna zakłada, że ten gest oznacza akceptację.

– I trochę przesadziłam, nazywając cię tyranem. Nie zrobiłam nic, czego bym nie chciała. A cała ta twoja pewność siebie i dominacja są w pewien sposób atrakcyjne.

Chcę się uśmiechnąć, ale nie mogę sobie na to pozwolić. Stawka ciągle jest zbyt duża. Zamykam mocno oczy, skupiając się na tym, czego chcę najbardziej.

– Alayno, nie odchodź. Nie zostawiaj mnie.

I nie chodzi mi o to, że mogłaby porzucić mój scenariusz. Ja nie chcę, by mnie zostawiła. Chcę, by we mnie wierzyła tak, jak ja wierzę w nią. To najbardziej nieprawdopodobna rzecz, jakiej kiedykolwiek pragnąłem, ale właśnie takie jest moje pragnienie.

Odwraca spojrzenie, a ja już znam jej odpowiedź.

– Hudsonie, muszę. Nie dlatego, cóż, nie tylko dlatego, ale też ze względu na moją przeszłość. Nie jest ze mną na tyle dobrze, żebym mogła być z kimś, kto ma jeszcze własne problemy.

– Jest z tobą dobrze, Alayno. Wmawiasz to sobie, bo się boisz. – Mówię te słowa z doświadczenia, ale wiem, że ona też to czuje.

– Powinnam się bać. To nie jest bezpieczne dla żadnego z nas. Ty też się powinieneś bać.

Gdyby tylko wiedziała, jak bardzo się boję. Jestem przestraszony tym, co zrobiłem i co nadal robię, ale najbardziej przeraża mnie to, że mógłbym ją stracić.

Może jednak ona ma rację. Chcę, by była silna. Oddycham ciężko i myślę o tym, co powiedziała. Dociera do mnie, że się nie zgadzam.

– Nie wierzę w to. Myślę, że przebywanie z osobą, która boryka się z podobnymi, kompulsywnymi skłonnościami, mogłoby się właśnie okazać lekarstwem. – Znam ją krótko, ale dzięki niej miałem więcej czasu na refleksję i leczenie niż w ciągu trzech lat z doktorem Albertsem.

Alayna opiera głowę o siedzenie i patrzy w sufit. Na pewno dałem jej wiele powodów do przemyśleń. Sobie też.

W głowie mam tylko jedno słowo: „proszę". „Proszę, nie pozwól mi tego zepsuć. Proszę, nie pozwól mi jej stracić".

– Nie odejdę. – Jej słowa sprawiają, że moje serce zaczyna bić mocniej. – Patrzy wprost na mnie. – Ale nie mogę się zgodzić na prawdziwy związek z tobą, Hudsonie. Zgodzę się tylko na udawany. Muszę się chronić.

Robi mi się niedobrze i czuję się zawiedziony.

– Rozumiem. – Mówię to bardziej do siebie, mając nadzieję, że pozwoli mi to zaakceptować jej decyzję. – Dziękuję.

Skoro zakończyła nasz związek – ten, który miał znaczenie – zbieram się w sobie i czuję, że znowu mogę się od wszystkiego odciąć. Od niej.

A potem kładzie mi rękę na kolanie i się pochyla.

– Hudsonie, nie jesteś wrakiem.

Chcę coś powiedzieć, ale nagle widzę jej klatkę piersiową. To, co ma pod sukienką, wprawia mnie w osłupienie.

– Co ty masz…? Czy to…? – Przysięgam, ma na sobie gorset, za który zbeształem ją pierwszego dnia, gdy poznaliśmy się w klubie. Ten gorset nie nadawał się do pracy, ale wspomniałem jej wtedy, że chętnie zobaczyłbym go na niej na osobności.

Rumieni się.

– Tak, włożyłam go dla ciebie.

– Wow. To… bardzo miłe z twojej strony. – To nieodpowiedni czas na to, chociaż już czuję, że jestem twardy. Właściwie wszystko, co powiedziałem i co ona powiedziała, sprawiło, że pragnę jej jeszcze bardziej. Ona zawsze mnie podnieca. Ale teraz tak bardzo jej potrzebuję.

Jednak nie mogę jej mieć, mimo że w jej oczach widzę płomień tej samej potrzeby. Wiem też, że jeśli nie uszanuję jej zdania, zrani nas to oboje.

– Przykro mi – mówi.

– Wiem, mnie też jest przykro. – Przez chwilę patrzę jej głęboko w oczy. Widzę w nich wszystko to, co chcę widzieć, włącznie z tym, jak ona mnie postrzega.

Tylko że to nie może dłużej trwać. Muszę ruszyć dalej.

– Pewnie to kiepski czas, ale powinienem wrócić na imprezę matki.

– Jasne.

– A skoro ty miałaś być chora, musisz iść do domu.

Każę Jordanowi jechać do jej apartamentu i wtedy dowiaduję się, że już prawie tam jesteśmy. To dobrze – nie mogę być z nią tu dłużej, bo zwariuję. Jednocześnie chciałbym przeciągać tę chwilę w nieskończoność.

– Kiedy jest nasz następny występ, szefie? – pyta.

Celia i ja zaplanowaliśmy koncert w filharmonii jako kolejny pokaz w naszej grze. Skoro jednak dzisiaj ona nie trzymała się naszego planu, nie czuję się zobowiązany, by to robić. Najgorsze już się stało, ale i tak wolałbym, żeby Celia i Alayna nie przebywały blisko siebie. Dlatego też nie mam zamiaru wspominać Alaynie o koncercie w filharmonii.

– Nie jestem pewny. Dziś wylatuję do Cincinnati. – Marszczę brwi. – I nie jestem twoim szefem.

– Do Cincinnati? Dzisiaj? – Sprawia wrażenie zawiedzionej.

– Tak, dzisiaj. Mam spotkanie jutro rano. Mój prywatny samolot odlatuje wczesnym wieczorem. – Matka zaprosiła nas na weekend do domku na plaży. Tego nie będę mógł uniknąć. – Napiszę do ciebie, by umówić się co do wyjazdu do Hamptons. Wyjedziemy w piątek po południu.

– Więc nie będzie cię cały tydzień?

– Jeszcze nie wiem. – Powinienem wrócić w środę, ale wolę jej tego nie mówić. Tak będzie lepiej dla nas obojga.

– Och. – Chyba jest rozczarowana. Ja już nic nie czuję. Tyle lat obce mi były jakiekolwiek uczucia, a jednak dziwnie

jest powrócić do tego znajomego stanu otępienia. Nie odczuwam bólu, gdy podjeżdżamy pod jej mieszkanie. Alayna
wysiada z auta.

A może boli mnie to, ale głęboko, tak głęboko, że nie chcę
tego uczucia znaleźć, więc je ignoruję.

Nie potrafię jednak nie zauważać jej bólu, który ma wy-
pisany na twarzy. Zanim odchodzi, mówię:

– Dziękuję za dzisiejszy dzień. Myślę, że naprawdę zrobiłaś wrażenie na mojej matce. Dobra robota. – Nie to tak
naprawdę chciałbym jej powiedzieć, ale nie mogę.

Jordan odjeżdża, a ja skupiam się na innych emocjach –
wściekłości i żalu, które czuję do Celii.

Pokaz mody zaczyna się, gdy wracam do Manhattan Center. Wiem, gdzie Celia siedzi, i cieszę się, że to miejsce na
końcu pomieszczenia. Podchodzę do niej i klepię ją po ramieniu, by przyciągnąć jej uwagę, a potem niedelikatnie wyciągam ją z krzesła. Nie walczy ze mną, kiedy wychodzimy
razem do szatni. Jest lato, więc nikogo tam nie ma.

Nie mogę przestać myśleć o innej szatni, w której ostatnio
byłem. To miało miejsce w Sky Launch, z Alayną – ledwo
wtedy powstrzymywałem swoje pożądanie. Teraz ledwie
hamuję swój gniew. Zamknąłem za nami drzwi i zapaliłem
światło, po czym obróciłem się do niej.

– Co ty, kurwa, zrobiłaś?

Wywraca oczami.

– Och, wyluzuj. Nie miałam szansy poznać naszego obiektu. Po prostu chciałam ją wyczuć. – Siada na ławce na środku
pomieszczenia.

– Zdradziłaś jej mój sekret. – Wkurza mnie to, że ona się tym w ogóle nie przejmuje. Zrobiła mnie w chuja i w ogóle się mnie nie boi. Zastanawia mnie, co do niej dotrze. – Praktycznie zrujnowałaś całą swoją grę, mówiąc jej coś, o czym nigdy nie powinniśmy w ogóle mówić. Nigdy! – krzyczę na nią.

To bardzo do mnie niepodobne. Dzięki Alaynie zacząłem czuć nowe emocje, ale najwyraźniej mocniej odczuwam też te stare.

Celia patrzy na mnie i zaczyna powoli klaskać.

– Wow, Hudson. Jesteś wściekły. Jestem pod wrażeniem.

Rozwściecza mnie tym jeszcze bardziej, ale jej komentarz sprawia, że zaczynam się pilnować. Przypominam sobie, że emocje osłabiają ludzi. Jestem teraz bardzo narażony i nikt nie powinien być tego świadkiem.

Przeczesuję włosy dłonią i próbuję się uspokoić.

– Robię się czasem zły. To nic nowego. – Teraz jestem wyraźnie spokojniejszy.

– Nigdy nie robiłeś się aż tak wściekły. A nawet jeśli, nie pozwoliłeś, by ktoś to zobaczył. – Pochyla się w moim kierunku. – Czy ten twój terapeuta w końcu nauczył cię, jak odczuwać emocje?

Drażni się ze mną i nagle dociera do mnie, jak to jest być manipulowanym przez kogoś. To mnie osłabia. Czuję, że powinienem usiąść. Zajmuję miejsce obok niej.

Muszę się pozbierać. Znowu być na pozycji dominującej. Oddycham powoli.

– Po prostu... wyszedłem z wprawy. Zmieniasz zasady gry bez konsultacji ze mną. Jestem sfrustrowany.

– To chyba zrozumiałe. – Patrzy na mnie przenikliwie.

– Tylko że ja nie zmieniłam zasad. Zobaczyłam błąd w naszym scenariuszu, więc postanowiłam improwizować. Tak jak zawsze robiliśmy.

To przyciąga moją uwagę, ale staram się za bardzo tego nie okazywać.

– Jaki błąd?

– Ta dziewczyna robi do ciebie maślane oczy, Hudsonie. To oczywiste, że ona się przez ciebie załamie. Takie jest założenie, więc to się zaczynało robić zbyt łatwe. Dlatego wprowadziłam małe utrudnienie. To wszystko.

Znowu czuję złość. Wkurzam się, bo Celia pogrywa z Alayną.

– Chcesz, żeby gra była bardziej wymagająca? Od kiedy to jest nasz cel?

Wzrusza ramionami.

– To twoja pierwsza gra od dłuższego czasu. Chciałam, aby była lepsza.

To wiarygodne. Chciała mnie tym bardziej zainteresować. Od lat próbowała wciągnąć mnie w grę.

Tylko że znam ją lepiej, niż ona myśli. To wyzwanie jest dla niej. Nadal nie wiem, dlaczego wyjawiła mój sekret Alaynie.

Gdy już czuję się bardziej opanowany, próbuję się tego dowiedzieć.

– Podjęłaś spore ryzyko. Ona prawie rzuciła tę rolę.

Celia uśmiecha się szyderczo.

– Ale nie zrobiła tego, prawda?

– Tylko dlatego, że ją przekonałem, by tego nie robiła. Czuję się winny. Powinienem był pozwolić jej odejść. Cokolwiek się teraz stanie między Celią a Alayną, to będzie moja wina.

W sumie chyba zawsze tak było.

Celia zakłada nogę na nogę.

– Gdyby nie ty, nie zakochałaby się w ogóle.

– Co to ma znaczyć?

– Po prostu gra byłaby bardziej obiektywna, jeśli byś się z nią nie pieprzył.

No i jest jej prawdziwy motyw. Nie podoba jej się moja osobista relacja z Alayną. Czy to zazdrość? Czy ona po prostu jest taka złośliwa?

– Nigdy wcześniej nie obchodziło cię, czy się z nimi pieprzę.

– I nadal mnie to nie obchodzi. Tylko że teraz to koliduje z hipotezą. – Wstaje i prostuje swoją spódnicę, bo zawsze tak robi po wstaniu. Potem patrzy na mnie. – Twoje dodatkowe zajęcia są twoją sprawą. Jak chcesz, to się z nią baw. Ale wiedz, że to, co z nią robisz, wpłynie na wynik eksperymentu.

– Trochę za późno na takie stwierdzenie. Sama zakończyłaś moje dodatkowe zajęcia, jak to nazwałaś. – Chociaż wiem, że pomimo jej zazdrości, złośliwości czy czegokolwiek Celia wyświadczyła Alaynie przysługę. Jest jakaś więź między mną a nią. Celia ma rację, że nasz seks tylko obniży szansę Alayny na to, że pozostanie silna. Wiem to od jakiegoś czasu, jednak sam nie miałem siły, by zakończyć to tak, jak powinienem.

Tak będzie najlepiej, chociaż mi się to nie podoba.

Celia rozpoznaje mój zawód. Podchodzi do mnie i przeczesuje moje włosy ręką.

– Przykro mi, Hudsonie. Naprawdę. Nie powinnam była się mieszać, po prostu wiem, że wierzysz, że Alayna wyjdzie z tego eksperymentu cało, ale też zdaję sobie sprawę, że to się nie stanie, jeśli dalej będziesz kroczył tą ścieżką. Chcę dać swojej tezie szansę. Wybaczysz mi?

Napinam się, gdy mnie dotyka. Tak naprawdę w ciągu ostatnich lat przyzwyczailiśmy się do siebie tak bardzo, że byliśmy w stanie nawet się pocałować, jeśli eksperyment tego wymagał. Ale teraz jej dotyk sprawia, że czuję obrzydzenie.

Odpycham jej rękę i staję na wprost niej.

– Celia, nie udawaj, że zrobiłaś to dla mnie. Zapominasz, jak dobrze cię znam. Chciałaś, by gra była bardziej wymagająca – cóż, udało ci się. Powodzenia. Oby reszta poszła po twojej myśli.

Idę w kierunku drzwi, ale ona woła za mną.

– Pamiętasz o koncercie w filharmonii w ten czwartek? To nasze następne wyjście, prawda?

Nadal wolałbym trzymać Alaynę z dala od Celii, jednak odmowa wprost sprawi, że moja partnerka się zemści.

– Zobaczymy, co da się zrobić, ale nic nie obiecuję.

Gdy później siedzę w limuzynie, a Jordan wiezie mnie na samolot, po raz pierwszy w życiu odczuwam tęsknotę. Tęsknię za Alayną. Chcę ją zobaczyć, dotknąć, usłyszeć jej głos. Tylko że tęsknota jest objawem uczucia do kogoś. Dlatego też gdy dostaję od niej esemesa, opieram się impulsowi, żeby odpisać.

Czytam go: „Dzięki za kawę. I za wszystko".

A potem kasuję.

# Rozdział 13

Następne dni są nieprzyjemne. Pracuję po godzinach i wykorzystuję całą swoją energię do rozwiązania problemów w Plexis. W nocy jednak czuję się samotny. Ani alkohol, ani masturbacja mi nie pomagają. Gdybym był obiektem w jednym ze swoich eksperymentów, moja teza zostałaby udowodniona – bliskość dzielona z drugą osobą niekorzystnie wpływa na człowieka. Mimo to nie chciałbym zapomnieć momentów przeżytych z Alayną, nieważne, jak słabo i źle się teraz czuję.

W środę planowałem lecieć od razu do Chicago, aby w czwartek rano być na kolejnym spotkaniu dotyczącym Plexis, ale zamiast tego wracam we wtorek wieczorem na Manhattan. Jest mi trudno zwalczyć pożądanie mające związek z Alayną, lecz gdy znowu jestem w znajomym mieście, czuję się znacznie lepiej. Spędzam noc w swoim apartamencie na poddaszu. Kiedy próbuję zasnąć, nawiedzają mnie wspomnienia naszego ostatniego pobytu tutaj.

W środę rano otrzymuję raport od Jordana. Ciągle jest kierowcą Alayny, a to dobrze, bo nadal mam o niej wieści. Dowiaduję się, że w ciągu ostatnich dwóch dni Alayna zatrzymywała się w siedzibie Pierce Industries. Może jej zachowanie dla kogoś innego byłoby bez znaczenia, jednak ja znam ją lepiej. Zastanawiam się, czy jej wizyty są oznaką powrotu do starych nawyków.

To mnie martwi. Oznacza to, że Celia zaczyna wygrywać. Jednocześnie robi mi się dziwnie ciepło na sercu. Mam nadzieję, że chodzi o to, że coś znaczę dla Alayny. Że o mnie myśli. Że czuje do mnie to, co ja do niej.

Tylko nie wiem, dlaczego to ma dla mnie takie znaczenie.

Widzę ją dopiero po spotkaniu lunchowym z jedną z moich grup od marketingu. Stoję przy windzie ze swoimi pracownikami, jeden z nich kończy opowiadać jakiś żart i nagle drzwi się otwierają.

Ona tam jest.

– Alayna. – Nawet wypowiedzenie jej imienia jest dla mnie niebezpieczne.

Robi mi się słabo na jej widok. Jestem jednak świadomy tego, gdzie jesteśmy i jak nasza relacja powinna wyglądać, więc udaje mi się zachować moje zdziwienie dla siebie.

Alayna wygląda na bardzo zaskoczoną, jej oczy przypominają spojrzenie jelenia stojącego na środku drogi przed nadjeżdżającym samochodem. Wyciągam rękę w jej stronę. Ujmuje ją, a ja czuję ogromną radość. Czy to normalne, że cieszę się tak z powodu zwykłego zetknięcia rąk? To śmieszne i jednocześnie wspaniałe.

Zwracam się do swoich pracowników.

– Panowie, moja dziewczyna postanowiła mnie zaskoczyć i odwiedzić w moim biurze.

Mówią coś, ale ja ich nie słucham, bo jestem całkowicie pochłonięty jej uśmiechem.

Po kilku minutach w końcu znajdujemy się sami w gabinecie.

Ten pomysł wcale nie był taki dobry.

Z wielkim trudem zabieram swoją rękę i dystansuję się do niej, dosłownie i w przenośni.

– Co ty tu robisz, Alayno?

Nie patrzy na mnie. To mi trochę pomaga.

Gdy zastanawia się nad odpowiedzią, przyglądam się jej. Rozumiem ją. Chce być przy kimś, a jednocześnie nie może. Po chwili otacza się ramionami i oddycha głęboko.

– Hm, chciałam zobaczyć, czy już wróciłeś.

To dla niej trudne. Dla mnie też.

– Wróciłem wczoraj w nocy. Mogłaś zadzwonić. Albo napisać. – To imponujące, że mimo jej obecności potrafię zachować się tak chłodno, chociaż w środku cały się gotuję.

– Nie odpowiadasz na moje wiadomości.

– Nie odpowiedziałem tylko na jedną.

Po jej policzku spływa łza.

– To była moja jedyna wiadomość.

Nasze spojrzenia się spotykają, a ja znowu zaczynam się bawić w naukowca. Oceniam sytuację – widzę, że czuje się niepewnie, bo jej postawa na to wskazuje, jej głos jest słaby, w oczach zbierają się łzy. Jednak w przeciwieństwie do wielu kobiet, które studiowałem, ten widok mnie porusza. Nie potrafię być przy niej taki oziębły, nawet jeśli byłoby to lepszym wyjściem.

– Nie wiedziałem, że to dla ciebie takie ważne. W przyszłości będę odpowiadać na twoje wiadomości.

Patrzy na mnie szeroko otwartymi oczami.

Zaskoczyłem ją i siebie również. Obawiam się, że moja ciepła postawa doprowadziła do jakichś szkód. Prostuję się i przyjmuję dominującą pozę.

– Ale nie możesz tak po prostu sobie tu przychodzić. Jak myślisz, dobrze to wygląda, gdy moja dziewczyna błąka się po holu i jeździ windą tam i z powrotem, podczas gdy mnie nawet nie ma w mieście?

– Skąd wiedziałeś...?

– Alayno, płacę ludziom za informacje.

Więcej łez spływa po jej policzkach.

– Prze... przepraszam. Nie mogłam się powstrzymać.

– Proszę, nie rób tego więcej. – Jestem rozdarty. Chcę ją przytulić, ale nie powinienem.

Marszczy czoło zagubiona.

– Dlaczego taki jesteś?

– Jaki? – Teraz jestem tak zdezorientowany jak ona. Czy byłem zbyt surowy? Myślałem, że wręcz przeciwnie.

Zaczyna szlochać.

– Spieprzyłam wszystko, Hudsonie! Powinieneś teraz wołać ochronę, żeby mnie stąd wyprowadzili. Jestem w strasznym stanie i to się na tobie odbija.

Robię krok w jej kierunku.

– Nie. – Boże, jak ja chcę jej dotknąć. – Właśnie to miałem na myśli, mówiąc o tym, że dobrze jest przebywać z kimś, kto cię rozumie. Znam ten wewnętrzny przymus. Wiem wiele o robieniu rzeczy, których się nie powinno robić, ale coś ci każe.

Nie mogę się powstrzymać i podchodzę do niej, żeby otrzeć łzy z jej policzka.

– Gdy będziesz myśleć, że nie potrafisz sobie poradzić, porozmawiaj ze mną.

Czy ja sam siebie zwodzę? Myśląc, że możemy być ze sobą, próbując się naprawić, uleczyć? Czy to naprawdę możliwe? Jeśli zapomnę o Celii i grze, to nawet... wydaje mi się to prawdopodobne.

Patrzy mi w oczy i mam wrażenie, że ona myśli tak samo.

Dokąd to by nas mogło zaprowadzić?

Nagle w interkomie odzywa się głos mojej sekretarki.

– Panie Pierce, spotkanie na pierwszą trzydzieści. Gość już czeka.

W tej samej chwili trzeźwieję i przypominam sobie, że lepiej jest zachować między nami dystans. Wzdycham i opuszczam rękę. Już tęsknię za ciepłem jej ciała.

– Przepraszam, ale mam teraz spotkanie. A dzisiaj wieczorem znowu wyjeżdżam.

Widzę, że jest zawiedziona, ale nie jestem pewny, z jakiego powodu.

– Nie znoszę, gdy wyjeżdżasz. Jest mi wtedy trochę przykro – mówi.

Bardzo mnie to cieszy.

– Wrócę jutro. – Ściskam jej dłoń. – Pójdź ze mną jutro na koncert w filharmonii.

Jestem samolubny. Sadystyczny. Wysyłam ją tym samym na rzeź. Mimo to jestem szczęśliwy, bo to oznacza, że zobaczymy się za mniej niż trzydzieści godzin.

Przez resztę dnia czuję się niesamowicie, a gdy Alayna później wysyła do mnie wiadomość z zapytaniem, czy o niej myślę, nie waham się i odpisuję: „Zawsze".

Mój lot z Chicago jest opóźniony, więc spóźniam się na koncert w filharmonii. Biegnąc korytarzem Lincoln Center, już nie mogę się doczekać. Chcę ją zobaczyć, ale też boję się, co Celia znowu wymyśli, gdy mnie nie ma. Na szczęście na przedstawieniu są też Madge i Warren, więc mam nadzieję, że ich córka przy nich się odpowiednio zachowa.

Wchodzę do naszej loży w chwili, gdy gasną światła. Alayna jest odwrócona do mnie tyłem. Dostrzegam tylko jej szyję i zarys ramion, ale to wystarczy, by mój fiut drgnął z podniecenia, a w piersi zrobiło mi się ciepło. Zauważam, że ma na sobie suknię, o którą prosiłem. Jest ciemno i nie widzę zbyt dobrze, ale przypominam sobie, jak wyglądała w długiej czarnej sukni, której gorset opinał jej piersi. Ciężko będzie rozwiązać ten gorset, bo to trochę skomplikowane. Nagle dociera do mnie, że nie będzie potem żadnego rozbierania.

Mój telefon wibruje. To wiadomość od niej: „Gdzie jesteś?".

Siadam na krześle i mówię szeptem do jej ucha:

– Tuż obok ciebie.

Zaczyna się muzyka, a ja kiwam Wernerom na powitanie. Trudno mi się skupić, gdy Alayna jest obok, gdy czuję jej ciepło, jej zapach – to mnie pochłania. Ona nie chce, aby między nami było coś więcej, ale mimo to biorę jej dłoń, usprawiedliwiając się, że to tylko na pokaz dla Wernerów. Na nic więcej nie mogę sobie pozwolić, więc zadowalam się tylko tym.

Udawanie pary idzie nam całkiem dobrze. Wernerowie kupują to. Jestem zaniepokojony, gdy Alayna idzie z Madge i Celią do łazienki, ale nie mogę jej przecież powstrzymać. Co chwila patrzę w kierunku wejścia.

Warren to dostrzega.

– Ach, ta miłość młodych – mówi. – Pamiętam, jak nie mogłem wytrzymać bez Madge. A właściwie nadal się tak czuję.

Kiwam głową. Powiedział „miłość". Przetrawiam to słowo. Dla mnie nie ma ono znaczenia. To, co on czuje do żony, nigdy nie było obecne między moimi rodzicami. Ale fakt, chcę mieć znowu Alaynę przy sobie. Tylko czy to jest miłość?

Po powrocie z łazienki Alayna jest na skraju wytrzymania. Jest zachłanna, dotyka mnie tak często, jak może. Wsuwa ręce pod moją marynarkę, a ja mam nadzieję, że to oznacza, iż chce dać nam kolejną szansę.

Tylko jeśli tak, nie powinienem na to pozwolić, a już na pewno nie pokazywać tego Celii. Dlatego ograniczam kontakt z Alayną do trzymania za ręce, chociaż tak naprawdę desperacko chcę czegoś więcej. Gdy rozbrzmiewa muzyka, wmawiam sobie, że potem nie zabiorę jej do swojego apartamentu. Nie wiem, co zrobię, ale przynajmniej Celia nie będzie się w to wtrącać. Po koncercie wszyscy udajemy się na parking. Otaczam Alaynę ramieniem, ale nie mogę na nią spojrzeć. Dotykanie się w ten sposób ma być na pokaz, lecz boję się, że gdy spojrzy mi w oczy, zobaczy, jakie to dla mnie jest prawdziwe. Obawiam się też, że Celia to zauważy. Trudno mi prowadzić tę grę, ale jakoś mi się udaje.

Przy samochodzie pozwalam Alaynie zająć miejsce pasażera, a potem żegnam się z Wernerami.

Celia przytula mnie lekko i mówi szeptem:

– Wycofałeś się. Jestem pod wrażeniem.

– Mógłbym powiedzieć to samo o tobie – szepczę do niej, chociaż tak naprawdę wątpię, by trwało to dłużej.

Ona zaczyna się śmiać, a mnie od tego dźwięku skręca w żołądku. Tak bardzo bawi ją ta gra, podczas gdy ja się męczę, działając na dwa fronty.

Nie chcę już dłużej rozmawiać z Celią. Teraz będę mógł być z Alayną sam na sam i muszę zdecydować, co to będzie oznaczać.

Gdy wyjeżdżamy z garażu, panuje między nami cisza. W głowie mam nadal muzykę symfoniczną. Kiedyś bardzo często chodziłem na takie występy, by mój umysł mógł odpocząć. Oprócz tego zastanawiam się teraz nad planami na wieczór – czy mam wziąć ją do domu w Bowery, czy do apartamentu na poddaszu? Z tego, co widzę po jej minie, Alaynie też towarzyszy niepokój. Nie jest świadoma wszystkich zagrożeń płynących z naszego związku, więc sam muszę zdecydować.

Podjąłem decyzję, gdy dojechaliśmy do głównej drogi. Nie czuję się z nią całkowicie komfortowo, ale tylko z taką mogę żyć.

Zastanawiam się, jak jej o tym powiedzieć, ale ona przerywa ciszę:

– Czyli wiedziałeś, że Celia będzie obecna wieczorem?

Jej ton jest ostry. To mnie zaskakuje.

– Tak, dowiedziałem się, że tam będzie, od jej rodziców. – Patrzę na nią, próbując odgadnąć, co myśli. – Jej rodzice przyjaźnią się z moimi rodzicami, pamiętaj.

Jest na mnie zła, ale nie wiem dlaczego. Albo jest zła na siebie. Opiera głowę o szybę, widzę, że łzy zbierają się w jej oczach.

– Co się stało?

Może podczas ich wyjścia do łazienki wydarzyło się coś więcej. Już zaczynam się zastanawiać, co zrobię Celii, gdy znowu ją zobaczę.

Jednak Alayna mnie zaskakuje.

– Pragnę cię – mówi szeptem w stronę szyby.

Wypowiada te słowa tak cicho, że nie jestem pewny, czy dobrze usłyszałem.

– Alayna?

– Wiem, co powiedziałam. – Ociera oczy. – Ale może nie miałam racji. To znaczy, nie mam pojęcia, czy ty miałeś rację, mówiąc, że spędzanie czasu z tobą pomoże mi poczuć się lepiej. Wiem jedynie, że od czasu naszej rozłąki czuję się tylko gorzej. – Patrzę na nią i znowu dostrzegam błysk w jej oku, którego tak mi do tej pory brakowało.

– Tęskniłam za tobą. – Zaczyna chichotać. – Mówiłam, że się przywiązuję.

Odczuwam ulgę. Podjąłem właściwą decyzję i czuję się jeszcze lepiej po tym, jak mówi, że jest przywiązana do mnie. Nie obchodzi mnie, co to będzie oznaczać dla gry Celii. Dla mnie to znaczy wszystko.

Nie mogę ukryć swojego zadowolenia.

– Jak myślisz, dokąd cię zabieram?

Wygląda przez okno. Widzę, jak dociera do niej, że jedziemy do mojego mieszkania. Na jej policzkach pojawia się rumieniec.

– Och.

Po chwili znowu się odzywa:

– Powiedziałam ci, że więcej żadnego seksu, a ty zabierasz mnie do apartamentu, nie pytając mnie o zdanie? – W jej słowach pobrzmiewa irytacja.

– Alayna – wzdycham. Boże, nasza sytuacja jest frustrująca. Ona jest frustrująca. – Dajesz mi mieszane sygnały. Podczas występu symfonicznego wydawało mi się, że...

– A ty mnie totalnie olałeś. Więc nie mów mi tutaj o sprzecznych sygnałach!

Oczywiście, że tak sobie pomyślała. Nie rozumiała moich motywów.

Kładę rękę na jej kolanie.

– Próbowałem uniknąć mieszania interesów z przyjemnościami. A z tobą to trudne, skarbie. – Muszę jej powiedzieć, jak się przy niej czuję. Wolałbym pokazać, ale skoro prowadzę, byłoby to trudne. – Szczególnie przy tym, jak mnie dotykałaś i jak seksownie wyglądasz w tej sukni.

Alayna mięknie trochę.

– Och.

– Jeśli chciałaś, bym zapytał, to mogę zapytać, ale wiesz, że to nie w moim stylu. – Patrzy na mnie szeroko otwartymi oczami, więc zmuszam się do powiedzenia czegoś, czego nigdy nie mówię. – Alayno, mogę zabrać cię do mojego łóżka?

– Tak – wzdycha.

Jestem wdzięczny, że właśnie jest czerwone światło. Przyciągam ją do siebie. Chcę ją pocałować. Zapominam o dobrych manierach. Będę się z nią dzisiaj pieprzył, bo oboje tego potrzebujemy. Ten pocałunek jest tylko początkiem. Przerywa nam klakson. Zaczynam jechać. Mój fiut jest twardy jak kamień. Ledwo potrafię się skoncentrować, ale udaje mi się zawieźć nas do budynku Pierce Industries i nie zabić przy tym. Chwilę później docieramy do windy. Drażnimy się ze sobą podczas jazdy na górę, a gdy jesteśmy już w mieszkaniu, przyciskam ją tam do ściany. Ujmuję jej twarz dłońmi i całuję ją chciwie, mocno.

Podczas gdy ja wielbię ją swoimi ustami, ona zaczyna mi robić dobrze przez spodnie. Potem ściąga mi spodnie i bokserki, żeby uwolnić mojego penisa. Klęka przede mną i zanim zdążę coś z siebie wydusić, bierze mnie do ust. Wzdycham cicho, ciągnąc ją za włosy.

– Boże, Alayno. Jest mi tak... och... dobrze.

Czuję się niesamowicie, gdy liże główkę mojego członka, gdy ssie go ciepłymi ustami. Czuję, że kręci mi się w głowie. Napinam mięśnie, kiedy mój orgazm się zbliża.

Ona jest niesamowita i wszystko, co robi, jest niesamowite, ale nie chcę, by przede mną klęczała. Tak wiele kobiet robiło mi w przeszłości loda w ten sposób. I ja tylko od nich brałem. Nie chcę tego dla niej. Zamierzam również jej coś dać. Chcę ją zaspokajać. Chcę dojść w niej, wraz z nią.

Dlatego ją zatrzymuję.

Jest zaskoczona, może trochę zawiedziona.

– Co zrobiłam nie tak? – pyta.

Między innymi dlatego jest taka piękna – oto, jaka potrafi być czasem naiwna, chociaż nie jest niewinna. Chodzi o mnie i muszę jej to uświadomić.

– Nic, skarbie. Jesteś wspaniała. – Całuję ją znowu, a na języku czuję słony smak mojego ejakulatu. – Ale chcę dojść w tobie. Marzyłem o tym od wielu dni.

Potem znowu się w sobie zatracamy. Gdy już udaje się nam całkowicie rozebrać, jesteśmy tacy zniecierpliwieni, że nie możemy czekać dłużej. Unoszę ją, nakazując jej otoczyć mnie w talii nogami. Zamieram, gdy mój fiut znajduje się tuż przy jej wejściu. Wiem, że jeszcze nie jest wystarczająco mokra, ale ona i tak zaprasza mnie, żebym wszedł dalej.

Nie potrafię się powstrzymać, więc wchodzę w nią mocnym pchnięciem. Jest taka ciasna, ale wsuwam się w nią kilka razy, aż robi się trochę luźniejsza i mogę wypełnić ją całą bez problemu. To niesamowite, że mogę się z nią tak pieprzyć – trzymając ją w ten sposób i wchodząc w nią tak energicznie. Jestem pewny, że udaje mi się to dzięki adrenalinie i pożądaniu. Jej seksowne jęki i dźwięk naszych uderzających o siebie ciał są takie podniecające. Tylko mnie nakręcają.

– Taka... cholernie... dobra – mówię do niej. – Jesteś... taka... cholernie... wspaniała.

Jestem tak blisko, że jeśli teraz nie przeżyje orgazmu wraz ze mną, będę zdruzgotany. Opieram ją o ścianę, by móc pieścić ręką jej łechtaczkę, jednocześnie poruszając się w niej.

– Dojdź ze mną, Alayno – nalegam. – Dojdź.

Jej uda trzęsą się wokół mnie i wtedy wiem, że ona zaraz dojdzie. Potem odrzuca głowę do tyłu i wydaje z siebie najpiękniejszy jęk – jęk rozkoszy. Wbija paznokcie w moje plecy, a jej cipka zalewa mnie swoimi sokami. Jest tak cholernie gorąca, że sam też szczytuję. Krzyczę jej imię i wraz z tymi trzema sylabami chcę jej przekazać, jak na mnie wpływa, zarówno fizycznie, jak i emocjonalnie.

Ale tak naprawdę ona nie może zrozumieć tego wszystkiego, co chciałbym jej wyrazić tym jednym słowem. Mam nadzieję, że kiedyś tak się stanie – teraz szumi mi w uszach, a moje nogi są jak z waty – że dowie się, ile dla mnie znaczy i jak bardzo mnie zmienia. I jak bardzo chcę się jeszcze zmienić dla niej.

Oboje dyszymy, gdy zadaje mi pytanie:

– Możemy to powtórzyć?

Czy ona w ogóle musi pytać? Oczywiście, że możemy. Ale kiedy jej to mówię, patrzę na zegarek.

– Masz być w pracy o pierwszej? Myślę, że możemy to powtórzyć nawet dwa razy.

Całuję ją znowu, ale jeszcze niczego nie zaczynam, bo muszę chwilę odpocząć. Jej usta są opuchnięte, więc mój pocałunek jest delikatny. Gdy moje serce odzyskuje normalny rytm, odsuwam się od niej.

Prowadzę ją do kanapy, a potem udaję się do kuchni.

– Wody czy mrożonej herbaty? – pytam ponad ramieniem.

– Poproszę wodę.

Biorę butelkę i upijam spory łyk, a później wracam do niej. Siedzi skulona w rogu kanapy, tuląc do siebie kolana. Nie podoba mi się, że ciągle ukrywa przede mną swoją nagość, ale jednocześnie jest to urocze. Przede mną i tak niczego nie mogłaby ukryć.

Podaję jej butelkę. Biorąc ją, kiwa głową. Marszczy czoło, jakby się nad czymś usilnie zastanawiała. Upija łyk, po czym pyta:

– Naprawdę mógłbyś to zrobić? Zrobić to jeszcze dwa razy?

– A jak myślisz? – Z nią mógłbym całą noc. To pierwsza kobieta, o której mogę to powiedzieć. Nie mogę się nią nasycić. Jej oczy błyszczą z rozbawienia.

– Chyba lubisz tylko myśleć, że byś to potrafił.

Mrużę oczy.

– Nie musisz stawiać przede mną wyzwania, żeby to udowodnić, skarbie. – Już jestem prawie twardy.

– Och, naprawdę? – Patrzy na mojego penisa, który dzięki jej spojrzeniu robi się jeszcze twardszy.

Biorę od niej butelkę i odstawiam ją na stół, a potem rzucam się na nią. Piszczy, ale kładzie się pode mną.

– Uważaj, z kim zadzierasz, Alayno. – Muskam zębami jej szczękę. – Zapewniam cię, że to ja jestem tym, który w tej kwestii będzie mieć rację.

Udowadniam to, unieruchamiając jej nadgarstki nad głową i całując ją namiętnie. Porusza biodrami, żeby otrzeć się o moje biodra, ale ja trzymam je nieco uniesione, dręcząc się z nią w ten sposób. Gdy już zamierzam przestać się z nią tak przekomarzać, odsuwam się od niej. Muszę ją o coś zapytać i nie mogę już dłużej czekać.

– Dlaczego postanowiłaś zmienić zdanie?

Dopiero po chwili dociera do niej, o co pytam.

– W sensie seks? – Czerwieni się i odwraca spojrzenie. – Cóż, poza oczywistym powodem...

– Czyli jakim?

– To przyjemne. – Jej rumieniec się pogłębia.

– Tak, masz rację, to oczywiste. – Naprawdę przyjemne. Ale interesuje mnie prawdziwy powód. – I...?

Patrzy mi w oczy.

– I ufam ci – oznajmia.

Zasycha mi w gardle. Czuję, że ściska mnie w żołądku. Nie oczekiwałem, że to powie. Ale czego się spodziewałem? Że wskoczy ze mną znowu do łóżka, bo ją zdominuję? Bo nie może mi się oprzeć? Bo jest we mnie zakochana? Tylko że każda inna odpowiedź byłaby łatwiejsza do przetrawienia niż to.

Nagle czuję się, jakbym się dusił, i muszę usiąść. Delikatnie odsuwam jej nogi, żeby zrobić dla siebie miejsce. Jestem masochistą, więc oczywiście mówię:

– Kontynuuj.

– Cóż... – Znowu podkurcza nogi, ale nie robi teraz tego po to, by zakryć swoje piersi. Tak jest jej po prostu wygodniej. Co za ironia, bo mnie w tej chwili jest bardzo niewygodnie. Na szczęście tego nie zauważa. – Powiedziałeś, że teraz jesteś inny – mówi w końcu. – Że jesteś inny przy mnie. A do mnie dotarło, że nieważne, czy wiara w to jest szaleństwem, czy nie. Po prostu w to wierzę. Ufam ci. W tej kwestii mam do ciebie zaufanie.

Przytłacza mnie jej brązowe spojrzenie, czuję się jak ktoś czekający na wyrok przed sądem. Albo będę wolny, albo zostanę skazany na śmierć, ale najdziwniejsze jest to, że decyzja należy do mnie. To zależy od tego, jak odpowiem na jej szczerość.

Już wiem, jaką opcję wybiorę, nawet się nad tym nie zastanawiam.

Jest tyle powodów, dla których nie powinna mi ufać – między innymi okłamywałem ją i pogrywałem z nią. To idealny moment, by się do tego przyznać. Gdybym był dobrym człowiekiem, tobym tak postąpił, nawet jeśli oznaczałoby to dla mnie śmierć.

Jednak nie wybieram tego. Byłem z nią szczery bardziej niż z kimkolwiek innym w całym moim życiu. Nawet z Celią nie zdobyłem się na taką szczerość, bo zawsze udawało mi się zdusić każdą emocję, która we mnie kiełkowała. Przy Alaynie pozwalam sobie na wolność, pozwalam emocjom wypłynąć na powierzchnię. To zmienia mnie w osobę, której można ufać. To ona zmienia mnie w kogoś, kto zasługuje na te słowa. Biorę ją na kolana i mówię jej o tym wszystkim w jedyny sposób, jaki znam – moim ciałem. Nasza fizyczna więź jest bardziej realna niż każda inna relacja, jaką w życiu miałem. Całuję jej twarz, oczy, policzki, linię żuchwy. Potem przesuwam ustami po jej szyi, a dłońmi po żebrach i tułowiu.

W ten sposób najlepiej potrafię się wyrazić. Moje gesty zastępują słowa. „Uczę się ciebie" – mówię, gdy liżę jej obojczyk. „Twoje zaufanie jest dla mnie ważne" – wyznaję, kiedy ściskam jej sutek. „Nie odtrącaj mnie" – proszę, gdy wsuwam rękę między jej uda, by zacząć pieścić jej muszelkę. „Sprawiasz, że coś czuję" – stwierdzam, kiedy unoszę ją i sadzam na swoim fiucie.

Chociaż nie wiem nic o miłości, to teraz się z nią kocham. Całkowicie. Niezaprzeczalnie.

Kładzie ręce na moich ramionach, żeby zachować równowagę, gdy wsuwam się w nią i wysuwam rytmicznie. Jest ciepła i ciasna, a mój penis pieści ją w odpowiednim miejscu, dzięki czemu widzę, jak ona drży i jak bardzo jej się to podoba. Przez to moja męskość robi się jeszcze twardsza. Ona jest na górze, ale to ja kontroluję ruchy – tempo, siłę i głębokość. To jak piosenka, którą mogę jej zaśpiewać. Wyrażam to wszystko tym, jak ją trzymam, całuję, doprowadzam do ekstazy, a jej urywane oddechy są podkładem muzycznym. Upewniam się, że dochodzi – nawet dwa razy – a potem zaciskam ręce na jej biodrach, żeby doprowadzić siebie do orgazmu, i osiągam go w chwili, gdy się najmniej tego spodziewam.

To najczulszy seks, jaki w życiu przeżyłem. Najbardziej poetycki. Taki, który mnie zmienił.

Gdy oboje próbujemy dojść do siebie, zaczynam widzieć wszystko jaśniej. Przestaję się martwić, że to Alayna nie wyjdzie cało z tego eksperymentu. Wiem, że to nie będzie ona, tylko ja.

# Rozdział 14

---

PRZED

---

Próbując zignorować świąteczną muzykę, którą puszczała moja matka, skupiałem się na wpisaniu do arkusza danych jednej z firm mojego ojca. Ojciec podczas przerwy świątecznej pozwolił mi popracować nad Plexis. To firma należąca do Pierce Industries, która bardzo dobrze rokowała. Jeśli moje modyfikacje biznesplanu odniosą sukces, zarobki tej firmy przekroczą oczekiwaną sumę. To było na tyle ekscytujące, że pozwoliło mi jakoś przeżyć świąteczną przerwę w gronie rodziny.

– Nie widzę tu żadnego prezentu przypominającego pudełeczko na diamentowy pierścionek zaręczynowy – powiedziała moja matka.

Popatrzyłem na nią, jak układała prezenty pod choinką w salonie. Robiła to po raz piąty w ciągu ostatniej godziny. Było tu więcej podarunków niż kiedykolwiek w poprzednich latach. Mogłem się założyć, że większość z nich jest dla dziecka.

– Nie będzie żadnego pierścionka, mamo. Nie ożenię się z Celią. Już ci to powiedziałem.

– Nadal mam nadzieję, że zrobisz mi na święta taką niespodziankę. – Od Święta Dziękczynienia nieustannie mówiła o planach na wesele. Myślałem, że rodzice Celii byli straszni, ale okazuje się, że moja matka w tej kwestii była jeszcze gorsza.

– Naprawdę żałuję, że nie wiem, jaki kolor kupić. – Dodała kolejny prezent do sterty. – Ale zachowałam wszystkie paragony, gdyby Celia miała dość zielonego i żółtego.

Odkąd ogłosiliśmy wieści, Sophia nie posiadała się z radości. Wszystkie rozmowy dotyczyły naszego dziecka. Każdego dnia odbijało jej na jego punkcie. I wydawało mi się, że przestała tyle pić, chociaż trudno to było udowodnić, bo rzadko byłem w domu z powodu studiów.

Przesunęła prezent na tył sterty, by był mniej widoczny. Tego podarunku wcześniej nie widziałem – kształtem przypominał konia na biegunach. Przecież minie jeszcze tyle czasu, zanim dziecko w ogóle będzie w stanie go używać. Westchnąłem i wróciłem do komputera.

– Cieszę się, że Celia nie wraca na studia w następnym semestrze. Szkoda, że ty tutaj nie będziesz mieszkać.

Ten temat powracał niejednokrotnie. Rozmawialiśmy o tym przez telefon i nawiązywała do tego co najmniej dwa razy dziennie, odkąd byłem w domu.

– Boston nie jest tak daleko. Zjawię się na każde badanie prenatalne. I na pewno będę przy porodzie.

– Ciągle to powtarzasz. Ale poród już niedługo. A co, jeśli go ominiesz?

Nie odpowiedziałem. Szczerze mówiąc, cieszyłbym się, gdyby mnie to ominęło. Nie sądziłem, by podobałby mi się widok Celii na porodówce. W kwestii badań było inaczej. Nie mogłem się doczekać. Miałem być ojcem. Nie miało znaczenia, że z biologicznego punktu widzenia dziecko nie było moje. Ja się do niego przyznałem, więc było moje w każdym tego słowa znaczeniu.

Sophii nie przeszkadzało to, że nie odpowiedziałem.

– Wiesz, nie musimy czekać na zwykłe badanie, żeby się dowiedzieć, jaka będzie płeć dziecka. Pewnie moglibyśmy zapisać Celię na badanie ultrasonograficzne 3D. Mam do niej zadzwonić i umówić ją? Ja zapłacę.

– Nie. – Przestałem wpisywać formułę w arkuszu. – Madge nie ufa tym rzeczom. Chce poczekać na normalne badanie.

– Nie musimy mówić Madge.

– Nawet jeśli ty umiesz dochować tajemnicy przed Madge, nie sądzę, by Celia chciała zrobić to bez swojej matki.

– Wiesz, nie rozumiem, dlaczego ty nie jesteś tym podekscytowany. – Głos matki był bliżej, gdy się teraz odezwała. Po chwili usiadła na krześle obok mnie. – To twoje pierwsze dziecko, Hudsonie. Powinieneś być bardziej dumny.

Chyba powinienem popracować nad swoim entuzjazmem. Mój ojciec nie okazał więcej podekscytowania niż ja. Nie byłem zdziwiony. Nigdy o tym nie rozmawialiśmy, ale jeżeli nie podejrzewał, że to dziecko jest jego, to był idiotą. A nawet jeśli wierzył, że ja jestem ojcem, powinien go trochę niepokoić fakt, że sam spał z tą samą kobietą co ja. Mnie by to przeszkadzało. Ale najwyraźniej mój ojciec i ja mieliśmy inne poglądy na to, co było akceptowalne, a co nie.

– Nie mam w zwyczaju okazywać emocji – powiedziałem, nie podnosząc wzroku znad swojej pracy. – Ale to nie znaczy, że nic nie czuję. – To było kłamstwo, które usłyszałem w jakimś filmie.

Położyła rękę na moim ramieniu.

– Cieszę się, że to słyszę, Hudsonie. Martwiłam się, że nie potrafisz.

Moja matka nigdy nie dała mi znać, że zauważyła brak moich emocji. Wpisałem ostatni znak i zamknąłem laptopa.

– O co dokładnie się martwiłaś, mamo?

– O ciebie, Hudsonie. Ty mnie martwiłeś. – Zabrała rękę.

– Pamiętasz, jak miałeś dwanaście lat i brałeś udział w egzaminach wstępnych do Choice Hill?

Skinąłem głową. Choice Hill to prestiżowa szkoła, do której uczęszczałem. Warunkiem dostania się do niej było sześć godzin rygorystycznych testów na inteligencję i testów osobowościowych. Dzieciaki, które się tam dostawały, nie tylko należały do najbogatszych na Manhattanie, ale były również najmądrzejsze.

– Jeden z psychologów, który z tobą pracował... – Zmarszczyła brwi, jakby próbowała sobie coś przypomnieć. Po chwili machnęła tylko ręką. – Nie pamiętam, jak się nazywał. Zasugerował, że masz problem z emocjami. Polecił nam przeprowadzić dalsze badania, by wykluczyć tendencję do socjopatii, schizoidalne zaburzenie osobowości lub syndrom Aspergera. Powiedział, że masz spłycenie afektu. Lub mechanizm unikania. Nie pamiętam, jak to określił naukowo.

Moje serce zaczęło bić mocniej. Nigdy wcześniej tego nie słyszałem.

– Ale nie przypominam sobie, żebym był dalej badany.

– Och, nie. Dostałeś się do szkoły, więc nie widzieliśmy powodu, żeby drążyć temat.

Oparłem się o krzesło zszokowany.

– Dostałem się do szkoły – powtórzyłem – i nie widziałaś powodu, by sprawdzić, czy twoje dziecko cierpiało na poważne zaburzenie psychiczne?

Wywróciła oczami.

– Nie zachowuj się, jakby to było coś wielkiego. Najwyraźniej nic ci nie jest.

Jakim cudem mogła myśleć, że nic mi nie dolegało? Nigdy nie było ze mną dobrze. Może i nie obchodzili mnie inni ludzie, ale przynajmniej chciałem wiedzieć, co było ze mną nie tak. Dlaczego byłem taki, kurwa, inny?

Bardzo przeszkadzało mi to, że moi rodzice zbagatelizowali problem. Nieważne, jakie były moje problemy, ale przynajmniej wiedziałem, jak odczuwać złość. A w tej chwili byłem wyjątkowo wściekły.

Nie zdecydowałem się jeszcze, czy okazać gniew, czy nie, bo w tym momencie zadzwonił telefon. Gospodyni miała dzisiaj wolne, więc matka wstała, żeby odebrać. Słysząc, jak się przywitała, założyłem, że to musiała być jedna z jej przyjaciółek.

Wróciłem do laptopa, żeby poszukać czegoś w internecie. Wpisałem „spłycenie afektu" w chwili, gdy matka sapnęła głośno. Spojrzałem na nią. Kręciła głową i trzymała rękę na sercu. Przez chwilę się zastanawiałem, czy miała zawał.

Spojrzała mi w oczy.

– Okej, okej – powtarzała do słuchawki. – Będziemy tam. Do zobaczenia.

Rozłączyła się. Z jej twarzy odpłynęły wszystkie kolory.

– Hudson. Hudson. Och, nie.

Zmarszczyłem czoło. Czy chodziło o ojca? Zabrał moje rodzeństwo na łyżwy do Rockefeller Center. A może o Mirabelle? O Chandlera?

Matka rzuciła się w moim kierunku. Wstałem, by ją objąć. Zaczęła płakać, chowając twarz na moim ramieniu.

– Chodzi o dziecko – powiedziała. – Celia je traci. Jest w szpitalu. Musimy jechać.

Nigdy potem nie wróciłem do moich poszukiwań. Nigdy nie próbowałem potwierdzić u siebie „spłyconego afektu". Nie potrzebowałem internetu, by powiedział mi, czy potrafię odczuwać coś, czy nie. Bo w tej chwili nie czułem nic. Byłem otępiały.

Patrzyłem na kroplówkę oszołomiony. W pokoju rozlegały się miarowe pikania dochodzące z monitorów. Było ciemno, a Celia spała już od kilku godzin. Nie rozmawiałem z nią, odkąd przyjechałem.

Gdy dotarliśmy z matką do szpitala, Celia już rodziła. Powiedziano nam, że dziecko było martwe.

Potem Celia nie chciała nikogo widzieć. Madge i Warren poinformowali nas, że gdy odeszły wody, pojechali z Celią na ostry dyżur. Tam podczas badania USG nie wykryto bicia serca dziecka. Lekarze podejrzewali, że było nieżywe od około dwóch tygodni. Celia urodziła martwe dziecko w sposób naturalny. To był chłopiec.

Cały wieczór pocieszałem matkę w poczekalni. W końcu przyjechał mój ojciec i zabrał ją do domu. Jak podejrzewałem, tam pocieszała się butelką wódki. Ja zostałem, chociaż Celia nie chciała mnie widzieć. Około północy Wernerowie pożegnali się i obiecali wrócić rano. Zakradłem się wtedy do jej pokoju i siedziałem tam całą noc w fotelu przy jej łóżku. Nie spałem. Nie miałem powodu, by tam być, ale też nie miałem powodu, żeby sobie pójść.

– Dlaczego tu jesteś? – Głos Celii wyrwał mnie nagle z zamyślenia.

Odchrząknąłem i powiedziałem:

– Obudziłaś się.

– Tak. – Nacisnęła przycisk i łóżko się podniosło, aby mogła się znaleźć w pozycji siedzącej. – Nie musisz tutaj być. Przedstawienie się skończyło. Możesz iść. – Jej głos był spokojny, a spojrzenie puste.

– Nigdzie nie idę.

– Dlaczego?

Odpowiedziałem szczerze:

– Nie wiem.

Oparła głowę o poduszkę, akceptując moją odpowiedź. Nie prosiła mnie, żebym wyszedł, tak naprawdę przyznała się, że nie chce, bym sobie poszedł.

Wiedziałem, że rozmowa nie była konieczna, ale jednak zapytałem:

– Jak się czujesz?

Wzruszyła ramionami.

– Otępiała.

Dobrze znałem to uczucie.

– To normalne.

– Tak?

Szczerze mówiąc, nie znałem się na tym.

– Naprawdę nie wiem, Celio. Tak zakładam. – Popatrzyła na mnie pustym wzrokiem. – Myślę, że to jakiś mechanizm obronny przy traumie. Wiedzą, co się stało?

Zaczęła kręcić głową, ale się powstrzymała.

– Jeden z lekarzy powiedział mi na osobności, gdy rodziców nie było w pokoju, że nastąpiły jakieś problemy z rozwojem dziecka. Zapytałam, czy to dlatego, że wcześniej... za dużo imprezowałam. Piłam alkohol. Zażywałam trochę narkotyków. Przed tym, jak się dowiedziałam, że jestem w ciąży. Powiedział, że nie jest pewny, ale to się mogło do tego przyczynić.

Jej głos się załamał. Była ze mną szczera, chociaż pewnie to nie było dla niej łatwe. Miałem jednak wrażenie, że byłem jedyną osobą, której mogła to powiedzieć. Nie umiałem jej pocieszyć. Nawet nie próbowałem. Zastanawiałem się, czy mnie winiła. Wydawało mi się to logiczną sytuacją. Straciła dziecko z powodu nadużywania narkotyków i alkoholu. Nadużywała, bo była wrakiem człowieka. Przeze mnie. Więc teoretycznie straciła dziecko z mojego powodu.

Gdyby nie ja, nie zaszłaby nawet w ciążę. Łatwo powiedzieć, że ona jest odpowiedzialna za własne czyny, ale ja nią manipulowałem. Przyczyniłem się do tego wszystkiego. Tak naprawdę nie czułem się winny. Po prostu zastanawiałem się, czy mnie winiła. Nawet w tak nieodpowiednim momencie snułem rozważania na temat psychologii człowieka.

Celia przerwała ciszę.

– Przepraszam.

– Za co?

Zamrugała kilka razy, a do mnie dotarło, że płakała.

– Nie jesteś tak naprawdę ojcem, ale muszę to komuś powiedzieć. Przepraszam, że zabiłam nasze dziecko.

Łzy płynęły strumieniami po jej policzkach, a ona próbowała je wycierać. Opłakiwała dziecko w ciszy, prawie się nie ruszając. Przypatrując się jej, zauważyłem, że ogarnęła mnie pewnego rodzaju melancholia. To było nawet miłe – czuć coś więcej niż zawsze. Coś innego. Chociaż dla Celii to nie było nic pozytywnego.

Gdy się uspokoiła, spojrzała na mnie.

– Ale fajnie było przez chwilę udawać, że było nasze.

Przechyliłem głowę, zastanawiając się nad tym. Łatwo było wkręcić się w naszą grę. Ludzie nam uwierzyli. Przez większość czasu Celia przebywała w Kalifornii, ale widziałem, że była szczęśliwa. Próbowała to ukryć, ale ja znałem ją lepiej.

– Wydaje mi się, że teraz lepiej cię rozumiem, Hudsonie.

– Czekała, aż spojrzę jej w oczy. Uniosła brwi. – Rozumiem, dlaczego grasz w te gry. Dlaczego pogrywałeś ze mną.

Moje serce zamarło na chwilę. Chyba źle ją zrozumiałem. Musiałem się upewnić.

– Jakie gry?

Odetchnęła zirytowana, odrzucając głowę na poduszki.

– Nie udawajmy, Hudsonie. Bądź ze mną szczery chociaż przez chwilę. Proszę.

Może to z powodu tej sytuacji. Może z powodu ciemności w pokoju. Albo braku snu. Może dlatego, że w końcu ktoś chciał mnie wysłuchać. A może to połączenie wszystkich powyższych powodów, w wyniku których postanowiłem obnażyć moje sekrety.

Spokojnym głosem powiedziałem:

– To nie są gry.

– To czym one są? – Jej głos i ton bardzo przypominały mój, jakby rozumiała, że dla mnie to nie jest coś łatwego. Że to wyjątkowa rozmowa.

– To są eksperymenty. – Skupiłem wzrok na monitorach przy łóżku. – Nie... rozumiem... ludzi. Nie wiem, co sprawia, że coś czują. Przeprowadzam eksperymenty, by zrozumieć.

– Nie czujesz tego? – Na monitorach widziałem, że jej serce nie zmieniło swojego rytmu.

– Nie sądzę. Nie tak jak inni.

– To wiele wyjaśnia.

Popatrzyłem jej w oczy.

– Tak?

– Tak. – Jej to nie był karcący. To było zwykłe stwierdzenie faktu. Byliśmy trochę do siebie podobni. Ona rozumiała wiele rzeczy związanych z ludźmi. A przynajmniej rozumiała mnie. – Robiłeś to z kimś jeszcze poza mną?

Powoli pokiwałem głową.

– Nauczyłem się wielu rzeczy.

– Ale nadal nic nie czujesz?

– Nie. I nie sądzę, by to się kiedyś zmieniło. Ale nie dlatego to robiłem. Właściwie im więcej eksperymentów, tym mniej czułem. Poza sytuacją z tobą. Z tobą... Sam nie wiem. – Nie wiedziałem, jak to powiedzieć. – Myślę, że jesteś dla mnie jak rodzina. Jesteś mi bliska. Więc... coś... czułem.

– Ale nie wiesz co?

– Nie. – Wiele razy się nad tym zastanawiałem. – Może zobowiązanie. Odpowiedzialność.

Zaczęła się bawić brzegiem koca, ale cały czas patrzyła na mnie.

– Ale przy innych niczego nie czujesz?

– Nie.

Puściła koc i podparła głowę na dłoni.

– A w ogóle czujesz coś innego?

Boże, naprawdę to robiliśmy.

– Nie bardzo. Czasami odczuwam złość. Odrazę.

– Nigdy nie czujesz się szczęśliwy?

– Często jestem zadowolony. – Nie wspomniałem, że ekscytują mnie momenty, gdy manipuluję innymi. Ujawniałem się przed nią, ale nie musiałem być taki dosadny.

– A co ze smutkiem?

– To bardziej uczucie rozczarowania. – Odchrząknąłem. – Teraz czuję się rozczarowany twoją sytuacją.

Chociaż przez chwilę, gdy dowiedziałem się, że jej dziecko było martwe, czułem coś innego. To coś było bardziej intensywne, trudniejsze do zaakceptowania. Miałem wrażenie, że zaczęło się w okolicy środka mojej piersi. To było tak silne doznanie, że dzwoniło mi w uszach. Wkrótce potem wstrząsnęło mną dogłębnie, aż wszystko zaczęło... mnie boleć. Wystarczyło jednak, że się wyprostowałem i już było po wszystkim. Zniknęło. Znowu byłem sobą.

To była dziwna sytuacja. Nigdy wcześniej mi się to nie przydarzyło.

– Nawet bardzo rozczarowany tym, co ci się przytrafiło. Zagryzła wargę, jakby próbowała powstrzymać się od płaczu.

– A co z poczuciem winy? Współczuciem? Miłością? Pokręciłem głową.

– Nie kochasz swojej matki? Albo Mirabelle?

– To bardziej skomplikowane. – Trudno było wyjaśnić komuś brak moich emocji, gdy sam tego za bardzo nie rozumiałem. – Mam do nich sentyment. Czuję, że są mi bliskie. Ale to wszystko.

Odetchnęła z trudem. To na pewno ją zaniepokoiło.

– Nie zrozum mnie źle – dodałem – wiele dla mnie znaczą. Ale nie jest mi łatwo to wytłumaczyć.

– Czy to ci przeszkadza?

– To mnie intryguje, ale nie przeszkadza. – Odpowiadało mi, że w pokoju było raczej ciemno. Dzięki temu ta szczera rozmowa była mniej intensywna. – Myślę, że dzięki temu jestem silniejszy. Nikt nie może mnie zranić.

Ta myśl zastanawiała mnie przez dłuższy czas, ale nigdy w pełni się nie uformowała. Teraz, gdy powiedziałem to na głos, coś do mnie dotarło. Usiadłem wyprostowany. Ten incydent był najlepszym testem. Prawie mnie to zabolało. I to, jak oglądałem swoją matkę i Wernerów pogrążonych w rozpaczy. Nigdy nie podejrzewałem, że moja bierność jest przekleństwem. Tak naprawdę była błogosławieństwem.

Zaakceptowanie tego niczego nie zmieni – mnie nie zmieniło – ale pewnie tylko z jeszcze większym zainteresowaniem będę badał ludzką psychikę. To dało mi poczucie misji, bo gdy się uczyłem, dlaczego inni zachowują się w dany sposób, sam czułem się silniejszy.

– Hudson. – Cichy głos Celii wyciągnął mnie z zamyślenia. – Naucz mnie.

Uniosłem brew pytająco.

– Przeprowadzaj eksperymenty ze mną.

– Co? Dlaczego chciałabyś… – Nie wiedziałem, jak zareagować na tę szaloną prośbę. – Ja już nie eksperymentuję na ludziach, których znam.

– Nie na mnie, ale ze mną. – Usiadła prosto. – Chcę się nauczyć, jak to robić. Naucz mnie.

To, że zrozumiałem jej prośbę, nie oznaczało, że była ona mniej szalona.

– Nie. To absurd.

– Proszę.

– Nie. – Ale teraz, gdy zaczęła ten temat, nie mogłem się powstrzymać, żeby nie drążyć. – Dlaczego?

– Bo chcę być taka.

– Jaka?

– Chcę nic nie czuć. – Znowu oparła się o łóżko. – Nie chcę czuć już niczego. Powiedziałam, że wcześniej czułam się otępiała, ale w głębi jest gorzej. Czuję ból, jakby ktoś wbijał we mnie sztylety. Chciałam tego dziecka, Hudsonie. A wcześniej chciałam ciebie. Już nie chcę, ale chciałam. Pozostało mi tylko cierpienie. Próbowałam cię znienawidzić i w sumie trochę cię nienawidzę. Ale przez większość czasu cię podziwiam. Twoje metody są imponujące. Może jesteś okazem ewolucji człowieka. Może brak emocji to jest to, co przeniesie człowieka na inny poziom. Masz rację – to twoja siła. Nie wiem, czy taki się urodziłeś, czy taki się stałeś przez swoją popieprzoną rodzinę – przepraszam, ale taka prawda – lecz myślę, że mogłabym się tego nauczyć. Albo przynajmniej spróbować. Przecież nie zaszkodzi pozwolić mi spróbować.

Głos Celii wzmacniał się, gdy mówiła, aż w końcu jej słowa odbiły się echem w cichym pokoju. Nie musiałem odmawiać. A jej monolog mógł zainspirować mnie do wielu rzeczy...

– Okej.

Spojrzała na mnie zaskoczona.

– Tak? Naprawdę?

Ja już byłem pogrążony w planach. Nigdy nie musiałem szukać pomysłów na eksperymenty. Same do mnie przychodziły – były wywołane sytuacjami i związkami wokół mnie, które uważałem za ciekawe. Teraz na przykład niedaleko od domu rodziców wprowadziło się młode małżeństwo. Już zauważyłem, jak ten mężczyzna patrzył na inne kobiety. Mogłem wiele z tego wyciągnąć. Celia mogła się okazać pomocna.

– Po świętach. Jeśli nadal będziesz się na to pisać.

– Będę. – W jej głosie dało się słyszeć podekscytowanie.

Mój puls przyspieszył nieco. Czy to nie było chore, jak mnie to mentalnie podniecało?

– Ale będą zasady. Będziemy musieli jakieś wymyślić, skoro nigdy wcześniej nie pracowałem z partnerem.

– Oczywiście. Co to za gra bez zasad.

– To nie są gry – stwierdziłem ostrzej, niż zamierzałem, ale ona musiała zrozumieć różnicę. – To są eksperymenty. To nauka.

– Jakkolwiek chcesz to nazywać, Hudsonie. To tylko semantyka. Nie ma nic złego w tym, by trochę się pobawić. Wiem, że ciebie to bawi.

Nie było sensu mówić, że gry mnie nie ekscytują. Ona i tak wiedziała swoje.

Jezu, już się zacząłem odnosić do tego jak do gry. Gdybym nie był taki podekscytowany nowymi możliwościami, zaczęłoby mnie to irytować.

– Może – powiedziałem. – Cieszy mnie, gdy poprawnie odgadnę, jak ludzie zareagują.

Uśmiechnęła się – po raz pierwszy, odkąd obudziła się w tym zimnym, sterylnym pokoju.

– Na co ja się zgodziłem? – Mimo to uśmiechnąłem się szczerze.

Odetchnęła głęboko, a potem spoważniała.

– Dziękuję, Hudsonie.

– Nie ma za co. – Mówiłem szczerze.

Siedzieliśmy w komfortowej ciszy. W moim umyśle zrodziło się już wiele pomysłów. Może to dobrze, że tak wyszło. Mimo to czułem w głębi jakiś niepokój, jakby ostrzeżenie, że to nie jest dobry pomysł. Ale go ignorowałem.

Po chwili Celia zachichotała.

– Ale wiesz, jesteś zabawny. Jesteś jak Blaszany Drwal z Czarnoksiężnika z Krainy Oz. Przez cały czas wierzył, że nie ma serca, a jednak je miał.

– To ciekawe porównanie. – Ja zawsze bardziej identyfikowałem się z Hannibalem Lecterem z serii książek Thomasa Harrisa, o seryjnym zabójcy, który również był ciekawskim socjopatą. Nie byłem seryjnym mordercą, jednak główny bohater manipulował innymi, badał ich i próbował przewidzieć ich zachowanie, więc gdy to czytałem, czułem się, jakby był moim lustrzanym odbiciem. – Tylko że ja nie mam serca.

Mimo ciemności panującej w pokoju widziałem, jak wywraca oczami.

Zacząłem stukać palcami w oparcie fotela. Ona widziała coś dobrego w tym, co robiłem. A przynajmniej tak mi się wydawało.

– Ale rozumiesz, że każda moja próba okazania współczucia jest tylko próbą, grą?

– To po co w ogóle się starasz? Na przykład ze mną? Dlaczego chciałeś uznać to dziecko za swoje? Dlaczego pozwalasz mi wtargnąć w swoje eksperymenty? – Przy słowie „eksperymenty" zaznaczyła palcami w powietrzu znak cudzysłowu.

Mogłem dać jej kilka odpowiedzi. Niektóre z nich były prawdziwe, inne nie. Ale liczyło się to, że czułem się zobligowany, by odpowiedzieć. To też była emocja, którą odczuwałem. Poczucie obowiązku stanowiło podstawę wielu moich eksperymentów. Czułem się odpowiedzialny za obecny stan Celii i z tego powodu zobowiązany do tego, żeby dać odpowiedź, nieważne, że w głębi uważałem to za niedobry pomysł.

– Widzę, że zastanawiasz się nad odpowiedzią. Jeśli nie masz zamiaru mówić szczerze, to nawet się nie kłopocz. – Spojrzała w sufit. – Już wolę, jak twierdzisz, że nie wiesz.

Więc postanowiłem właśnie tak powiedzieć. Tak było łatwiej.

– Nie wiem.

Wtedy weszła pielęgniarka, a ja wyszedłem. Dochodziła siódma, musiałem iść do domu i przebrać się przed pracą. Bez snu będzie ciężko przeżyć dzień w biurze ojca, ale pocieszanie matki w domu byłoby jeszcze gorsze.

Oddział położniczy był po drodze do windy. Wmówiłem sobie, że to dlatego ruszyłem w tym kierunku. Przy oknie stał mężczyzna ubrany w krawat i garnitur. Rozpoznałem go, chociaż był odwrócony do mnie bokiem.

Nic nie powiedziałem, gdy zbliżyłem się do niego. Zmusiłem się, by spojrzeć przez szybę na nowo narodzone niemowlęta. Zrobiłem to, żeby przyznać, że doszło do straty w moim świecie i przynajmniej przez chwilę powinienem poczuć z tego powodu żal.

Powróciło uczucie rozczarowania, którego doświadczyłem wcześniej. Ale to wszystko.

Mój ojciec okazywał jednak więcej emocji. Po jego twarzy spływały łzy. Dotarło do mnie, że nigdy nie widziałem, żeby dorosły mężczyzna płakał. A już na pewno nie byłem świadkiem, żeby mój ojciec kiedykolwiek płakał.

Nie przywitał się ze mną i nawet na mnie nie spojrzał, ale spytał:

– Czy było moje?

Może to i dobrze, że chociaż raz był w rozpaczy. Ale okoliczności mnie rozwścieczyły – fakt, że zapłodnił bardzo młodą córkę swoich przyjaciół, że jego żona stała się przez niego alkoholiczką, że był tu incognito wcześnie rano, by nikt go nie zauważył.

– Nigdy z nią nie spałem – powiedziałem, potwierdzając jego przypuszczenia. – Ale to dziecko nigdy nie było twoje. Nigdy więcej nie mów o nim, jakby nie było moje.

Zamknął oczy, a jego twarz się skrzywiła, jakby poczuł nową falę bólu.

Zostawiłem go przy szybie i poszedłem do windy. Zostawiłem go tam, by poradził sobie ze swoim żalem, poczuciem winy, smutkiem i pękniętym sercem – ze wszystkimi emocjami, które sprawiały, że był słaby.

# Rozdział 15

---
PO
---

Mam tylko kilka minut, zanim Alayna wróci z łazienki. Powinienem czekać na nią nagi na łóżku i taki mam zamiar. Już jestem prawie twardy i niemal rozebrany, ale gdy kończę zdejmować spodnie i bokserki, mój umysł nagle przypomina sobie o czymś innym.

Jestem przytłoczony z powodu tego pokoju, tego miejsca. W Mabel Shores jest wiele wspomnień, jednak najbardziej dominującymi są te związane z eksperymentami z Celią podczas wakacji. Plami to wszystkie wspaniałe chwile z Alayną, które miały miejsce w ten weekend w Hamptons. To przypomnienie moich win, błędów i nie mogę nic zrobić, by to uciszyć.

Nie pomaga też fakt, że ojciec jest obecny w ten weekend. Powinienem być wdzięczny, że zachowuje się lepiej niż matka, jednak nie ufam jego zamiarom w kwestii Alayny. Nie chcę, by się z nią zaprzyjaźniał, a już zaczyna to robić. Nie mogę znieść myśli, że mógłby coś zrobić z Alayną, chociaż wiem, że ona by się na to nie zgodziła, a ojciec od lat nie

221

zbliżył się do żadnej dziewczyny, którą znałem. Przeraża mnie to, a ja się nigdy wcześniej niczego nie bałem. Nawiedzają mnie też wspomnienia. Moja matka ciągle coś odstawia i wyżywa się na Alaynie. Nie może się pogodzić z poronieniem Celii i z tym, że jej pierwszym wnukiem będzie dziecko Mirabelle. Zastanawia mnie, czy Sophia wie, co naprawdę stało się z synkiem Celii. Pewnie się nie domyśla, ale musi mieć jakieś przeczucia. Podejrzewam, że to dlatego znowu wyciągnęła ten temat przy Alaynie. Rozumiem, że nie może o tym zapomnieć, ale nie mogę tym usprawiedliwiać jej zachowania w stosunku do Alayny. Matka rani i mnie, i ją. To kolejna nowa emocja, która się u mnie pojawiła w ciągu ostatnich kilku dni, ale nie wiem, jak ją nazwać. Współczucie? Zranienie? To ból, który odczuwam w piersi zawsze, gdy Alayna czuje się zraniona, a ja bardzo chcę temu zapobiec.

Przysięgałem sobie, że będę z nią zawsze szczery, poza tym jednym wielkim kłamstwem. Gdy zapytała o dziecko, powiedziałem jej, co mogłem. Po raz pierwszy chciałem wyjawić całą prawdę, ale nie wiedziałem jak, nie ujawniając prawdy o sobie. Fakt, ona już coś o mnie wie, ale nie musi wiedzieć, jak źle kiedyś było. Gdzie w ogóle kończy się historia dziecka Celii? Gdy Celia poroniła? Czy kiedy zapytała, czy może być jak ja?

Mogłem tylko błagać Alaynę, by mi zaufała. Zdobyła się na zaufanie już wcześniej i nie miałem prawa prosić o więcej, ale i tak to zrobiła. Znowu męczy mnie poczucie winy. Jak długo jeszcze to wytrzymam, zanim nas to wszystko przytłoczy?

I nie chodzi tu tylko o poczucie winy, ale ogólnie o emocje. Tak wiele czuję przy Alaynie. To wszystko jest nowe i intensywne, ale takie zamazane, więc nie potrafię rozpoznać pojedynczych uczuć. Czasem, gdy całuje mnie miękko w usta, gdy tak wiele mi daje, zastanawiam się, czy ona też to czuje. Powiedziałem jej, ostrzegałem ją, że to nie może być naprawdę. Czy ona jest tak bezsilna wobec uczuć jak ja? Alayna ma większe doświadczenie w kwestii emocji. Mogę mieć tylko nadzieję, że to nie ma na nią żadnego wpływu. Ale jeśli jest inaczej...

Boże, to mnie może zabić.

Słyszę, jak kręci się w łazience, więc idę szybko do łóżka. Nagle przypomina mi się zupełnie inne wspomnienie z Mabel Shores. Ślub Mirabelle. Nie wierzę w romantyzm związków, ale moja siostra tak. Jej głęboko zakorzenione zaufanie do Adama tak bardzo mnie męczyło, że musiałem ją zapytać, skąd wie, że chce poślubić akurat tego mężczyznę.

„Bo gdy kogoś kochasz – mówiąc to, spojrzała mi w oczy z błyskiem pewności siebie – jego świat interesuje cię bardziej niż twój własny".

Nie mogę rozmyślać dalej nad tym wspomnieniem, gdyż właśnie otwierają się drzwi od łazienki. Alayna wychodzi, gotowa na mnie. Ma na sobie koronkową czerwoną koszulkę nocną. Jej piersi wyglądają w niej fantastycznie. Włosy opadają jej na ramiona. Wygląda cudownie, aż nie mogę oddychać.

– Jezu, Alayno. Jesteś taka cholernie piękna – mówię. Zaskoczyło mnie, że w ogóle jestem w stanie mówić. Klękam, a mój penis od razu staje. – Chyba będziesz musiała mieć to na sobie, gdy będę cię pieprzył.

Rumieni się, a ja się zastanawiam, jak długo wytrzymam, gdy jej już dotknę.

– Chodź tu – odzywam się niskim głosem.

Idzie do mnie, ale potem się zatrzymuje.

– Chwila, to ja mam tu mieć kontrolę, pamiętasz?

Zapomniałem, że tak się umówiliśmy. Zazwyczaj nie podoba mi się, gdy ktoś mi rozkazuje, ale z nią już nie mogę się doczekać. Może i tego nie rozumie, ale w ten sposób mówię, że jej ufam.

Siadam na piętach.

– No to przejmij kontrolę.

W jej oczach dostrzegam iskierki. Zagryza wargę, a potem wydaje pierwszy rozkaz.

– Usiądź plecami do oparcia.

Kurwa, jakie to seksowne. Uśmiecham się, wykonując jej polecenia.

Wspina się na brzeg łóżka, a potem podchodzi do mnie. Jej piersi są idealnie wyeksponowane i nie mogę oderwać od nich wzroku, ale przyciągają mnie też jej oczy. Widzę w nich ogień i pożądanie, lecz także coś innego. Coś delikatnego i pięknego, czego nie potrafię rozpoznać.

Gdy zaczyna lizać mojego fiuta, zapominam o całym świecie.

– Zrób to jeszcze raz. – Pamiętam, kto tu dzisiaj rządzi, ale ona musi wiedzieć, czego chcę.

– Może tak zrobię – droczy się ze mną.

Jezu, jaka ona jest cholernie urocza.

Pochyla się, żeby znowu polizać mojego penisa, a potem bierze go w całości do ust.

Wydaję z siebie jęk.

– Och, skarbie, tak dobrze ssiesz. – Drażni się ze mną, bo liże, ssie i całuje, ale nie zaczyna robić tego w jednym rytmie.

Niedługo będę musiał przejąć kontrolę, bo inaczej umrę. Łapię ją za włosy i wsuwam się w jej usta rytmicznie.

Nie pozwala mi robić tak przez dłuższą chwilę. Wkrótce przejmuje kontrolę i wyciąga mnie ze swoich ust. Jęczę, bo już nie czuję jej ciepła.

– Chcesz więcej? – mówi przeciągle. – Będziesz musiał poczekać.

Chcę więcej, ale zadowolę się wszystkim, co mi da. Podchodzi bliżej i siada w okolicach mojej talii. Mój członek opiera się o jej tyłek. Kurwa, to czysta tortura. Czuję się jak w niebie.

Kładzie ręce na mojej piersi, a moja skóra płonie od jej dotyku. Pochyla się, żeby mnie pocałować. Smakuje tak dobrze. Ujmuję jej twarz w dłonie.

Ale po chwili wyrywa mi się i tym samym przypomina mi, że nie potrafię zachowywać się inaczej. Ja po prostu jestem przyzwyczajony do kontrolowania wszystkiego. Nie wiem, co ze sobą zrobić, gdy nie jestem tym, który o wszystkim decyduje.

– Czego chcesz? – pytam.

– Dotknij moich piersi.

Bardzo chętnie. Wsuwam ręce pod jej koszulkę i zaczynam się bawić jej piersiami. Jestem brutalny, bo wiem, że to lubi, ale też tak podniecony, że nie potrafiłbym być delikatny. Ściągam jej koszulkę i siadam tak, by móc wziąć jej piersi do ust. Zaczynam je ssać i przygryzać. Jej zadowolone pomruki są moją nagrodą.

– Hudson, och, Boże.

Podobają mi się jej reakcje. Chcę więcej. Wkładam rękę do jej majtek i przesuwam palcami, aż znajduję wejście do jej cipki.

– Jesteś już taka mokra, skarbie. – Liżę jej sutek, a ona zaczyna drżeć. Już chcę wsunąć w nią palce, gdy przypominam sobie, że to ona tu rządzi. – Mam włożyć w ciebie palce? Powiedz mi.

– Chcę mieć w sobie twojego ptaszka. – Mówi to w tak nieśmiały sposób, że od razu robię się jeszcze bardziej twardy.

Pragnę tego najbardziej na świecie, ale się powstrzymuję.
Liżę jej drugą pierś, aż zaczyna jęczeć.

– Ale nie jesteś jeszcze na mnie gotowa, skarbie.

– Jestem wystarczająco gotowa – odpowiada stanowczo.

– Chcę cię ujeżdżać.

Tyle mi wystarczy. Rozrywam jej majtki po bokach i od-
rzucam je. Łapie mojego fiuta, a on drga w jej dłoni. Alayna
balansuje nade mną i jeszcze chwila, a będę w niej.

– Nie wiem, czym sobie na to zasłużyłem – mówię, łapiąc
jej piersi w dłonie. Już wiem, co teraz będzie. Wiem, że teraz
jej cipka zaciśnie się wokół mnie.

I dlatego mówię coś głupiego, co przypomina nam obojgu,
że nic nie jest prawdziwe.

– Powinienem nagrodzić cię za to, że grałaś dzisiaj idealną
dziewczynę.

Zamiera, a ja od razu wiem, że ją zraniłem. I wtedy dociera do mnie, że ona też odczuwa wszystko tak jak ja.

Nie wiem, jak sobie poradzić z tą wiedzą. W mojej piersi
pęka bańka euforii i mnie zalewa, ale mój umysł próbuje
to zwalczyć. Przekazuje mi, że ona nie może się we mnie
zakochać. Jeśli to zrobi, bardzo ją to zrani, gdy wszystko się
skończy, a tak właśnie musi się stać. Mnie też to zniszczy.

Tylko nie wiem, co zniszczy mnie bardziej – koniec, czy
fakt, że ona będzie cierpieć. Cholera, spieprzyłem.

Widzę jej spojrzenie i wydaje mi się, że ona rozumie,
o czym teraz myślę. Potem unosi wysoko podbródek i wsuwa się na mnie. Jest ciasna. Porusza biodrami, by wziąć mnie
głębiej w siebie.

Kładę rękę na jej brzuchu i odpycham ją lekko do tyłu,
dzięki czemu mogę być w niej głęboko.

– Kurwa – jęczę. – Alayno, jesteś taka ciasna. Taka niesamowita. – To są typowe teksty używane podczas seksu, ale

w mojej głowie ich znaczenie nie jest jasne. Czy chodzi mi o to, że jej cipka jest taka niesamowita? Czy po prostu ona sama taka jest?

A może jedno i drugie?

Zaczyna poruszać się w górę i dół. Próbuję zwiększyć tempo, ale ona robi to po swojemu. W górę i w dół. To bardzo erotyczny widok, a ja niecierpliwię się, że nie mam na tempo żadnego wpływu. Moje ręce zaczynają wędrować po jej ciele, dotykając, pieszcząc, aż w końcu znajduję jej łechtaczkę i chociaż to mogę kontrolować.

– Boże, och, Boże! – krzyczy, zaciskając się na moim fiucie. Jest blisko, a ja jestem zauroczony tym, jak drży i wzdycha. Jej skóra błyszczy od potu, a policzki są pięknie zaczerwienione.

Ujeżdżając mnie, wyznaje:

– Jestem szczęśliwa, Hudsonie. Sprawiasz, że jestem szczęśliwa. – Podczas seksu zazwyczaj mało się odzywa, więc wchłaniam każde jej słowo, każdy jęk.

Czuję jednak niepokój. Nie lubię słyszeć takich rzeczy. A jednocześnie chciałbym, żeby powiedziała coś jeszcze.

I mówi:

– I ciebie też uszczęśliwiłam. – Chcę, by przestała. Albo żeby kontynuowała. – Zakochujesz się we mnie. Oboje się w sobie zakochujemy.

Te słowa oznaczają dla mnie koniec. Są piękną trucizną. Nie mogę już dłużej tego słuchać.

– Wystarczy. – W jednej chwili przewracam ją na plecy i znajduję się nad nią. Uginam jej nogi w kolanach i wchodzę w nią ostro. Zaczynam pieprzyć ją mocno. Robię to, by uciszyć echo w mojej głowie: zakochujemy się w sobie. Nie powinna była tego mówić. Wpycham się w nią agresywnie, karząc ją za te śmieszne pomysły. Jeśli to w jakiś sposób jest prawda, to ja tego nie uznaję.

Mimo to, gdy dochodzi, a ja chwilę później, wiem, że ma rację. Wiem, że tego nie można się pozbyć brutalnym seksem. Nie można o tym zapomnieć ani tego zignorować. Są między nami emocje i jeśli tak to się nazywa – miłość – to nigdzie nie zniknie.

I co ja mam, kurwa, z tym zrobić?

Wychodzę z niej i kładę się na łóżku. Nie złoszczę się na nią, chociaż chciałbym. Jestem zły na siebie. I na Celię. Zły na to, że jest częścią mojego związku z Alayną, tego, że to właśnie był najszczerszy moment mojego życia.

Co najważniejsze, ktoś właśnie ma na mnie wpływ. Nigdy nikt nie miał wcześniej na mnie żadnego wpływu, więc teraz jestem nieco skołowany i może trochę przestraszony. Albo bardzo przestraszony.

Nie wiem, co mam zrobić, więc przyciągam ją do siebie i przytulam. Zamykam oczy i udaję, że zasypiam. Żałuję, że nie potrafię teraz zasnąć naprawdę. Wtedy żadne myśli i uczucia by mnie nie męczyły. Zakochujemy się w sobie. Czy ja w ogóle potrafię się zakochać? Muszę zakończyć tę grę. Muszę jej o wszystkim powiedzieć. Ale wtedy ją stracę. Ale czy i tak bym jej nie stracił? Przecież miłość nie trwa wiecznie.

A co, jeśli to się nie skończy? Co, jeśli uwolniła moje emocje i teraz już zawsze będę je odczuwał?

Prawie godzinę później jej oddech robi się bardziej miarowy i wiem, że zasnęła. Wysuwam się z jej uścisku i wkładam spodnie dresowe. Mimo że już się ubrałem, nadal czuję się nagi. Czy to przez miłość?

Siadam na fotelu przy łóżku i patrzę na nią, próbując ułożyć sobie to wszystko w głowie. Przypomina mi się, co powiedziała Mirabelle w dzień swojego ślubu: „Jeśli kogoś kochasz, jego świat staje się ważniejszy niż twój własny". Wszystko, co dotyczy Alayny, interesuje mnie bardziej niż moje życie. Dlatego powróciły do mnie słowa siostry. Bo nawet mimo swojego popieprzonego umysłu rozumiałem, co do niej czułem, zanim ona to w ogóle nazwała. Nie chciałem się do tego przyznać, ponieważ wiedziałem, że te cudowne narodziny miłości we mnie miały miejsce w najgorszym momencie.

Nie wiem jeszcze, co zrobię później, ale mam tylko dwie opcje. Albo zaprzeczę tym uczuciom, albo odmówię Celii i zakończymy tę głupią grę. Zanegowanie tej miłości będzie bolesne dla nas obojga, ale przyznanie się do tego, że oszukiwałem Alaynę... Nawet nie mogę znieść myśli, jak bardzo mną będzie gardzić, gdy się dowie.

Przez resztę nocy próbuję znaleźć inne wyjście z tej sytuacji. Wymyśliłem kilka planów, ale każdy wymaga kłamstw i manipulacji. Nie chcę być więcej taką osobą, więc porzucam każdy z nich i zostaję z niczym.

Gdy blade światło poranka zaczyna przedostawać się przez okno, wyobrażam sobie, jak budzę ją i mówię, że też ją kocham. A potem wyznaję to samo swoim ciałem. Potrafię wyobrazić sobie ciepło, jakie wtedy będzie w jej oczach. Słyszę, jak ona mi to powie. Będziemy mówić to sobie raz po raz, naszymi ustami, językami.

Ta fantazja nie ciągnie się dalej, bo wiem jedno – nie mogę jej powiedzieć, co czuję, nie wyjawiając całej prawdy. Moja definicja miłości jest jeszcze w fazie kształtowania, ale jestem pewny, że miłość wymaga szczerości, a ja nie mogę jej tego zapewnić, mając tyle sekretów.

Czuję ostry ból w piersi. Niczego jej nie mogę powiedzieć, więc pozwalam jej spać dalej.

Potrzebując czegoś, co mnie rozproszy, wyciągam swojego laptopa, by przejrzeć mejle. Dzień wcześniej wziąłem sobie wolne w pracy, bo Alayna mnie o to prosiła, a teraz mam dużo nieprzeczytanych wiadomości. Szybko dociera do mnie, że większość z nich jest od Rogera i innych członków rady Plexis. Mimo moich prób grania na zwłokę zarząd w poniedziałek będzie głosować w kwestii sprzedaży. Dzisiaj jest poniedziałek. Moje życie osobiste zaczyna się walić, jednak mogę coś zrobić w kwestii mojej firmy. Moja praca jest czymś znajomym. Znam się na tym i mogę podjąć pewne kroki.

Wysyłam kilka mejli, by ustalić swój wyjazd później tego ranka. Biorę szybki prysznic i pakuję rzeczy. Staram się przy tym nie budzić Alayny. Patrzę na nią przez dłuższą chwilę, a potem wychodzę. Tak bardzo chcę być z nią, tak bardzo chcę jej powiedzieć o wszystkim. Tylko nie wiem jak. Wychodzę bez pożegnania, chociaż obawiam się, że to będzie mój ostatni raz, gdy widzę ją nagą w moim łóżku.

Zostawienie jej jest najtrudniejszą rzeczą, jaką w życiu zrobiłem. Ale nic więcej zrobić nie mogę.

Na dole w kuchni znajduję świeżo zrobioną kawę. I Celię. Siedzi sama przy stole, jakby czekała na mnie.

Nie odzywam się do niej ani nie daję żadnych znaków, że zauważam jej obecność. Robię to dopiero, gdy nalewam sobie kawę i upijam spory łyk. Potrzebuję kofeiny, nim zacznę sobie z nią radzić. Żałuję, że nie mam czegoś mocniejszego.

Patrzę na zegarek nad ekspresem do kawy i mówię:

– Jeszcze nie ma ósmej. – Odstawiam kubek na blat. – Czemu zawdzięczamy twoją obecność o tak wczesnej godzinie?

– Mam zamiar porozmawiać z Sophią o zmianie wyglądu wnętrza, bo mnie o to prosiła – odpowiada takim samym tonem.

Ach, tak. Rzeczywiście. Matka już wcześniej o tym mówiła. Może i Celia pracuje dla nas, ale znam ją zbyt dobrze i wiem, że ona to wszystko ukartowała, by mogła być tutaj w domku w Hamptons w tym samym czasie co ja. Obracam się w jej stronę i zaczynam się rozglądać po kuchni.

– W takim razie gdzie jest moja matka? Bo jej nigdzie nie widzę.

Celia wzrusza ramionami.

– Poszła po jakieś magazyny ze zdjęciami, które chce wykorzystać jako inspirację. – Opiera łokcie na blacie, by podeprzeć złożonymi dłońmi podbródek. – A co z tobą? Dlaczego jesteś ubrany jak do pracy podczas wakacji w Hamptons?

– Jest pilna sprawa w firmie. Moje wakacje dobiegły końca.

– Och, Hudsonie, tak przykro mi to słyszeć. – Moja matka wchodzi do pomieszczenia, trzymając w jednej ręce kilka magazynów, a w drugiej szklankę soku pomarańczowego.

– Wyjeżdżacie razem z Alayną?

Patrzę, jak bierze łyk napoju. To podejrzane, bo ona nigdy nie pije samego soku pomarańczowego. Zawsze z jakimś mocniejszym dodatkiem.

– Nie. Nie chciałem jej budzić. – Spoglądam w tym momencie na Celię. Niech sobie myśli, co chce. Nie ma to teraz dla mnie znaczenia.

Jeśli cokolwiek o tym pomyślała, to nie komentuje tego.

– Zostawię dla niej swój samochód, gdyby chciała wrócić nim do miasta – zwracam się do matki. Chociaż nie jestem pewny, czy ona potrafi prowadzić samochód. – Jeśli będzie chciała jechać taksówką, to daj jej to na opłatę. – Wyjmuję portfel i podaję matce banknot studolarowy. Ona też ma pieniądze, które mogłaby dać Alaynie, ale nie zdziwiłbym się, gdyby stwierdziła, że nie ma przy sobie gotówki tylko dlatego, by zrobić Alaynie na złość.

– Okej. – Bierze ode mnie pieniądze z miną, która mówi, że nie znosi, gdy się nią w ten sposób wysługuję. – Jak się dostaniesz do miasta?

Wkładam portfel z powrotem do marynarki.

– Tak naprawdę muszę jechać do East Hamptons na lotnisko. Mój samolot już na mnie czeka. Potrzebuję Martina, by mnie tam zabrał, jeśli nie masz nic przeciwko.

– Przykro mi to mówić, ale Martin przyjedzie dopiero później. – Nie jest jej przykro, wiem o tym. Uśmiecha się zbyt słodko, a jej oczy błyszczą. Ona uwielbia, gdy jest panią sytuacji, gdy ma kontrolę. Cieszy się, kiedy ludziom nie idzie coś po ich myśli.

Nie po raz pierwszy zastanawiam się, czy to ona mnie tego nauczyła. A może to ja byłem jej nauczycielem? Teraz jednak nie mam ani czasu, ani energii, ani ochoty zastanawiać się nad tym pytaniem.

– Ja cię zabiorę – proponuje Celia.

Zaciskam mocno szczęki. Już czuję, że to jakiś podstęp.

– To nie będzie konieczne – mówię tak grzecznie, jak tylko mogę. – Masz spotkanie z moją matką. Wezmę jakiś inny samochód.

Kiwam im głową na pożegnanie i kieruję się ku wyjściu. Matka staje przede mną, zatrzymując mnie.

– Nie bądź niemądry, Hudsonie. Niech cię zabierze. Pozwól jej. Nasze spotkanie nie jest takie ważne. Możemy dokończy je później. Prawda, Celio?

– Oczywiście. – Celia uśmiecha się szeroko, a mnie robi się niedobrze na ten widok.

Przeczesuję włosy ręką. Nie mam siły się kłócić, bo nie spałem wcale, jestem spięty z powodu wizyty Celii, moja matka pije od samego rana, a dodatkowo sytuacja z Alayną jest taka skomplikowana.

– Niech będzie.

Poza tym nie podoba mi się to, że zostawię Alaynę sam na sam z moją matką. Ale zostawienie jej z Celią byłoby chyba jeszcze gorsze.

W ciągu dziesięciu minut jesteśmy gotowi, by wyjechać. Matka żegna się ze mną przesadnie, chociaż nikt nie patrzy. Celia już dawno wyszła na zewnątrz. Potem matka idzie do kuchni, najprawdopodobniej po to, by nalać sobie kolejnego drinka. Na schodach pojawia się Mirabelle.

– Dokąd jedziesz?

Nie mam czasu, by wyjaśniać jej całą sytuację, ale boję się, co matka może powiedzieć, więc przekazuję wszystko Mirabelle. Nie wygląda na zadowoloną.

– Nie pożegnasz się z Laynie?

Kręcę głową i mówię:

– Śpieszę się.

Kładzie rękę na swoim biodrze.

– To ci zajmie tylko dwie minuty. Idź, do cholery, na górę i powiedz swojej dziewczynie, co się dzieje.

– Mirabelle, nie mam teraz na to czasu. – Wyciągam okulary przeciwsłoneczne z kieszeni i zakładam je. Nie chcę, żeby siostra patrzyła mi teraz w oczy. Nie jestem pewny, co by w nich zobaczyła.

– Hudson, to... – Milknie na chwilę, jakby się zastanawiała, co dalej powiedzieć. – To okropne z twojej strony. Naprawdę. Zazwyczaj jestem po twojej stronie, wiesz o tym, ale teraz wstydzę się za ciebie.

„Nie tylko ty" – myślę sobie. Nie mam nic więcej do powiedzenia, więc zaczynam odchodzić. Atmosfera między nami jest napięta, ale na koniec mówię jeszcze:

– Upewnij się, że Alayna... – Urywam. Nie wiem, jak skończyć to zdanie. – Upewnij się, że dotrze do domu bezpiecznie.

Uciekam, zanim ma szansę mi odpowiedzieć.

Celia czeka na podjeździe. Kładę swoją teczkę na tylnym siedzeniu, a potem siadam na miejscu pasażera i zapinam pas. Czuję się tak, jakby pas mnie dusił. Odpinam go i próbuję się przekonać, że tak będzie lepiej. To dziwne, bo przecież ten kawałek materiału nie jest odpowiedzialny za komfort mojego oddychania. Gdy Celia wyjeżdża z podjazdu na główną drogę, skręca mnie w żołądku. Nie patrzę za siebie. I tak czuję się wystarczająco koszmarnie. Nie tak chciałem zostawić Alaynę – nie zamierzałem odjeżdżać z Celią, nie żegnając się z nią nawet.

Nagle zaczynam się nad czymś zastanawiać. Czy to właśnie wtedy postanowiłem? Że ją zostawiam?

Nie mogę znieść tej myśli, ale możliwe, że nie da się tego uniknąć.

Celia wjeżdża na autostradę i po kilku chwilach się odzywa:

– Jak długo każesz mi jeszcze czekać?

Pocieram twarz dłońmi.

– Czego ty znowu chcesz, Celio?

– Nie bądź takim pieprzonym kutasem, Hudsonie. – Widzę jej spojrzenie, mimo że ma na sobie okulary. – Wiesz, czego chcę.

Wiem, oczywiście. Oczekuje raportu dotyczącego moich postępów. Jak mam jej na to odpowiedzieć? Nadal jestem oszołomiony po moich wcześniejszych odkryciach. Jestem zagubiony. Czuję się jak w klatce – nie mogę iść w żadnym kierunku. Nie mam dokąd uciec. Pytanie brzmi, czy Alayna ma takie miejsce?

Nie jestem osobą impulsywną, ale właśnie taką decyzję teraz podejmuję. Nie jest najlepsza, ale wiem, że jedyna, jaką muszę podjąć. Postanawiam powiedzieć o tym Celii.

– To koniec, Celio – mówię. – Gra skończona.

Celia wydaje z siebie jęk.

– Nie zaczynaj znowu z tymi bzdurami.

– Nie. To nie są bzdury. Nie o to mi chodzi. – Obracam głowę, by spojrzeć na jej profil i dać jej znać, że teraz jestem całkowicie z nią szczery. – Mówię ci, że poświęciłem temu czas, tak jak chciałaś. I teraz to koniec. Nie potrzebujesz niczego więcej, aby dokończyć swój eksperyment.

Unosi brwi nad oprawkę okularów przeciwsłonecznych.

– Co masz na myśli?

– Chodzi mi o to... – Nienawidzę się za to, co dalej mam zamiar powiedzieć, za to, że mówię jej o czymś tak intymnym, co dotyczy wyłącznie mnie i Alayny. Jednak jestem zaznajomiony z uczuciem odrazy do samego siebie, więc zmuszam się do kontynuowania: – Chodzi mi o to, że ona już się związała ze mną emocjonalnie. Nie muszę spędzać z nią więcej czasu. Mogę już zakończyć z nią współpracę, a ty będziesz mogła badać jej reakcję, tak jak tego chciałaś.

Celia dalej jest sceptycznie do tego nastawiona.

– Gdy gra się kończy, to znaczy, że kończy się całkowicie, Hudsonie. Sprawy osobiste też się kończą.

– Wiem. – I tak po prostu w ten sposób odbieram sobie możliwość posiadania czegoś więcej z Alayną. Odchodzę.

Ściska mnie w piersi. Trudno mi się teraz oddycha. Mam wrażenie, jakby przycisnął mnie ogromny głaz. Nie czuję moich kończyn, nie mogę się ruszyć, a ból... jest ostry i nie chce odejść. Miażdży.

Mimo mojej silnej agonii nie jest mi łatwo wyjaśnić, dlaczego to robię, ale i tak muszę spróbować. Alayna powiedziała, że się we mnie zakochała. I chociaż trudno mi uwierzyć, że ktoś mógłby pokochać kogoś takiego jak ja, to jednak czuję jej miłość. Pulsuje w moich żyłach, jakby została wstrzyknięta do mojego organizmu po każdym pocałunku, po każdym dotyku, po każdym zbliżeniu.

Rzeczywistość jest jednak taka, że Alayna nie zna mnie tak naprawdę. Nie wie o mnie wszystkiego. I jeśli kiedykolwiek by się o tym dowiedziała, ta miłość by zniknęła, a ona poczułaby się zraniona. Jestem prawie pewny, że to skrzywdziłoby ją bardziej niż fakt, że teraz tak po prostu ją zostawiłem.

Możliwe, że to tylko domysły, ale dla niej to najlepsza szansa. Już spłaciłem jej karty kredytowe i pożyczki studenckie, a jutro zostanie wysłane potwierdzenie. To idealny czas, by zakończyć tę szopkę. Potem już się z nią nie zobaczę. Pozwolę, żeby nasz romans po prostu się rozpłynął. Możliwe, że będę mógł wyjechać do Europy, by popracować, bo firma tam też ma swoje siedziby. To będzie doskonała wymówka, aby zniknąć z jej życia. Później będę mieć nadzieję – nawet będę się modlić, chociaż nie jestem człowiekiem, który by to robił – żeby nie wpadła w stare nawyki.

Jeśli jednak tak się stanie, wesprę ją w każdy możliwy sposób, ale anonimowo. Celia skończy swój eksperyment, ale nie pozwolę na to, by Alayna została skrzywdzona do końca życia. Ona z tego wyjdzie. Będę tylko jej wspomnieniem, przeszkodą na drodze.

Celia patrzy na mnie. Próbuje odczytać moją minę i zachowanie. W końcu postanawia zapytać:

– Jesteś pe...?

Przerywam jej.

– Wątpisz w moje doświadczenie w tych sprawach?

Już wystarczająco trudne jest to, że jeszcze muszę trzymać się planu. Jestem zmuszony też przekonać Celię, a to nie jest proste.

Na szczęście ona postanawia odpuścić.

– Nie. Nie wątpię. Tylko uważam, że to za wcześnie. Spodziewałam się, że będziemy potrzebowali więcej czasu.

To już prawie koniec. Wystarczy jeszcze chwila i Celia zostanie całkowicie przekonana.

Więc mówię dalej:

– Rzeczywiście jest trochę za wcześnie. Ale najwyraźniej Alayna łatwo się zakochuje. – Wypowiadając te słowa, muszę wyjrzeć za okno.

To kłamstwo i ja o tym wiem. Alayna nie zakochuje się łatwo, a jeśli już, to całkowicie i nie w każdym. Ale gdy to zrobi, kocha całą sobą. To jest powód jej problemów z obsesyjnymi zachowaniami. Tego się o niej zdążyłem dowiedzieć.

Nie mam jednak zamiaru pozwolić, by Celia się o tym dowiedziała. Już wystarczająco zdradziłem Alaynę.

– A ty? – Pytanie Celii uderza mnie nagle, ale słabo je odczuwam, bo jestem otępiony.

A ja…

Ja też się zakochałem, chociaż Alayna nie może o tym wiedzieć. Moje serce należy do niej całkowicie. Każde jego uderzenie z dala od niej przyprawia mnie o ból w piersi. Dzięki niej moje życie całkowicie się zmieniło. Ale zostawienie jej sprawia, że ciemność znowu do niego powraca, bo to najgorsza i najtrudniejsza rzecz, jaką kiedykolwiek zrobiłem.

Tylko dlaczego Celia o to pytała? Zawsze była świadoma tego, że nie miałem serca. Czy wyczuwa, że coś się tym razem zmieniło? Czy wie, że już nie jestem tym samym mężczyzną, z którym kiedyś prowadziła gry?

A może to po prostu kolejna z jej sztuczek?

Wyciągam telefon i zajmuję się przeglądaniem jego zawartości, a potem mówię:

– Nie jestem pewny, co sugerujesz. Ale to nie ma znaczenia. Nie mam już czasu na tę szopkę. Mam firmę, którą prowadzę, i filię, którą mogę stracić. Jeśli nie masz nic przeciwko, muszę się skupić na tym, a nie na jakichś głupich grach.

Wiedząc, że Celia myśli, iż zajmuję się teraz czymś związanym z firmą, zaczynam pisać esemesa do Alayny. Jest boleśnie krótki: „Kryzys w Plexis. Zadzwonię, jak będę mógł". Nie zadzwonię. Spotkam się z nią, by zakończyć wszystko bardziej formalnie, ale nie zrobię tego przez telefon.

Przez kilka minut jedziemy w ciszy, a potem Celia odzywa się cicho:

– Może myliłam się co do ciebie.

Jej sceptyczny ton od razu przyciąga moją uwagę. Przez kilka sekund zastanawiam się, co jest źródłem jej spostrzeżenia, ale na nic nie mogę wpaść.

– Co to ma znaczyć?

Wzrusza ramionami.

– Jesteś już zbyt dorosły na te gry, a przynajmniej tak mi się wydaje.

Nie wierzę, że tak naprawdę to ma na myśli, ale wolę nie naciskać. Wolę się skupić na furtce, którą właśnie dla mnie otworzyła.

– Zbyt dorosły na gry, bo mam swoje życie i obowiązki? Tak, więc chyba jestem na to zbyt dorosły. Te eksperymenty nie mają już miejsca w moim życiu.

– Tego nie wiem – odpowiada, gdy skręcamy na lotnisko.

– Zobaczymy.

Jej słowa są tajemnicze, ale nie mam czasu się teraz nad tym zastanawiać. Jestem znów oziębły. Jak ze stali. Zakładam maskę, którą nosiłem, odkąd pamiętam. Kiedyś zakrywała fakt, że obce mi były wszelkie uczucia. Teraz ma za zadanie ukryć to, że jednak coś czuję.

# Rozdział 16

Poświęcam całą swoją energię na ratowanie Plexis, ale to nie wystarcza. Filia zostaje sprzedana. Nie jestem zaskoczony. Moje propozycje zostały dostrzeżone, lecz moja prezentacja nie była najlepsza. Wypadłem z gry, jestem w rozterce. Zastanawiam się, jak długo będę tak rozdarty – połowa mojej uwagi skupiona na firmie, połowa dalej na niej. Ta sytuacja jest mi obca, ale studiowałem wystarczająco dużo związków, by wiedzieć, że po każdym zerwaniu można się pozbierać.

Ja jednak nie jestem jak większość ludzi.

Przez większość wtorku przebywam w Cincinnati, bo nie chcę wracać do domu na Manhattan. W końcu nie mam już powodu, by dłużej tu być, więc postanawiam wrócić. Ląduję tam wieczorem. Jestem wykończony, ale zamiast jechać do domu, proszę kierowcę, by zabrał mnie do Sky Launch. Nie ma sensu przeciągać ostatniego spotkania. Muszę to zakończyć i ruszyć dalej.

Po przyjeździe do klubu sprawdzam godzinę. Jest zbyt wcześnie, by Alayna była w pracy, ale to nawet lepiej. Jeśli będę tutaj, gdy przyjedzie – możliwe, że zacznę omawiać sprawy biznesowe z Davidem – moja wizyta wyda jej się bardziej swobodna. Pomyśli, że moje spotkanie z nią nie było przemyślane. To powinno pomóc jej uwierzyć, że w tym, co jest między nami, nie ma niczego niezwykłego.

Nie jestem pewny, czy ona to kupi. Szczerze mówiąc, to nawet nie wiem, czy chcę, by tak się stało, ale musi to zrobić, bo tak od teraz będą wyglądać sprawy. Tak musi być.

W klubie jest ciemno, gdy do niego wchodzę. Idę od razu w kierunku biura – jeśli David jest dzisiaj w pracy, to tam go znajdę. Drzwi są otwarte, ale gdy wchodzę, nie jestem przygotowany na to, co widzę. Jest tam David, a w jego ramionach... Alayna.

Obejmują się i to wcale nie wygląda na przyjacielski gest. Nie widzę jej twarzy, ale jego mina wyraża absolutne uwielbienie. Jakieś uczucie. Może nawet miłość.

Od razu czuję wachlarz emocji na ten widok. Zazdrość, zaskoczenie, niedowierzanie – moje uczucia przenikają się, powodując niebezpieczną, toksyczną mieszankę. Nigdy nie byłem tak wściekły, nigdy tyle nie odczuwałem. Krew się we mnie gotuje, skóra mnie swędzi i czuję się, jakby ktoś mi przywalił w brzuch.

Mimo to nadal mam na sobie swoją maskę, dlatego gdy David w końcu mnie zauważa, nie widzi targających mną emocji. Widzi chłodnego, spokojnego, zdystansowanego faceta. Niektórych to może zawstydzać.

Od razu puszcza Alaynę i się cofa.

– Hej, Pierce.

Alayna obraca się i nasze spojrzenia się spotykają. W jej oczach dostrzegam zmartwienie i strach, a z jej twarzy odpływają wszystkie kolory. Taka reakcja sprawia, że moje emocje trochę łagodnieją. Trochę, ale niewystarczająco. Ciągle pożera mnie furia.

Kłopot w tym, że mimo tej sytuacji, nie mam prawa pokazać, że tak mnie to zabolało. Nie mogę się zdradzić, że coś do niej czuję. Już podjąłem decyzję. Postanowiłem odejść i schować emocje, które we mnie obudziła. Ona ma prawo obejmować każdego mężczyznę, jakiego chce. Może całować się i pieprzyć, z kim tylko zechce, bo nie należy do mnie.

Ściska mnie w żołądku na tę myśl. Jestem przez to jeszcze bardziej wkurzony.

Ledwo dociera do mnie, że David zaczyna coś mówić, a po chwili słyszę, jak wychodzi i zamyka za sobą drzwi. Jest na tyle mądry, że wie, kiedy ma wyjść. Uświadamiam sobie, że on też wzbudza we mnie złość – jest moim pracownikiem i zabiera się do dziewczyny swojego szefa. Moje emocje dotyczące jego osoby są jednak bardzo małą częścią tego, co aktualnie czuję. Cieszę się, że wyszedł. Teraz mogę się skupić na burzy, która we mnie szaleje. Jeśli zostałem tak skrzywdzony, mogę przynajmniej wykorzystać ten ból, żeby ją od siebie odepchnąć.

– Hudson. – Wymawia moje imię łamiącym się głosem, po czym robi krok w moim kierunku. – Czytałam o Plexis. Tak bardzo mi przy...

Jakby mnie w tej chwili obchodziło to pierdolone Plexis. Przerywam jej.

– Co się dzieje między nim a tobą? – Nie powinienem o to pytać, chociaż mój głos jest spokojny i staram się go kontrolować. Ale nie kontroluję swoich czynów. Potrzebuję jej odpowiedzi. Muszę rozwiać wątpliwości. Boję się, że czuje do kogoś to samo, co do mnie.

241

To szaleństwo. To cholernie irracjonalne, ale nie mogę się pohamować.

– Nic. – Wzdycha. – David tylko, hm… to było tylko przyjacielskie przytulenie. To wszystko.

Jej odpowiedź sprawia, że czuję jeszcze większy ból.

– Wyraz jego twarzy mówił, że to nie był wyłącznie przyjacielski uścisk. – Robię krok w jej stronę. – Pieprzysz się z nim? – pytam, chociaż nawet się nad tym nie zdążyłem zastanowić.

– Nie!

Patrzę na nią, mrużąc oczy. Ona czegoś mi nie mówi – widzę to na jej twarzy, po jej zachowaniu. Coś się między nimi dzieje.

– Ale prawie to zrobiliście – zgaduję.

– Nie. – Ton jej głosu jest stanowczy, lecz odwraca wzrok i patrzy gdzieś w bok.

Jej kłamstwo rani mnie bardziej niż cokolwiek innego.

– Dlaczego ci nie wierzę?

– Bo masz jakieś poważne problemy z zaufaniem. O co ci, kurwa, chodzi, tak w ogóle?

Głos w mojej głowie, który zachował chociaż odrobinę racjonalności, krzyczy, że nie tak miałem się zachowywać. Że związki Alayny są jej prywatną sprawą i nie powinny mnie obchodzić. Nie powinno mnie tu być. Ona. Nie. Jest. Moja.

Chcę posłuchać tego głosu. Naprawdę. Chcę uciszyć szalejącą we mnie burzę, która sprawia, że boli mnie każda część mojego ciała. Jednak to nie jest możliwe.

Dlatego poddaję się i pozwalam burzy mnie pochłonąć. Robię krok w jej stronę i odpowiadam groźnie:

– Już ci wcześniej mówiłem. Ja się nie dzielę.

Miałem plany dotyczące naszego rozstania, ale one już są nieważne. Chociaż nie mogę jej mieć, chociaż powinienem pozwolić jej odejść, właśnie ją sobie przywłaszczyłem.

W jej oczach widzę błysk akceptacji. To piękny widok, więc staram się go zapamiętać najlepiej, jak potrafię.

– Ale ja mam się dzielić tobą z Celią?

– Cholera jasna, Alayno. Ile razy mam ci to jeszcze powtarzać? Nic się nie dzieje między mną a Celią. – Przekonuję się, że to nie jest kłamstwo, bo ona kwestionuje moje romantyczne zaangażowanie. W głębi duszy jestem pewny, że wyczuwa prawdę – że między mną a Celią jest jakiegoś rodzaju więź. Alayna też potrafi czytać ze mnie jak z otwartej księgi. Nie pominęłaby tego.

Mimo to nie mam zamiaru wyjawić jej swoich sekretów. Dlatego sięga po jedyną broń, jaką ma.

– No więc między mną a Davidem też nic się nie dzieje.

– Naprawdę? Nie tak to wyglądało, gdy tu wszedłem.

– Tak samo nie wyglądało to, jak ty dzisiaj rano wyjechałeś z Celią, gdy ja jeszcze spałam naga w twoim łóżku?

Przeszywa mnie gniew, który jest jak potężny piorun. Jak to możliwe, że ona tego nie rozumie? Łapię ją za ramiona i przyciągam do siebie.

– Opuszczenie cię było najtrudniejszą rzeczą, jaką w życiu zrobiłem. Nie lekceważ tego w ten sposób.

A potem miażdżę jej usta w pocałunku, bo musi wiedzieć, co czuję, a to jest jedyny sposób, by jej o tym powiedzieć. Przygryzam jej usta, nacieram na nie brutalnie. Ten pocałunek mówi: „Tak się czułem, gdy odchodziłem".

Odsuwa się ode mnie.

– Hudson, przestań.

Nie mogę przestać. Muszę przemówić jej do rozsądku. A może chodzi po prostu o to, że potrzebuję jej ciała, by uspokoić furię w swoim ciele. Już nic nie wiem poza tym, że ta potrzeba jest cholerna.

– Przestań. – Kładzie ręce na mojej piersi i odpycha mnie.

– Nie. Chcę się teraz z tobą pieprzyć. Teraz.

– Dlaczego? Żebyś mógł zaznaczyć swoje terytorium?

Jej pytanie mnie zaskakuje. Czy o to chodzi? Czy ta sytuacja jest związana z moją irracjonalną zazdrością? Nie chcę, żeby tak było.

Moje milczenie pozwala jej wyrwać się z uścisku.

– Nie należę do ciebie, Hudsonie! Przestań ze mną pogrywać, jakbym była jedną z wielu twoich kobiet. Pamiętasz, jak mówiłeś, że ze mną tego nie zrobisz?

To prawda, z którą nie chcę się zmierzyć, ale uderza we mnie z taką siłą, że nie mogę tego nie zauważyć.

– Myślisz, że tego nie wiem? W każdej minucie każdego dnia przypominam sobie, że nie mogę ci tego zrobić i nie mogę cię mieć. Ale to nie oznacza, że nie chcę.

Słowa wychodzą ze mnie tak szybko, że nawet nie mam czasu ich przemyśleć. Ale jest w nich prawda. Chciałem ją zdobyć. Nieważne, jak bardzo chciałem pokrzyżować plany Celii i jak bardzo zamierzałem być szczery z Alayną, część mnie zawsze pragnęła ją zdobyć i mieć na własność. Planowałem ją sobie urobić. Chciałem wygrać. Czy to był prawdziwy powód, dla którego zgodziłem się wziąć udział w tej grze? Bo nie jestem w stanie powstrzymać się od grania?

Ta możliwość bardzo krzywdzi zarówno Alaynę, jak i mnie. Po jej policzkach zaczynają spływać łzy.

– A więc jestem jak inne.

– Nie. Nie jesteś. – Chciałem nią manipulować, to pragnienie, które nigdy nie zniknie. Ale przy Alaynie było słabe, ukryte gdzieś głęboko, podczas gdy na wierzch wypłynęły inne pragnienia. – Już ci to wcześniej mówiłem – dodaję. – Bardziej niż nie chcę cię zdobyć na własność, nie chcę cię skrzywdzić.

– Już zrobiłeś obie te rzeczy – mówi, szlochając.

Ogarnia mnie przerażenie, które jest jak zimny prysznic.
– Kurwa! – Nie tego chciałem. Robiłem wszystko, by temu zapobiec. Przytłacza mnie to, bo tak naprawdę wiedziałem, że ją zranię. I jest trudniej, gdy wiem, że ona mnie kocha. Na wspomnienie jej uczuć moje wypływają na powierzchnię. Wszystko spieprzyłem. Nie ma możliwości, żeby którekolwiek z nas wyszło z tej relacji cało. Nie można podjąć dobrej, właściwej decyzji. Tak stworzyłem naszą historię, że może nas czekać wyłącznie ból.

Odsuwam się od niej, bo chcę nabrać dystansu do sytuacji, do której sam doprowadziłem.

Ona jednak podąża za mną i wpada w moje ramiona, po czym całuje mnie z taką samą determinacją, z jaką ja całowałem ją wcześniej.

Nie mogę się jej oprzeć i nawet nie ma sensu się opierać. I tak wszystko już zostało przesądzone.

– Alayno. – Biorę, co mi daje, jestem chciwy. Chwytam dłonią jej pierś i całuję ją mocno w usta. Drugą ręką przyciągam bliżej do siebie. Alayna wypowiada szeptem moje imię. Mówi mi, jak bardzo mnie potrzebuje. Nie muszę słuchać jej słów. Wiem to wszystko. Czuję to w jej pocałunku, w sposobie, w jakim jej ciało przylega do mojego.

Szybko ściągam jej majtki i kładę ją na kanapie. Rozbierając ją, patrzę na nią zachłannie. Pożeram wzrokiem wszystko. Jest taka piękna, gdy wyciąga się przede mną, a jej cipka błyszczy z podniecenia. Pomijając już widoki erotyczne, jej piękno jest też związane w tym, że mi się poddaje. Nawet kiedy cierpi, chce ode mnie pocieszenia. Tak jak ja chcę tego od niej.

Nie mogę już wytrzymać bez niej. Kładę się nad nią i wchodzę w nią. Pieprzę się z nią szybko i mocno, jestem skupiony na tym, by się wyżyć, by mieć orgazm i by ona go miała. Palcami pieszczę jej łechtaczkę. Nasz seks jest dziki i emocjonalny. To odzwierciedlenie naszej sytuacji – nie powinniśmy pragnąć siebie nawzajem, ale siła, która nas do siebie ciągnie, jest nie do zatrzymania i nie potrafimy tego kontrolować. Nie umiem nazwać tej więzi. Zalewam Alaynę jedynym dźwiękiem mającym kiedykolwiek znaczenie – dźwiękiem jej imienia, które powtarzam co chwila. Potem orgazm wybucha we mnie jak eksplozja, a ona szczytuje zaraz po mnie, jęcząc z rozkoszy, gdy jej cipka zaciska się wokół mnie. Opadam obok niej, chowając głowę w zagłębieniu jej szyi. Mój penis drga w niej, gdy dochodzę do siebie. Ona jest ciepła i bezpieczna, a nasze mieszające się ze sobą oddechy uspokajają mnie. To pierwszy raz w moim życiu, gdy jestem totalnie zrelaksowany. Pomimo braku rozwiązania naszej sytuacji, w jej ramionach czuję się wolny.

W tym momencie to moje sanktuarium, więc łatwo mi dokończyć to, co planowałem powiedzieć.

– Chciałem, żebyś była moja. Ale nie zamierzałem cię zranić. – Przytulam ją do siebie jeszcze mocniej. – To ostatnia rzecz, jakiej chciałem.

Wraz z tym prostym stwierdzeniem nagle robi mi się lżej na sercu. Mimo to mam w sobie jeszcze dużo poczucia winy. Mogę sobie tylko wyobrazić, jakby to było całkowicie pozbyć się tego ciężaru, wyjawić jej wszystko, słowo po słowie.

Alayna przesuwa ręką po moich włosach, a ja czuję, jak przeszywa mnie dreszcz wywołany tym zwykłym gestem.

– To część każdego związku, H. Ludzie często się ranią. – Całuje mnie w czoło. – Ale można to wszystko naprawić.

Tylko że jej relacje mogły nie być jak każdy typowy związek. Dociera do mnie, że Alayna jest w tym bardziej doświadczona niż ja. Uświadamiam sobie, że ona może odpowiedzieć na wiele pytań, które mnie męczą.

Nie przywykłem do proszenia o pomoc, ale unoszę głowę, by spojrzeć jej w oczy, i proszę:

– Powiedz mi jak.

Ujmuje moją twarz w dłonie, a kciukami gładzi moją skórę.

– Wpuść mnie. Otwórz się przede mną.

– Nie zauważyłaś, że już to zrobiłem? – Pozwoliłem jej dotrzeć w głąb siebie bardziej niż innym. Ona zburzyła moje mury, chociaż ja nawet nie wiedziałem, że mam jakieś wzniesione wokół siebie. I nawet nie jest tego świadoma.

Albo to po prostu nie wystarcza.

Zamyka oczy i przełyka ślinę. Gdy je otwiera, po jej policzku spływa łza. Wychodzi spode mnie, wkłada majtki i wstaje.

Oto moja odpowiedź. To nie wystarcza. Tylko że to wszystko, co mogę dać – dla jej dobra i dla swojego. Jestem między młotem a kowadłem. Jak teraz będzie wyglądać sytuacja z Celią? A jak z Alayną?

Wzdycham, a potem zaczynam zapinać spodnie. Znów jestem w punkcie wyjścia, choć najlepszą decyzją było zakończenie tego.

Tylko nie mogę tego zrobić.

Postanawiam o nią walczyć, ale nie wiem jak. Chociaż to najgorsza z możliwych rzeczy, jakie mógłbym zrobić.

Wstaję i podchodzę do niej. Otaczam ją ramionami od tyłu i czuję, jak opiera się pragnieniu, by się o mnie oprzeć. Nie rusza się, więc mówię jej do ucha:

– Dlaczego zachowujesz się tak, jakbym od ciebie uciekał?

– Bo się przede mną zamykasz. Czy to nie to samo co uciekanie?

To jest to samo. Nagle przypominam sobie, jak Alayna wyglądała w mojej sypialni w Hamptons. Ja zostałem w pokoju, a ona wyszła popływać. Gdy wróciła, była w kiepskim stanie.

– A co z tobą? Jak wtedy, gdy wróciłaś do naszej sypialni i płakałaś, ale nie chciałaś mi powiedzieć dlaczego?

Zamiera w moich ramionach.

– To było coś innego.

A czym to się różniło? Wytężam umysł, próbując wymyślić, co by mogło ją tak zranić. Potem dociera do mnie, że to proste – moja matka.

Obracam Alaynę w swoją stronę.

– Co ci powiedziała, Alayno?

Widzę, że przez chwilę walczy ze sobą, potem jednak mówi:

– To nic takiego. Nazwała mnie dziwką.

Kurwa. Teraz znów jestem wściekły, tym razem na swoją matkę. Tyle razy jej broniłem, lecz teraz zastanawiam się, dlaczego to w ogóle robiłem.

– Moja matka jest okrutna i nie ma serca. – Przez bardzo długi czas te określenia pasowały do mnie. W tej chwili w ogóle nie czuję, żebym był do niej podobny.

Unoszę podbródek Alayny, aby spojrzała mi w oczy.

– Nie jesteś dziwką, Alayno. Nie ma takiej opcji. I nie można wyrazić słowami, jak wiele znaczysz w moim życiu. – To jedyny sposób, w jaki mogę wyrazić swoje emocje.

– Powiedziała również – dodaje Alayna po chwili, jakby była w stanie czytać mi w myślach – że ty nigdy nie będziesz w stanie mnie pokochać.

Opuszczam rękę. Jestem oszołomiony. Najbardziej tym, że moja matka powiedziała jej coś takiego. To niewiarygodne. Nie wiem, jak zareagować. Nie mogę się odezwać, bo musiałbym przyznać, że dzięki niej uczę się, jak kochać.

A nie wolno mi tego wyznać, jeśli ciągle są między nami jakieś kłamstwa.

Mogę zrobić tylko jedną rzecz.

– To akurat sam mówiłem ci już wcześniej.

Wyrywa mi się z objęć.

– Cóż, ona powiedziała mi to ponownie. – Obraca się w moją stronę. – No to masz, otworzyłam się. Zadowolony? Znowu ją zraniłem. Nie miałem takiego zamiaru, ale czuję się rozdarty. Sytuacja jest beznadzieja.

– Alayna… – zaczynam, ale nie mogę dodać nic więcej, by polepszyć sytuację. Tonę w swoich sekretach i czuję, że wszystko się sypie. Skoro nie mogę odejść, to muszę powiedzieć jej prawdę. Wszystko. Słowa grzęzną mi w gardle.

Zaczyna płakać i mówi:

– Jak mogłeś sądzić, że się w tobie nie zakocham, Hudsonie? Nawet jeśli nie chciałeś, by do tego doszło, jak mogłeś tak myśleć? Czy to cokolwiek dla ciebie znaczy?

Czuję się tak, jakby mnie uderzyła.

– Jak możesz o to pytać. – To, że ona mnie kocha, znaczy dla mnie wszystko. To z tego powodu jestem tu z nią teraz, to dlatego nie ruszyłem dalej. Jej miłość jest jedynym światełkiem w ciemności, jakie w życiu odnalazłem. Trzymam się tego kurczowo, jakby zależało od tego moje życie. – Oczywiście, że znaczy. Ale, Alayno… – Zawsze musi być jakieś „ale".

– Nie wiesz, czy dalej byś tak mówiła, gdybyś mnie znała.

– Znam cię.

– Nie wiesz o mnie wszystkiego. – Sekrety mam na końcu języka chcą zostać uwolnione.

– Tylko dlatego, że nie pozwoliłeś mi się poznać!

Wyciągam ramiona sfrustrowany.

– A co chcesz wiedzieć? Chcesz wiedzieć, co robiłem innym kobietom? Chcesz wiedzieć o Celii? To przeze mnie zaszła w ciążę, Alayno. Całe lato spędziłem, rozkochując ją w sobie, podczas gdy nic do niej nie czułem. Robiłem to dla zabawy. Żeby się nie nudzić.

Słowa wypływają ze mnie jak łzy z oczu Alayny. Zaczynam odczuwać ból i cierpienie, które wtedy były mi obce. I przerażenie wywołane tym, co zrobiłem. Czuję obrzydzenie z powodu moich czynów, żal, poczucie winy – to wszystko przytłacza mnie z każdą kolejną wypowiadaną sylabą. Nie mogę ich powstrzymać.

– A potem, gdy ją całkowicie złamałem, popadła w autodestrukcję i zaczęła sypiać z kim popadnie, imprezować, brać narkotyki. Robiła wszystko, co ci tylko przyjdzie na myśl. Nawet nie wiedziała, kto jest ojcem.

Ta ostatnia część to kłamstwo, ale nie zamierzam mieszać w to teraz Jacka. Nie ma sensu, bo właśnie wyjawiłem jej jeden z moich największych sekretów. Czuję ulgę związaną z tym, że w końcu się do tego przyznałem, ale również niepewność, która wisi w powietrzu. Wcześniej potrafiłem odczytać wszystkie emocje z twarzy Alayny. Teraz nie widzę nic. Jestem pewny, że ta historia ją odpycha, jest dla niej odrażająca... Tylko nie dostrzegam tego na jej twarzy.

Bierze głęboki oddech i wyciera oczy.

– Więc powiedziałeś, że dziecko jest twoje.

– Tak. – Mrużę oczy, przyglądając jej się, podczas gdy ona próbuje to przetrawić.

– Bo byłeś za to odpowiedzialny. – Jej głos jest spokojny, nie ma w nim żadnych emocji.

– Tak. Straciła dziecko po trzech miesiącach. Najprawdopodobniej z powodu alkoholu i narkotyków, które brała na początku ciąży. Była w strasznym stanie. – Ja też tak się czuję, jakby ta strata miała miejsce dopiero teraz. Czuję, że ten ból jest znajomy, wiem, że wcześniej odczuwałam tylko jego ułamek. Byłem przekonany, że to Alayna nauczyła mnie czuć, ale teraz zastanawiam się, czy te emocje były we mnie już wcześniej, zamknięte, czekające na to, aż ktoś je uwolni.

– To okropne – mówi Alayna, a ja zostawiam swoje wspomnienie i wracam, by skupić się na jej twarzy. Ciągle nie mogę niczego z niej odczytać, wciąż nie wiem, jakie okropne rzeczy musi o mnie myśleć. – To okropne – powtarza. – Ale nie rozumiem. Myślałeś, że przez to przestanę cię kochać... Dlaczego?

Opadam na oparcie sofy zawiedziony tym, że ona się tym nie przejęła.

– Bo to wszystko zmienia. Ja to zrobiłem. Taki jestem. To moja przeszłość i jest naprawdę straszna.

W końcu zauważam jakieś emocje na jej twarzy, ale ona nie jest zawiedziona mną – widzę, że mi współczuje. Podchodzi do mnie i kładzie mi ręce na ramionach.

– Myślisz, że twoje świństwa różnią się czymś od moich?

Trudno jest mi znieść jej słowa, jej dotyk. Próbuje umniejszyć znaczenie moich grzechów, które nie są w ogóle podobne do tego, co ona zrobiła.

– To nie są rzeczy w stylu łażenia za kimś czy wydzwaniania, Alayno.

– To była tragedia, której nie mogłeś przewidzieć, Hudsonie. Straciłeś kontrolę nad tą grą. Nie planowałeś tego, by Celia zaszła w ciążę, a potem poroniła. I nie umniejszaj znaczenia tego, co ja robiłam. Ja też raniłam ludzi. Bardzo głęboko. Ale to było wcześniej. To tylko nasza nieidealna przeszłość, pamiętasz? Ona nie determinuje naszej przyszłości. Ani teraźniejszości.

Jej słowa dotykają mnie głęboko, przeszywają, docierają do mnie. Ja naprawdę tym razem słucham, co do mnie mówi. Właśnie powiedziała na głos o czymś, o czym myślałem, odkąd ją poznałem. Czy mogę – czy możemy – wyrwać się naszej przeszłości i zacząć ścieżkę przyszłości jako wolni ludzie?

Oddycham głęboko i wycieram łzę spod jej oka.

– Gdy jestem z tobą, niemal w to wierzę.

– No to w takim razie musimy spędzać więcej czasu razem.

Prawie wybucham śmiechem.

– Naprawdę? – Może rzeczywiście. Podoba mi się ten pomysł bardziej niż wcześniej. Czy mógłbym być z Alayną w ten sposób? Tak naprawdę? Czy mógłbym obrać inną drogę. Czy znajdę siłę, by być z nią tak normalnie?

Przesuwam kciukiem po jej policzku.

– Wczoraj rano, gdy dowiedziałem się, że powinienem jechać do Cincinnati... Nawet nie mogłem się zmusić, by na ciebie spojrzeć, gdy spałaś w moim łóżku. Bo gdybym to zrobił, nie byłbym w stanie wyjechać.

Jej twarz rozświetla uśmiech.

– Myślałam, że wyjechałeś, bo zacząłeś panikować. Z powodu tego, co powiedziałam o miłości.

– Nie zacząłem panikować. – Nie z powodu tego, co powiedziała, ale tego, co sam poczułem. – Po prostu byłem zaskoczony.

– Zaskoczony?

– Że właśnie tak można by określić to, co do siebie czujemy. Że to była miłość.

– Tak, była. I jest – oświadcza stanowczym głosem.

– Hm. – Pozwalam, by te słowa do mnie dotarły. To, co do niej czułem, zaczęło się już wtedy, gdy zobaczyłem ją po raz pierwszy. Od tamtego czasu te uczucia nie zniknęły, tylko się wzmocniły i wyostrzyły, chociaż nigdy nie potrafiłem tego nazwać. Ona nazwała to miłością. To dla mnie zupełna nowość. To coś niesamowitego. – Nigdy wcześniej nie czułem czegoś takiego. Więc nie wiedziałem. Przesuwam ręce, by położyć je na jej biodrach.

– Alayno, musisz wiedzieć, że nigdy nie byłem w zdrowym związku. Każda kobieta, która mnie kochała... – Moje gardło zaciska się, gdy przypominam sobie o bólu zadanym Celii i innym kobietom, które twierdziły, że się we mnie zakochały. – Nie chcę skrzywdzić również ciebie.

– Nie zrobisz mi krzywdy, Hudsonie. – Jest bardzo pewna siebie w tym momencie. – Na początku myślałam, że możesz. Ale okazuje się, że z tobą jest mi lepiej. I myślę, że tobie też jest lepiej przy mnie.

– To prawda. – Ona jest jedyną osobą, która ma na mnie taki pozytywny wpływ.

– Jeśli zdecydujesz, by nie ciągnąć... tego, co jest między nami... to mnie zaboli. Ale nie złamie mnie całkowicie.

– Jak bardzo zaboli? – Już zaczynam tworzyć w głowie nowy plan, ale jeszcze nie jest on w pełni uformowany.

– Jak cholera.

Nie chcę jej ranić. To dlatego nie mogę jej powiedzieć o wszystkim, ale nie mogę też jej zostawić. Ona już to potwierdziła. Jestem w pełni świadomy tego, że kiedyś w naszym związku pojawi się cierpienie, ale na pewno nie teraz.

– No to lepiej niczego nie przerywajmy.

Wiem, że to niedobra decyzja. Jest bardzo egoistyczna, a ja pragnę tego bardziej niż czegokolwiek innego na świecie.

Przyciągam ją do siebie i otaczam ramionami, po czym mówię jej to, co miałem jej powiedzieć, zanim tu przyszedłem.

– Alayno, jesteś zwolniona. Nie możesz być już dłużej moją udawaną dziewczyną. – Potem dodaję coś, co dopiero teraz przyszło mi do głowy: – Zamiast tego bądź moją prawdziwą dziewczyną.

W jej oczach pojawiają się iskry szczęścia.

– Myślę, że już nią jestem.

– To prawda.

– Mogę dalej nazywać cię H?

– Absolutnie nie. – To ta śmieszna ksywka, którą dla mnie wymyśliła. Jest nawet urocza, ale nie mam zamiaru jej o tym powiedzieć.

Całuję ją, by przypieczętować naszą nową umowę. W tym momencie, gdy nasze usta stykają się ze sobą w tej słodkiej pasji, mój plan się klaruje. Będę kochał ją tak jak teraz, nie słowami, ale swoim życiem. Pozwolę jej dotrzeć do siebie tak głęboko, na ile będę w stanie. Oddam się jej kompletnie. Jej świat będzie moim światem. Zrobię wszystko, co tylko w mojej mocy, by uchronić ją przed cierpieniem, nawet jeśli będzie to oznaczać ukrycie sekretów mojej przeszłości, które zraniłyby ją bardziej niż cokolwiek innego – a szczególnie sekret dotyczący jej osoby.

Przekazuję jej to wszystko w tym jednym pocałunku.

To ona przerywa pocałunek, żeby zapytać:

– I co będzie teraz?

Wyczuwam jej obawę. Ona nie ma pojęcia o niczym, co chcę jej zaoferować, ale wydaje mi się, że zanim to zrozumie, upłynie trochę czasu. Mam nadzieję, że niedługo będzie mogła usłyszeć o tym wszystkim, co na razie mówię tylko niewerbalnie.

Chwilowo będę używał słów. Uśmiecham się do niej lekko.

– Jak skończysz, to przyjedź do mnie.

– Skończę dopiero o trzeciej.

– Mam to gdzieś. Chcę cię w moim łóżku. – Chcę ją w moim życiu. Niedługo sprowadzę ją na stałe do swojego mieszkania, jak tylko mi na to pozwoli. Gdy będzie na to gotowa.

– No to w takim razie przyjadę.

Czy działałem zbyt szybko? Mam prawie trzydzieści lat i po raz pierwszy zacząłem coś w życiu odczuwać. Myślę, że w porównaniu z innymi ludźmi jestem daleko w tyle. Odsuwa się ode mnie, a ja niechętnie ją puszczam. Już tęsknię za jej dotykiem, ale niedługo znowu się z nią zobaczę. Mój wzrok skupia się na kanapie za nami – dopiero teraz dociera do mnie, że właśnie pieprzyliśmy się na zupełnie nowej kanapie.

– Niezła kanapa – mówię. – Naprawdę świetna.

– Dzięki – odpowiada ze śmiechem.

Przyglądam się jej, gdy poprawia splątane po seksie włosy i sukienkę. Boże, ona jest niesamowita. Jest wszystkim, o czym mógłbym kiedykolwiek marzyć. Jestem od niej uzależniony – to mój narkotyk – i nie mam jej dosyć. Ale jest też moim lekarstwem. Balsamem, który koi i przynosi ulgę. Rehabilitacją. Czymś, co uzdrawia.

Ujmuję jej dłonie i zaskoczony zauważam, że moje ręce się nie trzęsą, chociaż w środku wręcz przeciwnie. To z powodu adrenaliny. Nie boję się, po prostu jestem niecierpliwy.

– Powiedz Jordanowi, żeby zabrał cię do Bowery. On wie, gdzie to jest.

– A nie do twojego mieszkanka-ruchanka? – W jej głosie słychać podniecenie.

– Nie. Do mojego domu. Zostawię klucz u odźwiernego.

Splata nasze palce i zaczyna się śmiać. Uwielbiam ten dźwięk prawie tak bardzo jak to, gdy mówi.

– My naprawdę to robimy, prawda? Naprawdę ruszamy dalej.

– Naprawdę. – Biorę ją w swoje ramiona, bo chcę, by wiedziała, jak poważnie to traktuję. Mam nadzieję, że odczyta to z mojego uścisku.

Po chwili czuję jej usta przy swoim uchu, gdy mówi:

– Wstrząsnę twoim światem. – A potem przygryza płatek mojego ucha.

Całuję ją w szyję, myśląc, jak dzisiaj w nocy ochrzcimy moje łóżko.

– Nie mogę się doczekać.

– Ja też.

Zostawiam ją w pracy i udaję się do mojego domu. W głowie mam już listę rzeczy, które muszę dla niej przygotować. Będzie potrzebowała ubrań i kosmetyków. Mam aż siedem godzin do jej przyjazdu. Mój asystent będzie miał wystarczająco czasu, aby przygotować dom na przybycie mojej dziewczyny.

Moja dziewczyna.

Moja.

Od urodzenia dostawałem wszystko, co tylko chciałem. Pieniądze zaspokajały każdą moją zachciankę. Miałem tyle rzeczy, ale nic nigdy nie było tak piękne, wyjątkowe i cenne jak Alayna. Ona jest moja. Tak samo jak ja jestem jej. Wiem, że z zewnątrz wydaję się spokojny i niewzruszony, jednak w środku czuję się szczęśliwy i aż mi się kręci w głowie od tego, co właśnie się stało. Jak mogłem przez tyle czasu wierzyć, że moją siłą jest pasywność? To jest prawdziwa siła – ten niekończący się przypływ miłości, szczęścia i energii.

Nie próbuję się oszukiwać – wiem, że to nie będzie łatwe. Będą różne przeszkody na naszej drodze. Takie jak Celia i moja matka. I moja przeszłość. A nawet jej przeszłość. Jednak nic z tych rzeczy nie jest tak ważne jak to, co teraz się dzieje we mnie. Alayna jest wystarczającym powodem, by zwalczyć każdego wroga i dużo, dużo więcej.

Większość wieczoru spędzam, przygotowując się na jej przyjazd, ale poza tym opracowuję plan dotyczący tego, jak

chronić naszą miłość. Znajdę sposób, by obejść Celię. To ja
ją stworzyłem, więc na pewno będę umiał z nią wygrać.

Co do Alayny... to postanowiłem zachować mój sekret dla
siebie. Nieważne, ile mnie to będzie kosztować. Ona nigdy
nie może się dowiedzieć o tym, w jakich okolicznościach
znalazła się w moim życiu. Będę ukrywał przed nią tę informację dla jej dobra. I tylko dlatego.

# Rozdział 17

Ciężko było otworzyć drzwi do mojego mieszkania, gdy miałem usta przyklejone do zgrabnej brunetki, którą przyprowadziłem do siebie. W końcu jakoś mi się udało. W środku przycisnąłem ją do ściany i przytrzymałem jej ręce nad głową, po czym przycisnąłem się do niej. Na pewno czuła mojego twardego fiuta.

Polizałem jej dolną wargę, a potem odsunąłem głowę.

– Monico, chciałbym być w tej sytuacji dżentelmenem, ale nie mogę w grzeczny i miły sposób powiedzieć ci, jak cię dzisiaj doprowadzę do orgazmu.

Sapnęła, a ja pochyliłem się, by skubnąć płatek jej ucha. Zaczęła jęczeć głośno, a ja od razu poczułem, jak mój penis pulsuje.

Znowu sapnęła, ale tym razem to nie był żaden seksowny dźwięk. Odepchnęła mnie od siebie i z groźną miną zapytała:

– Kim ona, kurwa, jest?

Dopiero po chwili obejrzałem się za siebie, podążając za jej spojrzeniem. Gdy ją zobaczyłem, musiałem ukryć uśmiech, który cisnął mi się na usta.

– Celia. Nie wiedziałem, że będziesz tutaj dzisiaj. Jej widok zaskoczył mnie w równym stopniu co Monicę. Na szczęście byłem mistrzem improwizacji.

– No tak – powiedziała Celia, udając swoje zawstydzenie. – Chyba powinnam była najpierw zadzwonić. – Puchaty biały ręcznik zakrywał jej ciało, a drugi miała okręcony wokół głowy. Nawet bez rumieńca, który w tej sytuacji dodałby jej autentyczności, jej mowa i gesty wydawały się wystarczająco realistyczne.

Poczułem w sobie lekkie ukłucie dumy. Byłem pod wielkim wrażeniem.

– Hudson – odezwała się Monica, przypominając o swojej obecności, tak jakbym mógł o niej zapomnieć, gdy mój fiut nadal pulsował w spodniach. – Kim ona, kurwa, jest?

– Ona jest... – Przeczesałem włosy ręką i zacząłem przenosić wzrok z jednej kobiety na drugą, jakby szukając wyjaśnienia.

– Jestem Celia. Przyjaciółka Hudsona. – Poprawiła swój ręcznik zakrywający jej wiotką figurę. – Naprawdę przepraszam, że przeszkodziłam wam w randce. Pójdę się ubrać. Przepraszam. – Biegnąc do mojej sypialni, przepraszała nas dalej.

– Hudson?

Wziąłem głęboki oddech i upewniłem się, że moja mina nie wyraża żadnego zadowolenia, a potem spojrzałem na dziewczynę.

– Ona jest nikim, Monico. To tylko stara przyjaciółka. Nie wiedziałem, że tu będzie.

Zbliżyłem się do niej, żeby ją znowu pocałować, ale ona obróciła głowę.

– To dlaczego tutaj jest? Ma klucz do mieszkania?

Jej podejrzliwość mnie zachwycała. Ostatni scenariusz z Celią miał sprawić, by moja „dziewczyna" zaczęła wątpić w moją wierność. Eksperyment miał pokazać, jak długo obiekt – czyli Monica – zostanie ze mną, jeśli sytuacje sugerujące moją niewierność będą się powtarzać. To był pierwszy raz w naszym „związku", gdy dałem jej powód do podejrzeń. Widywaliśmy się ze sobą dopiero od tygodnia. Nawet się jeszcze z nią nie pieprzyłem, ale miałem zamiar zrobić to dzisiaj, bo tak było w planie.

A właściwie tak miało być, dopóki Celia się nie pokazała. Teraz byłem jeszcze bardziej zainteresowany tym, by zaliczyć Monicę, bo nasza gra stawała się coraz ciekawsza i jeszcze bardziej mnie podniecała, mimo że Celia postanowiła się dzisiaj pojawić.

– Tak, ma klucz. – Postarałem się, by wyglądać na zawstydzonego z tego powodu. – Zostaje tu czasami, gdy pokłóci się ze swoim chłopakiem. Nie wiedziałem, że tutaj będzie.

– To była wymówka, którą wymyśliłem na poczekaniu, bo nie miałem okazji się przygotować do tego scenariusza.

Monica wybałuszyła oczy.

– Ona jest prawie naga, Hudsonie!

– Najwyraźniej Celia też nie wiedziała, że tu będę. – Przyciągnąłem ją do siebie i oparłem się czołem o jej czoło. – No chodź. Każę jej spać na sofie. Albo możemy jechać do pokoju hotelowego.

Wtuliła się we mnie i oparła ręce na moich ramionach.

– Nie wierzę, że w ogóle to jeszcze rozważam.

– No dalej, Monica. Zostań. Chcę, żebyś została. – Łatwo było mi to powiedzieć, bo nie kłamałem. Bardzo chciałem się w niej teraz zanurzyć. Właściwie chciałem to zrobić, odkąd dwa tygodnie temu wybrałem ją do swojego eksperymentu.

Zacząłem całować ją po twarzy i po szyi. – Wiem, że tego chcesz.

– Chcę, ale sama już nie wiem.

Boże, jeszcze trochę i da się przekonać. Przycisnąłem do niej biodra i pochyliłem się, żeby pocałować ją w usta, przez co nie będzie mogła mi odmówić.

Ale zanim nasze wargi się spotkały, odsunęła się.

– Nie. Nie mogę. Może to nic takiego, tak jak mówisz, ale myślę, że to znak, że trzeba trochę zastopować.

Opuściłem głowę, oddychając głęboko.

– Okej. Rozumiem. – Chwyciłem swojego fiuta przez spodnie. – Ale i tak jestem cholernie twardy przez ciebie. Będę o tobie myśleć całą noc.

– Dobrze. Ja też będę o tobie myśleć.

Odprowadziłem ją do drzwi z mieszaniną satysfakcji i rozczarowania. Z jednej strony wiedziałem, że będzie dla mnie dość sporym wyzwaniem. Cieszyłem się z tego powodu. Z drugiej jednak zostawiała mnie napalonego.

Gdy czekaliśmy na windę, obróciła się do mnie z oczami przypominającymi oczy kota ze Shreka.

– Zadzwonisz do mnie?

– Jutro. – Miałem zamiar do niej zadzwonić, ale już wiedziałem, że jutro tego nie zrobię. Najpierw każę jej trochę poczekać. Dzięki temu będzie bardziej podejrzliwa. – Dobranoc. – Pocałowałem ją namiętnie, dając jej do zrozumienia, ile ją dzisiaj ominęło.

Potem weszła do windy. Gdy drzwi się zamykały, cały czas patrzyłem jej w oczy. Następnie wróciłem do mojego apartamentu, żeby zmierzyć się z Celią.

Moja przyjaciółka siedziała na kanapie i sączyła dietetyczną colę. Teraz była ubrana bardziej odpowiednio – w mój szlafrok, a nie tylko ręcznik. I już nie miała na głowie turbanu. Zauważyłem, że jej włosy nawet nie były mokre. Założyłbym się, że pod tym szlafrokiem miała bieliznę.

– I jak poszło? – zapytała.

– Biorąc pod uwagę, że jestem twardy jak skała, powiedziałbym, że kiepsko. – Podszedłem do barku, żeby nalać sobie drinka na poprawę humoru.

– Ale ona i tak chce się z tobą znowu zobaczyć?

Stałem do niej odwrócony plecami, lecz wiedziałem, że jest podniecona tym, jak się rozwinęła sytuacja. To było zrozumiałe, chociaż domyślałem się, że podsłuchiwała z łazienki naszą rozmowę i już wiedziała, co się stało. Poza tym lubiłem się z nią droczyć, więc ociągałem się z odpowiedzią.

– Chyba nie obchodzi cię to, że właśnie uniemożliwiłaś mi zaliczenie jej – powiedziałem, nalewając sobie szkockiej na dwa palce.

– Fakt, mam to gdzieś. Obchodzi mnie to, czy ona chce się z tobą znowu zobaczyć.

Obróciłem się do niej, biorąc łyk drinka.

– Zobaczy się ze mną znowu.

Cała jej twarz się rozświetliła. Zacisnęła pięści w geście zwycięstwa.

Ja też odczuwałem radość z tego samego powodu, ale byłem trochę wkurzony.

– Ale, Celio, co to miało, do cholery, być? Nie taki był plan na dzisiejszy wieczór.

Celia stała się świetnym dodatkiem do przeprowadzanych przeze mnie eksperymentów. Dzięki niej scenariusze mogły być bardziej różnorodne i mogłem badać wiele nowych emocji i sytuacji. Celia dołączyła do mnie prawie trzy lata temu, jednak odkąd zaczęliśmy prowadzić razem gry, ja byłem przewodnikiem. To ja mówiłem, jak będzie wyglądać nasze badanie. Ja pisałem scenariusze. Oczywiście ona dodawała swoje pomysły, ale w niewielkim zakresie. Ja to wszystko kontrolowałem.

To był pierwszy raz, gdy Celia zaskoczyła mnie podczas naszej gry. Posunięcie okazało się dobre, ale nie zamierzałem jej tego mówić. Nie mogłem pozbawić się swojego autorytetu.

– To była świetna improwizacja, prawda? – Ona i tak wiedziała, że dobrze zagrała, nieważne, czy byłem gotowy to przyznać, czy nie. Moja reprymenda nie zmyła z jej twarzy pewnego siebie uśmiechu.

– Ja nic takiego nie powiedziałem. – Grałem wyluzowanego. Dołączyłem do niej na kanapie.

Poklepała mnie po ramieniu wierzchem dłoni.

– No przestań, to było doskonałe. Miałam sprawić, że będzie zazdrosna i podejrzliwa i wierz mi, nic tak nie działa na kobietę, jak stara przyjaciółka, rozebrana prawie do naga, w mieszkaniu twojego chłopaka.

Położyłem drugą rękę na oparciu sofy i przyjrzałem się jej.

– Jesteś z tego powodu niesamowicie szczęśliwa.

– A ty nie?

– Czy ja ci muszę przypominać o tym, że nie zaliczyłem? Odrzuciła głowę do tyłu sfrustrowana.

– O, mój Boże. Ty i ten twój kutas. Idź sobie zwalić pod prysznicem. Nic ci nie będzie. – Podciągnęła nogi do piersi i pochyliła się w moją stronę, patrząc na mnie słodkim, ale natarczywym spojrzeniem. – A teraz przyznaj, że byłam niezła.

Zawahałem się. W końcu stwierdziłem, że nie zaszkodzi jej tego powiedzieć.

– Byłaś niezła. – Upiłem kolejny łyk drinka. Palące uczucie w gardle pozwoliło mi się rozluźnić i zwalczyć pożądanie, które we mnie narosło. – Właściwie to byłaś bardzo dobra, Celio. Świetnie ci poszło.

Zmarszczyła lekko nos zachwycona moją pochwałą. Jej niczym niezmącona radość jakoś ułatwiła mi dalsze pochwały.

– Jesteś teraz bardziej elastyczna z eksperymentami niż kiedyś – powiedziałem. – Przeszłaś długą drogę.

Było kilka sytuacji na początku, które ledwo przeżyliśmy. Nigdy nie zauważyłem, jak bardzo te gry były dla mnie naturalne. I jak trudno było ich nauczyć kogoś. I mimo tych trudności Celia sobie poradziła.

– Mam nadzieję, że jestem teraz lepsza. Ile już to razem robimy...? Trzy lata? – Zaczęła się bawić butelką napoju. – To najwyższy czas, bym dostała od ciebie jakąś pochwałę.

Wydawało mi się, że była nieco zdenerwowana. Nagle dotarło do mnie, ile znaczyło dla niej moje uznanie. Czy to był pierwszy raz, gdy je dostała?

Dokończyłem swoją szkocką i odstawiłem szklankę na stolik, a potem spojrzałem na nią, mrużąc oczy.

– Chwaliłem cię wcześniej, prawda?

Pokręciła głową.

– Nie, ale nie narzekam. Nie zasłużyłam na pochwały.

Wzruszyłem beznamiętnie ramionami. Popełniała błędy, ale ogólnie byłem z niej zadowolony. A właściwie to cieszyłem się, że była moją partnerką.

Wydęła wargi, jakby się nad czymś zastanawiała.

– Pamiętasz parę twoich sąsiadów? Nowożeńców?

Skinąłem głową. Jak mogłem o tym zapomnieć? To był pierwszy nasz wspólny eksperyment.

Celia położyła butelkę na kolanach i oparła się łokciem na kanapie, żeby podeprzeć dłonią podbródek.

– Tak bardzo się denerwowałam, gdy po raz pierwszy do niego podeszłam. Miał na imię Tim. Miałam upuścić przy nim torbę z zakupami, pamiętasz? I sprawdzić, czy mi pomoże je pozbierać. To był mój pierwszy kontakt z nim. A ty mnie trenowałeś i trenowałeś. Pamiętam, że potem chyba z godzinę stałam w korytarzu, gdy on przeglądał swoją pocztę, bo bałam się do niego podejść. Upuszczenie tych zakupów było łatwiejsze, bo i tak strasznie się trzęsłam.

– Ale on cię zauważył. Pomógł ci z zakupami.

– Nawet musnął przy tym moją dłoń. Myślę, że celowo. I to było dopiero nasze pierwsze spotkanie. – Zmrużyła oczy, jakby cofnęła się w myślach do przeszłości. – Ciągle gapił się na moje piersi. Pamiętam, jakie to było niesamowite uczucie, gdy skupiał na mnie swoją uwagę, ale jednocześnie myślałam, że z niego straszny dupek. – Zaśmiała się. – Chociaż oczywiście mi to nie przeszkadzało.

Roześmiałem się.

– Oczywiście.

To było niesamowite badanie. Celia uwiodła Tima, podczas gdy ja miałem uwieść jego żonę. Mój obiekt opierał mi się, bo kobieta była bardzo zaangażowana w swoje małżeństwo, ale Celii udało się zaciągnąć swój obiekt do łóżka. Wielokrotnie. Przeżyli razem romans. Żona była oporna nawet wtedy, gdy się dowiedziała o tym romansie, chociaż nie raz dała sygnał, że jej się podobam. Nie taka była jednak moja teza. Najbardziej zaskakujące w tym wszystkim było to, że wybaczyła mu jego niewierność.

Ten eksperyment dowiódł, że miłość była bezsensowna i ogłupiała człowieka. Dlaczego ktoś miałby wybaczać swojemu mężowi taką okropną zdradę? Miłość sprawiała, że człowiek robił się słaby. Oddanie robiło z ludzi głupców. Nie wątpiłem w to ani przez chwilę.

– Ciągle się trochę denerwuję, gdy zaczynamy każdą nową grę. – Celia oparła się o róg kanapy i przyciągnęła do siebie kolana, dotykając bosymi stopami mojego uda. – I to był pierwszy raz, gdy czułam się komfortowo, zmieniając coś, nie uzgodniwszy tego z tobą wcześniej.

– Cóż, nie musimy się do tego przyzwyczajać. – Wziąłem w dłoń jedną z jej stóp i zacząłem ją masować.

– Cóż, zobaczymy, jak to później będzie.

Próbowałem nie zdenerwować się tymi słowami. Masowałem dalej jej stopę, myśląc, jak oboje zmieniliśmy się w ciągu ostatnich lat. Prowadząc nasze gry, przyzwyczailiśmy się nie tylko do improwizowania. Czuliśmy się też bardziej komfortowo w naszej relacji. Często musieliśmy się całować lub przytulać, gdy wymagał tego scenariusz, ale nie było w tym żadnego seksualnego napięcia. Kiedyś istniało między nami, ale przeistoczyło się w coś mniej męczącego, mniej fizycznego, ale nadal w jakiś sposób intymnego. Takiej relacji nie mieliśmy z innymi ludźmi. Byliśmy... ze sobą blisko. Byliśmy przyjaciółmi. Partnerami.

Puściłem jej stopę i zabrałem się do masowania drugiej. Ta pierwsza musnęła moje krocze. Celia zmarszczyła brwi.

– Czy ja dotykam stopą twojego fiuta?

– Mówiłem ci, że jest twardy. – Właściwie teraz był już tylko półtwardy, ale na pewno nie zwiotczał. Wciąż przypominał mi o tym, że nie zaliczyłem Moniki.

– Nadal? – Dotknęła mojego kutasa palcem u stopy i jeszcze bardziej zmarszczyła brwi. – Mogę coś z tym zrobić, jeśli chcesz.

– Mówisz poważnie? – Na ten pomysł od razu zaczął mi opadać. Byliśmy ze sobą blisko, ale sama myśl o fizycznym kontakcie z nią wydawała mi się niewłaściwa.

– Dlaczego by nie? – Zwilżyła językiem dolną wargę. To miało wyglądać seksownie i pewnie byłoby dla innego mężczyzny. Ale nie dla mnie.

Musiałem odwrócić wzrok.

– Hm, dziękuję, ale nie. – Odepchnąłem jej stopę, aby podkreślić brak mojego zainteresowania jej propozycją.
– Ale z ciebie dupek. – Była poirytowana. – Taka z ciebie męska dziwka, ale nie pozwolisz mi zrobić ci dobrze?
– To by zepsuło naszą relację.
– Dobra, nieważne.
Zacząłem się jej przyglądać, próbując odgadnąć, czy tylko się ze mną droczyła, czy nie. Gdy zdajesz sobie sprawę, jak dobrze ktoś potrafi udawać i grać, nie wiesz, kiedy możesz kwestionować jego szczerość.
– Mówiłaś poważnie?
Wzruszyła ramionami.
– Podekscytowałam się tym, że dzisiejszy wieczór tak dobrze poszedł. Napaliłam się.
– Rozumiem twoje podniecenie. – Ale nie zamierzałem uprawiać seksu z Celią. – Kupię ci wibrator.
– Dobra. – Założyła ramiona na piersi. – I tak nie jestem zainteresowana ssaniem twojego małego, włochatego kutasa.
Nie potrafiłem jednoznacznie stwierdzić, czy naprawdę nie miała nic przeciwko mojej odmowie, czy tylko udawała. W każdym razie cieszyłem się, że rozładowała atmosferę tym komentarzem. Wykorzystałem to.
– Małym? Czy ty właśnie nazwałaś mojego fiuta małym? Może powinnaś położyć tu stopę jeszcze raz.
– Nie, nie, nie! – Zaczęła krzyczeć, gdy chwyciłem jej stopę, udając, że chcę ją znowu położyć na swoim kroczu.
Trzymałem jej stopę obiema dłońmi, a ona mi się wyrywała.
– Chwilę temu miałaś ochotę wziąć mnie do ust, a teraz nawet nie chcesz dotknąć mnie stopą?
Uniosła ręce w poddańczym geście.

– Ja tylko żartowałam. Nie zrobiłabym ci dobrze, Hudsonie. I nie pieprzyłabym się z tobą. Nigdy. To by było... dziwne.
– Bardzo dziwne. – Puściłem jej stopę, a ona znowu przyciągnęła kolana do piersi. – I to by wszystko popsuło. – Pokazałem ręką na siebie i na nią.
– Zgadzam się. I to jest miłe. – Uśmiechnęła się.
– Mnie też się to podoba. – Rzadko rozmawialiśmy tak jak teraz. A właściwie rzadko w ogóle rozmawialiśmy. Pozwalaliśmy rozwinąć się naszej rozmowie bez takich komentarzy, ale teraz czułem, że powinienem to powiedzieć. Szczególnie po jej dziwnej, seksualnej propozycji. Nie miałem zamiaru robić tego z nią, ale to, co między nami było... coś dla mnie znaczyło. A to stanowiło bardzo ciekawe zjawisko – fakt, że relacja, którą miałem z kimś, w ogóle coś dla mnie znaczyła. To się nieczęsto zdarzało.

Mimo to, gdyby zrobiło się dziwnie, gdyby Celia zaczęła chcieć czegoś więcej, byłbym w stanie odejść. I zrobiłbym to, nie patrząc za siebie. Ale co zaskakujące, nie podobał mi się ten pomysł.

Nie chciałem już więcej nad tym rozmyślać. Wstałem i przeciągnąłem się, ziewając.

– Zostajesz na noc?

Celia często zostawała w moim mieszkaniu i dzieliła ze mną moje królewskie łóżko. Byliśmy jak para dzieciaków, która nocowała razem. Nigdy mi to nie przeszkadzało, ale tej nocy miałam nadzieję, że odmówi. Czasami po naszej rozmowie potrzebowałem dystansu.

Ale ona miała inne zdanie.

– Zostaję – powiedziała. – Czy są tu jeszcze jakieś moje ubrania? Nie mogłam znaleźć nic swojego w szafie, a zawsze coś tam było.

– Ukryłem wszystkie twoje rzeczy przed Monicą, w razie gdyby została na noc. Ale nie jest trudno je znaleźć, są z tyłu, głęboko w szafie. – Gdyby lepiej poszukała, toby je znalazła.

– To mądre.

Celia odszukała swoje spodnie do jogi i koszulkę, a potem poszła do łazienki się przebrać. Zacząłem się nad tym zastanawiać, gdy sam zdejmowałem ubranie. Zazwyczaj ubierała się i rozbierała przy mnie. Może też dostrzegła to dziwne napięcie między nami po naszej rozmowie. Ja zauważyłem. Normalnie spałbym w bokserkach, ale dzisiaj postanowiłem włożyć koszulkę i spodnie od dresu.

Później leżeliśmy kilka minut w ciszy i ciemności. Słyszałem jej oddech i wiedziałem, że nadal nie śpi, więc nie byłem zaskoczony, gdy się odezwała:

– Myślisz, że kiedykolwiek przestaniesz grać? – Jej głos był cichszy niż zazwyczaj. Bardziej cienki i niepewny.

A może to z powodu ciemności nie byłem w stanie poprawnie tego ocenić.

Uniosłem głowę, by móc odpowiedzieć ponad ramieniem.

– W sensie w te gry? – zapytałem, chociaż nie mogła mieć na myśli niczego innego. – Nie, zawsze będę w nie grał. – Nigdy się nawet nie zastanawiałem. Nie musiałem. Wiedziałem, że te eksperymenty były częścią mnie. Nawet jeśli bym przestał, w końcu nieświadomie zacząłbym manipulować ludźmi wokół siebie, a potem oceniać ich reakcje. – Nie mam wyboru.

– Jasne, że masz wybór.

Wzruszyłem ramionami, chociaż nie byłem pewny, czy mogła to zobaczyć. Nie zgadzałem się z tym, ale nie chciałem o tym więcej rozmawiać.

– A co z tobą?

– Mnie na razie to pasuje. – Odchrząknęła. – Ale pewnie któregoś dnia z tego zrezygnuję.

Jej odpowiedź mnie zaniepokoiła. Nie podobało mi się to, że myślała o porzuceniu tego, że uważała to za jakąś możliwość.

Przewróciłem się na bok, żeby móc na nią spojrzeć. Zauważyłem, że leżała na plecach.

– Oszukujesz samą siebie. Nigdy nie byłabyś w stanie odejść. Za bardzo to kochasz. – A może mówiłem o sobie. Chciałem jednak, żeby te słowa były prawdziwe również dla niej. Potrzebowałem tego.

Obróciła głowę, aby na mnie spojrzeć.

– Ale ja to kocham. A przynajmniej niektóre momenty.

Niektóre momenty. Tak, niektóre momenty były lepsze od innych. Moim ulubionym było to, gdy poprawnie odgadywałem, jak dana osoba zareaguje na sytuację. Byłem tak dobry w odczytywaniu ludzi, że rzadko się myliłem, przewidując wynik gry. Ale mimo że potrafiłem przewidzieć wynik, eksperymenty zawsze uczyły mnie czegoś nowego o ludzkich emocjach – o rzeczach, których ja nie odczuwałem. Coraz bardziej interesowały mnie kolejne badania. I coraz bardziej alienowałem się od otaczającego mnie świata. Ale nie od Celii.

Dzięki tym eksperymentom byliśmy sobie bliżsi niż kiedykolwiek. Staliśmy się teraz prawdziwymi przyjaciółmi. Dotarło do mnie, że nigdy nie spytałem jej, która część gry najbardziej jej się podobała. Zawsze myślałem, że lubiła je w całości i nigdy nie pomyślałem, żeby ją zapytać.

Postanowiłem zrobić to teraz.

– Które momenty?

– Hm. – Udawała, że się nad tym zastanawia, chociaż wiedziałem, że znała odpowiedź. – Cierpienie – powiedziała w końcu. – Lubię patrzeć, jak ludzie cierpią.

Jej odpowiedź mnie zaskoczyła. Podobały mi się rezultaty gry i cierpienie często w nich występowało, jednak gdy go nie było, wynik też mnie satysfakcjonował. Jej odczucia interesowały mnie tak samo, jak odczucia innych osób. Położyłem się na boku i podparłem głowę dłonią.

– Dlaczego?

– Nie wiem, naprawdę. Nie umiem tego wyjaśnić.

– To spróbuj.

Przez chwilę milczała, a w końcu powiedziała:

– Jakimś cudem moje cierpienie wtedy maleje.

Zaśmiałem się.

– A z jakiego powodu ty tak bardzo cierpisz?

– Hej, bogate, rozpuszczone dziewczynki też czasem mogą się czuć zranione. – Zamilkła, a ja czekałem.

Wiedziałem, że noc i ciemność potrafiły wyciągać z człowieka rzeczy, które za dnia kryły się w nim głęboko. Czy to nie dlatego Celia i ja zawsze spotykaliśmy się w ciemnych pokojach? Podczas mrocznych sytuacji?

Po kilku chwilach w końcu dała mi odpowiedź, na którą czekałem.

– Ale nie pytaj mnie, czego dokładnie dotyczy mój ból. Od tak dawna nic nie czułam, że już nawet nie pamiętam. Wiem za to, że on jest gdzieś tam głęboko we mnie. Czeka na mnie. I za każdym razem, gdy ktoś płacze i się załamuje, mój ból maleje. Czasem myślę, że jeśli zranię ludzi wystarczająco mocno, jeśli złamię czyjeś serce, to wtedy on odejdzie całkowicie. I wtedy nie będę już musiała grać. Będę mogła wrócić do odczuwania.

Jej monolog był powolny i przepełniony emocjami, jakby trudno jej było o tym mówić albo jakby w ogóle raz pierwszy o tym pomyślała. Nawet nie byłem pewny, czy skończyła swój wywód, ale jej ostatnie stwierdzenie aż prosiło się o pytanie:

– Dlaczego chciałabyś to zrobić?

– Bo pamiętam, jak to jest być zakochaną. – Podciągnęła kołdrę pod brodę, odcinając się ode mnie. Chowając się przede mną.

Tak naprawdę jednak znowu się przede mną otworzyła.

– Myślę, że kiedyś znowu chciałabym to poczuć. Kiedyś.

– Pytam ponownie, dlaczego chciałabyś to zrobić?

– Hudsonie, ty nigdy nie byłeś zakochany. Nie zrozumiałbyś tego. – Obróciła się na bok, plecami do mnie. – Dobranoc.

To oczywiste, że rozmowa dobiegła końca, więc nie naciskałem. Poza tym sam nie chciałem już o tym rozmawiać. Chociaż ciekawiło mnie, co sprawiało, że miała nadzieję na miłość. Nawet po tym, jak wiele czasu spędziła ze mną – jak mogła dalej czuć to przyciąganie? Umierałem z ciekawości.

Miałem też inne pytania, które krążyły mi po głowie, ale wolałem nie znać na nie odpowiedzi. Na przykład dlaczego teraz? Skąd to się wzięło? Czy to było powiązane z tą wcześniejszą sytuacją na kanapie? Czy Celia nadal coś do mnie czuła, a ja to z łatwością ignorowałem?

Gdybym miał zgadywać, powiedziałbym, że nie była zakochana we mnie, a raczej pragnęła tych emocji. Oba pomysły były prawdopodobne, ale nie mogłem uwierzyć, że tyle czasu nie zauważyłem tego, że mnie kocha.

Celia w końcu zasnęła. Słyszałem jej miarowe oddychanie, ale do mnie sen nadal nie przychodził. Jeśli naprawdę kiedyś przestanie grać, to co wtedy będzie ze mną? Znów pozostanę sam. Nigdy wcześniej mi to nie przeszkadzało, ale teraz...

Teraz przyzwyczaiłem się do towarzystwa Celii. Eksperymenty ewoluowały z jej pomocą, a mnie się one ogólnie bardziej podobały, odkąd ona się pojawiła. Gdyby nie grała ze mną, nie byłoby między nami żadnej więzi. Nasza przyjaźń by się rozpadła. I nie mógłbym z tym żyć, chociaż tak naprawdę nie wiedziałem dlaczego.

Dlatego też nie mogłem do tego dopuścić. Będziemy grać dalej, a ona zobaczy, że happy end to tylko żałosny pomysł. Nie ma czegoś takiego jak szczęśliwe zakończenie. Niektórzy ludzie to rozumieli, a reszta głupków nie. Celia i ja nie byliśmy głupkami.

# Rozdział 18

## PO

Jedziemy do restauracji, by świętować urodziny mojej matki. Żadne z nas się nie odzywa. Alayna się denerwuje, wiem o tym. I dlatego milczy. Matki ogólnie potrafią człowieka zawstydzić, ale moja jest w tym mistrzynią. Ja też się denerwuję, lecz z innego powodu. Przede wszystkim martwię się o to, co wydarzy się między matką a Alayną. To głównie dlatego, że nie powiedziałem Alaynie wszystkiego o dzisiejszym wieczorze. Miała dzisiaj pracować, więc nie chciałem na początku tego wyciągać. Potem jednak jej plany się zmieniły i musiałem podjąć decyzję. Alayna została zaproszona, ale szczerze mówiąc, wolałbym jej ze sobą nie zabierać. Chciałem, żeby została ze mną.

Teraz mam jeszcze większy problem na głowie. Celię. Jestem pewny, że ona tam będzie. Jej rodzina dołączała do nas podczas kolacji z okazji urodzin matki, odkąd tylko pamiętam. To nie jest żadna nowa sytuacja, ale z tego powodu może dojść do wielu problemów. Alayna pewnie nie będzie zadowolona z obecności Celii. Obiecałem jej, że nie będę spędzać czasu z Celią bez niej. Nawet nie zauważyłem, że tego wieczoru złamałbym obietnicę. Teraz jednak Alayna jedzie ze mną.

Powinienem powiedzieć jej o tym, ale nie mogę się do tego zmusić, więc modlę się, żeby to nie był problem, żeby Celia dzisiaj się nie pojawiła. Nie dlatego, że Alayna by się wkurzyła, ale ja po prostu nie chcę się widzieć z Celią. Wcale. Na samą myśl o tym czuję pot spływający mi po czole. Gdy limuzyna skręca, wycieram czoło ręką i śmieję się w duchu z siebie. Jestem mężczyzną, który ogólnie jest pewny siebie, a teraz przeraża mnie sama myśl o mojej małej przyjaciółce z dzieciństwa. To moja wina. Powinienem skontaktować się z nią wcześniej. Minęły trzy dni, odkąd całkowicie porzuciłem eksperyment, i muszę o tym powiadomić Celię. Unikałem tego, bo nie wiem, co powiedzieć. Skupiałem się ostatnio tylko na Alaynie – stała się częścią mojego świata, poprosiłem ją, by ze mną zamieszkała. Wydaje mi się, że minęła wieczność, odkąd Celia zawiozła mnie na lotnisko, a ja jej powiedziałem, że to koniec. Już nie jestem tym mężczyzną. Teraz jestem kimś zupełnie nowym.

Wysiadam z samochodu i swobodnie rozglądam się po okolicy, żeby sprawdzić, czy ona już tu jest, a następnie wyciągam rękę do Alayny. Nigdzie nie widzę Celii. Ale nawet jeśli bym ją zobaczył, nie powinienem być zaskoczony. Ona wie, że nie zerwałem z Alayną. Pojawiła się w moim domu, gdy Alayna tam była. Gra już się miała wcześniej skończyć. Celia może jednak tylko zgadywać, jakie były okoliczności, które zmieniły moje plany. Jestem pewny, że coś podejrzewa – żadna kobieta nie była wcześniej w moim domu. Nie taka, z którą byłem w związku. Nawet nie taka, z którą tylko udawałem związek. To zmiana w moim sposobie zachowania, a Celia by tego nie przeoczyła. Cóż, mam Celii wiele do powiedzenia o rzeczach, które już się stały. I gdy w końcu ją o tym poinformuję, zemści się na mnie. Wiem to. Gestem nakazuje iść Alaynie przodem, a ja rozmawiam z Jordanem o tym, kiedy ma nas odebrać. Jeszcze się waham. Mógłbym zawołać Alaynę, zabrać ją gdzieś indziej, cieszyć się wieczorem spędzonym z nią. Moja matka coś odstawi albo wypije więcej niż zazwyczaj, albo tyle, ile zwykle, co i tak jest zbyt dużą ilością. Ale nie obchodziłoby mnie to, bo byłbym bardzo daleko stąd.

Niestety, to nie rozwiąże naszych problemów. Tylko zostaną przełożone w czasie. Dlatego też postanawiam kontynuować ten przerażający wieczór. Będzie gorzej, bo Alayna tu jest, ale z drugiej strony jestem pocieszony tym, że mam ją obok siebie.

Wchodzę do lobby i patrzę na zegarek. Spóźniliśmy się kilka minut, lecz to nie powinien być problem. Wcześniej dzwoniłem do matki i powiedziałem jej, że przyprowadzę ze sobą Alaynę, więc stolik już na pewno jest dla nas przygotowany. Gdy jesteśmy w windzie jadącej na górę, chwytam ją za rękę. Muszę jej dotknąć, nawet jeśli to ma być tylko taki mały gest. To mi dodaje siły. Przypomina mi, że moja siła leży w niej.

Im bliżej jesteśmy przybycia na salę, tym bardziej czuję się spięty. Dociera do mnie, że nie wiem, co Alayna zrobi, gdy zobaczy Celię, jeśli oczywiście ona tu jest. Może nic takiego się nie stanie. A może... A co jeżeli Alayna stanie się oziębła i małomówna? A jeśli się wkurzy? Co powiem, gdy mnie o to zapyta? Najbezpieczniej będzie mówić prawdę, tylko co dokładnie miałbym rzec?

Niejednokrotnie chcę jej o tym powiedzieć – o tym, że Celia może tutaj być. Za każdym razem się powstrzymuję. W końcu zaczynam się modlić, by jej tu nie było. Obiecuję sobie, że zadzwonię do niej jutro. Naprawię naszą relację. Chociaż jeszcze nie wiem, jak to zrobię.

Nagle pojawia się pracownik restauracji, który prowadzi nas do naszego stolika. To za wcześnie, nie jestem jeszcze na to gotowy. Wszyscy już tam są – Chandler, moi rodzice, Mira i Adam, Wernerowie. I Celia.

Skręca mnie w żołądku.

Alayna puszcza moją rękę, gdy to widzi, i patrzy na mnie spanikowanym wzrokiem.

– Mówiłeś, że będzie tylko twoja rodzina – szepcze.

Odwraca się i idzie w przeciwnym kierunku.

Nie takiej reakcji się spodziewałem.

Widząc niezadowolone spojrzenie matki, kiwam głową w stronę mojej rodziny. Zaczynam przepraszać:

– Zostawiła coś w samochodzie. Wybaczcie nam. – Potem idę za Alayną. Może mieć chwilę na to, by się uspokoić, ale musi wiedzieć, że nie może ode mnie uciec. Zawsze pójdę za nią.

Zaczyna iść schodami. Zatrzymuję się przy drzwiach i zastanawiam, czy poszła na górę, czy na dół. Słyszę odgłos jej stóp, ale gdy zaglądam w dół, nie widzę jej tam, więc musiała pójść na górę.

Gdy już jestem na dachu, otwieram ciężkie drzwi i dostrzegam ją w najdalszym punkcie, siedzącą na kanapie. Nie ma tu zbyt wielu ludzi – jakaś para jest bardzo zajęta sobą na innej kanapie, a obok ogniska zebrała się grupka osób i chyba mają jakieś przyjęcie. Nie chcę robić sceny, więc idę spokojnie do Alayny. Wiem, że nie mogę jej stracić.

Kiedy jestem już blisko niej, zatrzymuję się. Siedzi do mnie placami, ale widzę, że oddycha głęboko. Jej ciało unosi się i opada z każdym oddechem. Chcę wyciągnąć do niej rękę, ale się powstrzymuję. Chociaż już zmieniłem wszystko w swoim życiu, aby być z nią, ta sytuacja nadal jest dla mnie nowa. Już popełniam błędy i bardzo nie chcę, żeby było ich więcej.

Powinienem był ją uprzedzić.

Teraz muszę coś powiedzieć, więc decyduję się na pierwszą rzecz, jaka przychodzi mi do głowy.

– Wernerowie są niemal jak rodzina.

Nie ma zamiaru obrócić się w moją stronę.

– Racja. Mhm.

– Co, myślisz, że nie powiedziałem ci o tym celowo? – Dobra, nie zrobiłem tego, ale nie z tego powodu, o którym ona myśli. Jestem teraz zepchnięty do defensywy, a gdy tak się dzieje, zaczynam manipulować wszystkim.

Alayna parska śmiechem.

– Nie chcesz wiedzieć, o czym teraz myślę.

– Właściwie to chcę.

Obraca się w moją stronę.

– Nie, nie chcesz.

Patrzę, jak odsuwa się ode mnie i zatrzymuje, gdy napotyka za sobą ścianę. Powinna być na mnie zła. Powinna być agresywna, a nie uciekać przede mną. Wiem, że w tej sytuacji nie chodzi tylko o zazdrość, lecz nie potrafię stwierdzić, co to może być.

Ale chcę zrozumieć.

– Wierz mi, gdy mówię, że chcę.

– Hudsonie, nie możesz tego mówić, jeśli nie wiesz, co bym chciała powiedzieć. – Jej głos jest napięty, jakby wysławianie się sprawiało jej trudność. – To nic dobrego. Właściwie to powinieneś zostawić mnie samą. W przeciwnym razie zacznę cię obwiniać o różne rzeczy, które prawdopodobnie wyolbrzymiam. Jestem na ich punkcie przewrażliwiona, a przez to mogę cię urazić. I wtedy cię stracę.

Już rozumiem i czuję się jak idiota. Mówiła mi, że ma tendencje do przesadzania, i o to jej właśnie chodzi. Boi się, że znowu to robi. Tylko że wcale tak nie jest. Zasługuję na jej oskarżenia, nawet jeśli nie są właściwe. Zasługuję na to, by mnie obwiniała.

Ale jestem dupkiem i jej tego nie mówię. To ją odepchnie, a ja potrzebuję, by była ze mną blisko. Ona też potrzebuje tej bliskości. Dlatego robię wszystko, by pokazać, że jej problemy mnie nie przerażają. Chcę, żeby wiedziała, że nigdzie nie idę.

– Nie stracisz mnie. – Zbliżam się do niej, by potwierdzić moje słowa.

Widzę, że jest zawstydzona i mi nie dowierza.

– Hudsonie, nie znasz mnie od tej strony. Nic nie wiesz.

Fakt, nie wiem, jaka jest i co robi. Widziałem tylko przebłysk jej obsesyjnych tendencji, ale nic ważnego. Była silna, ukrywała swoją słabość przede mną.

Jestem samolubny, bo chociaż nie chcę pokazać Alaynie swojej mrocznej strony, to chcę zobaczyć jej.

– Dlatego właśnie muszę zostać. Chcę poznać cię od każdej strony.

I będę ją kochać dalej.

Kręci głową i zagryza pomalowane na czerwono usta. Widzę, że walczy ze łzami.

Zauważam też, że to rozważa. Odczytuję to z jej oczu, więc postanawiam wywrzeć na nią presję.

– Nie krępuj się. Pytaj.

– Nie będę pytać. Będę oskarżać. – Jej głos jest teraz słabszy i czuję, że ona zaraz się złamie. Nie będzie trudno wyciągnąć z niej, co myśli.

Czy jestem tyranem, bo tak na nią naciskam? A może masochistą, bo chcę usłyszeć, co ma do powiedzenia, nawet jeśli to nic dobrego? Jej oskarżenia nie będą zgodne z prawdą, ale ja zasługuję na to, by to usłyszeć. Zasługuję na to, by o nią walczyć.

Nie dlatego nalegam. Chodzi o to, że nie potrafię bez niej żyć, a to oznacza, że pragnę ją w całości.

– No dalej – mówię. – Chcę to usłyszeć. Muszę wiedzieć, co myślisz. Zaufaj mi.

Poddaje się.

– Nie zaprosiłeś mnie na urodzinową kolację, bo wiedziałeś, że ona tu będzie – stwierdza szeptem.

Kiwam głową ze zrozumieniem. To nie dlatego nie chciałem jej zaprosić, ale gdybym rano wiedział, że Alayna dzisiaj nie będzie pracować, to nie wiem, czy mimo to powiedziałbym jej o zaproszeniu. A powodem i tak byłaby Celia.

Jednak gdybym się do tego przyznał, musiałbym mówić o czymś, z czym nie chcę się mierzyć, więc zaprzeczam:

– To nieprawda. Powiedziałem ci, dlaczego cię nie zaprosiłem. A poza tym ostatecznie i tak to zrobiłem. Jesteś tu.

– Ale na początku nie chciałeś. – Nie patrzy mi w oczy, ale nie wygląda już na taką słabą. – I to pewnie dlatego kazałeś mi się tak wystroić. Żeby się popisać przed Celią. Nie wiem, na czym polega wasza gra, ale na pewno nie chodziło o twoją matkę.

Czuję się tak, jakby ktoś mnie kopnął w brzuch.

– Masz rację.

Unosi gwałtownie głowę.

– Masz rację, nie chodziło o moją matkę. Chodziło o ciebie. Chciałem, by wszyscy zobaczyli, jaka jesteś piękna. Jaka piękna jest kobieta, która mnie kocha. – Trudno mi to w ogóle powiedzieć, bo chociaż wiem, że ona naprawdę jest we mnie zakochana, to jednocześnie mam świadomość, że ja na tę miłość nie zasługuję.

A co gorsza, ona nie rozumie, ile jej uczucie dla mnie znaczy.

– Celii. Chciałeś to wszystko pokazać Celii.

Kręcę głową, bo już nie wiem, jak mam do niej dotrzeć.

– Ona tu jest, Hudsonie! – krzyczy. – Została tutaj zaproszona, jakby to było coś oczywistego, a ja musiałam błagać. I powiedziałeś, że nie będziesz się z nią widywał pod moją nieobecność. Kim ona jest dla ciebie?

– Nikim. Starą przyjaciółką. – A może wrogiem, zależy jak się sprawy rozegrają.

– Gówno prawda! – Jej głos się załamuje. – W przeciwnym razie już dawno byś mi powiedział o tej kolacji. Ukrywałeś to przede mną. – Celuje we mnie oskarżycielsko palcem. – Bo wiedziałeś, że ona też tu będzie.

– Nie wiedziałem. – Zamykam oczy i biorę oddech.

Czy ja już zawsze będę musiał tak żyć? Omijając prawdę? Omijając przeszłość?

Moją jedyną nadzieją jest powiedzenie prawdy na tyle, na ile mogę.

– Tylko to podejrzewałem – przyznaję. – Ale ona przyszła tutaj z powodu mojej matki. Moja matka i jej matka są najlepszymi przyjaciółkami. Wiesz o tym.

– Pieprzyć to. Ona ma dwadzieścia osiem lat. Jest wystarczająco dorosła i nie musi chodzić wszędzie, gdzie ją matka zaciąga. Ona przyszła tu z twojego powodu.

Jest w tym trochę prawdy. Chociaż nasza relacja nie była nigdy w żaden sposób romantyczna – nie tak naprawdę – trzymaliśmy się zawsze blisko siebie, bo oboje byliśmy zaniedbanymi dziećmi bogatych rodziców. Byliśmy sobie bliscy. Gdyby to były urodziny jej matki, też bym tam był. Kiedyś nazywałem to przyjaźnią. Teraz wiem, czym to było naprawdę – przyzwyczajeniem, koniecznością. I strachem.

Ale to już koniec. Nie ma znaczenia, czy Celia jest tu z mojego powodu. Liczy się tylko to, z kim ja tutaj jestem.

– A ja jestem tu z tobą – mówię Alaynie.

Jestem szczery. To najważniejsza rzecz, jaką komukolwiek powiedziałem od dłuższego czasu.

– Ona ciągle cię kocha. – Jej zazdrość i strach są dowodem na to, że mnie sobie przywłaszczyła. Jestem jej.

To mnie podnieca.

– A ja jestem tutaj z tobą – powtarzam. Nie mogę już dłużej znieść naszego dystansu. Potrzebuję jej. Chcę, by miała na moim punkcie obsesję, chcę, by mnie kochała tak mocno, aż to wstrząśnie jej światem, bo tak bardzo ją kocham. Przysuwam się do niej i otaczam ją ramionami. – Jestem z tobą.

Alayna kładzie na mnie swoje ręce. Przyciskam ją do siebie, a ona wtula się we mnie. Dostrzega moją erekcję i w jej oczach pojawia się pragnienie.

– Jestem twardy przez ciebie i tylko dla ciebie. To ciebie ubóstwiam. – Całuję ją w szyję.

Jęczy, a ja czuję, jak mój penis się wypręża.

Ale nie chodzi w tym wypadku o mnie. Ta rozmowa dotyczy jej – muszę ją uspokoić, zadowolić, pokazać jej, że należę do niej w każdym tego słowa znaczeniu.

Całuję ją mocno, pieszcząc jej usta językiem. Całuję ją tak, że na pewno zrobi się mokra. Wiem o tym. Chcę, żeby ociekała pożądaniem.

– Jestem z tobą – mówię znowu, kiedy przerywam nasz pocałunek. Powtarzam to ciągle jak mantrę. Te słowa są niczym podkład muzyczny do naszej sceny. Sceny miłosnej, która ma się właśnie zrobić naprawdę gorąca.

Podciągam jej sukienkę i wsuwam rękę w jej majtki, a potem wkładam w nią palec. Podnieca mnie zapach jej cipki i mój fiut jest teraz twardy jak skała. W oddali słyszę ciche śmiechy i to mi przypomina o tym, że nie jesteśmy tu sami, ale nie mogę się powstrzymać. Właściwie obecność tych ludzi jeszcze bardziej mnie podnieca.

Najwyraźniej Alaynie też oni nie przeszkadzają. Pocieram jej szparkę tak, jak lubi. Nauczyłem się tego. Wypycha biodra w moją stronę.

– Dobrze – mówię pomiędzy pocałunkami, zaspokajając ją palcami. – Rozluźnij się. Pozwól mi być z tobą.

Przesuwam rękę niżej i wsuwam w nią dwa palce. Jest ciepła, ciasna i mokra. Jęczy, gdy pieprzę ją palcami, i ten dźwięk doprowadza mnie do szaleństwa. Mój penis drży z pragnienia, chce, żeby mu ulżyć.

Ale mam coś jeszcze do powiedzenia. Muszę jej to powiedzieć. Klękam i ściągam jej majtki. Powoli przesuwam językiem po jej cipce.

– To dla ciebie rzucę się na kolana – oświadczam. – To ciebie doprowadzę ustami na sam szczyt i kiedy po powrocie na dół poczujesz się niepewnie, nadal będziesz mokra i przypomnisz sobie, co ci tutaj robiłem. Tobie i nikomu innemu.

Wydaje z siebie pisk, słysząc moje słowa. Zaraz sprawię, że będzie się wić z rozkoszy.

Uwalniam jej nogę z majtek, które ma wokół kostek, unoszę ją i zakładam sobie na ramię. Potem znowu zabieram się do robienia jej dobrze. Zaczynam ssać, lizać i skubać ustami jej cipkę, a potem wkładam w nią trzy palce. Zginam jeden z nich i masuję odpowiednie miejsce. Wiem, że przez to dojdzie. I dochodzi. Wstrząsa nią dreszcz, aż wylatują z niej soki, wprost do moich ust. Boże, ona smakuje tak dobrze.

Nadal ma orgazm, ale ja wstaję i przyciskam jej rękę do swojej erekcji.

– Wyjmij go – nakazuję.

Nawet jeśli przeszłoby mi na tyle, bym mógł wrócić do rodziny, i tak musiałbym ją najpierw przelecieć. To jest najważniejsza rzecz, którą chcę jej powiedzieć. Jestem tu z nią – wyraziłem jej to moimi ustami i rękami – ale ona też jest tutaj ze mną. I zamierzam powiedzieć jej to moim fiutem.

– Nie jesteśmy sami – zauważa.

Gdybym nie był tak cholernie twardy, zastanowiłbym się nad tym przez chwilę.

Ale jestem ogarnięty pulsującą potrzebą.

– Wyjmij go. Nie obchodzi mnie nikt inny ani nic innego, chcę być teraz w tobie. Muszę być teraz w tobie.

Robi to, o co proszę. Opuszczam spodnie na tyle, by uwolnić swojego kutasa. Potem unoszę ją, przyciskam do ściany i wchodzę w nią bardzo mocno.

– Cholera jasna, twoja cipka jest taka wspaniała. – Poruszam się w niej szybkimi pchnięciami. – Słyszysz mnie? Przez twoją cipkę jestem taki twardy. Tylko przez twoją i niczyją więcej.

Jej jęki nakręcają mnie jeszcze bardziej. Jest mi gorąco i czuję, że zaraz eksploduję, ale mówię jej o tym, wbijając się w nią mocno. Ciągle ją o tym zapewniam.

– Gdy wrócimy na przyjęcie, będę pachnieć tobą, a ty będziesz pachnieć mną. I będziesz pamiętać, że jesteśmy razem. Że jestem z tobą.

Nie muszę jej mówić, by doszła wraz ze mną. I tak to robi, a dla mnie to informacja, że dotarły do niej moje słowa. Gryzie mnie w ramię, tłumiąc krzyk. Ja też szczytuję, mówiąc:

– Tylko z tobą.

Tylko z nią.

Nigdy z nikim innym nie byłem i nie będę. Moja obietnica płynie z głębi mnie. Ona jest we mnie, w moim sercu, jest wszędzie. Nie można jej ze mnie wykorzenić. Nie da się tego zrobić, nie zabijając mnie.

Gdy docieramy na rodzinną kolację, oboje jesteśmy spokojniejsi. Mirabelle wita się ciepło z Alayną. Mój ojciec również, ale nie cieszy mnie to. Pamiętam jednak, że jestem z Alayną, a ona jest ze mną. Jack nie stanowi dla mnie zagrożenia. Matka zachowuje się jak zawsze – pije za dużo i jest wredna. Ale przez większość czasu da się ją znieść. Najbardziej obawiam się Celii. Patrzę na nią czasem, ale nie mogę jej odczytać. Jest niezła.

Gdy nadjeżdża nasza kolacja, jestem już bardziej rozluźniony. Cokolwiek Celia planuje, nie zrobi sceny. Nie w tym miejscu, w każdym razie. Może nawet uda mi się wyjść stąd, nie rozmawiając z nią dzisiaj w ogóle. Może Bóg naprawdę istnieje.

Właśnie biorę pierwszy kęs naleśnika z kaczką, gdy Warren zaczyna rozmowę:

– Przykro mi było słyszeć o twojej sprawie z Plexis – mówi, zabierając się do swojego steku.

Wcześniej już omawialiśmy interesy, ale nic tak osobistego.

– Czasem się wygrywa, czasem przegrywa. – Nadal czuję rozczarowanie z powodu straty Plexis, ale dzięki Alaynie jestem w trakcie odzyskiwania firmy. Jest zbyt wcześnie, by dzielić się takimi wieściami z innymi, więc nic o tym nie wspominam.

Poza tym mam jeszcze inny plan, który da mi przewagę, ale jeszcze trzeba sporo pracy, zanim uda mi się go wykonać. Jednak część informacji, jakich potrzebuję, mogę uzyskać tylko od Warrena.

– Czy GlamPlay ciągle chce dołączyć do Werner Media?

Warren wzrusza ramionami.

– Bawią się ze mną. Jeszcze się nie zdecydowali. – Bierze łyk swojego wina. – To przyniosłoby korzyści obu firmom, ale nie bardzo mogę ich do tego przekonać.

Kiwam głową, przetrawiając tę informację. Pierce Industries ma dobry wpływ na GlamPlay. Przez jakiś czas rozważałem wykupienie tej firmy. Żeby mój plan zadziałał, Glam-Play musi wykupić udziały w Werner Media. Będę musiał iść do Normy i zastanowić się, jak to rozegrać.

Tymczasem muszę zrobić rozpoznanie sytuacji.

– Ile chce wykupić GlamPlay?

– Trzydzieści procent. Gdyby to było więcej, miałbym problem.

– Oczywiście. – Aktualnie posiadam dziesięć procent. Jeśli dodać do tego trzydzieści procent, które mogę mieć, jeśli przejmę GlamPlay, i będę miał czterdzieści procent udziałów. Nie jestem pewny, czy to wystarczy. – A reszta udziałów jest twoja, czy są jeszcze inni inwestorzy z większymi udziałami?

Uśmiecha się do mnie.

– Ja mam najwięcej.

Warrenowi wtedy też zostanie czterdzieści procent. To ryzykowne z jego strony, żeby posiadać w swojej firmie mniej niż pięćdziesiąt procent udziałów, jednak tak długo, jak ma ich większość, jest w lepszej pozycji.

Muszę więc się upewnić, że nie będzie mieć większości. Będę musiał przekonać innego inwestora do sprzedaży.

– Jesteś zainteresowany dalszymi inwestycjami? – pyta, jakby czytał mi w myślach. – Bishop chce sprzedać swoje dwa procent. To świetna okazja, by je kupić. Ceny wzrosną, jeśli GlamPlay zainwestuje.

Bingo.

– Jutro moi ludzie skontaktują się z Bishopem. – Mój pomysł wygląda teraz lepiej, niż myślałem. Perspektywy ekscytują mnie z wielu powodów, nie tylko dlatego, że to pewnego rodzaju gra. Po prostu prowadzenie dobrych inwestycji zawsze jest emocjonujące. To jak szachy. To strategia, należy wszystko robić w sekrecie i często trzeba manipulować, ale i tak to jest bardziej etyczne. W pracy zaspokajam swoje potrzeby, jeśli chodzi o grę. Czuję wtedy dreszczyk emocji. Ale to nic w porównaniu z życiem z Alayną. Odkładam na bok nowe informacje i skupiam się na niej. Nabieram na widelec trochę naleśnika, na którym nie ma grzybów, i oferuję jej kęs. Jej usta obejmują widelec, a ja jestem w stanie myśleć tylko o tym, jak otaczają w podobny sposób mojego fiuta.

– Boskie – stwierdza.

– Mógłbym powiedzieć to samo – mówię to z podtekstem, specjalnie.

Madge czerwienieje i odchrząkuje. Chyba powiedziałem to głośniej, niż zamierzałem. No cóż. Może dzięki temu zapomni o głupim pomyśle dotyczącym mojego ślubu z jej córką. Chociaż w sumie i tak mam gdzieś jej pomysły.

Rozmowa kieruje się na temat ciąży Mirabelle. Wszyscy przy stole włączają się do rozmowy. Trudno zignorować podniecenie dotyczące dziecka. Wiem to z doświadczenia.

Z doświadczenia rozpoznaję również napięcie w głosie Mirabelle, gdy mówi, że dziecko będzie się nazywać Sitkin-Pierce. To śmieszny pomysł, ale wiem, że wspomina o tym tylko ze względu na matkę. Jeszcze bardziej zabawna jest odpowiedź mojej matki.

– To nie to samo. – Przynajmniej Sophia nie zachęca jej do tego. – Sitkin-Pierce to nie to samo co Pierce. Linia rodu będzie kontynuowana, ale nie nazwisko.

Zaczynam się bać o dalszy rozwój tej rozmowy, słysząc stwierdzenie matki. Jak ją znam – a tak jest – to nie będzie przyjemnie. Patrzę, jak zaczyna dochodzić do ciekawej sytuacji: Adam przypomina nam, że Chandler będzie mieć dziecko o nazwisku Pierce. Mojemu ojcu wyrywa się, że może Chandler wcale nie jest jego.

Potem Sophia mówi to, na co czekałem:

– Dziecko Hudsona i Celii spełniłoby oba wymagania.

W tym momencie dociera do mnie, że mój brak emocji pozwolił mi przetrwać tyle lat towarzystwo matki. Jej nadużywanie alkoholu, wredne komentarze, chłodne usposobienie – wcześniej to na mnie nie działało. Ledwo naruszało powierzchnię moich murów, zostawiając na nich tylko rysy.

A teraz, gdy Alayna jest w moim życiu, moje mury runęły. I czuję wszystko.

Jestem wkurzony. Ona nie ma prawa. Nie tylko rani teraz Alaynę, ale też Mirabelle i Celię. Może również Wernerów. Pewnie moja matka nie pamięta wszystkich sytuacji, gdy powiedziała coś od niechcenia i dotknęła tym kogoś, jednak nie jest aż taką ignorantką, by nie wiedziała, że to niewłaściwe.

Chcę coś powiedzieć, ale wolę się kontrolować, gdy to zrobię. Nie jestem przyzwyczajony do tylu emocji, więc zajmuje mi to chwilę. W tym czasie odzywa się mój ojciec.

– Nie, znowu, Sophio. Naprawdę? Cholera, nie mam zamiaru tego słuchać. – Odkłada serwetkę i wstaje. – Dziękuję wszystkim, chciałbym zostać dłużej, bo był to niesamowity wieczór, ale cóż... Lepiej już nic nie będę mówić. Zapłacę, jak będę wychodzić. A wy zostańcie i bawcie się dobrze. Zamówcie deser. Co do mojej żony, nie będę jej życzył, by zgniła w piekle, bo ona już tam chyba jest. W każdym razie wydaje mi się, że piekło jest wszędzie tam, gdzie ona się pojawia, a wszyscy, którzy muszą spędzać z nią czas, mają wrażenie, jakby też zostali zesłani pod ziemię.

Wybuch mojego ojca zaskakuje wszystkich. Ale ja ponadto widzę coś jeszcze. Jack nie ma murów, które chroniłyby go przed emocjami. Może za bardzo winiłem go za zachowanie matki. Może to przez nią jest taki niewierny. Może sytuacja jest bardziej skomplikowana, niż mi się wydaje. Nawet po tych wszystkich moich badaniach nie byłem w stanie pojąć, jak łatwo jest kogoś zranić i zostać zranionym w związku. Zrozumiałem to dopiero, gdy sam się zakochałem.

Sophia nic sobie nie robi z jego odejścia.

– Prawdziwa królowa dramatu. – Bierze kęs jedzenia. – Ja tylko zasugerowałam, że mieliśmy szansę na wnuka o nazwisku Pierce, ale już nie mamy.

Adam komentuje jej wypowiedź, lecz nie zwracam na to uwagi. Już się zdążyłem pozbierać. Mogę teraz powiedzieć to, co zamierzałem.

– Ja mogę mieć dziecko z Alayną.

Oczywiście mówię to tylko po to, by wkurzyć matkę, ale mimo to te słowa są prawdziwe. Nigdy nie zastanawiałem się nad potomstwem, poza tą chwilą, gdy prawie zostałem ojcem dziecka Celii. Nie czułem potrzeby, by kontynuować linię rodu i w sumie jestem pewny, że moja matka to rozumiała. To zostało nawet podkreślone jej słowami, gdy powiedziała, że jedyna szansa na potomka Hudsona Pierce'a zniknęła. W mojej przyszłości nie było miejsca na dzieci.

Ale nagle z Alayną jest to możliwe.

Nie muszę na nią patrzeć, by wiedzieć, że jest zawstydzona. Nie chciałem jej zszokować, więc czuję się nieco winny. Coś takiego powinno zostać omówione wcześniej, na osobności. Jestem na siebie zły, bo sam postawiłem się w tej sytuacji. Skupiam się na swoim talerzu i biorę kęs kolacji. Mimo kiepskiego wyczucia czasu moje stwierdzenie daje pożądany rezultat.

– Już mówisz o małżeństwie i dzieciach? Za wcześnie na to, Hudsonie. O wiele za wcześnie.

– Och, matko, nie bądź taka staroświecka. Nie trzeba się żenić, by mieć dzieci. – Biorę łyk wina. – A to, o czym Alayna i ja rozmawiamy prywatnie, to nie twoja sprawa.

Sophia mruży oczy.

– Sam zacząłeś ten temat.

– Ja tylko stwierdziłem, że ja też mogę być ojcem dziecka i dzięki temu twoje cenne nazwisko i linia rodu zostaną kontynuowane. – Jestem spokojny, kontroluję się mimo tego, co mówię. – I jedyną osobą, z którą kiedykolwiek mógłbym chcieć mieć dziecko, jest Alayna.

Wcześniej moja relacja z Alayną przy matce była udawana, chociaż nie w całości. Teraz jest prawdziwa i w tym momencie Alayna powinna zauważyć, jak jestem szczery co do naszego związku. Jak biorę to na poważnie.

Wydaje mi się, że po wszystkim, co moja matka zrobiła i powiedziała tego wieczoru, to stwierdzenie wstrząsnęło nią najbardziej.

– Hudsonie, ja... – Alayna sztywnieje przy moim boku, a ja obawiam się, że zaszedłem za daleko. Odstraszyłem ją. Po raz pierwszy dociera do mnie, że może ona nie jest tak bardzo zaangażowana w ten związek jak ja.

Nie, nie mogę teraz o tym myśleć. Ona pewnie teraz czuje się niekomfortowo, gdy wszyscy na nas patrzą.

Kładę jej rękę na kolanie, by ją pocieszyć – i pocieszyć siebie. Patrzę na nią przepraszająco, a potem odwracam się do matki.

– Rzecz w tym, że musisz zostawić przeszłość za sobą, mamo. Przed nami jest przyszłość. Przed nami wszystkimi. – A przede wszystkim przede mną i Alayną.

Skupiam się ponownie na swojej dziewczynie. Gładzę ręką jej udo i mówię jej spojrzeniem to, czego nie mogę powiedzieć słowami: „Nasza przyszłość maluje się w jasnym barwach, Alayno. Jesteś jedyną, która się dla mnie liczy. Jestem z tobą. Kocham cię. Zawsze".

Patrzymy na siebie przez chwilę. Nagle zauważam, że w jej oczach pojawiają się łzy. Boże, mam nadzieję, że to łzy szczęścia.

Alayna przeprasza i mówi, że musi iść do łazienki.

Moja matka nawet nie czeka, aż Alayna znajdzie się wystarczająco daleko, gdy mówi:

– No, patrz, Hudsonie. Odstraszyłeś ją swoją paplaniną o przyszłości. Ona jest na tyle mądra, by wiedzieć, że z takim mężczyzną jak ty nie ma przyszłości.

– Och, przestań – wtrąca się Mirabelle. – Jeśli ktokolwiek ją odstrasza, to ty.

Po mojej piersi rozpływa się ciepło. Naprawdę mam świetną młodszą siostrę. To żadna nowina, raczej przypomnienie. Ale muszę pamiętać, żeby jej czasem podziękować.

Co do reszty, to mam już dosyć wszystkiego. Wycieram usta serwetką i wstaję.

– Właściwie, mamo, „wyjście do łazienki" to nasz kod na numerek.

Mirabelle i Celia wstrzymują powietrze, a Adam próbuje ukryć śmiech. Chandler unosi spojrzenie znad telefonu, a jego wzrok jest pełny podziwu.

Podchodzę do matki i całuję ją w policzek.

– Wszystkiego najlepszego, mamo. Może za rok uda ci się skończyć posiłek, nie odstraszywszy wcześniej wszystkich.

– Jesteś równie czarujący co zawsze, Hudsonie – mówi, a jej słowa ociekają sarkazmem.

– Wiem.

Idę do toalety, ciągle się uśmiechając. Myję ręce, a gdy wychodzę, widzę, że Mirabelle udaje się do łazienki. A Celia z niej wychodzi.

Zauważa mnie i podchodzi do mnie. Uświadamiam sobie, że dłużej już jej nie mogę unikać.

Na szczęście nie wygląda na wkurzoną. Na jej ustach pojawia się lekki uśmiech.

– No więc...? – pyta.

Patrzę na nią, a potem na drzwi od damskiej łazienki. Obawiam się, że w każdej chwili może z niej wyjść Alayna. Albo że już się z nią minąłem.

– Ona ciągle tam jest – mówi Celia, jakby czytając mi w myślach. – Nic jej nie jest. A teraz gadaj.

Przeczesuję włosy ręką, żałując, że nie zająłem się tym wcześniej.

– Przepraszam, powinienem był do ciebie zadzwonić.

– Pewnie tak. – Zakłada ramiona na piersi. – Czy to oznacza, że twoim zdaniem potrzebujesz na grę więcej czasu?

Przychodzi mi przez myśl, że mógłbym pozwolić jej w to wierzyć. Mógłbym powiedzieć, że tym razem chcę zwiększyć uczucie obiektu do mnie. Ale to mi nie pasuje. Mogłoby to doprowadzić do innych problemów w przyszłości, a ja nie chcę już kłamać w kwestii swoich uczuć. A już na pewno nie uczuć do Alayny.

– Nie, gra się skończyła. To jest... to jest prawdziwe.

Marszczy brwi.

– Czy ty...? Nie jestem pewna, czy żartujesz, czy nie. Czy ty... – Milknie, jakby sama nie wierzyła w to, co chce powiedzieć. – Zakochałeś się w niej?

To pewnego rodzaju zdrada wobec Alayny, bo ona jeszcze tego nie wie, a ja mówię to komuś innemu. Jednak to konieczne.

– Tak. Zakochałem się w niej.

Ta scena jest taka surrealistyczna – Celia i ja dyskutujemy o miłości, i to nie pod względem badania. Jest tym tak zaskoczona jak ja.

– Ale ty nigdy...

Przerywam jej.

– Nie, nigdy. To pierwszy raz. Jestem... Ja... – Nie mam słów, by określić to, co czuję. Po części dlatego wcześniej jej o niczym nie powiedziałem.

– Brak ci słów. – Jej oczy są szeroko otwarte i rozświetlone. Zaczyna się śmiać. – Nigdy cię takim nie widziałam.

– Ja siebie też nie.

– Wow. – Zakrywa usta ręką, śmiejąc się znowu niezręcznie. – Jestem taka zaskoczona. Wybacz, jeśli wydaję ci się wytrącona z równowagi. Jestem po prostu bardzo, bardzo zaskoczona.

– Nie tylko ty. – Patrzę w stronę łazienki, bo do środka wchodzi kolejna kobieta. Alayna nadal nie wychodzi.

– I ona też jest w tobie zakochana? – Celia przyciąga moją uwagę tym pytaniem.

Nie waham się z odpowiedzią.

– Myślę, że naprawdę jest we mnie zakochana. – Właściwie to jestem tego pewny. Nie mam co do tego wątpliwości i mógłbym to wykrzyczeć z dachu każdego budynku.

– Sądzę, że masz rację. Alayna patrzy na ciebie w taki sposób... – Celia wzdycha. W jej oczach widzę brak zaufania.

– Przysięgasz, że nie próbujesz mnie wkręcić? Naprawdę coś do niej czujesz?

To zabawne, że obydwoje jesteśmy w stosunku do siebie podejrzliwi.

– Przysięgam, mówię prawdę. – A teraz najważniejsze...

– I to dlatego już nie mogę bawić się w tę grę.

Przygotowuję się na jej reakcję, wstrzymując oddech.

– Oczywiście, że nie. – Wygląda na oburzoną tym, że w ogóle o tym wspomniałem. – To znaczy, wiedziałam, że na nią lecisz, ale myślałam, że chodzi tylko o seks i dlatego zmuszałam cię do dalszego grania. Nie miałam pojęcia, że to było takie poważne.

Nie jestem pewny, co ona sugeruje.

– To znaczy... że ty nie masz... nic przeciwko temu?

– A dlaczego miałabym mieć? Chodzi ci o nasz scenariusz? To dlatego byłeś na kolacji taki zdystansowany? Myślałeś, że będę zła z tego powodu?

Teraz to ja jestem zszokowany.

– Ale ty nigdy nie chciałaś kończyć eksperymentów.

– Nie, nie chciałam. Ale teraz to coś zupełnie innego. – Zagryza wargę. – Obawiam się jednak, że jest już trochę za późno. Że naciskaliśmy na nią zbyt mocno.

Spinam się.

– Co masz na myśli?

– Chodzi mi o to, co właśnie się stało w łazience. Ona... – Zamyka oczy i bierze głęboki oddech. – To pewnie nic, ale przycisnęła mnie do muru. Zaatakowała. Werbalnie.

Ściska mnie w żołądku.

– Co takiego powiedziała?

– Już nieważne, co powiedziała. Ale była bardzo zaborcza. Wydaje mi się, że zachowywała się tak, jak to zostało opisane w jej teczce. Myślę, że jej choroba wróciła.

Nie wierzę w to ani przez chwilę. Problemy Alayny są w całości związane z moją relacją z Celią. To naturalna reakcja, a nie nawrót choroby.

– Mnie to nie martwi.

– Nie martwi? Ale ona potrzebuje terapii...

– Jeśli będzie potrzebować terapii, ja to załatwię. Ona tak naprawdę potrzebuje pocieszenia. – Widzę sceptyczne spojrzenie Celii. – Słuchaj, w jej oczach jesteś moją byłą dziewczyną. Czy nie można w tej kwestii być trochę zazdrosnym?

– Tak, przypuszczam, że masz rację. Dobra, zapomnij o tym. Ona cię kocha i po prostu chroni to, co jest jej. – Wyciera kącik oka i dopiero wtedy zauważam łzy. – Przepraszam. Nie byłam na to wszystko przygotowana. Jestem nieco oszołomiona.

Ja też jestem nieprzygotowany, bo spodziewałem się walki, a nie łez. Kładę rękę na jej ramieniu.

– Celio... czy wszystko dobrze?

Zaczyna wachlować twarz ręką.

– Wszystko okej. Jestem po prostu wzruszona. Jezu, co się dzieje z tym światem. Hudson Pierce się zakochał, a ja jestem tym wzruszona. Kto by pomyślał? – Patrzy na swoje stopy. – Ale to dobra rzecz. Zaskakująca, ale dobra.

Całe moje ciało zalewa ulga. Byłem przekonany, że Celia nie zaaprobuje mojego uczuciowego zaangażowania. Była tak zawzięta w kwestii naszych gier jak ja.

Ale czy rzeczywiście? Czy po prostu przesadnie założyłem, że podzielała moje zainteresowanie grami?

Pamiętam noc, gdy powiedziała mi, że ciągle szuka mężczyzny, który zwali ją z nóg. To było pięć lat temu, może nawet sześć. Nie myślałem o tym od dłuższego czasu, ale teraz zastanawiam się, czy ona nadal tego pragnęła. Jeśli tak, to dlaczego nigdy nikogo nie szukała? Czy to przeze mnie? Czy to ja ją powstrzymywałem, przywiązując do tego świata pozbawionego miłości?

Kurwa.

Ile razy już zrujnowałem życie tej kobiecie? Czy nie mogę odpokutować za bałagan, jaki wywołałem? Nie mogę wiele teraz zrobić, co najwyżej powiedzieć to, na co ona pewnie czeka.

– Może czas, abyś i ty pozwoliła sobie na miłość?

Wywraca oczami.

– Pfff. – Potem chyba się nad tym zastanawia, bo dodaje: – Może. – Myśli nad tym jeszcze chwilę, po czym kręci głową. – Ale nie rozmawiajmy teraz o mnie. Czy Alayna wie o...? – Rozgląda się, by sprawdzić, czy nikogo nie ma w pobliżu. – Nie powiedziałeś jej, prawda?

Wiem, co ma na myśli. Chodzi o grę. O eksperyment, który sprowadził Alaynę do mojego życia. Ten sekret bardzo ciąży mi na sercu.

– Nie. Nie sądzę, bym potrafił to zrobić.

– Nie możesz – mówi stanowczo. – Nie, jeśli chcesz ją przy sobie zatrzymać. Uwierz mi. Ty mnie już kiedyś wykiwałeś w ten sposób. Niemożliwe, by ona nadal cię po tym kochała.

To żadna nowina, jednak potwierdzenie pochodzące od osoby, która była w sytuacji Alayny, jest dla mnie bolesne. Nie chcę tego słuchać. Nie chcę wierzyć, że jest cokolwiek, co by mogło sprawić, że Alayna przestanie mnie kochać.

Celia podchodzi do mnie, a w jej oczach widzę błysk żalu.

– Nie powiedziałam tego, żeby cię zasmucić. Ja tylko...

– Wiem. – Nie chcę, by czuła się źle z tego powodu. – Ale to prawda. Muszę zachować to dla siebie. Wiemy o tym tylko ty i ja...

– A ja jej nic nie powiem.

Nie przeszło mi przez myśl, żeby to zrobiła, ale gdy już to powiedziała, muszę się upewnić.

– Nie znoszę o nic prosić, ale przysięgasz?

– Przysięgam, Hudsonie. Nie tylko z tego powodu, że mnie o to prosisz, ale też dlatego, że tu chodzi o nasz kodeks. Nie rozmawiamy o grze z innymi ludźmi. Nawet jeśli już w nią nie gramy, stare zasady nadal obowiązują.

– Dziękuję. – Znowu patrzę w kierunku łazienki, ale nadal jestem skupiony na Celii. Ona ma w sobie jakiś pierwiastek zła. Nie mogę zaprzeczyć. Jest sadystką. Ja przeprowadzałem eksperymenty po to, by się dowiedzieć czegoś o ludzkiej naturze, podczas gdy ona czerpała przyjemność z bólu innych. Zawsze byłem przez to z nią ostrożny.

Mimo to nigdy nie odwróciła się do mnie plecami, chociaż to ja ją wszystkiego nauczyłem i zmieniłem w tę sadystkę. Za każdym razem trzymała moją stronę, była moją jedyną opoką, dzieliła ze mną głęboką więź i potrafiła dochować naszej tajemnicy.

A teraz wspiera mnie w taki sposób, jakiego nigdy bym się po niej nie spodziewał. Pozwala mi ruszyć dalej, podczas gdy ja nigdy jej na to nie pozwalałem.

– Jesteś lepszą przyjaciółką, niż sądziłem.

– To samo mogę powiedzieć o tobie. – Ściska moją dłoń.

– Jesteś naprawdę dobrym przyjacielem, Hudsonie. Uratowałeś mnie, wiesz o tym.

Patrzę w jej oczy. Ciągle są w nich łzy. Celia zaczyna mrugać szybko, by się ich pozbyć. Dociera do mnie, że powinienem odpowiedzieć jej tym samym. Gdyby nie zmusiła mnie do gry, nie miałbym teraz Alayny. Nie mam teraz czasu ani słów, żeby jej to wyjaśnić, więc mówię po prostu:

– Ty też mnie uratowałaś.

Ponownie ściska moją dłoń, a potem ją puszcza.

– Muszę wracać. Powodzenia, Hudsonie. Mówię szczerze.

– Po czym odchodzi.

Alayna i Mirabelle wychodzą z łazienki dosłownie chwilę później. Ból, który pojawił się we mnie, gdy nie widziałem Alayny, znika wraz z jej pojawieniem się. Jednak mój umysł nadal jest skupiony na rozmowie z Celią. Nawet kiedy już wychodzimy z restauracji i wsiadamy do limuzyny, powtarzam w myślach zdania, które między nami padły. Skupiam się też na tym, co zrobiłem Celii z powodu naszej przyjaźni. A także na tym, co zrobiłem Alaynie. A nie mogę jej o tym powiedzieć. Czuję się zniesmaczony własną osobą, zawiedziony. Jestem wściekły na siebie z powodu tego, co im zrobiłem.

Po przyjeździe do domu jestem tak pochłonięty tym wszystkim, że rezygnuję z towarzystwa Alayny, mówiąc jej, że mam coś do robienia. Nie mogę z nią przebywać, będąc w takim stanie. Ona na to nie zasługuje. I ja nie zasługuję na nią. Mimo to nie umiem z niej zrezygnować. Nigdy nie mógłbym tego zrobić.

Tylko ile minie czasu, zanim ona odkryje prawdę i mnie zostawi? Czuję, że ten dzień jest coraz bliżej i bliżej. A co będzie potem? Czy ją to zniszczy, tak jak zniszczyło Celię? Nie mogę znieść tej myśli.

Noc mija, a ja siedzę przed komputerem i patrzę na mrugający kursor w dokumencie tekstowym. Nie mogę się wyrwać z zamyślenia. Jestem świadomy tego, że Alayna jest blisko mnie. Biegała wcześniej na bieżni, słuchając głośno muzyki. Potem brała prysznic. Teraz wyłączyła muzykę i w domu zrobiło się cicho, więc musiała pójść spać.

Nadal słyszę słowa piosenki, którą niedawno puszczała. To był kobiecy głos. Piosenkarka śpiewała o swoim mroku i zastanawiała się, czy jej kochanek byłby w stanie pokochać jej mroczną stronę. To bardzo adekwatna piosenka do naszej sytuacji. Ciekawe, czy Alayna też to zauważyła.

Zastanawiam się, czy moje zdystansowanie tego wieczoru już ją ode mnie odepchnęło. Nie chcę jej od siebie odpychać. Chcę ją do siebie przyciągać. To co ja, kurwa, nadal robię przy swoim biurku? Kręcę głową zdziwiony własną głupotą. Powiedziałem jej wcześniej, że jestem z nią. Zawsze z nią. To była obietnica, którą już zdążyłem złamać, bo siedziałem tu pogrążony w pogardzie dla samego siebie, oddalony od niej i jej miłości o kilometry.

Wyłączam komputer i wstaję, żeby do niej iść. Szybko się rozbieram i wsuwam pod kołdrę, po czym przytulam się do niej na łyżeczkę. Jest naga. Wiem, że to zaproszenie. Mimo że już śpi, otaczam ją mocno ramionami i zaczynam całować po ciele.

Wzdycha, a potem rozszerza nogi i pozwala mi wejść od tyłu. Kochamy się w ten sposób, bezgłośnie i intensywnie. To cichy akt pasji, a ona znowu przywraca mężczyznę, którym się stałem – takiego, któremu można ufać, którego można kochać i który jest obecny.

Po seksie, gdy już nasze oddechy wracają do normy, odwracamy się do siebie, a ona pyta:

– Gdzie poszedłeś wcześniej?

Przytulam się do niej.

– Czy to ma znaczenie? Jestem tutaj teraz.

Ona chce więcej, ale nie mogę jej nic powiedzieć, bo nie jest jeszcze gotowa tego słuchać. Moje ostatnie mury nie zostały jeszcze zburzone. Są zbyt solidne. Jest wiele rzeczy, o których nie mogę jej powiedzieć, ale są też takie, o których mogę. Kładę się nad nią, tak by czuła moją erekcję. Chcę, żeby czuła mnie całego, chcę być jak najbliżej.

Wchodzę w nią i zaczynam szeptać jej do ucha w języku miłości:

– *Mon amour. Mon précieux. Mon chéri. Mon bien-aimé.* – Moja miłości. Mój skarbie. Moja ukochana. Moja najdroższa. Mówię jej to cały czas, między pocałunkami, gdy poruszam się w niej. Mówię jej, że jestem z nią. Zawsze z nią. Że dam jej wszystko, czego chce. Każdą cząstką swojej osoby – tymi miejscami, które obudziła, tymi ciemnymi zakamarkami, które oświetliła jej miłość.

Nie mogę jej dać siebie w całości, ale chociaż tyle. I modlę się, by to wystarczyło.

## Rozdział 19

– Hudson.

Zaskakuje mnie głos Celii dobiegający w słuchawce. Nie rozmawiałem z nią od urodzin mojej matki, które były cztery dni temu. Jednak to nie czas mnie zaskakuje, ale ton jej głosu. Jest w nim coś, czego nie mogę zidentyfikować. Coś jest... nie tak.

Moje ciało od razu się napina.

– Co się stało?

– Potrzebuję cię. Teraz.

Zanim skończę pracę, mam jeszcze jedno spotkanie biznesowe i muszę wykonać dwa telefony. Potem mam nadzieję, że przekonam Alaynę do wycieczki do Japonii, bo chcę w końcu odbić Plexis.

– Teraz to nie jest dobry moment, Celio. Mogę do ciebie zadzwonić wieczorem?

– Nie. To ważne. – Jej głos jest napięty od emocji. – Chodzi o Alaynę.

Nie chce powiedzieć mi nic więcej i nalega, by spotkać się twarzą w twarz. Rzadko kiedy słuchałem Celii, gdy kazała mi coś zrobić. Nie lubiłem tańczyć, jak mi zagrała. Ale tym razem robię to, co mówi. Nie dlatego, że użyła magicznego słowa – Alayna – ale z tego powodu, że jej głos jest taki do niej niepodobny. Taki kruchy i przestraszony. Ostatni raz Celia zachowywała się tak po tym, jak straciła dziecko.

Proszę sekretarkę, by odwołała wszystkie moje dzisiejsze zobowiązania, i w ciągu siedmiu minut wychodzę z biura. Mój umysł chce szukać odpowiedzi, podsuwa mi najgorsze scenariusze dotyczące tego nagłego spotkania, ale nie pozwalam sobie na to przed dojazdem do Bowery. Celia tak bardzo wytrąciła mnie z równowagi, że nawet nie kłóciłem się, gdy zaproponowała, żeby spotkać się u mnie w domu. Jadę windą na górę i przypominam sobie, żeby w końcu zabrać jej klucz.

Kiedy wchodzę do mieszkania, widzę, że nie jest sama. Są tam moi rodzice i mężczyzna, którego rozpoznaję ze zdjęć Alayny w jej teczce. To jej brat. Nagle żałuję, że nie próbowałem się skontaktować z Alayną w drodze do domu. Czy coś jej się stało? Czy zdarzył się jakiś wypadek? Czy to dlatego wszyscy tu są? By powiedzieć mi coś, czego nie chcę słyszeć? Czego nie mogę słyszeć?

Jestem na skraju wytrzymałości, ledwo się kontroluję, ale ukrywam to.

Wyciągam rękę do nieznajomego.

– Hudson Pierce.

– Brian Withers. – Jego uścisk jest mocny. – Dobrze w końcu cię poznać.

– Ciebie również. Niestety okoliczności, w jakich się spotykamy, nie są zbyt przyjemne. – Kieruję ten komentarz w stronę Celii. To ona zna odpowiedzi.

– Właśnie do tego zmierzałam, Hudsonie. Może usiądziesz? – Jej głos jest napięty, jakby była lekarzem, który właśnie ma postawić śmiertelną diagnozę.

To niepokojące. Znowu czuję w żołądku lodowatą kulę. Boże, proszę, by z Alayną było wszystko okej.

Potem przypominam sobie, że chociaż w głosie Celii brzmi szczerość, to już niejednokrotnie słyszałem ten ton, gdy nie była szczera, więc zachowuję wyjątkową czujność.

– Postoję.

– Jak wolisz.

– Wolę, żebyś wyjaśniła, co się dzieje. – Nie panuję nad swoim głosem. Celia zaskoczyła mnie, gdy zadeklarowała całkowite poparcie dla mnie i Alayny, a ja nie wątpiłem wtedy w jej szczerość. Więc dlaczego teraz jestem taki gotowy do boju, jakby była moim wrogiem?

To dlatego, że wolałbym walkę niż jakiekolwiek nowiny, które chce mi przekazać. Wolałbym z nią toczyć bój, żeby potem już nie mieć do tego żadnego powodu.

– Uspokój się, Hudsonie. – Moja matka to ostatnia osoba, która powinna mnie uspokajać. Jej obecność już sama w sobie mnie denerwuje. – Nalej sobie drinka.

– No oczywiście, że według ciebie drink rozwiąże każdy problem – mamrocze mój ojciec.

W tej chwili to tylko zwykłe, rodzinne przekomarzania. Normalnie też bym powiedział coś w tym stylu, ale aktualnie jestem skupiony tylko na tym, co Celia ma do powiedzenia.

Wyczuwa, że tracę cierpliwość, więc odchrząkuje i przygotowuje się, by powiedzieć coś, co według mnie będzie tylko świetnym przedstawieniem. A przynajmniej taką mam nadzieję.

– Nie można tego zrobić inaczej, niż tylko zebrać was i powiedzieć o tym. Alayna... cóż, ona mnie zaczęła dręczyć.

Od razu czuję ulgę. Nic jej nie jest. Nie było żadnego wypadku. Nikt nie musi jechać do kostnicy, aby zidentyfikować ciało.

Ale ulga jest krótkotrwała i po chwili ogarniają mnie nowe emocje.

– To nie tylko dręczenie mnie – wyjaśnia Celia. – Ona mnie... Nie podoba mi się to, że muszę użyć tego słowa, ale ono pasuje najlepiej... Ona mnie prześladuje. Wydzwania do mnie, nęka mnie.

– Prześladuje cię, Celio?

– Nie mogę w to uwierzyć. Alayna wie, że ma unikać Celii. Nie złamałaby złożonej mi obietnicy, prawda?

– Tak, prześladuje, Hudsonie – potwierdza.

Brian chwyta palcami grzbiet nosa.

– Nie, znowu.

Mam ochotę go uderzyć. Mimo że i tak kwestionuję prawdomówność tych informacji, nigdy bym nie uwierzył w coś takiego. Alayna by tego nie zrobiła.

Co więcej, mam ochotę przyłożyć Celii. Właśnie do mnie dotarło, po co zebrała tu moją rodzinę. Tylko tak może powiedzieć te wszystkie kłamstwa i mieć szansę na to, że zostanie wysłuchana.

– To jakieś cholerne bzdury. Wynoś się stąd.

– Chwileczkę, Hudsonie. – Celia podchodzi do mnie. – Zanim zdecydujesz, że mi nie wierzysz, najpierw mnie wysłuchaj. Mam dowód.

Podaje mi kilka kartek. Najchętniej rzuciłbym je na podłogę, ale w pokoju są inne osoby. Rzucanie dowodami nie sprawi, że staną po mojej stronie. Czuję, że drga mi powieka, ale skupiam się na podanej kartce. To wyciąg z telefonu Celii. Kilka razy dzwonił do niej ten sam numer. To numer Alayny.

– To jeszcze niczego nie udowadnia. – Celia musiała jakoś ukraść jej telefon. Albo zapłacić komuś, by go użył. Może komuś z klubu? Oddaję jej papier. Nie bierze go ode mnie. Ignoruje mnie, bo właśnie jej telefon zaczyna piszczeć. Zamiast tego moja matka bierze billing. Niech go sobie czyta.

– A popatrz na to – mówi Celia i pokazuje mi telefon. Jest tam zdjęcie, które musiało zostać do niej wysłane w wiadomości. Kobieta na fotografii jest obrócona plecami do aparatu, ale to na pewno Alayna.

– To zdjęcie zostało zrobione w miejscu mojej pracy. W Fit Nation. Przychodziła tam tyle razy, żeby mnie gnębić, że w końcu poprosiłam recepcjonistę, by ją sfotografował, gdy następnym razem się pokaże. To zostało zrobione dzisiaj, Hudsonie. Dwadzieścia minut temu.

Kręcę głową.

– To jest po prostu śmieszne.

– Ty po prostu nie chcesz tego słuchać. – Wkłada telefon do kieszeni.

Teraz już rozumiem. Wiem, o co jej chodziło. Gdy byliśmy wtedy w restauracji, nie mówiła tych słów szczerze. Zamierzała mnie tylko zmylić. Sprawić, że będę mniej ostrożny. To następne zagranie w jej grze.

Nie zaskakuje mnie to, jednak nieco boli. Chciałem wierzyć, że łączy nas coś głębszego niż tylko intrygi, które sami wymyśliliśmy. Chciałem wierzyć, że jej naprawdę... zależało na mnie. Tak jak mnie zależało na niej.

Ale to już koniec. Przestałem być taki ślepy. Jeśli naszym przeznaczeniem jest być dla siebie wrogami, niech tak będzie.

Podchodzę do niej. Stoimy teraz twarzą w twarz. Jestem na tyle blisko, że może widzieć dokładnie moją twarz i zauważyć, że jestem śmiertelnie poważny, gdy mówię:

– Odpuść, Celio. Zostaw to wszystko. – To jest groźba i nie kryję się z tym. Może i ma mnie w garści, ale nie może zapomnieć, że ja ją też mam.

Ona jednak się nie wycofuje.

– Jest tego więcej. Poza tymi telefonami Alayna pokazała się w restauracji, gdy tam byłam. Zostawiała wiadomości w moim biurze, chodziła za mną po ulicy.

– To same kłamstwa. – Mrużę oczy, rzucając to oskarżenie. – Do tego chciałaś doprowadzić, a gdy nie wyszło, sama wszystko wymyśliłaś.

– Nie chciałam do tego doprowadzić, Hudsonie. – Celia pochyla się, więc tylko ja słyszę to, co mówi dalej: – Już nie.

Jej mina wyraża desperację, ale też szczerość. Nigdy wcześniej nie widziałem u niej takiego wyrazu twarzy. Potrafi być zimna, wyrachowana, ale tym razem... jest inaczej. Dlaczego tak bardzo zależy jej na tym, czy jej uwierzę? Może przysporzyć problemów Alaynie i beze mnie. Nigdy jej nie obchodziło, czy ktoś był po jej stronie. Co się tym razem zmieniło?

Nagle przestaję być taki pewny wszystkiego.

A co, jeśli ona mówi prawdę? Jestem świadomy tego, jak każdy „dowód" można sfabrykować. Ale wiem też, że uzależnienia z przeszłości mogą powrócić. Że bardzo łatwo wstąpić na starą ścieżkę. Czy Alayna zeszła z tej dobrej drogi? My ją do tego zmusiliśmy. Czy osiągnęliśmy nasz cel?

– Dlaczego Celia miałaby to zmyślić? – odzywa się moja matka, która zawsze jest nie w temacie.

Mógłbym jej powiedzieć, z jakiego powodu Celia miałaby wszystko zmyślić i że to bardzo w jej stylu, ale to złamałoby wszystkie zasady naszej gry. A może Celia już złamała każdą zasadę, zmyślając to wszystko? Nie wiem już, w co mam wierzyć.

– Bo ona tak robi – odzywa się Jack, parskając, i przypomina mi tym, że on też był ofiarą intryg Celii. Jest wystarczająco dorosły, by wiedzieć, że nie powinien był się z nią bzykać, gdy zapukała do jego drzwi, ale ona jest taką manipulantką, że potrafi ogłupić nawet najmądrzejszą osobę. – Och, i na większość z tych pytań może odpowiedzieć sama zainteresowana, bo właśnie przyjechała.

W jednej chwili wszyscy spojrzeli na nowo przybyłą.

– Co się tu dzieje? – pyta, patrząc głównie na mnie.

– Alayna... – Boże, żałuję, że ona musi tu teraz być. To będzie rzeźnia i ja do tego doprowadziłem, nieważne, czy oskarżenia Celii są prawdziwe, czy nie. Czy ja naprawdę biorę pod uwagę to, że może mówić prawdę?

Chciałem chronić Alaynę. Myślałem, że mi się udało. Myliłem się.

W pokoju zaczyna się chaos. Każdy coś mówi. Nie słyszę większości z tych rzeczy, jestem pogrążony we własnej walce. Chęć przyznania się do swoich win podczas tej całej kłótni jest ogromna. Próbuję temu zaprzeczyć, ale to mnie paraliżuje. Jestem rozdarty, bo nie wiem, jak poradzić sobie z tą sytuacją. Od tego będzie wszystko zależeć, jednak nie chodzi w tym tylko o to, czy jej uwierzę, czy nie. Wszyscy poniesiemy konsekwencje.

Nie chcę wierzyć w to, co mówi Celia. Przejście przez pokój i stanięcie po stronie kobiety, którą kocham, byłoby bardzo łatwe. Ale czy to będzie dobra decyzja? Musiałbym wyjaśnić, dlaczego uważam, że Celia kłamie. Ile mogę powiedzieć, nie ujawniając informacji o naszych grach? Nie ujawniając mojej roli w nich? Czy będę w stanie uchronić się od winy, gdy Celia wyceluje we mnie oskarżająco palec?

Gdy Alayna próbuje się bronić, dociera do mnie coś strasznego – ona złamała obietnicę. Widywała się z Celią za moimi plecami. Okłamywała mnie, i to nie raz. Trzymała w tajemnicy swój związek z Davidem, o którym dopiero niedawno się dowiedziałem. Potem jej były, który uzyskał sądowy zakaz zbliżania się, pojawił się w życiu Alayny, i o tym też mi nie powiedziała. A teraz dowiaduję się, że na dodatek widywała się z Celią. Co to oznacza dla naszego związku? Czy mogę stanąć po jej stronie, jeśli ona nie chce stać po mojej?

Tak. Mogę. I to zrobię.

Tylko jak mogę z taką łatwością zakładać, że Alayna mnie oszukała? Może nie zrobiła tego celowo. Może oskarżenia Celii są prawdziwe, a ja ignoruję rzeczywisty obraz tej sytuacji, ignoruję jej chorobę. Nie chciałbym się z tym mierzyć, szczególnie biorąc pod uwagę to, że jeśli znowu wróciła do starych nawyków, to przeze mnie. Ale jeśli tak się stało, to jej pomogę. Zrobię wszystko, by była zdrowa i została ze mną. Musi wiedzieć, że jestem po jej stronie.

I co teraz? Jestem z nią, nieważne, w jaki sposób mnie potrzebuje, tylko pytanie, o co teraz chodzi.

Celia kładzie rękę na moim ramieniu, ponownie skupiając moją uwagę na obecnym temacie.

– Mówiłam ci tamtej nocy, pamiętasz?

O jakiej nocy oni rozmawiają? Próbuję sobie przypomnieć ostatnie sekundy rozmowy. Mówili coś o urodzinach mojej matki. Co ona mi wtedy powiedziała?

Ach, tak. Celia mnie poinformowała, że Alayna gnębiła ją w łazience. Czy to był kolejny wczesny objaw, który zignorowałem?

Odsunąłem się od niej.

– Nie musisz mi o tym przypominać.

– Wtedy też mi w to nie uwierzył – zwróciła się Celia do reszty obecnych.

Nie tak było. Wierzyłem, że to gnębienie było wywołane innym czynnikiem. Celia właśnie przekręciła fakty. Czy to wskazówka, że w ogóle nie mówi prawdy?

– On jest zaślepiony seksem. To nie jest prawdziwe. – Uwagi mojej matki nawet mnie nie ruszają. W tej sytuacji ona nie ma znaczenia.

Co do Alayny...

– Powiedziała ci, że ją gnębiłam?

Czuję, że próbuje złapać moje spojrzenie, ale ja cały czas patrzę w podłogę. Zbyt łatwo by mnie wtedy odczytała. Zobaczyłaby, że toczę wewnętrzną batalię, i źle by to odebrała. Ona widzi to jako walkę między sobą a Celią. Czeka, aż wybiorę którąś stronę, tylko że dla mnie istnieje tylko jedna strona – strona Alayny. Nie potrafię jednak zdecydować, w jaki sposób najlepiej o nią walczyć.

– Dlaczego nic mi nie powiedziałeś, Hudsonie? – pyta błagającym tonem.

Dlaczego nic jej nie powiedziałem? Jestem pewny, że pierwszym powodem jest to, że nie potrafimy się komunikować i musimy nad tym popracować. Winię siebie za błędy w naszej komunikacji, bo to ja mam mnóstwo sekretów, o których nie mogę jej powiedzieć. Teraz dowiaduję się, że ona też ma tajemnice.

Pojawia się więcej oskarżeń i kłótnia ciągnie się dalej. Celia wprowadza do rozmowy Paula. Fakt, że wie o niedawnym spotkaniu Alayny z jej byłym, bardzo mnie zaskakuje. Czy ona się o tym dowiedziała, bo śledziła Alaynę? Czy Alayna sama jej o tym powiedziała? Jeśli to druga opcja, znowu dociera do mnie, że Alayna trzymała to w tajemnicy, podczas gdy inni wiedzieli.

Szczerze mówiąc, jeśli naprawdę jest chora, to będę czuł się mniej zdradzony.

Obracam się, mając nadzieję, że to mi pomoże pozbierać fakty. Jednak temperatura w pokoju wzrasta i już dłużej nie mogę się odcinać od tej rozmowy.

– Czy ty to słyszysz, Hudsonie? – pyta moja matka, stając za mną. – Ona groziła Celii. Przy wszystkich. – To, co mówi, nie pomaga.

– Mamo, trzymaj się od tego z daleka.

– Hudsonie, musisz się jej pozbyć. Ona jest niebezpieczna.

Celia mówi, że ona ma kartotekę. Dlaczego, u diabła, sprowadziłeś kogoś takiego do naszego życia, gdy wiedziałeś o tym wszystkim?

Nie mam ochoty dłużej tego słuchać.

– Matko, zamknij się.

Obracam się i mijam Celię oraz Sophię, żeby stanąć na środku i w końcu spojrzeć Alaynie w oczy. Mimo że jestem rozdarty i niepewny, wiem jedno na pewno i nikt tego nie zmieni – kocham Alaynę Withers. Zrobię dla niej wszystko. Jest moim światłem i będę walczył, by utrzymać ją z daleka od ciemności. Zrobię wszystko, co trzeba.

Mówię jej to bez słów, swoim spojrzeniem, i czuję, że ona wie. Musi wiedzieć, że jestem tu z nią.

Ledwo zauważam, że moja matka znowu staje za mną.

– To ma sens. To, dlaczego ma obsesję na punkcie Celii. Ona wie, że jesteście sobie pisani, Hudsonie, i jest zazdrosna. Celia była w ciąży. Nosiła twoje dziecko. Nie może z tym konkurować, nieważne, co...

– Och, kurwa, zamknij się, Sophio – przerywa jej mój ojciec. – To nie było dziecko Hudsona. Ono było moje, ty głupia suko.

I wtedy rozpętuje się piekło. Gotowałem się ze złości od dłuższego czasu, ale nie mogę już dłużej wytrzymać i wybucham:

– Ja pierdolę, Jack.

– To moja sprawa, czy to komuś powiem – mówi. – I jestem już zmęczony tym niekończącym się kłamstwem.

– To kłamstwo nie miało na celu uratowania twojej dupy. – Nie podobało mi się, że musiałem dochować jego sekretu, ale robiłem, co tylko się da, by nikt się nie dowiedział. Wiedziałem, że zbyt dużo ludzi ucierpi, jeśli prawda wyjdzie na jaw. Moja matka. Rodzice Celii. Alayna – z tego powodu, że nigdy jej o tym nie powiedziałem. To był sekret, który należało zabrać ze sobą do grobu.

A teraz w pokoju panuje chaos. Sophia jest zdruzgotana. Celia jest zawstydzona. Jack... Jemu widocznie ulżyło. Ja odkrywam, że nie przejmuję się tym tak bardzo jak kiedyś. Wszystko na świecie traci swoją wartość przy mojej ukochanej Alaynie.

Podczas tej całej sytuacji Alayna postanawia wyjść. Idę za nią, ale winda właśnie odjeżdża mi sprzed nosa. Czekam na drugą i jadę na dół. Tam dostrzegam Alaynę w lobby.

– Alayna! – wołam za nią. Czeka na mnie. Gdy do niej podchodzę, uświadamiam sobie, że nie wiem, co powiedzieć.

Postanawiam zapytać: – Dlaczego wyszłaś?

– Czy to nie oczywiste? To dom wariatów. Nie miałam ochoty tam przebywać ani chwili dłużej.

– Tak, to prawda. – Chciałem o tylu rzeczach wspomnieć, ale nie wiedziałem, co wybrać.

– Ja... Dlaczego mnie tam nie broniłeś? – pyta, zanim decyduję się, co powiedzieć. – Jesteś na mnie zły przez sytuację z Davidem? To ja powinnam być zła na ciebie z tego powodu, pamiętasz?

Czy to dzisiaj rano przeniosłem Davida do mojego klubu w Atlantic City? Wydaje mi się, jakby to było wieczność temu, kiedy martwiłem się tym, że coś może między nimi być. Nie żałuję tego, że zwolniłem go ze Sky Launch – klubu, który teraz należy do Alayny – ale przyznaję, że trochę się pospieszyłem z tą akcją.

Teraz ta drobnostka wydaje się nieważna w porównaniu z tym, co mam zamiar powiedzieć. Jednak jeśli oboje mamy mieć szansę na związek i rozpracowanie naszej przeszłości, to muszę być pewny, że jesteśmy zdrowi pod względem psychicznym.

– Chwila... – Wiem, że ona zrozumiała to, zanim to powiedziałem. – Ty jej wierzysz.

Zaciskam szczęki. Sam nie wiem.

– Hudson?

Kładę ręce na jej ramionach.

– Wierzę w ciebie. – To są najprawdziwsze słowa, jakie kiedykolwiek wypowiedziałem. – Dam ci wszystko, czego tylko będziesz potrzebować. Jeśli potrzebujesz pomocy...

– O mój Boże, nie wierzę. – Odsuwa się ode mnie. – Po prostu, kurwa, nie wierzę.

Zaciskam pięści, jakby to miało mi pomóc.

– Powiedz mi, że tego nie zrobiłaś. Powiedz, że do niej nie dzwoniłaś. Powiedz, że się z nią nie widziałaś. – Jeśli mi powie, że tak nie było, uwierzę jej.

Ale ona nie zaprzecza.

To potwierdzenie tego, że mnie okłamywała. Nie mogę znieść myśli, że zrobiła to świadomie. To musi być jej choroba. W to najłatwiej mi uwierzyć. Kręci głową.

– To nie tak, jak ci się wydaje, Hudsonie. Nie prześladowałam jej i nie gnębiłam. Nie robiłam niczego, co ona mówi. Nie w ten sposób. Jesteś po jej stronie czy mojej?

– Jestem po twojej stronie. Zawsze jestem po twojej stronie. – Jak to możliwe, że ona jeszcze tego nie wie? Wszystko, co robię i mówię, jest dla niej. Zawsze.

- Czyli mi wierzysz? - W jej oczach widzę błaganie.

To nie jest takie proste.

Wkładam ręce do kieszeni. Gdybym tego nie zrobił, już bym ją do siebie przyciągnął, a obawiam się, że wtedy nie zadałbym ważnego pytania.

- Czy do niej dzwoniłaś?

- Tak! Powiedziałam to na górze! - Wyciąga telefon ze stanika i podaje mi go. - Masz, chcesz zobaczyć? Weź go. Zobacz sobie, ile razy do niej dzwoniłam, jeśli tym się teraz najbardziej martwisz.

Ignoruję jej wyciągniętą rękę.

- Nie chcę dowodu. Chcę ci pomóc.

- Nie potrzebuję twojej pieprzonej pomocy! - Rzuca telefonem na korytarz. Gdy ląduje na posadzce, roztrzaskuje się.

Patrzy na niego, a ja patrzę na nią. Widzę, że cierpi. Wiem, że czuje, że ją zawiodłem.

Tylko że ona też mnie zawiodła. Ja też cierpię. To nowe odczucie i nie wiem, jak sobie z tym poradzić. Jej ciągłe zdrady przyczyniają się do powstania ran i chociaż wiem, że mógłbym nauczyć się je ignorować, to nie jestem pewny, czy one się kiedyś całkowicie zagoją. Alayna obraca się i wybiega przez główne drzwi. Podążam za nią.

- Alayna, wracaj. - Łapię ją za nadgarstek. - Odwołam swój wyjazd. Znajdziemy najlepszy ośrodek...

- Nie jestem chora. - Wyrywa rękę z mojego uścisku. - Jedź do Japonii, Hudson. Nie chcę cię widzieć.

Jezu, Japonia. Powinienem za kilka godzin wylecieć.

- Nie jadę teraz do Japonii. - Dla niej anuluję wszystko. Bez niej i tak nic nie ma znaczenia.

Ale ona i tak mnie odpycha.

- Jedź do Japonii - powtarza. - Nie chcę cię przez jakiś czas widzieć, może nawet w ogóle nie chcę. Łapiesz? Jeśli będziesz w domu, gdy wrócę, to znajdę sobie inne miejsce do spania i to nie tylko na jedną noc.

Zaczyna odchodzić. A ja jej nie zatrzymuję.

Patrzę jednak za nią cały czas. Źle wybrałem, wiem o tym. Chyba wiedziałem, że trochę za bardzo zmuszam ją do leczenia. Ona nie jest chora. Nie zrobiła tego, o co oskarża ją Celia. Ona była w pełni zdrowa, gdy robiła coś za moimi plecami.

Muszę podjąć kolejną decyzję. Muszę zdecydować, czy pozwolić temu bólowi mnie zniszczyć i tym samym zniszczyć nasz związek, czy mam wszystko naprawić.

Decyzja jest łatwa. Nie stracę Alayny. Ale jednak zanim spróbuję ją odzyskać, muszę się zmierzyć z jeszcze jedną przeszkodą – z Celią.

Gdy wracam do mieszkania, słyszę płacze i krzyki. Celia i mój ojciec przekrzykują się nawzajem, a moja matka szlocha. Albo udaje, bo nie widzę żadnych łez. Brian przygląda się obrazom na ścianie i sprawia wrażenie, jakby go tu nie było.

Prawie współczuję temu facetowi.

Reszcie nie współczuję. Właściwie to chcę, żeby wyszli.

– Dziękuję wszystkim za wywołanie takiego chaosu w moim salonie. Najwyższy czas, żebyście sobie już poszli.

Brian pierwszy idzie do windy. On chyba czekał na przyzwolenie, by mógł już sobie pójść.

Zatrzymuję go.

– Ale nie ty. Jeśli nie masz nic przeciwko, chciałbym, żebyś został. Alayna chciała, żeby mnie tu nie było, gdy wróci, wolałbym jednak, żeby nie przebywała sama.

Brian zastanawia się nad tym chwilę, po czym mówi:

– Tak chyba będzie najlepiej.

– Gdzie się zatrzymałeś? W Waldorfie? – Jestem zaskoczony tym, że zgadłem, bo Brian kiwa głową. – Każę przenieść tu twoje rzeczy. Na dole jest pokój gościnny. Czuj się jak u siebie.

Potakuje i idzie we wskazanym przeze mnie kierunku. Na pewno jest szczęśliwy, że może stąd uciec.

Celia próbowała przemknąć obok mnie, gdy rozmawiałem z Brianem, ale udaje mi się ją złapać, zanim przyjeżdża winda.

– I nie chodziło mi o to, że ty masz wyjść. Musimy porozmawiać.

Jej oczy są zaczerwienione i zmęczone.

– Nie jestem w nastroju, Hudsonie.

– Co mnie to obchodzi – stwierdzam głośno i spokojnie. Właściwie zaskakuje mnie to, jaki jestem cierpliwy w stosunku do niej. W środku tak naprawdę się gotuję.

– Czy do ciebie dociera, co się tam właśnie stało? – Jej głos jest cichy, ale wiem, że rozpiera ją wściekłość. – Moi rodzice mnie, kurwa, zabiją. Nigdy nie mieli się dowiedzieć o mnie i o Jacku.

– To się nazywa karma, Celio. Wypij piwo, którego nawarzyłaś. Zasłużyłaś sobie za ten dzisiejszy dzień. Chciałabyś mi to wyjaśnić?

– Skończyłam rozmawiać. Muszę gdzieś być, więc wybacz mi. – Przechodzi obok mnie, żeby wejść do windy.

Nie ucieknie mi tak łatwo. Wchodzę do windy.

– Jeszcze się zobaczymy na dole.

Celia rozciera skronie palcami. Nie jest z tego powodu zadowolona, ale ma w tej kwestii mało do powiedzenia.

– Ja też jadę. – Moja matka wsuwa rękę, by powstrzymać zamykające się drzwi.

– Jedź drugą windą – warczę do niej.

Ona jest tym zupełnie nieporuszona. I tak wchodzi do środka.

– Nie zostanę ani minuty dłużej z tym człowiekiem.

„Tym człowiekiem" jest mój ojciec, który stoi za nią. I nie wygląda na zadowolonego.

– Ja pojadę następną windą.

Podejrzewam, że to by było trochę za dużo, gdyby Sophia i Jack jechali tą samą windą na dół. Zdecydowanie za mała przestrzeń dla nich.

– Dobra – zgadzam się. Zanim drzwi się zamykają, dodaję:

– Chociaż dziwię się, że nie masz nic przeciwko przebywaniu z tą kobietą.

Celia rzuca mi złowrogie spojrzenie.

Moja matka też patrzy na mnie w taki sposób.

– Znam Jacka. To on jest za to odpowiedzialny. To nie była jej wina. – Otacza Celię ramionami. – On cię wykorzystał, skarbie. Ja to rozumiem. On był wtedy dorosłą osobą, a ty tylko dzieckiem.

No, kurwa, niewiarygodne.

Celia pozwala się przytulić mojej matce, grając ofiarę.

– Dziękuję, Sophio. To znaczy dla mnie bardzo wiele. – Nawet udaje, że wyciera łzy, chociaż mogę się założyć, że oczy ma suche.

– Jezu Chryste – mamroczę.

Są do siebie bardziej podobne, niż mi się wydawało.

Matka klepie Celię po ramieniu i postanawia mnie jeszcze zbesztać:

– Ale z ciebie też nie jestem zadowolona, Hudsonie. Kryłeś tego zdradliwego drania...

– Nie kry... – Nie kończę jednak zdania. Nie ma sensu. Ona nigdy tego nie zrozumie. – Nieważne. Nie mam zamiaru o tym z tobą rozmawiać, matko. Sama będziesz sobie musiała z tym poradzić.

– Nie wiem, dlaczego spodziewałam się po tobie jakiegoś współczucia. – Jej oschły ton jest wyćwiczony. To słychać. – Zapomniałam, z kim mam do czynienia.

Wywracam oczami.

– Jaka matka, taki syn.

– Nie tak to leci.

Celia prostuje się i poklepuje Sophię, żeby ją pocieszyć, bo ja tego nie zrobiłem.

– To musi być dla ciebie trudne, Sophio.

Mówi tak, jakby nie ona była odpowiedzialna za to wszystko.

Moja matka podchwytuje to i zaczyna:

– Tak. Rzeczywiście. To druzgocące. – Drzwi się otwierają. Jesteśmy na dole, więc wychodzimy. A matka kontynuuje: – Boże, te ostatnie dziesięć lat były kompletnym kłamstwem. Wychodzi na to, że to dziecko w ogóle nie byłoby moim wnukiem.

W jej oczach widzę łzy. Gdzieś głęboko w niej siedzi lekki żal z powodu tej straty. Jednak to nigdy nie było zdrowe – tyle energii straciła na opłakiwanie swojego nienarodzonego wnuka, który i tak nie byłby jej wnukiem. Dzisiejsza wieść musiała wstrząsnąć nią dogłębnie.

Szczerze mówiąc, w tym momencie mam to gdzieś.

– Zachowaj te żale dla swojego terapeuty. Ja nie chcę tego słuchać.

Tymczasem Celia znowu próbuje się wymknąć. Idę za nią, opuszczając matkę.

– Hej, hej, hej. – Łapię ją za rękę i odciągam od głównych drzwi. – My jeszcze nie skończyliśmy. Zobaczymy się w twoim samochodzie.

– Nie przyjechałam tu samochodem.

– No to poczekam, aż pojawi się twój szofer.

– Miałam zamiar wziąć taksówkę.

– To weźmiemy ją razem. – Nie pozwalam jej wymyślić kolejnej wymówki. – Celio, porozmawiamy o tym, czy tego chcesz, czy nie. I zrobimy to teraz, chociaż masz szansę wybrać miejsce.

Jej ramiona zapadają się, gdy się poddaje.

– No to w takim razie weźmiemy taksówkę.

Wzywamy taksówkę, a gdy przyjeżdża, siadamy na tylnym siedzeniu. Podaje kierowcy adres.

– Ta twoja intryga, Celio, nie była fajna. Nie była nawet mądra. I teraz się kończy.

– Uwielbiam, gdy z góry zakładasz, że wszystko, co robię, jest jakimś przekrętem. Nie możesz chociaż dać mi szansy?

– Dałem ci szansę. Chciałem ci uwierzyć dzisiaj. Uwierzyłem, gdy stałaś przede mną i mówiłaś, że cieszysz się moim szczęściem. Że zakończysz eksperyment z Alayną. Teraz twoimi sztuczkami są tak proste kłamstwa?

Odwraca wzrok w stronę okna i wzrusza ramionami.

– Zmieniłam zdanie.

– I teraz znowu zmieniasz zdanie. Alayna nie jest twoim obiektem w tej grze. To koniec gry.

Obraca głowę, żeby na mnie spojrzeć.

– Czy to jakaś groźba? Nie zapominaj, że ja wiem o rzeczach, którymi ty nie chcesz się z nikim podzielić.

Nie mam wątpliwości, do czego się odnosi. Wczoraj mogłem powiedzieć jej to samo. Jednak jej wielki sekret już został wyjawiony. Nie mam na nią zbyt wiele w tym momencie, ale planuję to zmienić. I to szybko.

Tymczasem będę musiał wykorzystać jej lojalność – lojalność wobec zasad gry.

– Nie powiesz Alaynie, że się nią bawiłem. Nikomu nie powiesz. To wbrew zasadom.

– Martwisz się zasadami? Gra się dla ciebie skończyła. Co cię one obchodzą?

Wkurza mnie jej nonszalancka postawa.

– Jak śmiesz?

– Słucham?

– Słyszałaś mnie. Jak, kurwa, śmiesz? – To dla mnie zbyt wiele. Za dużo tego wszystkiego. Nie chodzi już tylko o to, co zrobiła Alaynie, ale insynuacja, że to, czego ją nauczyłem, nic dla niej nie znaczy, cholernie mnie wkurza. To był mój sposób na życie, na miłość boską. Jak śmie się zachowywać, jakby nie miała do tego ani grama szacunku? – Ja zawsze stosowałem się do naszych praw. Zawsze robiłem dokładnie to, co powiedziałem, że zrobię, nawet z Alayną. Moim jedynym grzechem jest to, że się zakochałem. A to nigdy nie było wbrew zasadom.

– Ale na pewno można się było tego domyślić.

Ignoruję jej sarkastyczny komentarz i kontynuuję:

– To ty przestałaś się trzymać planu. Nawet zmieniłaś cel gry.

– Nic nie zmieniłam. Celem naszej gry było złamanie jej.

Milknę i przechylam głowę.

– Celem gry było sprawdzenie, czy ona się złamie. A nie zmuszenie jej do tego. – Obserwuję jej reakcję i widzę, że się mylę. Jej celem naprawdę było złamanie Alayny. Nie chodziło jej tylko o to, by sprawdzić, czy w wyniku gry tak się stanie.

Zaskoczyło mnie to odkrycie.

– Kiedy naszym celem stało się ranienie ludzi? Byliśmy naukowcami, a nie egzekutorami. Nie byliśmy podli. Nie umawialiśmy się, że będziemy zadawać ludziom ból.

Spojrzała na mnie oszołomiona.

– Jaki ty jesteś, kurwa, tępy, Hudsonie. Raniliśmy ludzi i niszczyliśmy ich, odkąd zaczęła się gra. Zawsze się zachowywałeś, jakby to był tylko przykry skutek uboczny twojej gry, ale wymyślanie eksperymentu, który może zranić ludzi, też jest podłe. To jak przeprowadzanie szkodliwych doświadczeń na ludziach. Naukowcy tego nie robią. Wiesz dlaczego? Bo to nie tylko jest nieetyczne – to także wbrew prawu.

Pokręciła głową i spojrzała przed siebie.

– Rozumiem to, Hudsonie. Naprawdę. Nie chciałeś się zmierzyć z tym, jak cholernie okrutny jesteś w rzeczywistości, więc wmówiłeś sobie, że musiałeś to robić, by móc ze sobą żyć.

Myliła się. Wiedziałem, że byłem cholernie okrutny. Wiedziałem, że byłem dupkiem. Wiedziałem, że przed poznaniem Alayny nie miałem serca.

Byłem człowiekiem, który nie wiedział, jak to jest doświadczyć prawdziwego bólu. Nie rozumiałem, jaką krzywdę robiłem innym ludziom. Doktor Alberts porównał to do sytuacji, w której prosi się ślepego człowieka, by opisał kolor niebieski. Nie próbowałem usprawiedliwić swoich czynów, ale przynajmniej były one bardziej przemyślane.

– To w ogóle nie to samo. – My nie byliśmy tacy sami, chociaż aż do tego momentu myślałem, że jesteśmy. – A fakt, że jednak tak uważasz, pokazuje tylko, jaką tak naprawdę jesteś okrutną suką.

Klaszcze w dłonie, udając entuzjazm.

– Przeszliśmy teraz do wyzywania siebie nawzajem, czyż nie? Jak fajnie! – Jej mina staje się poważniejsza. – Chyba nie mówisz, kurwa, poważnie.

– Mówię śmiertelnie poważnie, Celio. Zakończysz to. A co do nas... – Milknę, nie dlatego, że trudno mi to powiedzieć, ale chcę się upewnić, że mnie słucha i to do niej dotrze. – To koniec między nami. Chcę, żebyś zniknęła z mojego życia. Nie dzwoń do mnie. Nie przyjeżdżaj. Rozumiesz to? Wydaje z siebie parsknięcie. Jak na kobietę o takim statusie, taką ułożoną, Celia umie się brzydko wykrzywić.

– Nie będzie łatwo wyciąć mnie ze swojego życia, Hudsonie. Nasze rodziny...

I w tym momencie cieszę się, że jednak wszyscy dowiedzieli się o dziecku.

– Nie sądzę, by po dzisiejszym dniu był problem z naszymi rodzinami. Założę się, że nasi rodzice nie będą chcieli spędzać ze sobą tyle czasu, co wcześniej.

Przypomnienie o jej rodzicach i wcześniejszych wydarzeniach widocznie nią wstrząsa, ale szybko się po tym zbiera.

– Cóż, ale i tak obracamy się w tych samych kręgach.

– Więc jak tylko zobaczymy się na tym samym evencie, odwrócisz się i odejdziesz jak najdalej. Czy jasno się wyraziłem?

Oddycha ciężko, myśląc nad tym, po czym wyrzuca z siebie tylko jedno słowo:

– Krystalicznie.

Na wszelki wypadek dodaję:

– Nie chcesz mieć we mnie swojego wroga.

– To zabawne, bo myślałam, że już ze mnie kogoś takiego zrobiłeś.

Może ona rzeczywiście tak uważa. Pytanie tylko, kiedy według niej zrobiłem z niej swojego wroga. Czy to było wtedy, gdy opuściłem grę przez Alaynę? A może trzy lata temu, kiedy przestałem grać i zacząłem terapię? Uważam jednak, że bardziej prawdziwą wersją jest ta, gdy dziesięć lat temu w wakacje postanowiłem złamać jej serce.

Powiedziałem jej, że dzisiaj cierpi z powodu karmy. Mnie też to dotyczy.

Podjeżdżamy pod budynek, w którym mieści się jej apartament. Taksówka wjeżdża na miejsce parkingowe.

– Do widzenia, Hudsonie. Myślę, że tak będzie lepiej. Zapłać za taksówkę.

Wysiada z samochodu, a ja nie patrzę za nią. Każę kierowcy jechać z powrotem do Bowery. Będę miał wystarczająco czasu, żeby się spakować przed wyjazdem na lotnisko. Gdyby chodziło wyłącznie o sprawy Plexis, to odwołałbym podróż. Teraz pojawiło się coś innego, coś ważniejszego. Czas wykorzystać informacje, które dał mi Warren Werner, a które mogły się okazać kluczowe dla przyszłości jego firmy. Myślę, że zacznie się od mojego źródła w Japonii.

Gdy wrócę, skupię się na naprawieniu mojej relacji z Alayną. Oboje popełniliśmy błędy, ale możemy ruszyć dalej. Tak myślę. Muszę w to wierzyć, bo bez niej cała reszta nie będzie mieć sensu.

Mimo że tyle się wydarzyło, jestem dziwnie spokojny, gdy wracam do swojego mieszkania. Celia zniknęła z mojego życia i czuję się z tym wyjątkowo wolny. Nie spodziewałem się tego. To tak, jakby z mojego ciała usunięto guz, który był tam od dawna. Zostanie po tym blizna. Jestem tego świadomy. Będę ją pocierał i drapał, czując nierealny ból. Ale on już zniknie, a przy Alaynie będę mógł zacząć proces leczenia.

# Rozdział 20

---
PRZED
---

– Dlaczego nie mogę sobie dzisiaj iść po próbnej kolacji? Bo tylko kolacja jest tą ważną częścią, prawda? – Chandler od dwudziestu minut próbował się wykręcić od uczestnictwa w próbnej kolacji przed ślubem Mirabelle.

Moja matka sprawdziła temperaturę lokówki. Była wyraźnie bardziej skupiona na swoim zadaniu niż na narzekaniach syna.

– Nie rozumiem, dlaczego tak bardzo nie chcesz do nas dołączyć.

On ma przecież tylko piętnaście lat, chciałem powiedzieć. To był wystarczający powód.

– Bo to nudne! – krzyknął zdenerwowany.

– Chandler! – przywołała go do porządku matka, zakrywając uszy mojej siostry, jakby miała się obrazić za słowo „nudny". Jakby zakrywanie uszu po tym, jak już się coś usłyszało, miało w czymś pomóc.

Mogłem się zgodzić, że to będzie trochę nudne, chociaż sam nie miałem piętnastu lat. Cała rodzina spędziła ostatni tydzień sierpnia w Mabel Shores, przygotowując się do ślubu Mirabelle w weekend. Przez pięć dni byłem otoczony ludźmi i zmuszony do interakcji z nimi. Jeszcze trochę, a oszaleję, byłem tego pewny. Moja siostra nalegała, bym nie zajmował się tu pracą, a ja się zgodziłem. To był błąd. Gdy nie poświęcałem się sprawom biznesowym, moje myśli od razu skupiały się na moim uzależnieniu – na grze.

W tym momencie Celia i ja w tej kwestii mieliśmy przerwę – i dlatego tak bardzo chciałem zacząć nowy eksperyment. Każdy gość weselny był potencjalnym obiektem, każdy gość w naszym domu. Zastanawiałem się, czego mógłbym się od nich nauczyć.

W którymś momencie zauważyłem, że moja obsesja wymykała mi się spod kontroli. Często w pracy łapałem się na tym, że śniłem na jawie o następnym projekcie, kolejnej grze. Gdy już od tygodnia się tym nie zajmowałem, uświadomiłem sobie, jak bardzo mnie to pochłaniało. Czułem się niczym ćpun na odwyku. Byłem już na skraju wytrzymałości.

Dzisiaj musiałem się na czymś skupić, więc postanowiłem towarzyszyć Mirabelle w pokoju mojej matki, gdy Sophia przygotowywała ją do próbnej kolacji weselnej.

Chandler oparł się o framugę drzwi. Czułem, że już myślał o tym, by się poddać, ale jeszcze próbował.

– Nikt nie będzie za mną tęsknić – powiedział cicho.

– Ja będę za tobą tęsknić. – Matka nawet nie postarała się powiedzieć tego tak, by zabrzmiało to szczerze.

Mój brat i ja wymieniliśmy spojrzenia. Nie byłem blisko z Chandlerem – dzieliło nas jedenaście lat, więc nic nas nie łączyło, a dodatkowo ja nie miałam w zwyczaju przywiązywać się do ludzi. Jednak ciągle byliśmy rodziną i chociaż w tej kwestii się dogadywaliśmy. Mieliśmy tych samych rodziców, tak samo zostaliśmy wychowani. Oboje wiedzieliśmy, że mógłby się wymknąć podczas kolacji, a nasza matka nawet by tego nie zauważyła. Mirabelle też o tym wiedziała. Przez większość rozmowy siedziała cicho, ale teraz obróciła się w stronę Chandlera.

– Ja będę za tobą tęsknić! Chandler, czy mógłbyś chociaż na jeden wieczór zapomnieć o swoich przyjaciołach i zostać. Zrobisz to dla mnie?

Nie było na świecie osoby, która odmówiłaby Mirabelle Amelie Pierce. Temat się skończył. Chandler wyszedł z pokoju obrażony, ale wiedziałem, że zostanie wieczorem na kolacji.

Dotarło do mnie, że Mirabelle mogła już na początku poprosić go, by został, i wtedy nie byłoby całej tej dwudziestominutowej rozmowy. Przypuszczałem, że chciała dać Sophii szansę na to, by zachowała się jak matka. To było niesamowite, że ciągle to robiła. Zastanawiałem się, co by zniszczyło wiarę Mirabelle, ale w jednej chwili przestałem. To były takie myśli, które mogły doprowadzić do eksperymentu. Nieważne, jak bardzo chciałem znowu zagrać, nie zrobiłbym tego Mirabelle. Nie mógłbym.

Zmusiłem się, by skoncentrować się na tym, co się działo w pokoju. Mirabelle siedziała na krzesełku, podczas gdy matka stała za nią i zakręcała jej włosy lokówką. Matka była chyba nawet trzeźwa. W mojej głowie pojawiło się wspomnienie, a raczej cały kolaż wspomnień. Niejednokrotnie z siostrą sadowiliśmy się u stóp mamy, gdy ona siedziała przy tej samej toaletce, na tym samym krzesełku. Siedziała tam chyba wieczność i robiła się na bóstwo. Patrzyłem, jak nakłada róż na policzki, reguluje brwi, prostuje włosy i za każdym razem wtedy myślałem, jaka moja matka była piękna.

Bardzo często tak robiłem, ale najwyraźniej już o tym zapomniałem. To były dobre momenty. O dziwo, były jakieś dobre chwile z naszą matką.

To wspomnienie sprawiło, że nagle poczułem słabe ciepło w okolicy klatki piersiowej.

– Jak dobrze, że masz włosy do ramion. Gdyby były dłuższe, to nigdy byśmy nie zdążyły. – Nawet narzekanie matki wydawało mi się w tej chwili mniej męczące.

– Powinnam je ściąć. Wtedy w ogóle nie musiałybyśmy się tym martwić. Myślę, żeby obciąć się na krótko, gdy tylko skończy się miesiąc miodowy. Jakieś pomysły?

Powstrzymuję się od śmiechu. Matka nienawidziła krótkich włosów u dziewczyn.

– Czy ty chcesz, żebym dostała zawału? – Mimo tych słów dostrzegłem lekki uśmiech na jej ustach. – Dalej nie wiem, dlaczego nie zatrudniłaś kogoś, żeby zajął się dzisiaj twoją fryzurą i makijażem.

Mirabelle wzruszyła ramionami.

– Nie sądzę, abym dzisiaj musiała się aż tak bardzo przygotowywać. Wystarczy, że jutro będę zmuszona wyglądać jak bogini.

Popatrzyłem na jej odbicie w lustrze i zobaczyłem, że kłamie. Ona chciała, by Sophia się tym wszystkim dziś zajęła. Ona też pamiętała te dobre czasy. Mirabelle była romantyczką, na pewno właśnie to teraz wspominała. Chciała odtworzyć te chwile i jej się udało.

Może jednak powinienem bardziej wierzyć w optymistyczne podejście siostry do naszej matki.

– Dziękuję, że tu jesteś, Hudsonie – powiedziała Mirabelle, gdy zobaczyła, że patrzę na nią w lustrze. – To, że tutaj jesteś i możesz dzielić ze mną te chwile, wiele dla mnie znaczy.

Normalnie wzruszyłbym ramionami i nic nie odpowiedział. Ale ta wcześniejsza nostalgia zachęciła mnie do rozmowy. To dziwne.

– Muszę przyznać, że to nie jest w moim stylu, ale cieszę się, że tu jestem. – Aż do tego momentu nawet nie zdawałem sobie sprawy, że rzeczywiście tak uważałem. Mówiłem szczerze. Ale ona nie musiała tego wiedzieć.

Matka wzięła kolejny kosmyk włosów Mirabelle i nakręciła go na lokówkę. Była tak skoncentrowana na pracy, że chyba nawet nie słyszała naszej rozmowy.

– Ale nie wierzę, że nie masz jakiejś uwagi na końcu języka – mówiąc to, Mirabelle, poprawiła szminkę. – Jak to, że miłość jest mitem, a małżeństwo jednym wielkim przekleństwem.

Zaśmiałem się, bo w sumie miała rację.

– Już nie wspominając o tym, że nawet nie masz dwudziestu jeden lat i nie możesz pić legalnie, a wychodzisz za mąż. Już w tak młodym wieku przekreślasz sobie całe życie.

Jej mina trochę zrzedła. Chciała, żebym zaprzeczył moim wierzeniom, aby mogła kontynuować swoją wizję romantycznego małżeństwa, a ja jeszcze bardziej się rozkręciłem. No cóż. Po prostu byłem szczery. Co miałem zrobić? Skłamać?

Nie byłem osobą, która mówiła miłe rzeczy, ale mogłem znaleźć inny sposób na to, by okazać swoje wsparcie. Mirabelle zawsze była jak Pollyanna. We wszystkim widziała dobro. Może akurat jej małżeństwo się uda.

– Ufam, że wiesz, co robisz, Mirabelle. Nie słuchaj mnie.

– I tak zazwyczaj cię nie słucham. – Uśmiechnęła się szeroko, a ja się rozluźniłem. Nawet nie zauważyłem, kiedy tak się spiąłem. – I wiem, co robię. Adam jest najlepszy dla mnie. Uszczęśliwia mnie. Ja uszczęśliwiam jego. No wiesz, generalnie toniemy w szczęściu.

Bla, bla, bla. Każda zakochana para tak mówiła. Potem pojawiał się jakiś kryzys i wszystko się rozpadało. Miłością tak łatwo dało się manipulować. Tak łatwo było ją zmienić. Jakim cudem ludzie uważają to za coś prawdziwego? Jak to możliwe, że ludzie są w stanie poświęcić swoje życie na coś tak mało wiarygodnego?

Jak Mirabelle mogła to robić?

Musiała odgadnąć moje myśli, bo dodała:

– Oczywiście wiem, że nie zawsze będzie łatwo i przyjemnie. Na pewno przyjdą ciężkie czasy. Ale to nie ma znaczenia, o ile będziemy razem.

– Przepraszam, ale muszę przewrócić oczami.

– Hudsonie, nie zrozumiesz tego, dopóki sam nie spotkasz kogoś takiego. – Ona była jedyną osobą, która zawsze mówiła tak, jakbym kiedyś miał znaleźć swoją jedyną, prawdziwą miłość. To było nawet urocze.

– Ale czy musisz od razu brać ślub? Nie moglibyście przynajmniej przez jakiś czas po prostu być ze sobą? – I poczekać, aż minie ta pierwsza związkowa euforia, a wtedy ona zauważy, że życie długo i szczęśliwie jest po prostu tylko śmiesznym wymysłem.

– Nie. Muszę wziąć ślub. – Rozszerzyła oczy, żeby wytuszować rzęsy.

– Mirabelle! – Czyli jednak matka przysłuchiwała się naszej rozmowie.

– Czy jest coś, czego nam nie mówisz, siostrzyczko?

Mirabelle zaśmiała się i przestała nakładać makijaż.

– Nie jestem w ciąży, ty głąbie. Jestem zakochana. I tak mimo to nadal muszę wziąć ślub. Bo gdy kogoś kochasz...

– Spojrzała na mnie w lustrze i dokończyła pewnym siebie

głosem: – Jego świat jest dla ciebie ważniejszy niż twój własny. Jest tak ważny, że ty jako osoba znikasz i jedyną opcją jest połączenie się tych dwóch osób w całość. Bo inaczej ty sam przestajesz istnieć.

To były tylko zwykłe bzdury, ale siła tych słów uderzyła mnie tak bardzo, że poczułem w piersi dziwne wibrowanie, jakby odbiły się one o moje wnętrze. Pozwoliłem im tam zostać.

Po kilku chwilach ciszy matka się odezwała:

– Nie mogłam się doczekać, aż poślubię waszego ojca. Mówiłam wam to kiedyś?

Zamarłem i widziałem, że Mirabelle też. Sophia nigdy nie mówiła o swojej przeszłości. A przynajmniej nie w pozytywny sposób. Dorastaliśmy, wierząc, że małżeństwo naszych rodziców było oparte na sprawach związanych z firmą. Firma ojca Jacka właśnie upadła, ale Pierce'owie ciągle byli potęgą, a mój ojciec myślał innowacyjnie. Tak się złożyło, że rodzina Waldenów posiadała pieniądze i inwestycje i nikt nie planował tego przejąć. Małżeństwo Sophii Walden i Jacka rozwiązało wiele problemów.

Nigdy nie sądziliśmy, że było w tym związku miejsce na miłość.

– Nie, mamo, nigdy nam o tym nie mówiłaś – powiedziała cicho Mirabelle.

Wiedziałem, że zachęcała tym matkę, by kontynuowała.

– Byliśmy bardziej w sobie zakochani niż ktokolwiek inny. Myślę, że to trochę przerażało mojego ojca. Gdy ogłosiliśmy nasze zaręczyny, prawie dostał zawału serca. Ojciec ciągle tylko pytał, jak Jack mnie utrzyma. A przecież same pieniądze z mojego funduszu pozwoliłyby nam się utrzymać.

Sophia nadal była skupiona na włosach Mirabelle, gdy mówiła. Jeden kosmyk nie chciał się ułożyć tak, jakby sobie tego życzyła.

– Ale tatuś zabrał Jacka na rozmowę. Gdy wrócili, postanowił, że będziemy mogli wziąć ślub pod warunkiem, że Jack przejmie firmy Waldenów. Z tego, co wiem, to była sytuacja korzystna dla obu stron. Nasze światy związały się ze sobą w każdy możliwy sposób.

Zauważyłem, że użyła słowa „światy" i już wiedziałem, co wywołało w niej to wspomnienie. Moja matka również zmieniła swój świat, by być z Jackiem Piercem. Albo Jack zmienił swój świat, żeby być z nią. W sumie trudno to było pojąć. Łatwiej mi było wyobrazić sobie moich rodziców, jak uprawiają seks, niż jak są w sobie zakochani.

– Mój ojciec chciał, by Jack przejął firmy, jak tylko się pobierzemy. Ja nie chciałam, by narzeczeństwo długo trwało, więc Jack zaczął wtedy spędzać dużo czasu z tatą w jego biurze. Nie widziałam się z nim wówczas tak często, jakbym sobie życzyła. Jednak dzień naszego ślubu... – Jej głos był teraz miękki i cichy. – To był najpiękniejszy dzień, jaki mogłabym sobie tylko wymarzyć. Jack miał na sobie smoking. Był taki przystojny. Marzyłam, aby ceremonia skończyła się szybko, żebym mogła się na niego rzucić.

– Mamo! – Mirabelle była zawstydzona. Nie dziwiłem się, że już nie chciała słuchać. W końcu dotyczyło to naszych rodziców.

– Ja też byłam kiedyś młoda – powiedziała Sophia na swoją obronę, a jej twarz rozświetliła się ze szczęścia.

Nigdy jej takiej nie widziałem.

– To w takim razie mam nadzieję, że miałaś niesamowity miesiąc miodowy.

Uśmiech matki zniknął, gdy usłyszała słowa Mirabelle.

– Cóż, zaczęło się świetnie. Jack musiał jednak wrócić dzień po tym, jak przybyliśmy na Bora-Bora. W firmie pojawiły się jakieś problemy i był potrzebny. Wiecie, musiał zostawić żonę samą podczas miesiąca miodowego. A potem to już inna historia.

Mirabelle spuściła oczy. Jeśli miałbym zgadywać, właśnie próbowała zwalczyć łzy. Łatwo było ją doprowadzić do płaczu.

Mnie najbardziej interesowało to, jak słowa matki na mnie wpłynęły. Zawsze postrzegałem ją jako zgorzkniałą kobietę zamkniętą w swojej skorupie. A teraz zobaczyłem ją inaczej, z innego punktu widzenia. Teraz widziałem wokół niej aurę ciepła i delikatności. Może nawet opiekuńczości. Taką była kiedyś kobietą.

To by dopiero był fascynujący eksperyment. Może z Celią moglibyśmy odtworzyć taką grę z kimś innym. Chciałbym wiedzieć, jak doszło do tego, że z takiej zakochanej, ciepłej kobiety zmieniła się w oziębłą. To by była kolejna gra, w którą moglibyśmy zagrać.

Boże, zawsze muszę wspomnieć o tych grach...

Matka odłożyła lokówkę.

– Jednak sam ślub był wspaniały. I twój też taki będzie. – Przeczesała delikatnie włosy Mirabelle palcami, a potem położyła jej ręce na ramionach. – Spójrz tylko na siebie. Jesteś taka piękna.

Mirabelle popatrzyła w lustro i uśmiechnęła się do swojego odbicia, najwyraźniej zadowolona z rezultatu. Albo po prostu podobała jej się ta sytuacja. Poklepała Sophię po ręce.

– Dziękuję, mamo. Za wszystko.

Przez chwilę obserwowałem, jak matka i córka dzielą ten zwyczajny moment, który w naszej rodzinie nie był wcale taki zwyczajny. Poczułem, że chyba czegoś w moim życiu brakowało. Może kolorów. Smaku, którego jeszcze nie poznałem. Dźwięku, którego jeszcze nie słyszałem. Czegoś... więcej.

I to też były tylko zwykłe bzdury. Gdybym potrzebował dowodu, wystarczyło, że spojrzałbym na wyniki swoich badań. To, jak żyłem – bez emocji, po prostu wolny – było tak naprawdę realne. Nie było niczego „więcej".

Tego wieczoru odkryłem, że próbne wieczory przed ślubem potrafiły być równie męczące, co ślub. Nigdy nie byłem zainteresowany angażowaniem się w to, ale Mirabelle się o to postarała. Przekonała Adama, by zrobił ze mnie swojego drużbę. Byłem na tym cholernym weselu i czułem się jak hipokryta. Cały wieczór wszyscy mnie pytali: „Cieszysz się ze szczęścia Miry?", „Czyż ona nie jest piękną panną młodą?". Odpowiadałem: „Bardzo się cieszę" i „Ona jest piękna zawsze". Tyle razy to powtarzałem, że po jakimś czasie miałem już serdecznie dość i byłem tym zmęczony. Pomiędzy sztywnymi rozmowami a grzecznymi uśmiechami wyobrażałem sobie kolejne eksperymenty. Na przykład ta laska w obcisłej kiecce – czy nadal śliniłaby się do dupka, z którym tu przyszła, gdybym przekonał ją, że drużba pana młodego na nią leci? A ten kelner, który flirtował z siostrą Adama – czy zdradziłby swoją żonę (miał obrączkę na palcu i nie krył się z tym), gdyby ona również była nim zainteresowana? Wiedziałem, że mogłem namówić druhnę Mirabelle, by się ze mną stąd wymknęła – kiedyś pieprzyliśmy się przy paru okazjach – ale czy mógłbym tak to rozegrać, żeby jej narzeczony przyłapał nas na gorącym uczynku?

Zaczynałem powoli wariować. Co chwila musiałem sobie powtarzać, że ślub Mirabelle to nie czas na moje eksperymenty. Przypominałem sobie o tym tak wiele razy, że w końcu przestałem siebie słuchać. I kiedy usiadła obok mnie druhna panny młodej, tak bardzo ciągnęło mnie do gry, że ta ochota pozbawiła mnie umiejętności logicznego myślenia.

Położyłem rękę na oparciu jej krzesła i pochyliłem się do niej.

– Nie wybrałabyś tego miejsca, Melisso, gdybyś nie chciała czegoś ode mnie.

Okręciła na palcu kosmyk włosów i obróciła się do mnie przodem, żebym z łatwością mógł spojrzeć za jej dekolt.

– A co dokładnie miałabym od ciebie chcieć, Hudsonie?

– Patrząc na to, jak wypinasz w moim kierunku klatkę piersiową, powiedziałbym, że chcesz, bym pieprzył ustami twoje piersi w domku nad basenem. – Pod stołem przesunąłem rękę po jej udzie. – Ale nie martw się, twojej cipce też poświęcę trochę uwagi.

Jej oddech przyspieszył, a oczy rozbłysnęły.

– Wyjdę stąd pierwsza. Poczekaj pięć minut i przyjdź. Idealnie.

– Gdy tam przyjdę, masz być rozebrana.

Poczekałem, aż zniknie mi z oczu, a potem odnalazłem Timothy'ego, jej narzeczonego. Był stażystą w firmie prawniczej, która zrobiłaby wszystko, żeby jej klientem było Pierce Industries.

– Timothy, mam pewne dokumenty, z którymi potrzebowałbym pomocy – powiedziałem do niego. – Spotkamy się w domku nad basenem za piętnaście minut? – W mojej głowie pojawił się obraz ogromnych cycków Melissy i mojego fiuta wpychającego się między nie, więc zmieniłem zdanie. – Albo lepiej za dwadzieścia minut.

Oczywiście się zgodził. A ja zniknąłem, by zająć się tym, co lubię najbardziej – grą i seksem. Gdy zacząłem wychodzić, mój penis już stwardniał. Niedługo miała zostać podana kolacja. Przeszedłem zaledwie parę metrów, kiedy usłyszałem znajomy głos.

– Hudson?

Obróciłem się w stronę Mirabelle.

– Eee, tak? – Poczułem się nieco winny, chociaż ona nie mogła wiedzieć, co planowałem. Na szczęście było tu ciemno i nie widziała wybrzuszenia w moich spodniach.

Stanęła na skraju parkietu.

– Dokąd się wybierasz?

– Idę tylko odetchnąć świeżym powietrzem.

– A gówno prawda.

Była wkurzona. Po pierwsze, przeklinała, a Mirabelle rzadko to robiła. Po drugie, w jej oczach widać było furię.

– Nie jestem pewny, o czym ty mówisz.

– Jasna cholera, wiesz, o czym mówię. Obserwowałam cię. Widziałam, jak rozmawiasz z Melissą. A gdy ona wyszła, podszedłeś do Tima, żeby o czymś z nim porozmawiać. To mój ślub, Hudsonie, a ty robisz coś takiego. Nawet nie mogę na ciebie patrzeć w tej chwili.

Ona wiedziała. Nie było innej opcji. Jej złość mówiła wszystko. Szczerze mówiąc, ta intryga dotycząca jej przyjaciółki była chorym pomysłem. Jednak jak każdy uzależniony próbowałem temu zaprzeczyć.

– Mirabelle, naprawdę nie wiem, o czym mówisz.

– Wiesz co? Pierdol się. – Jej drobna sylwetka zatrzęsła się ze złości. Założyła ramiona na piersi. – Nie chcę cię tu w tej chwili oglądać, więc lepiej się stąd wynieś. Teraz.

Pójście do domku nad basenem też się zaliczało jako wyjście, prawda?

– Ale przysięgam na Boga, jeśli będziesz pieprzył się dzisiaj z moją przyjaciółką, albo jutro, albo w jakimkolwiek momencie w trakcie mojego wesela w ten weekend, nigdy ci tego nie wybaczę.

– Poważnie? Ja...

– Tak, poważnie! – Jej głos się załamał. – Nie chcę cię tu teraz widzieć. Idź sobie stąd.

Chciałem się dalej kłócić, ale co mógłbym niby powiedzieć? Poprawnie odczytała moje zamiary. A ja nie chciałem zrujnować jej ślubu.

– Dobra, idę.

Patrzyła na mnie cały czas, więc nie mogłem się teraz udać do domku przy basenie. Postanowiłem przejść obok niej i wziąć od kelnera butelkę szkockiej. Potem poszedłem do domu. Nie pozwoliłem sobie, by znowu zacząć o czymś myśleć. A przynajmniej do chwili, gdy znajdę się w bezpiecznej odległości i nie będę mógł zrobić niczego, czego bym żałował.

Okazało się, że wyjechanie moim samochodem będzie niemożliwe, bo był zastawiony. Musiałem iść pieszo. Nie miałem dokąd się udać, więc poszedłem na główną drogę po drugiej stronie miejsca, gdzie odbywało się przyjęcie. Skierowałem się do altany usytuowanej na naszej ziemi. Rzadko z niej korzystaliśmy, choć rozciągał się stąd doskonały widok na morze. Była za daleko od domu, przynajmniej według mnie. Mirabelle i ja przychodziliśmy tu, gdy dorastaliśmy. To było świetne miejsce, by uciec od naszej matki, kiedy zaczęła się robić zbyt problematyczna lub za bardzo pijana.

Chyba dobrze, że się teraz tu znalazłem.

Wszedłem po schodach, które skrzypnęły pod moim ciężarem. Usiadłem na drewnianej ławce i poluzowałem krawat. Owiewała mnie chłodna bryza. Upiłem łyk szkockiej i zacząłem rozmyślać.

Boże, Melissa i jej piersi w rozmiarze podwójnego D. I jej ciasna cipka. Teraz była pewnie wkurzona i już musiała się zacząć ubierać. Potem pojawi się Timothy. Pewnie pomyślą, że zaaranżowałem to w tym celu, żeby na siebie wpadli i mieli okazję się ze sobą pieprzyć. Nigdy bym nie pomyślał, że będę zazdrosny o tego głupka.

Mimo to rozczarowanie i irytacja wywołane moją niedokończoną grą nie trwały długo. Gdy zniknęły, zrobiły miejsce dla czegoś znacznie potężniejszego – dla wstydu. Byłem pewny, że Mirabelle nie wiedziała o moich grach, po prostu pomyślała, że zabawiam się z kobietą, która jest zaręczona. To nie było najważniejsze. Chodziło o to, że ją zawiodłem. Zraniłem. Nie chciałem tego zbyt długo rozpamiętywać. To nie było przyjemne uczucie. Było jak mroźny wiatr, który szczypał moją skórę.

Napiłem się szkockiej, by mnie rozgrzała i pomogła pozbyć się tego lodowatego odczucia. Zacząłem myśleć o czymś innym. Wróciłem myślami do opowieści mojej matki, którą słyszałem wcześniej. Dziwnie było uświadomić sobie, że kiedyś prowadziła zupełnie inne życie. Że kiedyś była szczęśliwą kobietą. Że wierzyła w swoją przyszłość z moim ojcem. Czy można powiedzieć, że jej życie zostało zrujnowane, bo mój dziadek chciał, by jej narzeczony przekonał go, że jest dobrym kandydatem? I dlatego Jack – by udowodnić swoją miłość do niej – zajął się firmą? Że spędzali dużo czasu osobno i to doprowadziło do wyniszczenia ich związku, do picia i zdrad?

A gdyby wszystko było inaczej, gdyby udało im się znaleźć równowagę między ich światami i utrzymać zdrową relację, czy wtedy nadal byłoby tak, jak jest?

Zastanawianie się nad odpowiedzią było bezsensowne. Nigdy jej nie dostanę.

Najprawdopodobniej moi rodzice nadal byliby popieprze-
ni, nawet jeśli ich miesiąc miodowy skończyłby się później.
A ja wciąż byłbym taki, jaki jestem. Po co ja w ogóle narzeka-
łem? Przecież nieodczuwanie emocji było moją supermocą,
prawda?

Tylko że ostatnio nie czułem, by to była supermoc. To mnie
rozpraszało. Nieustannie coś się w mojej głowie działo, nieustannie szukałem odpowiedzi. Przez nią ciągle musiałem
przeprowadzać eksperymenty i gry. Doprowadzało mnie to
do szaleństwa. A może ja od początku byłem szalony.

Czy to nie było pytanie za milion dolarów?

– Hudson? – Delikatny głos Mirabelle wybudził mnie z zamyślenia. Nie odpowiedziałem, ale ona i tak zaczęła się
zbliżać do altany. Weszła po schodach i oparła się o filar
przy wejściu. – Tutaj jesteś.

– Tak, tutaj. – Była teraz spokojniejsza niż wcześniej, ale
nie cieszyłem się z tego, że mnie znalazła. To na pewno
oznaczało, że ze sobą rozmawiały. Kurwa, nie podobało mi
się to, ale nie mogłem jej odesłać z powrotem. Moje czyny
do tego doprowadziły. To były moje konsekwencje.

W altanie nie było światła, a Mirabelle zasłoniła sobą księżyc, więc nie widziałem wyrazu jej twarzy. Czy nadal była
na mnie zła? Czy przyszła tu, żeby przeprosić?

Założyła kosmyk włosów za ucho i w końcu powiedziała:

– Matka się upiła.

Hm. Czyli nawet nie chodziło o mnie.

– Jesteś zaskoczona?

– Nie. Ale miałam nadzieję, że do tego nie dojdzie. Miała dobry dzień. – W jej głosie pobrzmiewała melancholia
i wiedziałem, że w jej oczach musiał się pojawić smutek.

Nie rozumiałem smutku, ale nie podobało mi się to, że
Mirabelle była smutna, więc próbowałem ją pocieszyć.

– Na imprezach matka ma łatwy dostęp do alkoholu, więc szybko się upija i nikt nawet nie zauważa, kiedy to się stało. Wszyscy przecież piją.

– Prawda.

Podeszła do mnie i usiadła na ławce obok. To oznaczało, że zamierzała tu zostać. Nie wróżyło to dla mnie dobrze i pewnie dostanę reprymendę za wcześniejsze zachowanie.

– Powinnaś być ze swoimi gośćmi. – Wziąłem łyk szkockiej i próbowałem z nonszalancją zasugerować, by sobie poszła. Ona jednak nie miała takiego zamiaru.

– Ty też jesteś moim gościem.

– Ale masz ważniejszych gości niż ja.

– Nie sądzę. – Spojrzała w stronę oceanu. Ja też tam patrzyłem. – Poza tym musimy porozmawiać.

Udawałem, że nie wiem, o czym chciała ze mną rozmawiać.

– Jeśli potrzebujesz porady małżeńskiej w ostatniej chwili, wiesz, co mam zamiar powiedzieć – nie wychodź za mąż.

– Dupek z ciebie. I nie, nie przyszłam tu po poradę w kwestii małżeństwa. Ale ty kiedyś przyjdziesz do mnie. Idę o zakład. – Zaczęła rytmicznie kołysać stopami.

– Mhm. – Nigdy nie zamierzałem się ożenić. Chociaż małżeństwo było bardziej prawdopodobne niż zakochanie się. Jednak powiedzenie tego Mirabelle nie miało sensu. To by tylko zaczęło kolejną niepotrzebną rozmowę. Naprawdę nie mogłem dzisiaj uciec od niewygodnych rozmów. Żaden temat nie był dobry.

Postanowiłem iść za ciosem.

– Słuchaj, nie musimy rozmawiać o tym, co się stało wcześniej. To był tylko mój błąd. To wszystko.

Przez chwilę milczała. Usłyszałem, jak przełyka ślinę.

– Nie. Nie musimy o tym rozmawiać – zgodziła się cicho, ku mojemu zaskoczeniu. – Ale powinniśmy porozmawiać o czymś innym.

Cóż, łatwo poszło. Biorąc pod uwagę jej nastawienie i dziwny spokój, domyślałem się, co chciała powiedzieć. Czyli to, co zawsze: „Kocham cię i jesteś dobrym bratem, chociaż próbowałeś mnie utopić, gdy miałam siedem lat. I chciałeś przelecieć moją druhnę". Czyli te wszystkie urocze bzdury, które mówią naiwne, słodkie siostry podczas wyjątkowych okazji, takich jak ślub.

Ale ona znowu mnie zaskoczyła.

– Hudsonie, muszę porozmawiać z tobą o interwencji. Naprawdę? Dzisiaj? Zastanawiałem się, ile czasu jeszcze minie, zanim ktoś postanowi zająć się matką i jej alkoholizmem. Tylko nie myślałem, że to będzie podczas ślubu mojej siostry.

– A czy Chandler i tata nie powinni przy tym być? Mają na matkę większy wpływ, niż ja kiedykolwiek miałem.

– Nie w kwestii matki. – Przestała kołysać stopami. – Chodzi o ciebie.

Zaśmiałem się.

– To pewnie nie zabrzmi wiarygodnie, skoro właśnie piję wprost z butelki, ale nie jestem alkoholikiem. – Pewnie, że tak mówili wszyscy alkoholicy, jednak ja nigdy się nie zataczałem i nie mamrotałem. Trudno mi było uwierzyć, że zdaniem Mirabelle miałem jakiś problem. Znowu się zaśmiałem. – Poza tym, czy w przypadku interwencji nie powinno być obecnych więcej osób?

– Cóż, oni chcą utworzyć grupę osób, które uzależniony, czyli ty, kocha i których posłucha. Ja uważam, że jestem jedyną osobą, która powie coś znaczącego w tej sprawie.

A przynajmniej mam nadzieję, że moje słowa mają dla ciebie jakieś znaczenie. – Była taka szczera i taka poważna w swojej przemowie.

Westchnąłem i próbowałem mówić podobnym tonem.

– Nie mam problemu z alkoholem, Mirabelle.

Zaśmiała się cicho.

– Hudsonie, nie sądzę, żebyś miał problem z alkoholem. Ogarnij się. – Jej powaga znowu powróciła. – Ale uważam, że masz inny problem. Zupełnie innego rodzaju.

Moje serce przyspieszyło i od razu pomyślałem o swoich grach. Nie mogło chodzić o nic innego, bo nie było innych rzeczy w moim życiu. Ale skąd ona mogła o tym wiedzieć? Rzadko kiedy moje eksperymenty miały miejsce blisko domu i rodziny. Dzisiaj na przykład tak się stało, ale to był wynik moich złych decyzji. Może to miała właśnie na myśli?

Grałem głupka, bo tak naprawdę nie wiedziałem, o co chodzi.

– Nie wiem, o czym mówisz. – Upiłem kolejny łyk szkockiej. Nie uspokoiła mnie, chociaż miałem taką nadzieję.

– Hudsonie, nie będę owijać w bawełnę. Chociaż nie wiem, jak mam to określić. Może nie ma na to odpowiedniego słowa. Jednak jestem tego wszystkiego świadoma. Widzę to. Widzę, co robisz innym ludziom. Jak ich… traktujesz. Jak wcześniej tego wieczoru, tylko że to nie był pierwszy raz. Ani piąty, ani piętnasty. Mogę się o to założyć. To okrutne zachowanie. Destrukcyjne. I nie chodzi mi tylko o ludzi, którym to robisz. Chodzi mi też o ciebie. To niszczy przede wszystkim ciebie.

Powtórzyłem to, co powiedziałem wcześniej, bo nic innego nie przychodziło mi do głowy.

– Nie wiem, o czym mówisz. – Jednak mój głos był słabszy niż poprzednio. Nie byłem ani trochę przekonujący.

– Wiesz doskonale. I nie musisz tego mówić. Nie chcę słyszeć wymówek ani szczegółów. Zależy mi na tym, żebyś mnie wysłuchał. – Przyklęknęła przede mną i ujęła moje ręce w swoje dłonie. – Posłuchaj, Hudsonie. Nie jesteś taki, za jakiego się uważasz. Jest w tobie więcej, niż podejrzewasz. Więcej niż te intrygi, które pochłonęły twój świat. Widzę to. Czuję to. I nie dlatego, że jestem beznadziejną optymistką, ale dlatego, że masz swoją drugą stronę i jest ona bardzo, bardzo prawdziwa.

Chciałem uwolnić ręce z jej uścisku, ale nie pozwoliła mi.

– Przestań. Nie pozwolę ci się ode mnie teraz uwolnić, Hudsonie. Nie mogę. Wierzę w ciebie, nawet jeśli ty w siebie nie wierzysz. Ja mam właśnie zamiar zacząć nowe życie. Takie, które może mnie trochę od ciebie odsunąć, ale chodzi o to, że nie mogę nigdzie iść, jeśli nie mam pewności, że wszystko z tobą będzie dobrze. Nie mogę zniknąć z twojego świata, dopóki nie będę przekonana, że ty swojego nie zniszczysz.

Ścisnęło mnie w gardle. Czułem, że powinienem coś powiedzieć, ale brakowało mi słów. Chociaż zazwyczaj w środku nic nie odczuwałem, teraz paliło mnie w piersi. To było bardzo nieprzyjemne, jak niestrawność, ale jednocześnie bardziej intensywne. Czułem się tak, jakby coś się we mnie poruszało, jakby coś kradło mi oddech i chciało doprowadzić do mojej eksplozji.

Mirabelle wbiła palce w moje ciało, aż zabolało. Chyba chciała przyciągnąć tym moją uwagę.

– Zrobisz to dla mnie? Powiedz, że tak. Powiedz, że przestaniesz. Powiedz, że chociaż spróbujesz. Jeśli nie dla innych i nie dla siebie, to chociaż dla mnie. Proszę, obiecaj.

Mogłem powiedzieć jej, by się ode mnie odpieprzyła. Mogłem jej obiecać, cokolwiek tylko chciała, byle już dała mi spokój. Mogłem spróbować wyjaśnić jej, na czym naprawdę polegają moje intrygi. Gdyby zrozumiała, nie byłoby problemu.

Prawda była jednak taka, że to był problem. Eksperymenty stały się moją obsesją. Żyłem i oddychałem wyłącznie dla nich. Tylko że żaden eksperyment nigdy nie dał mi takich odpowiedzi, jakich potrzebowałem. Nadal nie wiedziałem, dlaczego czułem się taki cholernie pusty w środku.

Powiedziałem więc jedyne słowo, które mogłem.

– Okej.

– Mówisz szczerze?

Skinąłem głową, bo gardło miałem tak ściśnięte, że nie potrafiłem mówić.

Zaczęła płakać. Łzy spłynęły po jej policzkach. Zagryzła wargę i pokiwała kilka razy głową. W końcu zduszonym głosem powiedziała:

– Dziękuję.

Usiadła mi na kolanach i przytuliła mnie, tak jak kiedyś, gdy byliśmy mali.

A ja jej na to pozwoliłem i nawet odwzajemniłem uścisk. Na początku trochę niepewnie, ale potem przytuliłem ją bardzo mocno.

– Dziękuję – powiedziała znowu, gdy w końcu się ode mnie odsunęła. Zeszła z moich kolan i znów usiadła na ławce obok mnie, wycierając oczy. – Przepraszam, nie chciałam płakać. Myślałam, że weźmiesz moje słowa na poważnie, jeśli się nie rozkleję. Ale ja tak chyba nie potrafię. W każdym razie jutro masz wizytę.

– Jaką wizytę? Z kim?

– Z psychiatrą. Z doktorem Albertsem. Jest ekspertem zajmującym się unikaniem emocji i innymi naukowymi słowami, które kojarzą się ze słowem „oziębły".

Czyli pewnie takimi jak „socjopata".

– Przyjmuje w mieście – mówiła dalej. – Ale odwiedza też pacjentów i zgodził się przyjechać tu jutro o dziesiątej. Załatwiłam to przed wydarzeniami z dzisiejszego wieczoru, Hudsonie. Więc nie myśl sobie, że to reakcja na jeden incydent. Planowała to od dłuższego czasu. Nie podobało mi się to. Nie podobało mi się, że miała na mój temat określoną opinię, a ja tylko ją potwierdziłem. To było prawie tak, jakby sama prowadziła jakąś grę, jakby postawiła hipotezę, którą odgadła prawidłowo. Nie lubiłem, gdy role się odwracały.

Poza tym zgodziłem się na interwencję, ale myślałem, że to będzie na moich warunkach i sam zadecyduję o swoim leczeniu. A nie ona. Wykorzystałem więc najlepszą wymówkę.

– Ale jutro jest twój ślub.

– A to jest mój prezent ślubny od ciebie. – Nawet była zadowolona z tego pomysłu.

– Moim prezentem ślubnym było to, że cały tydzień nie pracowałem. – Mimo to i tak już wiedziałem, że spotkam się z jej specjalistą.

– No to niech to będzie kolejny prezent ślubny. Dałeś mi dwa. – Pocałowała mnie w policzek. – Dziękuję, starszy bracie. – A podobno to ja jestem mistrzem manipulacji...

– Co ty mi zrobiłaś, Mirabelle?

– Tylko dobre rzeczy, Hudsonie. Poczekaj, a sam zobaczysz. – Przez kilka chwil patrzyła na mój profil. Po chwili oświadczyła: – A teraz wracam na przyjęcie, a ty możesz tu siedzieć i zamartwiać się lub denerwować, czy co tam robią takie nudne, antyspołeczne typy jak ty. Pewnie będziesz siedzieć i dumać.

– Ja nie dumam.

– Cóż, wszystko jedno. Zostawię cię teraz. – Wstała, a jej spódnica zakołysała się od wiatru. Gdy była na schodach, spojrzała na mnie jeszcze raz. – Jutro o dziesiątej w gabinecie pojawi się doktor Alberts. Pamiętaj. Masz tam być.

– A gdzie indziej miałbym być? Z matką zajmując się dekoracjami kwiatowymi?

– Trafna uwaga. – Posłała mi szeroki uśmiech i mrugnęła do mnie. – Kocham cię, braciszku. Sprawiłeś, że mój ślub jest taki, jakim go sobie wymarzyłam. Dziękuję.

No i proszę. To te typowe słowa, jakie siostry mówią podczas wyjątkowych okazji. Wiedziałem, że to w końcu powie. Mimo to uśmiechnąłem się lekko.

Posłała mi buziaka i poszła.

Siedziałem na tej ławce jeszcze przez długi czas. Sączyłem szkocką i szlochałem. Po raz pierwszy w życiu. Nie było w tych łzach żadnych uczuć, czułem tylko ulgę. To było bardzo oczyszczające. To był nowy początek.

Może to początek drogi prowadzącej do czegoś więcej.

# Rozdział 21

---
PO
---

Budzę się w pustym łóżku. Powinienem się już do tego przyzwyczaić, bo od kilku dni spałem sam. Każdej nocy bardzo się męczyłem i nie mogłem zasnąć, gdy nie było obok mnie kobiety, do której się przywiązałem. Lubiłem spać obok niej i czuć jej ciepło.

Tylko że wróciłem do domu wcześniej i pogodziłem się z Alayną, więc teoretycznie moje łóżko nie powinno być puste. Jestem tak do niej przyzwyczajony, że mimo tych kilku dni rozłąki nawet we śnie czuję, gdy nie ma jej obok mnie.

Znajduję ją w łazience. Stoi tam i patrzy w lustro. Jej oczy są szeroko otwarte, a twarz blada.

– Co się stało?

Podskakuje na dźwięk mojego głosu i patrzy na mnie ponad ramieniem. Nie umyka mojej uwadze, że przygląda się mojemu nagiemu ciału. Mój penis od razu trochę twardnieje, ale ignoruję to i podchodzę do niej, pytając:

– Wszystko w porządku?

347

Widzę, że waha się przez chwilę, po czym odpowiada:
– Miałam tylko zły sen, ale nie mogę przez to spać.
Martwi mnie, że nie chce mi podać szczegółów. To tylko sen, ale po tym wszystkim, przez co razem przeszliśmy, powinna mi mówić więcej. Ja też muszę częściej z nią rozmawiać, żeby czuć, że robimy jakieś postępy.
– Chcesz o tym pogadać? – nalegam delikatnie.
Kręci głową, lecz mówi:
– Chcę. Ale później.
Mogę z tym żyć. W tym czasie przygotowuję dla niej kąpiel i bez wahania zgadzam się, gdy pyta, czy do niej dołączę. Kilka minut później siedzimy w ciepłej wodzie w wannie. Alayna usadowiła się między moimi nogami i oparła o moją klatkę piersiową. Obejmuję ją i po raz pierwszy w życiu myślę, że teraz rozumiem, czym jest szczęście. To zupełnie inne uczucie niż satysfakcja seksualna. Jesteśmy nadzy, a ja zdecydowanie jestem podniecony. Zanim skończy się ta kąpiel, będę musiał się znaleźć w niej. Mam ochotę zlizać krople wody z jej piersi, muszę wypełnić jej ciasną cipkę swoim fiutem. Ale to nie jest żaden przymus. Wystarczy mi też, że po prostu dotykam jej w tak niewinny sposób – przytulam, jestem częścią jej świata. Dzięki temu czuję błogi spokój.

Poza tym zaczynamy ze sobą rozmawiać. Porozumiewamy się za pomocą słów. Dla nas obojga to dziwne, by komunikować się tak otwarcie, bez obawy, że będziemy osądzani. Zanim się do tego przyzwyczaję, minie trochę czasu, ale już zaczynam to robić. Jestem bardzo podekscytowany naszym nowym początkiem.

Powoli zapominam o tym jednym sekrecie, którego nie mogę wyjawić. Najpierw martwiłem się, czy powinienem powiedzieć jej o tym, a potem, że sama może się dowiedzieć.

Teraz to zmartwienie znika. Pewnie robię z igły widły. Jeśli ukryję ten sekret głęboko i nauczę się z tym żyć, przestanie to wpływać na moją relację z Alayną. Może będę jej mógł powiedzieć w końcu, co do niej czuję. Bez poczucia winy powiem jej, że ją kocham.

– Co się stało między tobą a Stacy? – pyta nagle Alayna.

Nie spodziewałem się takiego pytania.

– Stacy? – Dopiero po chwili dociera do mnie, kim jest Stacy. To dziewczyna, która pracuje w butiku Mirabelle. – Nic się nie stało. – Jestem zaskoczony tym, że w ogóle pomyślała, że do czegoś między nami doszło. – Co masz na myśli? To, czy się z nią spotykałem? Zabrałem ją na event charytatywny jakiś rok temu czy jakoś tak. Ale potem nic się nie działo. Nie spałem z nią.

Alayna chyba nie jest uspokojona tą odpowiedzią.

– Czy istnieje jakiś powód, by chciała się na tobie zemścić? Albo czy ma powód, by ci nie ufać?

Kręcę głową.

– Nic mi nie przychodzi do głowy.

Tylko że to nieprawda, bo nagle przypominam sobie bardzo ważną przyczynę tego, że mi nie ufa. Celia się nią bawiła. I w tym celu wykorzystała w swoim scenariuszu moją osobę.

Powinienem powiedzieć o tym Alaynie. Nie ma powodu, by trzymać to w tajemnicy przed nią. Wtedy nawet nie przystąpiłem do gry. Cóż, to nie do końca prawda. Pozwoliłem Celii, by mnie wykorzystała. I w końcu w tym uczestniczyłem. Wmówiłem sobie, że zrobiłem to, by zakończyć tę grę, ale mimo to podobało mi się uczucie, jakie znowu we mnie wywołała. Doktor Alberts pomógł mi to sobie uświadomić.

Nie jestem jeszcze gotowy, by podzielić się tym z Alayną, nieważne, z jakiego powodu – poczucia winy wywołanego moim uczestnictwem w tamtej grze czy tego, że od teraz byliśmy ze sobą bardziej otwarci. Jeszcze nie jestem gotowy. A przynajmniej dopóki nie zrozumiem, dlaczego ona chce to wiedzieć.

– Dlaczego pytasz?

Bierze głęboki oddech.

– Gdy ostatnio byłam w butiku Miry, Stacy powiedziała mi, że ma jakieś nagranie, które udowadnia coś o tobie i Celii. Nie miała tego wtedy ze sobą, ale dała mi swój numer, żebyśmy mogły się skontaktować później.

I właśnie w tej chwili przestaję czuć błogi spokój. Jakie nagranie mogła mieć Stacy, do jasnej cholery? Czy to coś związanego z tamtą nocą? Czy później? Czy Stacy wiedziała o naszej grze z Alayną? Nie mogła o tym wiedzieć, ale jeśli Celia dała jej coś... jakieś nagranie rozmowy lub czegoś innego...

Czuję, że popadam w paranoję. Kłamcy i krętacze wierzą, że takie paranoiczne myśli pozwalają im być o krok przed innymi. Kiedyś też w to wierzyłem. Teraz jestem zawiedziony odkryciem, że to nieprawda.

Przeciągam rozmowę, jak tylko się da, żeby móc się uspokoić. Potem Alayna zadaje kluczowe pytanie:

– Wiesz, o czym ona mogła mówić?

– Nie mam pojęcia. – Naprawdę nie wiem. – Nie powiedziała ci, o czym to nagranie było?

– Nie, tylko tyle, że je ma. I że ono pokaże mi, dlaczego nie mogę ci ufać. Dzisiaj do mnie napisała. Albo wcześniej w minionym tygodniu, gdy nie miałam telefonu, bo go rozwaliłam.

Mimo że siedzę w ciepłej wodzie, robi mi się zimno i włosy na ciele stają mi dęba. Możliwe, że Stacy ma dowód dotyczący mojej przeszłości, o którym Alayna już wie. Mogłem jej już o tym powiedzieć. Ale co, jeśli to coś zupełnie innego?

– Co napisała w wiadomości?

– Że nagranie jest za duże, żeby je przesłać przez telefon, ale mam się z nią skontaktować, jeśli chcę je obejrzeć. Jestem przerażony. Nigdy bym się do tego przed nikim nie przyznał, ale przed samym sobą mogę. Jestem przerażony tym, że mógłbym stracić Alaynę. Nie wiem, jak poradzić sobie z tym strachem. Wiem tylko to, że Alayna nie może zobaczyć tego nagrania. Nie przede mną, w każdym razie. Znowu odnoszę się do swojej najlepszej umiejętności – do manipulacji. I znów czuję do siebie obrzydzenie.

– A chcesz to zobaczyć?

Nie ma mowy, abym pozwolił jej pierwszej obejrzeć to nagranie. Ale muszę jej pozwolić wierzyć, że jest inaczej.

– Nie. – Milczy przez chwilę. – Tak. W sumie nie wiem. Powinnam?

Jest niezdecydowana. I o to mi chodzi. Teraz muszę skierować ją w stronę najlepszej dla niej odpowiedzi i powinienem zrobić to delikatnie. Jeśli będę zbyt naciskał, domyśli się.

– Cóż... – zaczynam, pocierając jej ramiona, by stała się bardziej rozkojarzona. Wiem, że kontakt fizyczny zadziała najlepiej. – Wiesz, że Celii nie można ufać, więc kto wie, jaki motyw może mieć Stacy. Jednak ona nie może mieć dowodu na mnie, bo ty już wiesz o mnie wszystko. Znasz więcej moich sekretów i wiesz więcej o mojej przeszłości niż inni. Znasz mnie, Alayno.

– Znam.

– Więc jeśli mi nie ufasz, to może... – Czuję w ustach kwaśny posmak, gdy wymawiam te słowa.

– Ufam ci. Skoro mówisz, że nie mam czym się martwić...

Patrzę jej w oczy, bo kontakt wzrokowy jest najlepszy, jeśli chce się kłamać.

– Nie masz.

Możliwe, że to najgorsza rzecz, jaką w życiu zrobiłem. Właśnie nią manipulowałem. To gorsze niż moja gra, bo wtedy jej nie znałem. Teraz robię to komuś, kogo kocham. Wstrzymuję oddech i czekam, aż podejmie decyzję. Jest mi niedobrze z powodu mojej nieszczerości, ale bardzo chcę, żeby zrobiła to, czego oczekuję.

Mija chyba wieczność, zanim odpowiada:

– No to w takim razie nie muszę tego widzieć.

Zalewa mnie wiele różnych emocji. Czuję ulgę, która jest najsilniejsza, ale też zadowolenie. Nie dlatego, że ją oszukałem, ale że mi zaufała. Wiem jednak, że w ogóle nie zasłużyłem na jej zaufanie. Pragnę tego bardzo i wierzę, że kiedyś w końcu na nie zasłużę.

Przysięgam, że spróbuję. Zrobię wszystko, by je mieć.

Pochylam się, żeby pocałować ją w podbródek.

– Dziękuję.

– Za co dokładnie?

Nie potrafię wyjaśnić swojej wdzięczności, więc mówię po prostu:

– Za to, że jesteś ze mną szczera. Nie musiałaś mi tego mówić, ale i tak to zrobiłaś.

– Bo naprawdę chcę w końcu być z tobą szczera i chcę otwarcie rozmawiać.

– Wiem. Ja też tego chcę. I jedynym sposobem na to jest postanowienie, że będziemy się ze sobą otwarcie komunikować. – Te słowa znaczą bardzo wiele i nie są tylko próbą wymazania mojego kłamstwa. Ta obietnica to najbardziej poważna rzecz, jaką zamierzam zrobić. Mimo to tak bardzo mi na niej zależy, że ukrywam to, co mam. Dla niej. Dla nas. – Będziemy?

– Ja już jestem.

Jej słowa są dla mnie jak muzyka. Gdy ją poślubię – a pewnego dnia to zrobię – nasza przysięga będzie powtórzeniem dzisiejszej obietnicy.

– Ja też jestem.

Chcę się z nią kochać. Potrzebuję jej teraz, muszę zakryć tę straszną rzecz, którą jej zrobiłem, czymś znacznie piękniejszym. Udaję, że nasza miłość może ukryć moje kłamstwa.

Moja usta i ręce zaczynają pieścić jej ciało – ciało, które znam już na pamięć. Szybko doprowadzam ją do orgazmu. Jestem egoistą, ale czuję, że muszę być w niej jak najszybciej. Musi być gotowa. Ale ona mi przerywa i zaczyna przejmować kontrolę. Siada na mnie okrakiem i wsuwa w siebie mojego fiuta. Jęczy, gdy jestem już w niej głęboko.

Boże, ona jest taka cholernie ciasna. Taka cudowna. Za każdym razem to mnie zaskakuje. Muszę się powstrzymywać, by nie dojść za szybko. Ujeżdża mnie powoli, ale mocno. To podniecające – jej piersi podskakują, na jej twarzy maluje się przyjemność, jej jęki towarzyszą każdemu ruchowi. To takie cholernie seksowne.

Ale wiem, że ona tak nie dojdzie. Muszę się w nią wbić. Moja dziewczynka lubi, jak jestem brutalny. Chwytam dłońmi jej tyłek i przytrzymuję ją, by zacząć mocno pieprzyć.

– Czy ty zawsze musisz przejmować kontrolę? – pyta, ale to nie jest narzekanie.

Uśmiecham się lekko.

– Jeśli chcesz, żebyśmy oboje doszli, to tak.

Zaczyna się śmiać i przez to jej cipka się zaciska. Czuję, jak drgam w niej, jak jestem blisko i ona też jest.

– A kto by nie doszedł, gdybym to ja miała kontrolę?

Czy ona musi pytać?

– Ty.

Wchodzę w nią mocno, kierując fiuta w stronę punktu, który zawsze doprowadza ją do szaleństwa podczas stymulacji. To działa. Od razu zaczyna dyszeć i wbijać paznokcie w moją skórę, gdy przeżywa orgazm. Z tej pozycji dobrze widzę jej twarz. Widzę wszystko – jej miłość, zaufanie, ekstazę. To piękne.

Boże, co ja bym dał, żeby naprawdę na nią zasługiwać.

Szczytuję zaraz po niej. Potem całuję ją w szyję, szczękę i w usta. Gdy się odsuwam, widzę, że łzy spływają po jej policzkach.

– Alayna. O co chodzi, skarbie? – Nie odpowiada, a po chwili zaczyna szlochać.

Odsuwa mnie i wychodzi z wanny. Jestem tuż za nią. Chwytam ręcznik i otaczam ją nim.

– Alayno, proszę, powiedz.

I znowu się ode mnie odsuwa.

Jestem zaskoczony i zmartwiony. Nie mam pojęcia, co jej jest. Czy ją zraniłem? Czy coś powiedziałem? Jak zwykle zastanawiam się, czy ona może jakimś cudem wiedzieć o moim sekrecie?

Najgorsze jest to, że zaczyna uciekać. A dopiero powiedzieliśmy sobie takie piękne rzeczy. Dopiero obiecałem, że nie będziemy się od siebie oddalać, że będziemy rozmawiać. Czy zbyt wiele oczekiwałem? Czy to za wcześnie?

Jeśli tak, musi mi powiedzieć. Idę za nią – jak zawsze – i obracam ją w swoją stronę.

– Porozmawiaj ze mną. O co chodzi?

Oddycha głęboko, a jej całym ciałem wstrząsają dreszcze.

– Ty... naprawdę... mnie zraniłeś. – Jej słowa są przytłumione i przerywane szlochem, ale rozumiem ją.

– Teraz?

Próbuje się uspokoić.

– Naprawdę mnie zraniłeś. Wtedy, gdy uwierzyłeś Celii, a nie mnie.

Czuję ucisk w piersi. Nie mogę oddychać.

– Och, Alayno. – Przyciągam ją do siebie. Rozdziera mnie to, że to przeze mnie tak cierpi. Żałuję, że nie mogę pozbyć się jej bólu. – Powiedz mi. Powiedz o wszystkim. Muszę to usłyszeć.

I mówi mi. O wszystkim, krótkimi zdaniami. Każde słowo jest jak nóż przecinający moją skórę.

– Hudsonie, to boli. Bardzo boli. Mimo że teraz jesteś tutaj, ze mną. Mimo że jesteśmy razem. Czuję w sobie dziurę, taką głęboką.

Nie mogę powiedzieć tego, co chcę, więc tylko mówię:

– Przepraszam. Tak bardzo przepraszam. Gdybym mógł to wszystko cofnąć, gdybym mógł zmienić to, jaką podjąłem decyzję... na pewno wybrałbym inną opcję.

– Wiem, naprawdę. Ale nie wybrałeś inaczej. I nie możesz tego zmienić. – Wyprostowuje się w moich ramionach. – Nigdy nie będziesz mógł tego cofnąć.

– Nie. Nie mogę. – Zrobiłem wiele złego w całym swoim życiu, ale to było najgorsze. Bardzo ciąży mi to na sercu.

– I to wszystko zmienia. Mnie zmieniło.

Mimo że boję się zapytać, wolę jednak wiedzieć.

– W jakim sensie?

– Jestem obecnie bardziej narażona, bardziej wrażliwa. I teraz wiesz, że możesz mnie zranić. Tak naprawdę mocno.

– Alayna. – Przyciągam ją znowu do siebie. – Moja cudowna kobieto. Nie chcę cię zranić. Nigdy więcej. Czy kiedykolwiek będziesz mogła... mi wybaczyć? – Mój głos jest napięty, ledwo go rozpoznaję. Dociera do mnie, że też jestem na skraju załamania. Jeśli to w taki sposób ją zraniło, to jak wpłynie na nią mój sekret?

Od dłuższego czasu zastanawiam się, czy nasza miłość przeżyje to, gdy ona dowie się o mojej tajemnicy, ale teraz już mam swoją odpowiedź. Nie przeżyje. Alayna również może tego nie przetrwać.

Może Celia miała od początku rację w kwestii eksperymentu. Alayna naprawdę się złamie.

Kołyszę ją w swoich objęciach, całuję i mam ochotę znowu ją przeprosić. W końcu niosę ją do łóżka, gdzie płacze dalej, otoczona moimi ramionami.

Myślę o tym, że wcześniej, gdy byłem dość zajęty, nie martwiłem się niczym. Moja skóra nie swędziała, niczego nie czułem. Wyrzuciłem Celię ze swojego życia. Spodziewałem się, że ona jeszcze nie skończyła ze mną całkowicie, ale pracowałem nad tym, by to zmienić. W Japonii spotkałem się z przedstawicielami GlamPlay i przekonałem ich, by sprzedali mi swoje udziały w Werner Media. I nawet odzyskałem Plexis.

Potem wróciłem do domu, żeby walczyć o Alaynę i mi się udało.

Oboje wygraliśmy. Nasze demony nie podzieliły nas. Wciąż jesteśmy razem. Nadal zakochani.

Potem w ciągu godziny zrozumiałem, że moje sekrety mogą zostać odkryte i jak ważne jest to, by pozostały głęboko zakopane. Od zawsze podejrzewałem, że prawda nas zniszczy. I miałem rację.

Gdy Alayna się uspokaja, zaczynamy rozmawiać. Ruszamy dalej.

Wiem, że wszystko będzie między nami w porządku. Nie martwię się tym, że nie wyjdziemy cało z tych błędów, które popełniłem. A przynajmniej z tych, o których ona wie. Znowu sobie obiecuję, że nigdy nie pozwolę jej poznać prawdy o tym, jak znalazła się w moim świecie. Ta walka mnie może zniszczyć, ale lepiej mnie niż ją.

Po tym, jak już kończymy mówić sobie o wszystkim i przyznajemy się do naszego cierpienia, całuję ją, wielbię. Całuję od stóp do głów. Nie omijam żadnego miejsca. Moje usta pieszczą każdy centymetr jej ciała, każdy pieg, każdy palec. Kocham ją, chociaż nie mogę jej o tym powiedzieć, ale jej ciało i jej życie należą do mnie.

Stukam długopisem o policzek, głęboko pogrążony w myślach. Czy naprawdę minęło dopiero pięć dni, odkąd wróciłem z Japonii? Wydaje mi się, jakby to była wieczność.

– Jeśli wykupisz GlamPlay, wykorzystując do tego jedną ze swoich amerykańskich firm, prasa od razu się o tym dowie i nie pozostanie to tajemnicą, tak jak tego chcesz. Hudson, czy ty mnie w ogóle słuchasz?

Zatrzymuję długopis i patrzę na Normę Anders. Jest sfrustrowana z mojego powodu. I tym projektem. Ja też jestem podminowany. Jednak musimy wykupić akcje, nieważne jak.

– Słyszałem cię. Więc trzeba znaleźć mniej bezpośredni sposób, by kupić GlamPlay.

Próbuję wymyślić rozwiązanie naszego problemu, ale mózg mi nie pracuje. Pocieram twarz ręką i zmęczony wzdycham.

– Kurwa. Nie wiem. Masz jakieś pomysły?

– Nie jestem pewna. – Kręci głową, myśląc. – Właściwie... A jeśli użyjemy Walden Inc., by kupić GlamPlay? Pierce Industries nadal kontroluje ten interes, prawda?

Gdy mój ojciec przejął Walden Inc. od rodziny mojej matki, nie wcielił wszystkich firm do Pierce Corporation.

Powiedział, że to dla bezpieczeństwa. Lata później Pierce Industries stało się wiodącą firmą Walden Inc., ale mała firma nadal się utrzymywała z akcji i udziałów, jeśli była taka potrzeba. Pomysł Normy jest dobry. O ile Walden Inc. ma wystarczająco pieniędzy, by zapłacić cenę – a jestem pewny, że tak jest – to będzie dobry sposób, by nie dać się wykryć. Walden Inc. jest jednak jedyną firmą, którą mój ojciec aktywnie prowadzi. Każde kupno będzie musiało najpierw przejść przez niego.

Wolałbym nie mieszać w to Jacka, ale jeśli będę musiał...

– To nasza jedyna szansa, tak?

– Jedyna, na jaką wpadłam. Czy przekonanie twojego ojca będzie problemem?

Myślę, że to nie będzie trudne, biorąc pod uwagę to, co Jack czuje teraz do Celii.

– Nie. Zrobi to. – Naciskam przycisk na interkomie, by powiadomić moją sekretarkę. Spotkanie z Normą zaczęło się wcześnie i trwało bardzo długo, ale Patricia powinna tu jeszcze być.

– Tak, panie Pierce?

– Za jakieś piętnaście minut potrzebuję ojca na linii. Proszę.

– Tak, panie Pierce.

– W porządku. – Zwracam się tym razem do Normy. – Czy coś jeszcze?

Norma przegląda papiery, a potem patrzy na mnie.

– Na razie nic. Jeśli wszystko pójdzie dobrze, za tydzień będziemy musieli lecieć do Los Angeles, żeby zdobyć podpisy. I nie, nie mogę zrobić tego za ciebie. Musisz być tam osobiście.

– Świetnie, dziękuję.

Odkłada papiery do teczki i chce wstać, ale się zatrzymuje.

– Hudson, czy wszystko z tobą w porządku?

Nie muszę zgadywać, dlaczego pyta. Przez ostatnie kilka dni byłem zrzędliwy i rozkojarzony. Źródłem mojego niepokoju i stresu są ludzie, a konkretniej: Celia i Stacy.

Ta pierwsza zaczęła prześladować Alaynę. Jestem pewny, że to taktyka mająca na celu przestraszenie jej – że Celia nie zrobi nic, by fizycznie skrzywdzić moją dziewczynę – ale wolę nie ryzykować. Umowa z GlamPlay powinna zakończyć wszelkie kontakty z Celią. Musimy tylko przetrwać do momentu, aż podpiszemy umowę.

Jednocześnie Stacy to ciągle jedna, wielka niewiadoma. Nagranie, które mi wysłała...

– Hudson. – Norma przerywa moje myśli. Zbyt długo nie odpowiadałem.

– Nic mi nie jest. Po prostu mam teraz dużo na głowie. – To niedopowiedzenie roku.

Wstaję, mając nadzieję, że teraz mi odpuści. Muszę się zająć innymi sprawami, zaczynając od rozmowy ze swoim ojcem.

– Dziękuję za spotkanie o tak wczesnej porze. Doceniam twoją pracę nad tym projektem.

Wstaje i kiwa głową.

– Oczywiście.

– Nie muszę ci przypominać, że te wszystkie informacje są poufne i takie mają pozostać? – To kluczowe, by ta sprawa pozostała na razie tajemnicą. Nie powiedziałem o tym nawet Alaynie. Nie chciałem, by zrodziła się w niej nadzieja, bo w razie gdyby coś się nie udało, byłaby zawiedziona.

– To jasne jak słońce – mówi Norma. – Och, a przy okazji. Chciałam ci podziękować za zatrudnienie Gwen.

Dzień wcześniej Alayna przyjęła do pracy młodszą siostrę Normy w Sky Launch.

– Nie mnie powinnaś dziękować, tylko Alaynie. – Nagle przypomina mi się coś, co Alayna powiedziała o swojej nowej menedżerce. – Normo, czy mogę zapytać, dlaczego Gwenyth tak bardzo chciała opuścić Eighty-Eight Floor? Myślałem, że jej się tam podobało.

Norma wzdycha.

– Podobało. To długa historia. Powiedzmy tylko, że chodziło o faceta.

– Och. – Uśmiecham się lekko, dając jej do zrozumienia, że wszystko rozumiem.

– Ale co do tej kwestii, Gwen bardzo by nie chciała zostać odnaleziona. Jakieś sugestie, jak możemy utrzymać to w tajemnicy?

Nie tylko ja miałem sekrety i to było pocieszające.

– Będziemy musieli jej płacić, używając innych danych. To nie będzie legalne. – Milknę, żeby upewnić się, czy mnie rozumie. – Ale mogę to załatwić.

– Byłabym bardzo wdzięczna, gdybyś to dla mnie zrobił.

– Nie ma problemu. – Bardzo niewielu ludziom zaoferowałbym coś takiego, ale Norma była ze mną na dobre i na złe i nadzorowała niejedną nie do końca legalną sprawę. Ufam jej. Zapamiętuję, by później kazać Jordanowi się tym zająć.

Norma wychodzi, a po kilku minutach dzwoni Patricia, mówiąc, że ojciec jest na linii.

– Hudson. Co za niespodzianka. Czy to moje urodziny? – Jego urok nigdy na mnie nie działa. A w każdym razie nie po tym, co się stało kiedyś między nim a Celią.

Powinienem zignorować jego grę, ale sobie daruję. Nie wiem, z jakiego powodu.

– Masz urodziny w grudniu. Dziś jest siódmego lipca, więc nie.

Cmoka.

– Zawsze taki poważny. Na pewno jesteś moim synem?

– Och, przestań. Dobrze wiemy, że jestem. Nie da się zaprzeczyć fizycznemu podobieństwu. Lepsze będzie pytanie, kto jeszcze jest twoim synem? – To bardzo miłe uczucie być dupkiem w stosunku do tego faceta, chociaż nie wiem dlaczego.

Zaczyna się śmiać.

– Jak na razie tylko troje się do mnie przyznaje. A przynajmniej jedno z nich wolałoby tego nie robić. – Są plotki, że Chandler nie jest jego synem, ale w tej chwili on odnosi się do mnie.

Myślę nad tym przez chwilę. Czy naprawdę wolałbym nie być synem Jonathona Pierce'a? To trudne pytanie, ale nie ma sensu się nad tym zastanawiać. Jestem jego synem, czy to się komuś podoba, czy nie. Tak wiele zrobiłem dla niego i jego firmy i chciałbym powiedzieć, że zrobiłem więcej niż on. Jednak dzięki Alaynie widzę świat inaczej i może Jack mógłby mi kiedyś w czymś jeszcze pomóc. W czymś, co nie dotyczy akcji i firm.

W każdym razie to nie jest temat na dzisiaj. To, czego potrzebuję od niego w tej chwili, jest ważniejsze.

– Chciałbym się zastanowić teraz nad plusami i minusami bycia twoim synem, ale dzwoniłem z pewnego powodu.

Waham się przez chwilę. To dla mnie trudniejsze, niż myślałem. Nie mam jednak innego wyboru, więc wyjaśniam: – Potrzebuję przysługi.

– Och, to intrygujące. – Słyszę skrzypnięcie w tle i wyobrażam sobie, jak Jack rozpiera się wygodnie na skórzanym fotelu i kładzie nogi na biurko. – Mów dalej.

Nie wiem, jak mam zacząć, więc po prostu mówię:

– Może cię to nie zaskoczy, ale doszedłem do wniosku, że w końcu trzeba na zawsze usunąć Celię Werner z mojego życia.

– Nie, naprawdę?! – wykrzykuje z udawanym zaskoczeniem. – Cieszę się, że w końcu przejrzałeś na oczy. Ta dziewczyna jest popieprzona.

To dziwne, ale część mnie nadal chce bronić Celii. Poza ostatnimi wydarzeniami, nigdy nie zrobiła gorszych rzeczy niż ja sam. I jak zawsze winię siebie za to, jak ona się zachowuje.

Co dziwne, mój ojciec odgaduje moje uczucia, chociaż nigdy bym go o to nie podejrzewał.

– Ona nie jest taka jak ty, Hudsonie – stwierdza. – Wiem, że tak uważasz, ale ona jest inna. Ona chce ranić ludzi. Ty chcesz ich tylko zrozumieć.

Jestem zszokowany jego stwierdzeniem, ale próbuję ukryć swój szok w głosie.

– Masz rację, ona nie jest taka jak ja. – To ważne, że w końcu się do tego przyznaję i chciałbym mieć więcej czasu na zastanowienie się, jak się przez to czuję. Ale teraz to nie ma znaczenia. – Celia prześladuje Alaynę.

– Kurwa. Czy ty sobie ze mnie jaja robisz? Jezu. – Przeklina dalej, aż w końcu pyta: – Czy z Laynie wszystko w porządku?

Zaciskam zęby.

– Tak. Jest trochę roztrzęsiona, ale pilnuje jej mój ochroniarz. Jest bezpieczna.

– Dzięki Bogu. – Mój ojciec zawsze lubił Alaynę. Trochę mnie to martwi. Czy jego zainteresowanie jest normalne, czy jednak nie? A nawet jeśli bym go o to zapytał, a on zaprzeczyłby, że mu się podoba, nie dałbym wiary jego słowom.

Ale wiem, że pomoże mi z moim planem właśnie dlatego, że lubi Alaynę i gardzi Celią.

– Celia jeszcze nie złamała prawa, a rozmawianie z nią nic nie dało. Muszę ją jakoś przekonać, żeby przestała.

– I jestem pewny, że już opracowałeś plan. Dawaj.

Mówię mu o tym, że już przekonałem GlamPlay do tego, by sprzedali mi akcje w Werner Media, i powiedziałem, jak w połączeniu z akcjami, które już posiadam, przejmę kontrolę nad większością akcji w firmie Warrena.

– Jeśli wykupię GlamPlay...

– To wtedy wykopiesz Warrena – dokańcza mój ojciec.

– Dokładnie. Tak naprawdę nie chcę przejąć kontroli nad Werner Media, ale potrzebuję tej władzy. I muszę zrobić to w pośredni sposób, przez inną firmę.

– I chcesz użyć Walden Inc. – Mój ojciec szybko łapie mój plan. Nie powinno mnie to dziwić. To on mnie tego nauczył.

– Oczywiście. Powiedz mi, co mam zrobić i to zrobię.

Przez następną godzinę omawiam z Jackiem cały plan. Ojciec jest mądrzejszy, niż mi się wydawało, szybko rozwiązuje problemy, które wypływają podczas naszej rozmowy. To właściwie jest... przyjemne. Czuję się trochę jak w domu.

Zanim kończymy, przypomina mi się coś jeszcze.

– Czy ktoś używa w ten weekend domku?

– Domku w Poconos? Nie ja. Tylko Mira czasem tam jeździ, ale raczej rzadko, bo jest teraz zajęta, więc nie opuści miasta. Chcesz tam jechać?

– Tak. Myślę, żeby zabrać tam Alaynę. – Stres wywołany ostatnimi tygodniami bardzo mnie męczy. Ją również. Potrzebujemy trochę czasu w samotności.

– Dobry pomysł. Chcesz klucz? Mogę ci wysłać swój.

Mam gdzieś własny, ale nie chce mi się go szukać, więc chętnie korzystam z jego propozycji.

– Dzięki, doceniam to. I tato... – Milknę, bo nie jestem pewny, jak powiedzieć to, co chcę mu przekazać. W końcu mówię: – Dziękuję za wszystko.

Rozłączam się i patrzę na telefon przez kilka minut. Po latach napięcia i żalu między nami zastanawiam się, jak to się stało, że się pogodziliśmy? Boże, czy Alayna jest odpowiedzialna za całe dobro, które ma miejsce w moim życiu? Nie narzekam na to.

Jak na razie zająłem się sprawą Celii, więc moje myśli skupiają się na czymś innym – na Stacy. Gdy tylko dowiedziałem się o tym nagraniu, kazałem Jordanowi znaleźć jakiś kontakt do niej. Potem napisałem do niej mejla. I zadzwoniłem. Gdy nie odpowiadała, znowu wysłałem mejla i znowu zadzwoniłem. Robiłem tak codziennie. Wszystkie moje wiadomości były groźbą. W końcu wczoraj wysłała mi nagranie.

Dzisiaj zastanawiam się, co z nim zrobić.

Włączam komputer i odtwarzam nagranie. Widziałem je już kilka razy, ale muszę zobaczyć ponownie. Z jednej strony jest źle, z drugiej dobrze. Jest lepiej, niż myślałem, bo to nie jest nagranie mojej rozmowy z Celią na temat gry dotyczącej Alayny. Ale to, co ono pokazuje, może mieć bardzo negatywny skutek, jeśli osoba oglądająca poskłada wszystko w całość.

Zastanawiam się, co Alayna najpierw by zrobiła po obejrzeniu tego. Na pewno byłaby zraniona. Nagranie przedstawia scenę, w której ja i Celia się całujemy. Nie chciałbym oglądać, jak Alayna całuje się z innym mężczyzną, a byłoby jeszcze gorzej, gdyby to był ktoś, z kim ją coś wcześniej łączyło – na przykład David. To jeden z powodów, dla którego ona nigdy nie może się o tym nagraniu dowiedzieć.

Potem chciałaby wiedzieć, dlaczego całowałem się z Celią. Zawsze mówiłem, że między nami nie było żadnych romantycznych sytuacji. To prawda. Mógłbym powiedzieć, że skłamałem i że między mną a Celią jednak kiedyś do czegoś doszło. Nigdy nie byłem fanem kłamstw, więc wolałbym tego nie mówić. Gdybym wyznał prawdę, że pomagałem Celii w intrydze, Alayna pomyślałaby, że w tamtym momencie nadal zajmowałem się grami. I na pewno zauważyłaby, że scena pocałunku miała miejsce przed budynkiem, w którym odbyło się sympozjum z jej udziałem. Będzie wiedzieć, że Celia była wtedy ze mną.

Znowu myślę jak paranoik. Wiem, że ja bym doszedł do tego wszystkiego. Fakt, moje myślenie jest bardziej analityczne niż jej. Ale Alayna jest mądra. Nie umknąłby jej żaden szczegół. I nie mogę podjąć takiego ryzyka.

Alayna nigdy nie może zobaczyć tego nagrania. Nieważne, co będę musiał zrobić, ale jakoś przekonam Stacy, żeby się go pozbyła. Nagranie musi zostać zniszczone.

# Rozdział 22

Bar Lester wygląda inaczej niż bary, które zazwyczaj odwiedzam. Są tam rzutki i stół do bilardu. Odwiedzający mają na sobie dżinsy, a ja jestem jedyną osobą w garniturze. Ze starej szafy grającej dobiegają hity z lat dziewięćdziesiątych, które nawet znam. Wolałbym zespół na żywo. Jakiegoś muzyka jazzowego lub grającego na pianinie. To by było znacznie przyjemniejsze. Ale nie jestem tu, by oceniać wygląd baru. Lester spełnia wyłącznie dwa moje najważniejsze oczekiwania: mają tu dobrą szkocką, a poza tym to miejsce znajduje się tylko przecznicę od mojego mieszkania na poddaszu. Gdy stąd wyjdę, będę pijany, ale z racji niewielkiej odległości dotrę tam o własnych siłach.

Kręcę głową na swoje pomysły. Od kiedy pocieszam się alkoholem? To nawet zabawne. Pomyśleć, że wczoraj byłem w górach z Alayną, kochaliśmy się pod gołym niebem, flirtowaliśmy ze sobą i rozmawialiśmy o małżeństwie. Dzisiaj jestem tutaj. I jest zupełnie inaczej.

Wiedziałem, że coś było nie tak, gdy tylko wszedłem do swojego mieszkania. Znalazłem ją pijaną na balkonie. Ona też wybrała na ten wieczór butelkę, która miała być jej przyjaciółką. Nie zauważyłem ironii tej sytuacji aż do teraz, gdy właśnie zamówiłem trzeciego drinka w ciągu godziny. Jesteśmy tacy do siebie podobni. A jednocześnie tacy różni. Ona popełniła błędy w naszym związku, ale w końcu do mnie dociera, że jej intencje były dobre. Ja też mogę bronić swoich czynów – będę, jeśli zajdzie taka potrzeba, chociaż są one podłe – lecz moje wymówki nie mają żadnego znaczenia. Jak mógłbym kiedykolwiek wytłumaczyć się z tak niegodziwych uczynków?

Nie mam na to odpowiedzi. I dlatego tu siedzę, sam, w tym pieprzonym barze.

Zobaczyła nagranie.

Ciągle o tym myślę, by przypomnieć sobie, że to nie jest tylko zwykły koszmar. To się naprawdę stało. Ona to zobaczyła. A co najgorsze, wie, co zrobiłem, by się o tym nagraniu nie dowiedziała. Praktycznie przekupiłem Stacy, żeby się tego pozbyła. Okłamałem Alaynę. Kłamałem prosto w oczy. Myślałem, że się zabezpieczyłem, że nigdy się o tym nie dowie. Myliłem się.

Boże, jak bardzo się myliłem.

Byłem nieprzygotowany.

Zazwyczaj jestem kreatywny. Nie muszę się przygotowywać do rozmów. Ale w rozmowie z Alayną brakło mi po prostu słów. Nagle w mojej głowie pojawiają się urywki tej rozmowy. Powiedziałem jej, że wygląd może mylić. Że do niczego się nie przyznaję. Że ona jeszcze o niczym nie wie.

Kurwa, jakim ja byłem dupkiem. Co jeszcze powiedziałem? Nic. Że nie mam na to odpowiedzi, tak powiedziałem. Że temat uważam za zakończony.

A potem... Jezu, to straszne, co zrobiłem. Obwiniłem ją za brak zaufania. Czy już wspominałem, że dupek ze mnie? Albo i gorzej. Jestem okropną osobą. Rzuciłbym ją pod nadjeżdżającą ciężarówkę, byle tylko ukryć to, co zrobiłem. I ciągle twierdzę, że zrobiłbym to dla nas.

Barman podchodzi do mnie, a ja patrzę na swoją szklankę i mówię:

– Kolejnego.

Spoglądam zamazanym wzrokiem na lustro za butelkami. Widzę w nim swoje odbicie – wyglądam jak pieprzona śmierć. Co Alayna w ogóle we mnie widziała? Jak mogła nie dostrzegać tej okropnej kreatury, którą jestem? Nie winię jej za to, że dzisiaj tak na mnie naciskała. Gdyby role się odwróciły, zrobiłbym to samo. To było oczywiste, że coś ukrywam. Zawsze to robię. Nawet nie mogę jej powiedzieć, co do niej czuję, bo to wszystko jest związane z moim kłamstwem. Tonę w tym bagnie, które sam stworzyłem, i nie mogę złapać oddechu. Zrobiłem jedyną rzecz, jaką mogłem. Poprosiłem o przerwę. O przerwę, kurwa.

I co ja mam teraz zrobić? Czy wierzę, że przerwa w naszej relacji pomoże mi w wymyśleniu jeszcze lepszego i większego kłamstwa? Czy uważam, że dzięki niej nagle będę mieć jaja, by iść do Alayny i przyznać się do wszystkiego? Czy może mam nadzieję, że ona mi wybaczy i o wszystkim zapomni? Śmieję się do siebie, bo to wszystko jest takie absurdalne.

– Co jest takie śmieszne?

Pytanie pochodzi od kobiety siedzącej na stołku obok mnie. Nie zauważyłem, kiedy przyszła. Teraz też ją ledwo widzę.

– Wewnętrzny żart – odpowiadam wymijająco, co jest głupie, bo wiem, że angażowanie się w taką rozmowę, nawet minimalne, tylko zachęci ją do dalszej wymiany zdań.

– Powiedz mi o tym, cukiereczku. Lola potrafi słuchać.

Odnosi się do siebie w trzeciej osobie. Wywracam oczami.

– No chodź, koteczku. Nie byłoby cię tutaj, gdybyś nie chciał z kimś porozmawiać.

Parskam śmiechem – najwyraźniej alkohol zaczyna działać.

– Jestem tu, bo chcę się nawalić.

– Ale to nie wszystko. W takim wypadku piłbyś teraz gdzieś w samotności.

Patrzę na nią uważnie. Teraz widzę, że jest ode mnie starsza – pewnie ma ze czterdzieści lat. Nie wygląda źle. Jej włosy, paznokcie i cycki są sztuczne. A kiecka zbyt krótka, ale odsłania niezłe nogi.

Barman wraca z moim drinkiem, a Lola składa własne zamówienie. Widzę, że chce, żebym zamówił dla niej drinka. Rozważam ten pomysł, ale nie dlatego, że chcę się z nią przespać – mogłaby być najgorętszą supermodelką, a i tak bym jej nie przeleciał. Jestem z Alayną. Nawet mimo przerwy nie byłbym niewierny. Nikt inny już na mnie nie działa. Jedyna kobieta, dzięki której mi staje, została zapłakana w moim mieszkaniu. Ja pierdolę, złamałem jej serce. A obiecywałem sobie, że nigdy tego nie zrobię. Powiedziałem jej, że nigdy jej nie zostawię. A jednak to zrobiłem.

Czuję się jak gówno. I dlatego zastanawiam się nad postawieniem Loli drinka. Jest otwarta, ufna – łatwo byłoby nią manipulować. Mógłbym mówić jej wszystko, namówić ją do wszystkiego... W mojej głowie nagle pojawia się milion scenariuszy.

I wiem, że muszę przestać o nich myśleć.

Gra niczego nie rozwiąże. Szybko naćpałbym się tym, co mi daje, a potem co? Będę wtedy jeszcze mniej wart Alayny niż teraz. Nie mogę walczyć ze swoimi demonami, wykorzystując do tego właśnie te demony. To nie jest rozwiązanie, którego szukam.

Dlatego postanawiam dopić drinka i zamknąć swój rachunek.

Idę chwiejnym krokiem do swojego mieszkania, a potem wyciągam się na kanapie. Nie pozwalam sobie zasnąć w łóżku. Nie zasługuję na taki komfort. Nie zasługuję, aby być tam, gdzie ona jest. W ogóle na nią nie zasługuję.

Budzę się następnego dnia, czując suchość w ustach i piekielny ból głowy. Od razu przypominam sobie o tej żałosnej sytuacji, w której się znalazłem. I to przez samego siebie. Wysyłam wiadomość swojej sekretarce, żeby przełożyła wszystkie moje obowiązki na następny dzień, a potem idę się napić wody. Żałuję, że nie mam żadnych leków przeciwbólowych. Zasłużyłem sobie na to, więc nie będę sobie nic ułatwiał.

Mój telefon zaczyna wibrować, więc od razu go sprawdzam, mając nadzieję, że to Alayna. Niestety. Udaję, że nie jestem w ogóle zawiedziony. Ale to też jest ważna wiadomość – Norma napisała, że mam do niej od razu zadzwonić. Ona wie, że ma nie pisać do mnie z jakimiś błahostkami, więc to musi być ważne.

Nawet nie wita się ze mną, gdy do niej dzwonię.

– Nie ma cię w twoim biurze.

– Nie. Dzisiaj pracuję w mieszkaniu. – Wyglądam okropnie. Nikt nie powinien mnie dziś oglądać. – Czego potrzebujesz?

– Stuart Reed ma wątpliwości.

Stuart to nasz człowiek w GlamPlay. Nie mogę sobie na to pozwolić. Nie teraz.

– Wyjaśniłaś mu, że Walden Inc. jest nadal moją firmą?

– Nie z tego powodu ma wątpliwości. Są gotowi sprzedać ci to, nieważne, jakiej firmy do tego używasz. Jego wątpliwości są związane z Werner Media. Ich ostatnie akcje nie przyniosły tak wysokich korzyści, jak przewidywał.

– Wraz ze zmianą w ekonomii te ceny były bardzo dobre. Kurwa, czego Reed oczekuje? – Przeczesuję włosy ręką. – Wiesz co? Gówno mnie obchodzą jego wątpliwości. Najpierw dokończymy kupno GlamPlay, a potem nie będzie miał w tej kwestii nic do powiedzenia.

– Wkurzanie Stuarta Reeda nie jest dobrym pomysłem – mówi spokojnie Norma. – Oczywiście będziesz mieć pełną kontrolę nad firmą i będziesz mógł robić to, co chcesz, ale będzie łatwiej, jeśli Stuart znajdzie się po twojej stronie.

Opieram się o okno, z którego rozciąga się widok na miasto, i przypominam sobie, że lepiej nie robić sobie wrogów w tej sprawie.

– Więc co sugerujesz, Normo?

– Musisz rozwiać niektóre z jego zmartwień. Nie sądzę, by było trudne. Wystarczy przyjacielska rozmowa na boku.

– Słyszę głos w tle. Męski. Wkurza mnie to, że rozmawia o tym przy kimś, ale jej ufam.

I skoro mam do niej zaufanie, mogę jej to odpuścić.

– Masz jakiś plan, by zaaranżować taką przyjacielską rozmowę? – Kończy nam się czas.

– Nie wspominałabym o tym, gdybym nie miała. – Wiem, że na pewno uśmiecha się teraz szeroko po drugiej stronie słuchawki. – Stuart będzie dzisiaj na Balu Charytatywnym Breezeway. Pójdziemy tam razem.

– Bal Breezeway? A wiesz może, jak masz zamiar nas tam wprowadzić? – Rada zarządu Breezeway, w tym Alan Fleming, nie jest moim fanem. Kiedyś wmieszałem w swoją grę jego siostrę. To było bardzo dawno, zanim jeszcze zrozumiałem, że eksperymenty powinno się przeprowadzać jak najdalej od miejsca pracy i od domu. Nie po raz pierwszy zastanawiałem się, czy moja przeszłość w końcu przestanie wpływać na moją teraźniejszość.

– Alan nie będzie tam jedyną osobą z Breezeway. A na liście gości widnieje moje nazwisko, dlatego musimy iść razem. Spóźnimy się trochę i nie zostaniemy tam długo. Przyjedź po mnie o ósmej.

Ten plan nie brzmi interesująco, ale tylko dlatego, że dzisiaj wieczorem nie mam ochoty wkładać smokingu i iść na bal. Jednak to konieczność. A tak poza tym, to jakie miałbym mieć inne plany na wieczór? Kolejna noc spędzona na piciu nie brzmi zbyt produktywnie. Dziękuję jej.

Nagle dostaję innego esemesa. Widzę, że to od Alayny. W wiadomości są tylko trzy słowa, zwykła prośba: „Wróć do domu".

Siadam na fotelu i gapię się w ekran, co chwila czytając wiadomość. Ona nadal mnie chce. Czuję ucisk w gardle i bardzo chcę jej posłuchać, ale nie mogę. Co by się wtedy stało? Nic by się nie zmieniło. A nie jestem jeszcze gotowy zrobić to, czego potem najprawdopodobniej będę żałował.

Po chwili przychodzi kolejny esemes od niej: „Unikasz mnie teraz?".

Zaczynam pisać odpowiedź, ale kasuję ją kilka razy, bo nie wiem, co powiedzieć. Dostaję od niej kolejne wiadomości:

„Mógłbyś przynajmniej ze mną porozmawiać".

„Mówiłeś, że jestem dla ciebie wszystkim".

„Porozmawiajmy".

„Nie będę o to pytać, jeśli tego nie chcesz".

„To niesprawiedliwe. Czy to nie ja powinnam być na ciebie zła, a nie na odwrót?".

Każda wiadomość jest jak cios w moje serce. To boli. Przysporzyłem jej tyle cierpienia, ale wiem, że to nic w porównaniu z bólem, jaki poczuje, gdy pozna prawdę. To wszystko popsuje, zniszczy nasz związek i złamie jej serce. I wiem też, że to mnie zabije. Zaczyna do mnie docierać, że nie ma dla nas ratunku. Wkrótce będę musiał wybrać, co jest dla niej najlepsze i zapomnieć o sobie.

Jednak jeszcze nie dzisiaj. Jeszcze nie potrafię. Nie jestem gotowy.

Kocham ją, więc wysyłam do niej wiadomość, bo nie dam rady jej już dłużej tak ignorować.

„Nie jestem zły. Nie unikam cię. Nie wiem, co powiedzieć".

Naprawdę nie wiem, co powiedzieć. To szczera prawda.

„To nic nie mów. Po prostu wróć do domu".

Śmieję się gorzko. Po raz drugi w ciągu dwudziestu czterech godzin zaangażowałem się w rozmowę i nie powinienem był tego robić. Teraz muszę znowu powiedzieć coś, czego ona nie zrozumie.

„Nie mogę. Jeszcze nie. Potrzebujemy czasu".

„Ja nie potrzebuję czasu. Potrzebuję ciebie".

Kurwa, ja też jej potrzebuję. Nawet nie ma pojęcia, jak bardzo.

„Nic nie mogę na to poradzić".

„Nie rozumiesz. Muszę teraz z tobą rozmawiać. Będę do ciebie pisać. Nie mogę się powstrzymać".

„A ja przeczytam każdą wiadomość".

Mimo to nie dostaję od niej żadnego kolejnego esemesa i jestem zawiedziony. A właściwie to zdruzgotany. Jej krótkie wiadomości sprawiały, że czułem się lepiej. Martwi mnie to, że do mnie nie pisze. Czy coś się stało? I zaraz myślę o najgorszym – że ona będzie żyć dalej beze mnie. Moje życie wisi teraz na włosku.

Piszę do Jordana, który mówi mi, że Alayna przekonała go do wspólnego biegania. Zakazałem jej biegać na zewnątrz, bo martwiłem się Celią i tym, że prześladuje Alaynę. Sprzeciwia się moim życzeniom – ale czy mogę ją za to winić? Na szczęście ma przy sobie swojego ochroniarza. Przynajmniej wciąż zależy jej, by iść na kompromis. Gdybym tylko ja to potrafił. Dałbym jej wszystko, czego by tylko chciała, powiedziałbym jej o wszystkich sekretach z mojej przeszłości, zburzyłbym każdy mur, który we mnie pozostał, o ile wiedziałbym, że po tym nigdy mnie nie zostawi. Że nie zrezygnuje z naszego związku.

Jednak nie pozwolę na to, by musiała dokonywać takiego wyboru, bo wiem, że gdyby się dowiedziała, nie byłaby w stanie tego zrobić.

Telefon dzwoni w środku nocy. Zaspany sięgam do stolika, gdzie go zostawiłem, zanim położyłem się spać na kanapie. Potem jednak zamieram. To pewnie Alayna – Boże, jak ja chciałbym być teraz z nią – ale nie mam siły jej odmawiać. Nie, gdy jestem sam w nocy i tak bardzo za nią tęsknię, że zrobiłbym wszystko, co by tylko chciała.

Siadam i pocieram twarz dłońmi. Już się obudziłem. Właściwie jestem zaskoczony, że w ogóle udało mi się zasnąć. Patrzę na zegarek. Jest prawie trzecia. Chyba spałem dłużej, niż mi się wydawało. Tak jak obiecałem, pojawiłem się na balu charytatywnym z Normą, by porozmawiać ze Stuartem Reedem. Chyba przekonałem go, że zainwestowanie w Werner Media to dobry pomysł, ale zanim się o tym upewniłem, dostałem wiadomość od Reynolda, drugiego ochroniarza Alayny, mającego drugą zmianę. Powiedział mi, że Celia pojawiła się w Sky Launch, a Alayna kazała mu wracać do domu.

Nie muszę wspominać, że wpadłem w furię. I cholernie się zmartwiłem.

Chwyciłem Normę za rękę i wyszliśmy, by udać się do klubu. Wiedziałem, że prowadzenie pod wpływem takich emocji i rozmawianie przez telefon nie było bezpieczne, ale i tak zadzwoniłem do Alayny. Rozmawiałem z nią tak długo, aż przyjechałem pod klub. Na własne oczy zobaczyłem, jak Celia właśnie wychodzi. Alayna była bezpieczna. Dzięki Bogu. Ale widziała mnie z Normą, ubranych jak na randkę. Czy właśnie tylko pogorszyłem sytuację? Jeszcze bardziej się pogrążyłem? Oczywiście na pewno dlatego chce ze mną rozmawiać. Powinienem się wytłumaczyć. Umowa jest tak bliska zakończenia, więc może to jedyna rzecz, o której mogę powiedzieć Alaynie. Celia może mieć jednak podsłuch na telefonie Alayny, więc nie mogę ryzykować... Nie wolno mi dopuścić do tego, żeby dowiedziała się o przejęciu firmy, zanim to się stanie.

Dlatego też nie mogę powiedzieć o tym Alaynie.

Telefon znowu zaczyna dzwonić i robię wszystko, by go nie podnieść i nie rzucić nim o ścianę. W końcu powstrzymuje mnie to, że na ekranie nie widzę imienia Alayny. Dzwoni Adam.

Odbieram, a serce podchodzi mi do gardła.

– Adam? – Nie czekam, aż odpowie. – Co się dzieje? Czy chodzi o Mirabelle?

– Ma skurcze – mówi. – Jesteśmy w Lennox Hill.

– Dziecko? –To wszystko brzmi zbyt znajomo.

Boli mnie to, że nie wiem, co się stanie. To taka krucha istota, której jeszcze nie poznałem, a już mi na niej zależy.

Tym bardziej że to Mirabelle... To się nie może znowu dziać. Nie zniosę, jeśli sytuacja się powtórzy.

Głos Adama jest napięty.

– Jeszcze nie wiemy. Boże, my nic nie wiemy.

– Zaraz tam będę. – Rozłączam się i piszę do Jordana. Potem wybieram pierwszy numer z listy szybkiego wybierania. – Alayna. Potrzebuję cię.

– O co chodzi? – To tylko trzy słowa, ale czuję w nich jej miłość.

– Mira. Jest w szpitalu. Dziecko... – Nie potrafię powiedzieć nic więcej.

– Zaraz tam będę.

– Jordan już jest w drodze do ciebie. – Rozłącza się, a ja trzymam telefon przy piersi jeszcze przez kilka minut. Możliwe, że dzisiaj bardziej się do niej nie zbliżę, więc wielbię te kilka chwil rozmowy, jak tylko mogę.

Jestem już w szpitalu, gdy dostaję wiadomość, że Mirabelle została przeniesiona na oddział położniczy. Czekam jednak na Alaynę, zanim tam pójdę. Nie mogę zobaczyć siostry w takim stanie. Jestem słaby. Zdruzgotany. Potrzebuję Alayny, bo ona jest moją siłą.

I nagle Alayna przychodzi. Ma na sobie spodnie do jogi i zwykłą koszulkę, ale wygląda piękniej niż kiedykolwiek wcześniej. Mój puls zwalnia trochę i w końcu mogę normalnie oddychać. To jej zasługa. Ona tak wiele mi daje, chociaż o tym nie wiem. Działa na mnie nawet z dystansu. Skrzywdziłem ją, a ona i tak jest tu, żeby być przy mnie.

Prawda o tej całej sytuacji nagle do mnie dociera. Udajemy się do windy. Mówię jej o tym, czego udało mi się dowiedzieć. Wyciąga do mnie rękę, a ja ją ujmuję. Nie chcę komplikować na razie tej sytuacji, ale nie mogę się powstrzymać i muszę w końcu jej dotknąć. Trzymam jej dłoń tak długo, jak mogę. Jej dotyk sprawia, że chcę jeszcze więcej. Potem puszczam ją i odbieram sobie prawo, by znowu poczuć komfort jej dotyku.

Zanim dojeżdżamy na piętro, na którym znajduje się Mirabelle, łamię obietnicę. Przesuwam palcami po jej policzku. Dociera do mnie, że przyzwyczaiłem się do dotykania jej i pieszczenia. Będę musiał bardziej się postarać.

Szybko znajdujemy resztę rodziny. Są tutaj moi rodzice, Chandler i Adam. Wszyscy czekają przed pokojem Mirabelle. Jestem spięty. Nadal pamiętam ostatni raz, gdy byłem w szpitalu na oddziale położniczym. Na szczęście ta historia wygląda inaczej. Adam zapewnia nas, że z Mirabelle wszystko w porządku. I z dzieckiem również. Na razie. Ona po prostu się odwodniła. Nic więcej.

Mam ochotę ją zabić. Musiałem jechać do szpitala, cały czas w śmiertelnym strachu, bo zapomniała nosić przy sobie butelkę wody?

Oczywiście nie zrobię tego. Czuję ogromną ulgę. Muszę wierzyć, że na świecie istnieje jakaś sprawiedliwość, jakaś wyższa siła, która rozpoznaje dobro kobiety, która jest moją siostrą. Najwyraźniej wiele kobiet w moim życiu, które mnie pokochały, są przeklęte, ale Mirabelle nie. Jestem wdzięczny, że została ocalona.

Patrzę na Alaynę. Do kogo musiałbym się teraz pomodlić, by również ją ocalić?

# Rozdział 23

W ciągu ostatnich dwóch dni pięć razy dzwoniłem do Adama, żeby sprawdzić, czy wszystko dobrze z Mirabelle. I jeszcze częściej do niego pisałem. Oczywiście zawsze się o nią martwiłem, ale rozłąka z Alayną sprawiła, że jestem jeszcze bardziej rozchwiany emocjonalnie. Nadal nie wiem, jak powiedzieć jej to, co powinna usłyszeć, więc unikam rozmyślania o niej. A przynajmniej chciałbym unikać, bo wydaje się to niemożliwe. Mimo to staram się tego nie robić i skupiam się na przygotowaniach do dzisiejszej podróży do Los Angeles, żeby zakończyć sprawę z GlamPlay. I nadal martwię się o Mirabelle.

Właśnie siadam po lunchu przy swoim biurku z filiżanką czarnej kawy, gdy Patricia odzywa się w interkomie.

– Mirabelle Sitkin na linii do pana. – Najwyraźniej moja siostra postanowiła mnie dzisiaj uprzedzić.

– Połącz. – Biorę spory łyk kawy, a telefon odbieram dopiero po trzecim sygnale. Nie sypiam ostatnio dobrze, a moja poranna kofeina chyba już przestała działać.

– Mirabelle, czy to nie ja powinienem się odezwać do ciebie?

– Właśnie dlatego dzwonię. – Jej głos jej lekki i rozbawiony. – Adam mówi, że go dręczysz.

– Dręczę? To mocne słowo jak na zwykłe braterskie zainteresowanie.

– A mnie się bardzo twoje braterskie zainteresowanie podoba. – Wzdycha cicho. – Ale gdy ty i mama, i tata, i jeszcze Adam wypytujecie codziennie, jak się czuję... Myślę, że jedna wiadomość na dzień by wystarczyła.

Opieram się o krzesło i zaczynam się na nim kołysać, mówiąc:

– Wiesz, gdybyś pozwoliła mi zatrudnić pielęgniarkę, która by cię pilnowała, tak jak sugerowałem, to nie musiałbym sam sprawdzać.

– Hudsonie, ja nie potrzebuję pielęgniarki. Mój mąż jest lekarzem, pamiętasz?

Wzruszam ramionami, chociaż nie może tego zobaczyć.

– I co z tego, że twoim mężem jest lekarz, skoro trzy dni temu trafiłaś do szpitala? Najwyraźniej to nie wystarczy.

– O, mój Boże. Czy ty mówisz poważnie?

– Bardzo. – Przestaję się kołysać i pochylam się nad biurkiem. – Ale jeśli powiesz, że nic ci nie jest, i obiecasz, że będziesz pić wodę i odpoczywać...

– Ale przecież to robię!

– To wtedy zgodzę się na jeden telefon i jedną wiadomość dziennie. – To dla mnie trudna decyzja. Chwytam palcami za grzbiet nosa i próbuję to zaakceptować. Poza tym muszę lecieć do Los Angeles na weekend i prawdopodobnie i tak będę mieć niewiele czasu.

– Umowa stoi – zgadza się. – Cieszę się, że to ustaliliśmy. Ale to nie jest prawdziwy powód, dla którego dzwonię.

– Nie? – Teraz już wiem, dlaczego sprawdzałem, czy z nią wszystko w porządku, wykorzystując do tego jej męża. Wiedziałem, że jeśli zacznę z nią rozmawiać, to wypłynie temat, którego wolałem uniknąć.

– Nie. Ty i Laynie...

Urywa zdanie i wiem, że chce, abym za nią dokończył. Wiem też, że jeśli tego nie zrobię, to zada bardziej bezpośrednie pytanie. Nie jestem zaskoczony tym, że pyta. Zauważyła, że sytuacja między nami jest... napięta, gdy byliśmy u niej w szpitalu. Nawet wysłała mnie i Alaynę do innego pokoju, żebyśmy naprawili to, co się popsuło. Czas spędzony z Alayną sam na sam był trudny. Nadal byliśmy pochłonięci całym tym wydarzeniem w szpitalu, więc nasza kłótnia nie miała wtedy aż takiego znaczenia. Chociaż ogólnie jest bardzo ważna. Chciałem przyciągnąć ją do siebie i przytulić, wyznać jej wszystkie swoje sekrety i powiedzieć, że ją kocham, ale tego nie zrobiłem. Dla dobra Mirabelle postanowiliśmy udawać, że wszystko już jest w porządku. Wydawało mi się, że moja siostra to kupiła. A przynajmniej tak powiedziała Alaynie. Mirabelle była jednak niezła w odczytywaniu ludzi. W końcu odczytała mnie. Nigdy nie potrafiłem jej oszukać. Dlatego też nawet nie myślę, że mógłbym to zrobić teraz.

– Wszystko spieprzyłem, Mirabelle. – To idealne podsumowanie całej sytuacji.

– Co zrobiłeś? – Jej głos jest cichy i napięty, a ja już żałuję, że cokolwiek powiedziałem. Nie dlatego, że nie mam ochoty się z nią tym dzielić, po prostu nie chcę jej teraz stresować.

Ale w końcu trzeba to powiedzieć. Nie muszę wyznać wszystkiego, wystarczy, że zacznę.

– Okłamałem ją.

– I dowiedziała się? – Nie pyta o szczegóły i jestem jej za to wdzięczny.

– Tak. Dowiedziała się. Ale jest tego więcej i muszę jej o tym powiedzieć. – Jestem zaskoczony tym, że tak łatwo jej się zwierzam. Ponadto zauważam, że to miłe uczucie. Dusiłem wszystko w sobie i nie myślałem, że potrzebuję z kimś o tym porozmawiać. Nigdy nie zacząłbym takiej rozmowy, ale jestem wdzięczny, że Mirabelle to zrobiła.

– Okej. – Bierze głęboki oddech. – A więc musisz jej powiedzieć, ale jeszcze tego nie zrobiłeś?

– Nie.

– Bo boisz się... Czego właściwie?

– Że ją stracę. – Gardło zaciska mi się, gdy wymawiam te słowa.

– Ale nie dowiesz się tego, dopóki jej nie powiesz. A więc zrobisz to?

To pytanie za milion dolców. Najważniejsze pytanie w moim życiu. Minęły cztery dni, odkąd powiedziałem jej, że potrzebujemy czasu. Od czterech dni w nią nie wchodziłem, od czterech dni jej cipka nie zaciskała się wokół mnie, od czterech dni nie zasypiałem, słuchając jej rytmicznego oddechu. Cztery dni i noce, a czuję się, jakby to była wieczność. I nadal nie wiem, co powinienem zrobić.

Dociera do mnie, że w ten sposób nie uzyskam odpowiedzi. Z dala od Alayny nie dowiem się, jaką powinienem podjąć decyzję. Zbyt długo milczę, więc Mirabelle stwierdza:

– Twoje milczenie utwierdza mnie w przekonaniu, że nie zamierzasz jej powiedzieć. – Słyszę, że jest zawiedziona.

– To nieprawda. Moje milczenie wynika stąd, że nie znam odpowiedzi.

– No cóż... – Milknie i wyczuwam, że oczekuje, bym powiedział coś więcej. W końcu pyta: – Chcesz mojej rady?

– Jeśli odmówię, czy wtedy powstrzymasz się i jednak mi nie powiesz?

– Pewnie nie. – Myśli nad tym jeszcze chwilę. – Na pewno nie.

– No to dawaj. – Spoglądam w kierunku mojego barku, zastanawiając się, czy jest za wcześnie, by doprawić kawę czymś mocniejszym.

– Nie będę pytać, co przed nią ukrywasz. – Jestem pewny, że w tym momencie zaczęła chodzić. Ona lubi to robić, gdy daje komuś wykład. – Jeśli to coś, czego nie chcesz powiedzieć jej, to mnie na pewno nie powiesz. Ale wiem, że mnie mógłbyś powiedzieć wszystko i nadal bym cię kochała. Nie dlatego, że jestem twoją siostrą. Przyznaję, czasem ciężko nią być, ale wyczuwam, że Laynie kocha cię nawet bardziej niż ja. Wybrała cię spośród wszystkich osób, które mogłaby pokochać – wybrała ciebie, Hudsonie. Jestem pewna, że też jest świadoma tego, jaki jesteś, że jest w tobie dobro, mimo że potrafisz być podły. I jeśli to widzi i nadal cię kocha, to myślę, że nic nie może sprawić, że przestanie. Nawet jeśli to najgorsza z możliwych rzeczy.

– Nawet jeśli to najgorsza zdrada z możliwych? – Jej wiara jest piękna, ale ona sama bardzo naiwna.

Milknie i myślę, że znowu powie coś słodkiego i uroczego, jednak mnie zaskakuje.

– Czy kiedykolwiek mówiłam ci, że zdradziłam Adama?

– Eee, nie. – I mam nadzieję, że teraz tego nie zrobi.

– Dawno temu, zanim jeszcze się zaręczyliśmy. Przespałam się z innym facetem.

Jestem w szoku. Mirabelle zawsze była wzorem oddania i wierności.

– Nie wiem, czy chcę o tym słuchać.

Ale i tak kontynuuje:

– Byłam głupia. I to naprawdę nie było nic dobrego. On znał tego gościa. Kiedyś byli współlokatorami. Wtedy Adam i ja byliśmy już ze sobą na poważnie. Ja po prostu... sama nie wiem. To było głupie. Zrobiłam coś głupiego. Nie bez powodu. Chciałam przyciągnąć tym uwagę Adama. Dasz wiarę? Cóż, oczywiście miałam wtedy jego uwagę. Poza tym prawie straciłam miłość swojego życia.

– Mirabelle... – Nie jestem pewny, co mam powiedzieć.

– Nie, nie, teraz już wszystko w porządku. Rzecz w tym, że wierność jest ważna w każdym związku, a dla Adama nawet bardziej, bo jego poprzednia dziewczyna go zdradziła i cóż... To już koniec tej historii. Ale do rzeczy. – Oddycha głęboko. – Taka zdrada jest dla niego najgorszym rodzajem zdrady. A mimo to jakoś przez to przeszliśmy. Nie było łatwo, ale się udało. Więc ja wierzę w wybaczenie. Nawet w rodzinie Pierce'ów.

Nadal jestem oszołomiony. Poza tym nie jestem przekonany, czy sytuacja z Alayną może się równać z tym, co się przydarzyło Mirabelle. Moja siostra jest niesamowitą osobą, nieważne, jakie były jej błędy. Więc nie dziwię się, że Adam jej wybaczył.

– Dziękuję, że mi to mówisz. Daje mi to inną perspektywę.

– Hudsonie, nie uśmiechaj się, nie kiwaj głową i nie lekceważ tego, co powiedziałam. – Boże, jak ona dobrze mnie zna. – Ale wiesz, o co mi chodzi? Takie kłamstwa się rozrastają. Wtedy pomiędzy wami powstaje ogromna przepaść. Później z powodu tej odległości nie będziecie się w stanie zobaczyć. Laynie kocha cię, ale nie będzie mogła cię odnaleźć. Innymi słowy, możesz powiedzieć jej prawdę i dać jej szansę, żeby cię kochała mimo wszystko. Albo możesz okłamywać ją dalej i czekać, aż się od siebie odsuniecie, a ona zniknie, bo już nie będzie wiedzieć, kim jesteś. To tylko moje zdanie, ale myślę, że lepiej na tym wyjdziesz, jeśli powiesz prawdę.

Dwadzieścia minut po tym, jak się rozłączyłem, jej słowa nadal brzęczą w mojej głowie. Nie mogę się skupić. Po raz trzeci czytam mejl od Stewarta Reeda i nadal nic z niego nie rozumiem. Gdy dociera do mnie, że wysłał tę wiadomość również do Normy, poddaję się. Norma wtajemniczy mnie w samolocie.

Myśląc o podróży, przypomina mi się, że powinienem powiedzieć Alaynie o tym, że nie będzie mnie w mieście. Biorę telefon i zaczynam pisać wiadomość, ale szybko ją kasuję. Nie jestem nawet w stanie napisać czegoś tak prostego jak to, że lecę do Los Angeles na weekend. Ona powinna wiedzieć o wiele więcej, zasługuje na to, ale nie potrafię jej tego powiedzieć.

Zamiast tego piszę do Jordana: „Tylko sprawdzam, co u Alayny?".

Od razu odpowiada: „O co chodzi? Nie ma jej u pana?".

Ta wiadomość od razu mnie niepokoi, więc dzwonię do niego.

– Dlaczego miałaby być ze mną?

Jordan sprawia wrażenie skołowanego.

– Wysadzałem ją pod budynkiem dwadzieścia minut temu. Powiedziała, że chce pana zaskoczyć.

To by była miła niespodzianka.

– Cóż, nie ma jej tu.

– Musi być gdzieś w budynku – mówi dobitnie Jordan. – Cały czas obserwowałem wejście.

Z Pierce Industries można wyjść innymi drzwiami, ale trudno by jej było się do nich dostać. Myślę, że wystawiła Jordana, ale nie wiem, z jakiego powodu.

– Nie rozłączaj się, a ja sprawdzę poddasze.

Może naprawdę chciała mnie zaskoczyć. Może czeka na mnie naga na górze. A przynajmniej mam taką nadzieję.

Jadę windą do mojego mieszkania i dalej wypytuję Jordana:

– Miałeś mi mówić za każdym razem, gdy gdzieś wychodzi. Dlaczego mi nie powiedziałeś, że tu przyjechaliście?

– Poprosiła, żeby dać jej kilka minut. Myślałem, że wtedy pan sam będzie wiedział, że przyjechała. – Głos Jordana mówi mi, że on sam jest zmartwiony. – Mam przyjechać na górę?

– Nie. Zostań tam. Obserwuj drzwi. – Jestem już w lofcie. Wiem, że jej tu nie ma, chociaż nie sprawdziłem sypialni i łazienki. Pomieszczenie wygląda zbyt zwyczajnie. Wyczułbym, gdyby tutaj była.

Boże, zaczynam myśleć jak Mirabelle.

– Nie ma jej w mieszkaniu – informuję Jordana. I teraz jestem bardzo zaniepokojony. – Trzeba sprawdzić monitoring. Skontaktuj się z ochroną i każ im przejrzeć nagrania z ostatnich trzydziestu minut. Zobaczymy, czy da się ją namierzyć.

Kończę rozmowę i udaję się do windy. Sprawdzam jeszcze, czy moja sekretarka ją widziała, a potem wracam do biura. W szafie w najdalszym rogu pomieszczenia mam monitory podłączone do kamer, jednak pokazują one obraz tylko w okolicy mojego gabinetu. Przeglądam szybko nagrania, ale nie widzę jej tu. Nie spodziewam się, że ją znajdę – bo chyba by do mnie przyszła, gdyby była na moim piętrze – ale sprawdzam klatka po klatce.

I wtedy ją widzę. Wysiada z windy koło mojego gabinetu. Ale nie kieruje się w tę stronę. Zamiast tego idzie w zupełnie innym kierunku, idzie korytarzem aż do...

Mój telefon zaczyna dzwonić – to Jordan.

– Znaleźliśmy ją na pana piętrze – mówi. – Najwyraźniej poszła do innego gabinetu. Już sprawdzam nazwisko. To gabinet...

– Normy Andres – dokańczam za niego. Nie powinienem być zaskoczony. Właściwie jestem dumny. I trochę zirytowany. – Czy ona nadal tam jest?

– Nie widzę, żeby wychodziła.

– Dziękuję, Jordanie. Zajmę się tym sam. – Wkładam telefon do kieszeni i idąc korytarzem, zastanawiam się nad tą sytuacją. Czego Alayna może chcieć od Normy? Ufam Normie, jestem pewny, że nie wyjawi żadnych sekretów o nadchodzącej transakcji w firmie. Tylko że Alayna o tym nie wie. Czy próbuje dowiedzieć się czegoś o GlamPlay albo o Werner Media? Nie, nie ma wystarczająco informacji, by w ogóle wpaść na jakiś trop. Więc może chodzi o Gwenyth? Albo może jest zazdrosna o moją relację z moim głównym dyrektorem finansowym, który jest też moją prawą ręką?

Cholera, dlaczego Alayna nie może mi po prostu zaufać?

I co z tego, że nie dałem jej powodu, by mi ufała? I tak bym tego chciał. Szczególnie że moje sekrety mają ją chronić.

Węszenie wokół moich pracowników nie pomoże naszemu związkowi. To działanie za czyimiś plecami i może się przyczynić do większych problemów. Tylko że ja też tak robię. Nie powinno jej tu być. Musi przestać naciskać, przestać drążyć.

Gdy widzę, jak pojawia się na moim korytarzu, gotuję się ze złości. Przemyka ukradkiem do windy, cały czas patrząc na mój gabinet. Dobra, to trochę słodkie. Moja furia nieco łagodnieje.

Nie zauważa, jak do niej podchodzę, więc podskakuje, gdy mówię:

– Alayno.

Patrzy na mnie oczami łani i widzę w nich ten błysk, który tak kocham, widzę, jak patrzy na mnie z miłością i pożądaniem, do którego się przyzwyczaiłem.

Czy to wariactwo, że mimo tej całej sytuacji i mojej złości pragnę upaść na kolana przed nią i wielbić ją? Moje życie bez niej było ciemne, nieważne. Ona nie tylko jest moim światłem, ale także słońcem. Cały mój świat kręci się wokół niej. Otaczam ją ramieniem. Czuję ciepło jej skóry nawet przez garnitur.

– Porozmawiajmy na osobności, okej? – Prowadzę ją do swojego gabinetu. Po drodze nakazuję Patricii, by nie łączyła mnie z nikim, a potem zamykam za nami drzwi.

Zamknięcie drzwi na zamek właściwie nie jest potrzebne. Nie jestem pewny, czy robię to, by ją przestraszyć, czy dla siebie, żeby mnie bardziej kusiło zrobienie z nią czegoś niegrzecznego w moim gabinecie.

Alayna na pewno się mnie nie przestraszyła. Jest nawet we flirciarskim nastroju.

– Och, no witam, H.

Mój fiut od razu twardnieje. Puszczam jej ramię.

– Co ty tu robisz, Alayno?

– Co ja robię w twoim gabinecie? Sam mnie tutaj zaciągnąłeś, pamiętasz? – Odsuwa się ode mnie, kołysząc biodrami. Mam ochotę wziąć ją od razu.

Powstrzymuję uśmiech.

– Nie próbuj być taka czarująca. Chodziło mi o to, co robisz w tym budynku.

Patrzy na mnie przez ramię i przysięgam – jej mina mówi: „Pieprz mnie tu i teraz".

– Może przyszłam do ciebie? Mam tendencje do prześladowania mężczyzn, którzy mnie ignorują.

Drocząca się ze mną Alayna bardzo mnie podnieca. Wzdycham.

– Nie przyszłaś tu, by się ze mną zobaczyć. Przyjechałaś do tego biura pół godziny temu i dopiero teraz jesteś u mnie.

Obraca się w moją stronę.

– Skąd ty, kurwa, wiesz, co ja robię? Jordan ci powiedział? Są tu kamery?

– Nie mam zamiaru czuć się winny, chroniąc tego, kogo kocham. – I zrobiłbym znacznie więcej. Zabiłbym dla niej, gdybym musiał.

Na pewno moja apodyktyczność ją irytuje. Ale nic nie mówi, tylko oblizuje usta.

Jezu, bo nie wytrzymam.

Pragnę jej od kilku dni, ale teraz, gdy tu jest, przypominam sobie, dlaczego nie mogę jej mieć. To nie fair. Muszę zachować dystans, dopóki nie poradzę sobie z kłamstwami, które są między nami.

A to oznacza, że ona musi stąd jak najszybciej wyjść.

– Alayno?

Odwraca ode mnie spojrzenie.

– Nie rozśmieszaj mnie.

– Jezu, ile razy musimy jeszcze przez to przechodzić? – Nie mogę za nią nadążyć. W jednej chwili flirtuje ze mną, w drugiej jest oziębła. W sumie sam się tak czuję.

– Nie wiem. Może jeszcze kilkaset razy. Bo najwyraźniej czegoś tu nie rozumiem, według ciebie.

Odwracam się od niej i przeczesuję włosy ręką. Jestem rozdarty, bo z jednej strony chcę na nią wrzeszczeć, by zmądrzała, a z drugiej mam ochotę ściągnąć z niej ubrania i ją przelecieć. Żadna z tych opcji nie jest rozsądna, ale obie sprawiłyby, że czułbym się świetnie.

Nie. Mam swój plan. Obracam się do niej z powrotem, mając nadzieję, że wyglądam na spokojniejszego.

– Dlaczego. Tu. Jesteś? – Podkreślam każde słowo.

– Przyszłam się zobaczyć z Normą. – W końcu jest szczera.

– W sprawie Gwen?

Zakrywa twarz rękami sfrustrowana. Gdy je opuszcza, mówi:

– W twojej sprawie, ty głuptasie. Gówno mnie obchodzi wszystko inne, zależy mi tylko na tobie. – Jej głos jest napięty. – Jezu, ile razy jeszcze musimy to przerabiać.

Jej słowa znowu mnie irytują.

– Przyszłaś do mojego pracownika, żeby porozmawiać o mnie? – Może „zirytowany" nie było dobrym słowem. Byłem wkurwiony. Głównie na siebie. Jak mogłem do tego dopuścić? Jesteśmy teraz po dwóch różnych stronach, a powinniśmy być po jednej. Zawsze.

Na swoją obronę wykorzystuje moje wcześniejsze słowa.

– Nie osądzaj mnie za ochranianie tego, kogo kocham.

I wtedy wiem, że ona to rozumie. A może to ja w końcu zrozumiałem. Ona walczy o mnie tak samo, jak ja walczę o nią. Nie jesteśmy po dwóch różnych stronach. Jesteśmy po tej samej stronie.

Jeśli po tym wszystkim, co jej zrobiłem, nadal jej na mnie zależy, to może nasz związek ma jakąś szansę. Może Mirabelle ma rację. Może Alayna kocha mnie mimo wszystko.

– Po prostu sama chciałam sprawdzić, czy ona na ciebie leci – wyjaśnia delikatniejszym głosem. – Czy coś się dzieje między tobą a nią. – Celuje we mnie palcem. – I nie waż się mówić mi o zaufaniu, bo wiedziałeś, że będę o nią zazdrosna i nie było cię w pobliżu, żeby mnie pocieszyć i zapewnić, że wszystko jest w porządku.

Opieram się o kanapę, by się jej przyjrzeć. Jak mógłbym winić ją za to, co sam robię? I co robiłem? Nie mogę.

– Dostałaś to, czego chciałaś? – pytam.

– Tak.

– I?

Zagryza wargę. Żałuję, że nie mogę jej pocałować.

– Często o tobie myśli. Szanuje cię i podziwia, a także uważa, że jesteś atrakcyjny fizycznie. Tylko niech ci ta informacja nie uderzy do głowy.

– Ale...

– Ale nie leci na ciebie. Widzę to w jej oczach.

Albo po prostu dowiedziała się o romansie Normy z jej asystentem. W każdym razie cieszę się, że ta zazdrość została zduszona w zarodku.

– Okej. – Może to i dobrze, że jednak porozmawiała z moim pracownikiem. – Wierzysz więc w to, co ci powiedziałem.

– Nigdy nie chodziło o to, co mi mówiłeś. To nie był problem. Chodzi o to, czego mi nie mówisz.

– Bo nie musisz wiedzieć o takich rzeczach. – Wiem, że to nie fair, ale to dla jej dobra.

Tylko że ona tego nie widzi i nie rozumie.

– Co to ma znaczyć, do cholery? Mogłabym powiedzieć to samo o tobie: szpiegowałeś mnie, grzebałeś w mojej historii, nim w ogóle mnie poznałeś. A może ja uważałam, że o tych rzeczach nie powinieneś wiedzieć? A mimo to robiłeś i nadal robisz, co tylko chcesz, i nie zwracasz uwagi na granice ani przestrzeń osobistą. – Patrzy mi prosto w oczy. – I skoro nadal nic nie wiem, pozwól, że wyrażę się jasno: skoro ty nie chcesz mi czegoś wyjaśnić, to sama się o tym dowiem.

Nagle czuję narastającą panikę. Jak długo będzie grzebać, aż odkryje prawdę?

– No właśnie. Przejrzałam wszystkie książki, które wysłała mi Celia. Byłam się zobaczyć ze Stacy. I z Normą. Zbieram fakty, jak tylko się da. Nie sądzisz, że lepiej, jeśli powiesz mi o swoich tajemnicach, niż żebym sama miała się o nich dowiedzieć?

– Alayno, przestań grzebać w mojej przeszłości. – Robię krok w jej stronę. Ona jest mądrą kobietą. Jeśli się postara, to w końcu odkryje prawdę. A to ją zniszczy.

– Chcesz chronić Celię, prawda?

Czy ona jest aż tak ślepa, że tego nie widzi?

– To nie ją chcę ochronić.

– To kogo w takim razie? Siebie? Mnie?

Jestem bliski powiedzenia jej tego. Chcę powiedzieć wszystko. Bardzo mi się nie podoba to, że ona nic nie rozumie. Jak może nie pojmować, że moja przeszłość strasznie ją zrani? Chcę ją od tego uchronić. Ale myślę, że nie mogę tego zrobić.

Ona musi odpuścić. Dla jej własnego dobra. Zanim zmusi mnie do czegoś, czego nie chciałbym uczynić. Łapię ją za łokieć.

– Musisz wyjść, i to teraz.

Krzywi się, jakbym właśnie kopnął ją w brzuch. Widzę, że ją to zabolało. Nie mogę patrzeć, gdy jest w takim stanie. Łzy zaczynają płynąć po jej policzkach.

– Znowu mnie odtrącasz. Tak jak zawsze to robiłeś. Znów ukrywasz się za swoimi grubymi murami. – Jej ból jest widoczny na jej twarzy. – Po co ja mam w ogóle o ciebie walczyć, jeśli ty nigdy, przenigdy mnie do siebie nie wpuścisz? Hudsonie, kogo ty ochraniasz? No kogo?

Nie mogę już wytrzymać. Nie mogę pozwolić, by myślała, że nie walczę o nią równie mocno, co ona o mnie.

– Jasna cholera, Alayno! Ciebie, ochraniam ciebie. Zawsze.

Nie mogę jej powiedzieć wszystkiego słowami, więc mówię to swoim ciałem. Miażdżę jej usta w pocałunku, smakuję ją, pochłaniam. Tak desperacko pragnąłem dotyku jej warg, bo muszę jej powiedzieć, jak się czuję. Muszę poczuć to, co ona do mnie czuje.

Chciałem, żeby to był tylko zwykły pocałunek. A może nie chciałem, bo w tej chwili nie myślę już trzeźwo. Gdy otacza mnie w pasie nogami, gdy przyciska do mnie swoje biodra, gdy ociera się o mojego twardego fiuta, wiem, że nie mam wyboru i muszę kontynuować. Z nią jest jak podczas przejażdżki rollercoasterem. Kiedy już wsiądziesz, musisz dojechać do końca, nie masz wyjścia.

Więc postanawiam nie przerywać.

Obracam ją w stronę kanapy i ściągam jej majtki. Przesuwam palcami po jej cipce. Chryste, jest taka mokra. Ona zawsze jest taka gotowa na mnie. Nim zdążę mieć jakieś wątpliwości, ściągam spodnie i bokserki. Zaciskam mocno ręce na jej biodrach i wchodzę w nią jednym pchnięciem.

Poruszam się w niej raz za razem, goniąc nie tylko za własnym orgazmem, ale też za odpowiedziami odnośnie do naszej posranej sytuacji. Jest obrócona do mnie plecami, twarz ma ukrytą. Nie mam możliwości, by na nią patrzeć. Zamykam oczy. Przypominają mi się wszystkie inne numerki z innymi kobietami, które wyglądały właśnie w ten sposób. To była kiedyś moja ulubiona pozycja, jednak gdy chodzi o nią, to takie niewłaściwe. Ale teraz jestem zbyt wrażliwy, zbyt narażony. Nie mogę wziąć jej inaczej, bo całkowicie straciłbym kontrolę.

Tylko że Alayna nie pozwoli mi się po prostu w ten sposób wykorzystać. Wie, czego potrzebujemy, bardziej niż ja sam. A przynajmniej ma tego świadomość w tym momencie. A może po prostu jest silniejsza, niż myślałem, albo bardziej przyzwyczajona do bycia tak wrażliwą i narażoną.

Okręca się w moją stronę i chwyta mnie za koszulę. Czując jej dotyk, unoszę powieki. Patrzy mi głęboko w oczy, a ja zapominam o przeszłości. Jestem teraz z nią. Moje ruchy są powolniejsze, a jej cipka zaciska się wokół mnie. Dochodzę wraz z nią, krzycząc jej imię, jakbym wołał o pomoc. Mam nadzieję, że mnie uratuje. Że uratuje nas. Chociaż trudno mi w to uwierzyć.

Przytulam się do niej, oddychając w tym samym tempie. Mijają chwile, a ja nadal nie mogę się zebrać, by ją puścić. W końcu próbuję. Odsuwam się od niej, robiąc krok do tyłu, ale ona od razu wpada znowu w moje ramiona i całuje mnie. Trzymam ją mocno, a nasze usta zamierają w długim pocałunku, po prostu do siebie przywarte. I już wiem, co mam zamiar zrobić. I mimo że moje grube mury nie pozwalają mi na to, czuję, że decyzja tworzy się w mojej głowie, a słowa formułują się na czubku mojego języka.

Nie mogę jej stracić.

Gdy uwalniamy nasze usta od pocałunku, Alayna łapie mnie za szyję, bo najwyraźniej nie chce, żebym ją puścił.

– Och, Boże, tęskniłam za tobą. Tak bardzo tęskniłam.

– *Precieux... mon amour... ma cherie.* – Przesuwam dłońmi po jej twarzy, zapamiętując jej gładką skórę, kształt szczęki.

Czy to będzie ostatni raz?

Nie może być.

– Kiedy wracasz do domu? – pyta, wyciągając mnie z zamyślenia. Skupiam się na tym, co mam zrobić.

Opieram się czołem o jej czoło. Jestem wykończony. Zmęczony tą grą.

– Muszę lecieć do Los Angeles na weekend. – Patrzę szybko na zegarek. – Właściwie za dwadzieścia minut powinienem wychodzić.

– To część twojej firmowej sprawy? Z Normą? – W jej słowach słyszę lekką nutkę zazdrości.

Dotykam jej nosa swoim nosem.

– Tak, z Normą. A potem, jeśli wszystko pójdzie dobrze, to już będzie koniec. – Chcę prosić ją, żeby jechała ze mną, ale to zbyt ryzykowne. Jeśli Celia podąży za nami na drugi koniec kraju...

Nie, ona musi zostać tutaj. Nie chcę, żeby ta umowa została zrujnowana, gdy tak niewiele brakuje do jej sfinalizowania. A później, kiedy już będę miał pewność, że Celia nie będzie się czepiać Alayny, wtedy... Nawet nie umiem wypowiedzieć tego w myślach. Wiem, że jeśli wymówię te słowa, to nie będzie odwrotu. Najpierw muszę się zająć umową. Potem... potem przyjdzie czas na coś innego.

Odsuwam się od niej. Nawet nie wiedziałem, że mam w sobie tyle siły. Ubieram się i ponownie staję twarzą do niej. Dystans między nami już zaczyna się zmniejszać i przypominam sobie słowa Mirabelle. O tych kłamstwach, które są między nami, które nas oddzielają i budują mury. Widzę to teraz. Jasno i wyraźnie.

Wiem, że nie mogę pozwolić, by przepaść między nami się powiększyła. Nie mogę już dłużej czekać, nie mogę przebywać z dala od niej. Nie mogę jej stracić, a zatrzymać mogę ją tylko w jeden sposób. Wiem już, co zrobię. Powiem jej. Muszę jej o wszystkim powiedzieć. Muszę zacząć już teraz.

Wyciągam do niej rękę i przyciągam ją do siebie.

– Boże, Alayno. Już nie mogę tak dłużej. – Czuję ulgę, gdy to mówię. Nie odczuwam już tego ciężaru na moim sercu.

– Nie mogę znieść tego, że nie ma mnie przy tobie. Tęsknię za tobą tak bardzo.

– Naprawdę? – Odchyla się, by spojrzeć mi w oczy.

Jej światło, jej cudowne światło całkowicie mnie pochłania. I teraz, gdy już podjąłem decyzję, bardzo łatwo powiedzieć mi następne słowa:

– Oczywiście, że tak, mój skarbie. Jesteś dla mnie wszystkim. Kocham cię. Tak bardzo cię kocham.

I w końcu jestem wolny.

Nie myślałem, że to jest możliwe, ale jej światło staje się jeszcze jaśniejsze.

– Ż-że c-co? – Nie dowierza mi. Widzę to i słyszę.

A ja jestem tak cholernie zakochany.

– Słyszałaś.

– Chcę usłyszeć to jeszcze raz.

– Kocham cię. – Teraz to jest takie proste. Zawsze wiedziałem, że tak będzie. To tylko początek moich wyznań i wiem, że reszta będzie trudniejsza. Teraz jednak nie mogę o tym myśleć. Na dalsze wyznania przyjdzie czas dopiero później.

– Kochasz mnie?

Muskam ustami jej wargi.

– Kocham cię, mój skarbie. Zawsze cię kochałem, od pierwszego momentu, w którym cię zobaczyłem. Wiedziałem o tym chyba wcześniej niż ty. – Unoszę jej podbródek, żeby spojrzeć jej w oczy. – Jednak są rzeczy dotyczące mojej przeszłości, które powstrzymywały mnie przed powiedzeniem ci tego. A teraz... muszę zająć się... pewną sprawą. Związaną z firmą. A potem, gdy wrócę, porozmawiamy.

– Porozmawiamy? – Jej oczy zaczynają błyszczeć. Boże, obym nie musiał niszczyć jej szczęścia.

Ale teraz już jej to obiecałem.

– Powiem ci wszystko, co chcesz wiedzieć. I jeśli wtedy nadal będziesz mnie chciała, wrócę do domu.

– Tak, chcę, byś wrócił do domu. Oczywiście, że chcę. Należymy do siebie. Nic, co powiesz, nie sprawi, że przestanę cię kochać. Nic. I tak przy tobie będę, rozumiesz?

Te słowa znaczą dla mnie bardzo wiele. Nie chcę o nich zapomnieć.

– Och, skarbie. Mam nadzieję, że to prawda.

– To jest prawda.

Wiem jednak, że ona teraz nie jest w stanie podjąć żadnej decyzji. Nie będę trzymał jej za słowo.

– Powiedz to jeszcze raz.

– Jaka z ciebie rozpieszczona dziewczynka. A ja kocham... cię rozpieszczać.

Uderza mnie delikatnie w ramię.

– A ja kocham ciebie. – Mówię jej to tyle razy, ile chce usłyszeć. I może to jest ostatni raz, gdy trzymam ją w ten sposób, gdy mogę czuć jej ciepło i światło. Wiem, że nigdy nie będę mieć dość tych słów, bo one tak długo we mnie zalegały.

– Kocham cię, kocham cię, kocham cię.

# Rozdział 24

Jak się okazało, terapia była całkiem pomocna. Moje życie nie zmieniło się po jednej sesji czy dwóch ani pięciu, ale krok po kroku zaczynałem rozumieć siebie, chociaż nie sądziłem, że kiedykolwiek do tego dojdzie. Nadal czułem się pusty w środku przez większość czasu, ale odczuwałem też coś jeszcze. Miałem poczucie, że jestem lżejszy, jakby jakimś cudem ciężar znajdujący się na moich barkach zniknął. Wciąż byłem sceptycznie nastawiony do tego, że może mi się polepszyć, ale chciałem chociaż spróbować.

Po tym, jak zacząłem swoje leczenie, udało mi się przez miesiąc unikać Celii. Całkiem nieźle szło mi wciskanie wymówek – zawsze byłem zajęty firmą, wyjazdami, sprawami rodzinnymi. Dzwoniła do mnie i pojawiała się w lofcie, ale jej unikałem.

W końcu musiałem się z nią zmierzyć. Doktor Alberts tego ode mnie wymagał. Albo przynajmniej do tego zachęcał. Mówił, że dopóki moja gra jest na wyciągnięcie ręki i ten rozdział nie został jeszcze zamknięty, nadal będzie mnie to kusić. Oczywiście miał rację. Problem w tym, że ja nie do końca wiedziałem, czy na pewno chciałem przestać grać już za zawsze. A właściwie byłem pewny, że nie chciałem. W końcu przyznałem się do tego podczas terapii w moim gabinecie.

– Nie chodzi o to, że tęsknię za tymi grami. Cóż, ogólnie nie chodzi o tęsknotę. – Co najdziwniejsze, nie brakowało mi tego tak, jak to sobie wyobrażałem. Okazało się, że są inne rzeczy i zajęcia, którymi z łatwością mogłem wypełnić swój wolny czas. Lubiłem sztukę – symfonię, balet, operę. Lubiłem to tak bardzo, że ufundowałem stypendia dla osób zajmujących się tym i wspomagałem pieniężnie niektóre instytucje. Moja praca była zamiennikiem gier i wystarczała mi. Strategie manipulacyjne idealnie wypełniały mój czas w pracy. Poza tym dostarczały mi takich samych emocji co eksperymenty.

– A więc co cię powstrzymuje od porzucenia tego całkowicie? – Podejście doktora Albertsa do mnie i mojego problemu zawsze było sympatyczne i wyrozumiałe. Nigdy nie naciskał i nie oceniał.

– Nie wiem. – Tak naprawdę wiedziałem, tylko trudno to było powiedzieć. – Chodzi mi o to… kim ja jestem bez tych gier? – Naprawdę to był kiepski kryzys tożsamości. Każdy wiedział, kim był Hudson Pierce. Mógłbym znaleźć w internecie tyle informacji i biografii, które podsumowałyby moje życie lepiej, niż ja bym to zrobił. Oczekiwałem nawet, że doktor Alberts sam da mi listę moich życiowych osiągnięć.

Nie zrobił tego, ale powiedział:

– Tego się jeszcze musimy dowiedzieć, Hudsonie. Na szczęście jesteś młody i zdrowy. Masz bardzo dużo czasu na dojście do tego.

Coś w jego słowach przyciągało mnie do niego. Ujął to tak, że zabrzmiało to jak wyzwanie – możliwe, że zrobił to celowo – i tyle wystarczyło, by przykuć moją uwagę. Nigdy nie odrzucałem wyzwań. A poznanie siebie było idealnym zamiennikiem eksperymentów z przeszłości. Nie musiałem badać, jak pewne sytuacje wpływają na innych, mogłem sprawdzać, jak wpływają one na mnie.

– Ale... – Z doktorem Albertsem zawsze było jakieś „ale".

– Nigdy nie będziesz w stanie poznać przyszłego siebie, nie tak naprawdę, jeśli nadal będziesz się kurczowo trzymał przeszłości.

Wszystko trzymało mnie w przeszłości. Moja matka, która nieustannie przypominała nam o ciąży Celii. Mój ojciec, na którego nie mogłem spojrzeć, bo przypominałem sobie wtedy, jak zdradził moją matkę. I mnie również. Moja siostra, która zawsze patrzyła na mnie niewinnym wzrokiem, ale jak się okazało, wiedziała o mnie więcej niż ktokolwiek inny.

Ale doktor Alberts nie miał na myśli tych osób.

– Celia. – Teraz z trudem wymawiałem jej imię. Nikt inny nie wiązał mnie z przeszłością tak jak ona. Byłem gotowy ruszyć dalej, więc musiałem przestać utrzymywać z nią kontakt. – Zajmę się tym.

Łatwiej było powiedzieć, niż zrobić. Bez problemu potrafiłem ułożyć sobie w myślach poszczególne kroki mające pomóc mi osiągnąć cel, ale prawda była taka, że nigdy z nikim nie zerwałem kontaktu. Bo czy to nie tym miało to być? Ostatecznym zerwaniem? Oczywiście badałem zerwania innych ludzi. Sam przyczyniłem się do kilku z nich. Wiedziałem, czego mogłem się spodziewać – płaczu, krzyków. Czasami ludzie byli mniej emocjonalni.

Ale czy tak samo byłoby z Celią? Czy będzie jakiś pokaz emocji w jej przypadku? Jeśli nadal odczuwała emocje tak głęboko jak kiedyś, to od dłuższego czasu nie widziałem żadnych oznak jej uczuć.

Co do mnie – myślałem, że byłem odporny na te wszystkie emocje, jednak doktor Alberts musiał mnie poprawić.

– Gdybyś naprawdę był niezdolny do odczuwania czegokolwiek, to jakim cudem twojej siostrze udałoby się przekonać cię do terapii? Czy nie zrobiłeś tego, bo żywisz do niej jakieś uczucia?

Najwyraźniej nie byłem całkowicie pozbawiony emocji, jednak uważałem, że poziom miłości i oddania, jaki osiągali inni ludzie, był poza moim zasięgiem. A to, co czułem w stosunku do Mirabelle... cóż, to z pewnością był wyjątek. Jednak między mną a Celią coś było. Nawet jeśli to była tylko sympatia wywołana tym, jak wspólnie spędzaliśmy czas, to była to silna więź.

– Jesteś do niej przywiązany, Hudsonie. – Mimo że doktor Alberts nigdy jej nie spotkał, miał dość jasny obraz naszej sytuacji. – To nie jest miłość, a na pewno nie taka typowa, tradycyjna miłość, jaką znasz z otoczenia, ale jest między wami jakiegoś rodzaju zaangażowanie emocjonalne. Nie będzie łatwo usunąć ją ze swojego życia. Musisz być na to gotowy.

Byłem tak przygotowany, jak tylko się dało. Ustaliłem spotkanie poprzez jej asystentkę i sam wybrałem miejsce. Na pewno nie chciałem się spotkać z nią w lofcie. Doktor Alberts nie musiał mi o tym przypominać. Jej apartament był lepszym wyborem. Byłem tam tylko raz lub dwa, ale to nigdy nie było stałe miejsce naszych spotkań. Ustaliłem datę spotkania na siódmą wieczorem w weekend. Zazwyczaj, gdy się ze sobą spotykaliśmy, mówiliśmy tylko ogólnie: „Będę po kolacji" albo „Wstąpię po drodze na siłownię". Ta zmiana w naszym typowym zachowaniu wytrąci ją z równowagi.

Będę miał nad nią przewagę. Poza tym ustaliłem miejsce spotkania tak, aby działało na moją korzyść.

Nie umknęło mojej uwadze, że znowu manipulowałem sytuacją. To zabawne, bo przecież miałem wyleczyć się z tych manipulacyjnych tendencji. Byłem pewny, że doktor Alberts by tego nie poparł.

Celowo przyjechałem na spotkanie spóźniony.

– Hej, nieznajomy. – Jej powitanie było dziwne, jakby nie wiedziała, czy powinna mnie przytulić, czy jednak nie. To był tylko dowód na to, że moje przygotowania nie poszły na marne. Nie objęliśmy się na powitanie. Machnęła tylko ręką zapraszająco.

– Wejdź.

Wszedłem do jej apartamentu, w którym było chłodno dzięki działającej klimatyzacji. Problem w tym, że dla mnie to również była nowa sytuacja, bo nie byłem dobrze zaznajomiony z jej mieszkaniem. Więc nie tylko ona czuła się wytrącona z równowagi. Ja trochę też. Przyjrzałem się jej mieszkaniu dokładnie. Nigdy wcześniej o tym nie myślałem, ale wiedziałem, że miejsce, w którym mieszka – Gramercy Park – nie było tanie, a dodatkowo budynek miał wszelkie udogodnienia. Jej pensja architekta wnętrz nie pokryłaby wszystkich kosztów, więc na pewno musiała korzystać z pieniędzy ze swojego funduszu. Albo brała kasę z innego źródła. Albo kantowała ludzi na boku.

Musiałem przestać o tym myśleć. To nie była moja sprawa. Już nie.

– Cóż, będziemy tu tak sterczeć jak słupy czy usiądziesz?

Uśmiechnęła się, ale widziałem, jak skubie nerwowo brzeg swojej bluzki.

– Oczywiście, usiądę. – Zacząłem iść do salonu.

– Mogę podać ci coś do picia?

– Jasne. – Jednak po chwili zmieniłem zdanie. – Właściwie to sam sobie wezmę. – Barek był w jadalni. Pamiętałem to z moich poprzednich wizyt. Wziąłem szklankę z szafki.

– Nie mam szkockiej – powiedziała Celia z drugiego pokoju. – Przepraszam.

– Nie ma problemu. – Otworzyłem szafkę i przyjrzałem się jej wnętrzu. Z przodu stały butelki z bourbonem i wódką – alkohole, które najczęściej wybierała moja matka. To mnie otrzeźwiło i przypomniało mi, że musiałem być tego wieczoru w pełni sił umysłowych. Zamknąłem szafkę, włożyłem do szklanki trochę lodu i nalałem sobie wody z butelki, a następnie dołączyłem do Celii w salonie.

Celia siedziała na szezlongu, wyciągnięta na całej jego długości. Zapewne chciała w ten sposób sprawiać wrażenie wyluzowanej, jednak jej mowa ciała mówiła coś zupełnie innego. Upiłem łyk wody, po czym usiadłem naprzeciwko niej na fotelu.

– A więc... – Zaczęła wykręcać swoje dłonie. – Co tam u ciebie? To znaczy wiem, że najwyraźniej jest jakaś sprawa. Unikałeś mnie od tygodni, a dzisiaj... wszystko jest jakieś dziwne. Chcesz mnie wytrącić z równowagi. I podziało. Więc o co chodzi?

Zaśmiałem się. Oczywiście, że mnie przejrzała. Ja też bym ją przejrzał.

Nie planowałem od razu przejść do rzeczy, ale jej bezpośrednie pytanie nie dało mi wyboru.

– Przyszedłem, żeby powiedzieć ci... Muszę ci powiedzieć... – Wyduś to z siebie w końcu, nakazałem sobie. – Ja już nie gram.

Teraz to Celia się zaśmiała.

– Oczywiście, że nie grasz. Nie widzieliśmy się chyba wieczność. Jak miałbyś niby grać? Jestem pewna, że to doprowadza cię do szaleństwa. Jesteś od tego chyba uzależniony. Ale nie martw się. Mam kilka możliwych scenariuszy i będziesz mógł sobie któryś wybrać. Pomogę ci do tego wrócić.

Była zrelaksowana, powróciło jej zwyczajne zachowanie. Zaczęła wymieniać na palcach możliwości.

– Na siódmym piętrze mieszka nowy sąsiad. Widuje się z dwoma kobietami, żadna nie wie o tej drugiej. Ale on traktuje każdą z nich poważnie. Moglibyśmy je sobie przedstawić. Albo ty mógłbyś uwieść jedną z nich. Albo i obie. Albo ja bym mogła się pojawić i być jego trzecią kobietą.

Jej entuzjazm był zaraźliwy. Im dłużej tego słuchałem, tym gorsze to dla mnie było. Musiałem ją poprawić.

– Celio, ja...

Zignorowała mnie i zaczęła mówić dalej:

– Jeśli to nie brzmi zachęcająco, to mam inny scenariusz. Na pokazie MoMA w zeszłym tygodniu poznałam parę nowożeńców. Wiem, że już przerabialiśmy takich świeżo po ślubie, ale pomyślałam, że może być zabawa, ze względu na stare czasy.

– Ja odpadam, Celio. Już w to nie gram.

– Och, chwila! – Było jasne, że mnie słyszała, tylko nie chciała przyjąć tego do wiadomości. – Andrea Parish ma niedługo wieczór panieński. Będą tam faceci. Na pewno coś wymy...

– Celio, przestań.

Posłuchała mnie. Spojrzała na mnie, a jej mina zrzedła.

– Skończyłem. Już nie bawię się w te gry. Nigdy więcej. – Mój głos był bliski załamania, ale udało mi się to ukryć. – To koniec. – Dokończyłem wodę, żałując, że nie wybrałem szkockiej.

Przez chwilę jej wzrok był utkwiony w podłodze, ale potem się otrząsnęła.

– Co się stało? Czy doszło do jakiegoś pozwu? Zawsze wiedzieliśmy, że jest taka możliwość.

Pokręciłem głową.

– Nie ma żadnego pozwu. Ja po prostu... skończyłem.

– To po prostu śmieszne. – Zmrużyła oczy, patrząc na mnie sceptycznie. – Czy ty chcesz mnie wkręcić? Wiesz o tym, że ja już więcej nie dam się nabrać na nic, co mówisz.

Wiedziałem, że przekazanie jej tych wieści nie będzie łatwe, ale tak naprawdę najtrudniejsze będzie przekonanie jej, że jestem zadowolony z podjętej decyzji.

– Celio, ja cię nie wkręcam. Nie zmyślam. Skończyłem z graniem. Nie będę już więcej brał w tym udziału. Wiem, że to się stało tak nagle, ale mówię poważnie. Nie będzie eksperymentów. Nie będzie grania. To koniec.

Przechyliła głowę i mi się przyjrzała.

– Nie możesz tego zakończyć. Mówiłeś, że nigdy tego nie zrobisz.

– Masz rację, tak powiedziałem. Ale się myliłem. Zmieniłem zdanie. – Przyszło mi do głowy, by wspomnieć, jaką w tym rolę miała Mirabelle, ale potem dotarło do mnie, że nie umiałbym wytłumaczyć, jak siostra na mnie wpłynęła. A nawet jeśli znalazłbym odpowiednie słowa, Celia by tego nie zrozumiała. Ja sam ledwo to pojmowałem.

Celia postanowiła sama wyjść z innym założeniem.

– Czy to przez twoją matkę? Przez Jacka?

– Nie. To nie przez Sophie. I na pewno nie przez Jacka.

Celia wstała i zaczęła krążyć.

– No to skąd to się, do cholery, wzięło? Jeśli nie chodzi o twoją rodzinę, to co? Spotkałeś Jezusa czy coś?

Znowu się zaśmiałem.

– Nie. – Chociaż etyka interesowała mnie teraz bardziej. Obecnie zaczęło mieć dla mnie znaczenie dobro i zło.

A szczególnie zło, którego dokonałem. – To moja decyzja. Całkowicie moja, Celio.

Podeszła, żeby stanąć ze mną twarzą w twarz.

– Gówno prawda. To nie twoja decyzja. Gra jest twoim życiem.

– Już nie.

– Zawsze będzie! Ty nawet nie umiesz przetrwać kolacji, nie wymyślając przynajmniej jednej gry.

Wstałem ze swojego miejsca.

– No i w tym problem. Gra stała się całym moim życiem. Do takiego stopnia, że zacząłem rujnować to, co mnie otacza, a co nie należy do gry. I to ciągle mi nie wystarcza. Nigdy nie wystarcza. Potrzebuję czegoś innego. Czegoś, co pozwoli mi się bardziej spełniać i nie pochłonie mnie w całości w tak negatywny sposób, jak gry. Potrzebuję czegoś, co nie będzie tak zawiłe.

– Jak co? Miłość? Boże, przysięgam, jeśli to masz na myśli... – Nie musiała kończyć zdania, wiedziałem, o co jej chodziło. Sprawiłem, że przestała czuć, a może i nawet zaczęła nienawidzić miłości, więc gdybym nagle teraz się zakochał, uznałaby to za najgorszą zdradę.

– Nie miłość. Oczywiście, że nie to. – A jednak czy to nie z tego powodu chciałem odejść? Bo kochałem Mirabelle? Ale to nie była miłość romantyczna, do której odnosiła się Celia. – Wiesz, że nie jestem do tego zdolny, Celio. Po prostu... chcę czegoś innego, czegoś więcej. Gdybym wiedział, o co chodzi, tobym ci powiedział. Ale nie wiem. Jeszcze nie, w każdym razie.

– Bo nie ma niczego innego.

Kiedyś w to wierzyłem. Po części nadal wierzę. Ale ostatnio zacząłem słuchać nowych głosów – doktora Albertsa, Mirabelle – i oni mówili coś innego.

– Skąd mamy to wiedzieć, Celio? Szukaliśmy?

Popatrzyła na mnie wkurzona.

– Nie muszę niczego szukać.

– No to skąd wiesz?

– Bo ty mi tak powiedziałeś!

– Tylko dlatego, że błagałaś, żebym cię tego nauczył! – Nie tak chciałem to rozegrać z Celią. Obwiniając się nawzajem. To nas donikąd nie zaprowadzi.

Przeczesałem włosy ręką i odetchnąłem. Gdy przemówiłem znowu, byłem spokojniejszy.

– Posłuchaj, sama to wybrałaś. Ja nie wybierałem. Myślałem, że to moja jedyna opcja, ale teraz widzę, że tak nie jest. Więc staram się wybrać coś innego. – Przez swoją dumę mówię więcej, niż powinienem. – Byłem przy tobie, gdy podjęłaś tę decyzję, a teraz ty bądź przy mnie.

Założyła ramiona na piersi i posłała mi mordercze spojrzenie.

– Jeśli mamy teraz podliczać swoje punkty, to powinniśmy się cofnąć o wiele dalej, Hudsonie. W tamte wakacje to ty wykorzystałeś mnie do swojej gry.

Nie mogłem temu zaprzeczyć. To ja sprawiłem, że jej życie teraz tak wyglądało. Rzadko czułem się winny z powodu tego, co zrobiłem innym ludziom, ale teraz właśnie zaczynałem. Terapia w końcu działała. Albo mieszała mi w głowie. Nie wiedziałem. Było mi trochę żal Celii. Może chodziło o tę więź między Celią a mną, o której mówił doktor Alberts. Czy ja ją kochałem? Może w jakiś sposób... Usiadłem na oparciu sofy.

– Masz rację. Ja to zapoczątkowałem. Żałuję, że nie wiem, jak to zakończyć.

Pokręciła głową. Wyraz jej twarzy mówił, że szykowała się do kolejnego ataku. Ale gdy przemówiła, jej głos był słaby.

– Nie chcę tego kończyć. Nie jestem gotowa.

Nie widziałem jej takiej kruchej od tamtego poranka w szpitalu. Trudno mi było patrzeć, gdy taka była. Teraz stała się silniejsza. Niezniszczalna. Zamknąłem oczy i przypomniałem sobie Celię, która podobała mi się najbardziej – beztroską i lubiącą kontrolę. Czy jeśli zakończę grę, to przestanie taka być? Nie wiedziałem, jak będzie wyglądało moje życie bez gry, ale co z jej życiem?

Przypomniało mi się, że nie przyszedłem tu, by uratować jej życie. Byłem tu, by ratować swoje. Jeśli chciała grać dalej, niech tak będzie.

Otworzyłem oczy i spojrzałem na nią.

– Więc nie musisz. Możesz robić, co tylko chcesz. Ja cię nie zatrzymuję.

Po jej policzku spłynęła łza. Odwróciła głowę i otarła łzę.

– Naprawdę się tego nie spodziewałam.

– Mówiąc szczerze, ja też nie.

Minęła mnie i poszła po chusteczkę z dekoracyjnego pudełka na stole. Wytarła oczy, a potem usiadła na kanapie.

– To ja miałam pierwsza odejść.

Usadowiłem się obok niej.

– Bo chciałaś zostawić mnie w tyle?

Wzruszyła ramionami.

– Może trochę.

Przynajmniej byliśmy ze sobą szczerzy. Zasłużyłem na to. Zasługiwałem na każdą jej obelgę, jakiej mogłaby użyć. Byłem też jej coś winny.

– Przepraszam za wszystko... co ci zrobiłem. Mam nadzieję, że kiedyś mi wybaczysz.

Spojrzała na mnie z niedowierzaniem.

– Czy to jakieś zadanie, które dostałeś od grupy wsparcia z uzależnieniem? Masz prosić o wybaczenie tych, których skrzywdziłeś? Jesteś na terapii?

Chciałem zaprzeczyć, ale równie dobrze mogłem być szczery.

– Tak.

– Och. – Zagryzła wargę, przetrawiając nową informację. – I nie powinieneś się teraz ze mną widywać, tak?

– Ja... – Zamilkłem. Doktor Alberts sugerował szczerość, nawet jeśli Celia nie zamierzała porzucić swoich intryg. Nie mogłem jednak zmusić się, by to powiedzieć. Nie chodziło tylko o to, jak na mnie patrzyła – trochę jak zbity pies. Zmieniałem się, chociaż niezbyt szybko. Nadal byłem egoistyczny. Właściwie chodziło o to, że gdy myślałem o tym, by wypowiedzieć te słowa, czułem palące uczucie w piersi.

Zmieniłem swój scenariusz.

– Hej, przestaję grać. Nie muszę cię zostawiać.

Uniosła brew.

– Nawet jeśli ja będę grać dalej? Czy to cię nie będzie kusić?

– Może ja chcę tej pokusy.

Jej spojrzenie złagodniało, a w oczach błysnęła nadzieja.

– Naprawdę chcesz?

Tak. Nie. Nie wiedziałem.

– Nie mam pojęcia. Nie wiem, czego chcę. To nie jest dla mnie łatwe.

– I to w ogóle nie jest do ciebie podobne.

– Nie, nie jest. – Właściwie jeszcze chyba nigdy nie czułem się tak słaby przy niej. Może poza nocą, gdy patrzyłem, jak moja pijana matka zwalnia nianię.

Teraz nie potrafiłem ukryć swojej wrażliwości.

Poklepała mnie po kolanie.

– Oto co myślę. I możesz narzekać, jeśli nie będziesz chciał tego słuchać, wszystko mi jedno. Myślę, że to tylko faza, przez którą musisz przejść. Musisz spróbować wszystkiego. Rozumiem. Ale w końcu dotrze do ciebie, że nie możesz tego całkowicie porzucić. Gra to nie tylko to, co robisz. Ty taki po prostu jesteś i się nie zmienisz. Możesz chodzić do terapeuty, ale jeśli będziesz gotowy, ja nadal tu będę.

Wiele lat temu, gdy zgodziłem się nauczyć ją zasad gry, pomyślałem to samo o niej. Że tylko przechodziła pewną fazę. Że w końcu się znudzi i to porzuci.

Zaskoczyła mnie tym, że jednak nadal w tym tkwiła. I teraz też mnie zaskakiwała.

– Możesz sobie czekać bardzo długo – stwierdziłem. – Mam zamiar całkowicie zamknąć ten rozdział.

– Zobaczymy.

Przełknąłem ślinę.

– A więc ty nadal będziesz grać?

– Myślę, że tak. Czy to w porządku?

Raczej nie.

– Powiedziałem, że możesz robić, co chcesz. – Byłem egoistą, bo tak naprawdę chciałem, by też porzuciła gry. O wiele łatwiej byłoby mieć towarzysza podczas leczenia. Dwoje uzależnionych ludzi może sobie pomagać.

Musiała wyczuć, że nie byłem całkowicie szczery.

– Czego ty ode mnie oczekujesz?

Jeśli naprawdę miałem przestać kłamać i manipulować, musiałem zacząć od Celii.

– Po raz pierwszy chcę tego, co dla ciebie najlepsze.

– A więc będę grać dalej. – Uśmiechnęła się. – I nie zdziw się, jeżeli będę cię kusić, żebyś wrócił.

– Hej, to nie było częścią umowy.

Zamrugała, udając niewiniątko.

– Powiedziałeś, że chcesz tego, co jest dla mnie najlepsze. – Nagle spoważniała. – A najlepiej mi z tobą, Hudsonie.

Gdy gramy razem. Powiedziałeś, że nie mogę tego mieć, ale będę próbować.

Więc nie tylko przyjdzie mi walczyć z pokusami, ale też z Celią? Cholerne konsekwencje.

– To chyba fair, tak myślę.

– Tak?

– A czy to ma znaczenie, jeśli nie? I tak zrobisz to, co chcesz.

– Racja. – Parsknęła. – A ty powiedziałeś właśnie, że mogę robić, co chcę.

Kręciliśmy się w kółko i męczyło mnie to. Myślałem, że jeśli do niej przyjdę, to poczuję ochotę, żeby znowu grać. O dziwo, nie chciałem. Zamiast tego dostrzegłem, że eksperymenty były tylko desperacką próbą udowodnienia czegoś i nie przynosiły rezultatów. Siedzieliśmy tu po tych wszystkich grach, zebraliśmy tyle danych, a nie mieliśmy tak naprawdę nic. Chcieliśmy dalej grać. I to nigdy nam nie wystarczało. To nie było prawdziwe.

Nasza relacja musiała się zmienić. Teraz to widziałem. Powiedziałem, że nie zrezygnuję z naszej przyjaźni, ale nie określiłem, do jakiego stopnia będę się z nią kontaktować. Zrozumiałem, że będziemy musieli ograniczyć nasz kontakt do spotkań rodzinnych i biznesowych. Nie chroniłem teraz tylko siebie. Sądziłem, że jeśli nie będziemy grać wystarczająco długo, Celia w końcu też zrezygnuje.

No dobra, może nie chciałem jej uratować, ale jeśli by mi się udało, czy to nie byłoby godne podziwu? Nie miałem już swoich mocy, więc próbowałem wszystkiego, co mogłoby sprawić, że będę kimś lepszym niż zwykłym dupkiem.

Spędzanie więcej czasu z Celią mi w tym nie pomoże.

– Muszę iść, Ceeley. – Wstałem i spojrzałem na nią. – Ale naprawdę chcę, byś miała to, czego chcesz. Mam nadzieję, że pewnego dnia znajdziesz coś, co nie jest grą.

Spojrzała na mnie.

– Jakie to pouczające.

– Nie próbuję cię pouczać. – Westchnąłem. – Jestem tylko szczery.

– Skoro już jesteśmy szczerzy, mogę cię o coś zapytać?

– Jasne.

– Czy szantaż by zadziałał? By zmusić cię do dalszej gry?

Po kręgosłupie przebiegł mi zimny dreszcz. Byłem oszołomiony jej pytaniem. I wkurzony.

– Cóż, to dopiero jest szczerość.

Popatrzyłem na nią ostrożnie, zastanawiając się, czy tylko blefuje. Znała moje sekrety, ale czy naprawdę użyłaby ich przeciwko mnie?

– Wierzę, że mam na ciebie tyle, ile ty masz na mnie, Celio.

Zadowolony uśmiech zniknął z jej twarzy.

– A więc zgadzamy się, że nasze sekrety są u nas bezpieczne?

– O ile to dotyczy obu stron, to nic nie powiem.

– To ja też nie.

Opuściłem jej mieszkanie i czułem, że trochę rozjaśniło mi się w głowie. Wiedziałem, że nie powinienem mieć z nią więcej do czynienia, ale zdawałem sobie również sprawę, że nigdy nie będę umiał całkowicie się od niej odciąć. Przede wszystkim nie wiedziałem, czy była przyjacielem, czy wrogiem. Mówi się, że przyjaciół trzeba trzymać blisko, a wrogów jeszcze bliżej.

Ale było coś jeszcze – przestałem już grać. Gdybym stracił Celię, zostałbym wtedy zupełnie sam. A ja bardzo nie chciałem poznać, co to jest samotność.

## Rozdział 25

---

PO

---

Gdy podjąłem decyzję, żeby powiedzieć Alaynie prawdę, mój strach znika. Nie muszę już się zastanawiać i toczyć wojny z samym sobą. Nie muszę się już ukrywać. Nie mogę się doczekać, aż będę z nią. Kończę wcześniej sprawy związane z firmą i wracam do domu, by zaskoczyć kobietę, którą kocham. Tak, to oznacza, że mój sekret zostanie wyjawiony wcześniej, ale jestem gotowy.

Nie jestem jednak przygotowany na powitanie, jakie mnie czeka w Sky Launch, gdy przyjeżdżam na miejsce. Wiedziałem, że będzie tam, bo wyprawia pożegnalne przyjęcie dla Davida. Po wylądowaniu od razu udaję się do klubu. Nie ma jej przy barze z resztą gości ani na parkiecie.

Zamiast tego znajduję ją po kilku minutach w jakimś kącie, gdzie tańczy. Powolny taniec. W objęciach Davida.

Obserwuję ich. Jestem jak zaczarowany – nie mogę odwrócić wzroku. To, co widzę, jest straszne. Żadne z nich mnie nie zauważa, a ze swojego miejsca nie mogę ujrzeć

415

twarzy Alayny. Widzę jednak twarz Davida. Ma zamknięte oczy i błogą minę. Chyba szepcze coś do jej ucha, a może śpiewa. Już nie wątpię, że on coś do niej czuje. Teraz mam pewność.

To tylko zwykły taniec, mówię sobie. A potem on zniknie. To pewnie jej sposób na pożegnanie się. Gdybym był innym człowiekiem, dałbym im trochę prywatności.

Ale ja jestem zaborczy. Patrzę, jak tańczą, a potem zatrzymują się i nawiązują kontakt wzrokowy. A później widzę, jak on się pochyla i ją całuje.

Czuję nagły, silny ból i narastającą panikę. Nie mogę się ruszyć. Nie mogę oddychać.

Odpycha go. Powinienem się z tego cieszyć, jednak nadal mam całą tę scenę w głowie. Wciąż widzę, jak się obejmują, jak on ją całuje. Jak całuje moją kobietę. On nie kocha jej tak jak ja. To niemożliwe. Jego uczucia w porównaniu z moimi są niczym. Gdyby czuł to co ja, nigdy by jej nie opuścił.

Nagle czuję, że najchętniej bym mu coś zrobił. Mam ochotę go zabić za to, że odważył się dotknąć moją kobietę. Chciał ją ukraść. Zaciskam pięści i wyobrażam sobie to, co mógłbym mu zrobić.

A ona...

Wina jest też po jej stronie, ale nie skrzywdziłbym jej. Chcę ją do siebie przyciągnąć i pokazać, jak bardzo cierpię. Chcę ją do siebie przywiązać tak, by nigdy nie robiła beze mnie niczego. To dlatego odesłałem Davida do innego klubu. To dlatego tak mocno się jej trzymam. To dlatego wątpię, gdy mówi, że coś będzie na zawsze. Jeśli może zranić mnie w ten sposób, to czy z taką samą łatwością zostawiłaby mnie, gdyby była taka konieczność?

Właśnie ziścił się mój najgorszy strach – ona mnie kocha, ale niewystarczająco.

Ledwo dociera do mnie fakt, że mnie zauważyli. Słyszę, jak woła mnie po imieniu. Słyszę, jak mówi mi, że to nie to, na co wygląda.

Nie ma znaczenia, jak to wygląda. Doskonale wiem, co to jest – oto najgorszy dzień w moim życiu. I zdaję sobie sprawę, że to dopiero początek.

– Może powinniśmy omówić to w bardziej prywatnym miejscu – udaje mi się wydusić. Zgadza się, a kilka minut później jesteśmy już w biurze.

– To on mnie pocałował, Hudsonie. Ja tego nie zrobiłam. I od razu go odepchnęłam. – W jej głosie słychać żal.

Jestem wściekły.

– Dlaczego w ogóle byłaś w jego ramionach?

– Tańczyliśmy. Przecież to przyjęcie.

– Byłaś w jego ramionach, Alayno. W ramionach tego, który nie ukrywa swoich uczuć do ciebie. Myślałaś, że co on zrobi? – Nie chcę być taki wkurzony. Jestem świadomy tego, że jej czyn jest niczym w porównaniu ze zdradą, jakiej ja się dopuściłem.

Jednak to nie zmienia tego, co czuję. Nie mam doświadczenia w emocjach, dlatego tak się zachowuję.

– To było niewinne – przekonuje mnie. – Potrzebowałam kogoś, a on tam był. A ciebie nie było. – Wyraz jej twarzy się zmienia, a jej słowa mają w sobie gorzką nutę. – Gdzie dzisiaj w ogóle byłeś, gdy cię potrzebowałam?

Kurwa, chroniłem ją przed Celią.

– A czego ty chciałaś, Alayno? Żeby ktoś cię ogrzał? – W moich słowach również pobrzmiewa cierpka nuta.

Zaciska wargi.

– To zabolało.

– To, czego byłem świadkiem, też bolało. – Jestem okrutny. Nie chciałem, żeby tak wyglądało nasze spotkanie. Mam jej tyle do powiedzenia, a utknęliśmy przy czymś takim. Może trzymam się tego tematu, by nie zacząć nowego, bo wiem, że to ją zaboli jeszcze bardziej.

Ona też nie jest dla mnie miła.

– Cóż, znam to uczucie.

– Naprawdę?

– Tak. Wyjaśnię ci. Czuję się tak, jakby ktoś wyrwał mi wszystkie wnętrzności. A przynajmniej tak się czułam, gdy Celia powiedziała mi, że pieprzyliście się przez większość czasu, gdy byliśmy razem.

Teraz jestem zdezorientowany.

– Co? – Nagle zaczynam się martwić, co mnie ominęło. – Kiedy ci to powiedziała?

Wyjaśnia mi sytuację.

– I widziałaś się z nią dzisiaj? – Wcześniej tego dnia, zanim wsiadłem do samolotu, sprawdziłem wiadomości głosowe i zobaczyłem jedną od Celii. Skasowałem ją. Mówiła coś o swoim prawniku i Alaynie. Nie miałem wiadomości od Jordana ani Raynolda, więc doszedłem do wniosku, że znowu chciała mnie wkręcić. Pytam teraz o to Alaynę.

Mówi, że wyszła na kawę. Zabrała ze sobą komputer. I wtedy wpadła na Celię. Rozmowa o Davidzie schodzi na bok. Teraz martwię się nową sytuacją.

Jestem spięty, gdy opowiada mi o tym wydarzeniu, ale próbuję się kontrolować. To trudne, tym bardziej że Alayna pierwsza się do niej zbliżyła. A tyle zrobiłem, by trzymać je z dala od siebie. Czuję się tak, jakby Alayna specjalnie działała przeciwko mnie i sabotowała moje próby utrzymania naszego związku. Oczywiście ona nie ma pojęcia, że to robi.

– Potem powiedziała, że byliście razem – mówi w końcu Alayna. – Że byliście parą. Że pieprzyłeś się z nią tamtej nocy i że to nie był pierwszy ani ostatni raz.

- I uwierzyłaś jej? - To było przecież jawne kłamstwo. To nie jest najgorsza rzecz, jaką Celia mogła zrobić, ale na pewno kolejna, która powoduje, że jestem na nią jeszcze bardziej wściekły.

Alayna się wyprostowuje.

- Tak mnie tym wkurzyła, że ją uderzyłam.

- Uderzyłaś ją?

Alayna się spina.

- To nie przesłuchanie. Rób tak dalej, a wyjdę stąd.

Szczerze mówiąc, jestem w szoku, ale czuję coś więcej. Jestem wściekły nie tylko na Celię, ale także na Alaynę, bo pozwoliła sobie wmówić coś takiego. Wściekły, bo pozwoliła, żeby Celia ją skrzywdziła.

Jestem wzburzony, bo się martwię. Nie chcę być zły na Alaynę.

Zaczynam chodzić po pokoju i przeczesując włosy, próbuję się uspokoić. Gdy mi się to udaje, staję przed nią.

- Przepraszam, że jestem trochę spięty. Zapewniam cię, że to tylko dlatego, że się martwię.

W końcu powiedziałem coś właściwego. Alayna się uspokaja, a ja zaczynam rozumieć sytuację, którą ujrzałem. Zrobiła coś, chociaż wiedziała, że nie powinna. Bała się. Potrzebowała mnie. A mnie tam nie było. Zwróciła się do przyjaciela, by ją pocieszył. A on ją pocałował. To nie umniejsza mojego cierpienia, ale teraz przynajmniej wiem, że to ja jestem temu winny. Powinienem był do niej zadzwonić, zanim wyjechałem z Los Angeles. Nigdy nie powinienem był dopuścić, by doszło do takiej sytuacji.

Rozumiem zmartwienie Alayny. Celia może próbować wnieść przeciwko niej zarzuty, jednak ja mam teraz władzę, bo zdobyłem GlamPlay i Werner Media. Chcę powiedzieć o tym Alaynie, ale trzeba jeszcze wypełnić papiery jutro rano i muszę mieć pewność, że wszystko pójdzie jak po maśle. Zapewniam ją tylko, że wszystkim się zajmę.

– Dziękuję. – Widzę, że jej ulżyło. Wierzy mi. Ufa mi w tej kwestii. Mnie również zrobiło się lżej na duszy.

Ona jednak nadal potrzebuje jakiegoś zapewnienia.

– Hudsonie. – Jej głos zaczyna się trząść. – Przepraszam.

– Nie przepraszaj. Cieszę się, że tak zrobiłaś, chociaż ona zasługuje na coś gorszego. – Jestem z niej naprawdę dumny. Wiedziałem, że jest silniejsza, niż Celia myślała. To świetnie, że miała okazję to udowodnić.

Alayna marszczy brwi.

– Ale mi chodzi o Davida.

– Och. – Znowu widzę ich razem w swojej głowie; widzę, jak przytula policzek do jego ramienia. Muszę o coś zapytać. – Powiedz mi jedno. Czy ty wciąż coś do niego czujesz?

– Nie. Nic nie czuję. Już ci to mówiłam, chociaż na pewno tak to nie wygląda po tym, co dzisiaj zobaczyłeś. Ale gdy on mnie trzymał, cały czas czułam, że tak nie powinno być. Myślałam tylko o tobie, tęskniłam za tobą, H. Potrzebowałam cię. Nie zastanawiałam się nad tym, co robię. Jestem tak bardzo przy...

Podchodzę do niej i przytulam ją do siebie mocno.

– Ja też za tobą tęskniłem, skarbie. I potrzebowałem cię. Chciałem tu przyjechać i zrobić...

– Niespodziankę, a ja to zrujnowałam, przepraszam.

– To już nie ma znaczenia. Zabolało, ale ja też cię zraniłem. I skoro przysięgasz, że on nic dla ciebie nie znaczy...

– Zupełnie nic. Przysięgam, tylko ty się dla mnie liczysz. – Całuje mnie w szczękę. Boże, znowu przy niej byłem. A ona należała do mnie. Przez chwilę wierzyłem, że będzie tak już zawsze. Chciałem z nią żyć.

– A co z tobą? Ciągle coś czujesz do Celii? – pyta.

Teraz przypominam sobie, że to spotkanie nie może się skończyć w ten sposób. Mam coś jeszcze do powiedzenia.

Patrzę jej ponownie w oczy.

– Alayno... Ja nigdy nic nie czułem do Celii.

– Chodzi ci o to, że to był tylko seks?

Kręcę głową.

– Nigdy z nią nie spałem.

– A więc kłamała.

– Tak.

– Tak myślałam. – Nie słyszę ulgi w jej głosie i to mnie martwi. Odsuwa się ode mnie. – Chodzi o to – mówi – że trochę szkoda, że to nie była prawda.

Wiem, do czego zmierza. Próbuje rozgryźć sytuację. Jest mądrą kobietą.

– Nie to, że spałeś z nią, gdy byliśmy razem. Żałuję, że nie byłeś z nią, kiedy Stacy was widziała. Gdyby to była prawda, mogłabym to zaakceptować. Nie zrozum mnie źle, cholernie by mi to przeszkadzało. Ale ja chyba od zawsze wiedziałam, że nigdy z nią nie byłeś. To było w twoich oczach – teraz i na nagraniu.

Przełykam ślinę.

– Nie byłem z nią nigdy.

– A to oznacza, że sytuacja ze Stacy była tylko grą. Przekrętem. Myślałam, że chodziło tylko o Celię, a ty ją chroniłeś. Powiedziałeś jednak, że nie chronisz jej, a brałeś czynny udział w tym pocałunku.

Wiedziałem, że jeśli nic więcej nie powiem, to nic się jej nie stanie. Nie mogłem jednak tego zrobić, bo obiecałem wyznać prawdę. Całą prawdę.

Nie potrafię wydusić z siebie słowa, więc ona kontynuuje:

– Przez chwilę myślałam, że to jest twój sekret. Ale tak nie jest. Fakt, to podłe, co jej zrobiłeś, ale wiedziałam, że w przeszłości robiłeś takie rzeczy. Mówiłeś mi o tym. Gdyby tylko o to chodziło w tym nagraniu, to byś mi o tym powiedział. Ale musiało być coś więcej.

Ona jest jak detektyw, który odkrywa prawdę kawałek po kawałku.

Patrzy mi w oczy.

– Chodzi o to, że to wydarzenie miało miejsce po moim sympozjum, prawda? Myślałam, że po prostu nie chcesz, żebym się dowiedziała, że nadal manipulujesz ludźmi dla zabawy, że robiłeś to tak niedawno, ale to też nie o to chodzi.

– Alayno... – Czuję się, jakbym obserwował kruchy przedmiot, który zaraz ma się roztrzaskać. Może to być piękna waza. Widzę rysy powstające na jej powierzchni, ale nie jestem wystarczająco szybki, by ją złapać i uchronić przed rozbiciem na tysiąc kawałków. Mam wrażenie, że czas zwolnił.

Alayna poskładała informacje i odkryła mój sekret. Nie mogę jej już powstrzymać.

– Nie chodzi więc o nagranie, ale o to, co się stało potem.

– Alayno... – mówię znowu. Nic więcej nie mogę z siebie wydusić.

– Skoro Celia była z tobą przed budynkiem, to mogła też być wewnątrz, na sympozjum. To logiczne. A więc była przy tobie, gdy pierwszy raz mnie zobaczyłeś. I skoro dalej bawiliście się wtedy ludźmi...

Widzę moment, gdy prawda w końcu do niej dociera. Jej twarz blednie, a ramiona zapadają się, jakby dostała w brzuch.

Nie mogę tego znieść.

– Miałem ci powiedzieć. Przyjechałem tu po to, by ci o tym powiedzieć. – To tylko wymówki, które wcześniej wymyśliłem. – To mój najgorszy błąd, Alayno. – Robię krok w jej kierunku. – Najgorsza rzecz, jaką zrobiłem. Strasznie tego żałuję, chociaż dzięki temu cię zdobyłem i za to zawsze będę wdzięczny. Nigdy bym nie pomyślał, że coś do ciebie poczuję. Nie wiedziałem, że tak bardzo cię tym zranię i że będzie mnie to tak obchodzić. Proszę, Alayno, musisz to zrozumieć.

Jednak ona chyba mnie nie słyszy.

– A więc tylko tym byłam? Grą. Byłam twoją grą. Bawiliście się mną. – Opada na podłogę. – O Boże, Boże, Boże.

– Alayno... – Klękam i wyciągam do niej rękę. Chcę ją dotknąć, naprawić wszystko, ale ona się odsuwa.

– Nie dotykaj mnie!

Czuję ból w sercu, słysząc jej krzyk. Nigdy nie słyszałem w jej głosie takiego bólu i obrzydzenia. Mój wzrok się zamazuje, a serce zaczyna szybciej bić.

Mimo to nie mam zamiaru przestać walczyć. Muszę jakoś do niej dotrzeć. Jeśli nie poprzez dotyk, to słowami.

– To nie tak, jak myślisz, Alayno. Owszem, to zapoczątkowało grę. Grę Celii. Wziąłem w niej udział z twojego powodu, bo byłem tobą tak bardzo zauroczony.

Patrzy na mnie i mruga, jakby widziała mnie po raz pierwszy w życiu. Pewnie tak jest. W końcu widzi mnie takiego, jakim naprawdę jestem.

Porusza się, jakby chciała wstać, oddycha ciężko.

Rozumiem ją. Też uważam, że jestem odpychający.

Chcę jej pomóc, ale boję się, że znowu mnie odepchnie.

– Alayno, daj sobie...

Wyciąga rękę, żeby powstrzymać mnie przed zbliżeniem się do niej.

– Nie chcę twojej pomocy. – Wyciera twarz ręką. – Chcę pieprzonych odpowiedzi.

– Powiem ci, co tylko chcesz. – Może gdyby usłyszała to wszystko, to by zrozumiała.

Zadaje pytania, a ja odpowiadam i wtedy słyszę tę historię w taki sposób, w jaki ona to słyszy. To jest po prostu okropne. Podłe. Złe.

Błagam ją, by pozwoliła mi wszystko wyjaśnić, ale wiem, że słowa, które ułożyłem na tę okazję, są równie okropne. Ranią ją ponownie. Błagam ją, chociaż nie wiem o co. O zrozumienie? Miłość? Przebaczenie?

Wiem, że straciłem prawo do tego wszystkiego. Nie jestem zdziwiony, gdy mówi:

– To niewybaczalne, Hudsonie. Nie potrafię tego przeżyć.

Mówiła te słowa w każdym koszmarze, który mnie wcześniej nawiedzał. To dlatego ukrywałem to tak długo. Wiedziałem, że tak będzie.

Mimo to nie potrafię tego zaakceptować.

– Nie mów tak. Nigdy tak nie mów.

– A czego ty dokładnie nie chcesz słyszeć, Hudsonie? Że nie mogę ci wybaczyć? Nie mogę. – Teraz próbuje mnie zranić, wiem o tym. – Nie potrafię ci tego wybaczyć. Nigdy nie będę mogła.

Wiem też, że mówi poważnie. Wyciągam do niej rękę.

– Alayno, proszę!

Zaczyna mówić, a słowa, które wypowiada, zadają mi ból. Oświadcza, że to koniec, że nigdy więcej mi nie zaufa. Nie mam już nadziei, ale walczę dalej. Protestuję. Obiecuję, że nie przestanę jej kochać. Że zrobię wszystko, by to naprawić.

Jednak za każdym razem, gdy chcę do niej dotrzeć słowami lub dotykiem, odpycha mnie. Czy naprawdę spodziewałem się, że będzie inaczej? Widziałem już, jak miłość się psuje. Sam do tego doprowadzałem w swoich eksperymentach. Zawsze byłem w tym dobry – w niszczeniu szczęśliwych momentów, w przekreślaniu każdego „i żyli długo i szczęśliwie".

Miłość nie przezwycięża wszystkiego. Miłość nie trwa wiecznie. Miłość się kończy. Zawsze. Moim przekleństwem jest to, że moja miłość się nie skończy, ale będzie tylko jednostronna. To kara za wszystko, co zrobiłem Celii, Alaynie i innym. Teraz moje życie będzie puste. Jestem pochłonięty przez miłość i cierpienie. Jej i moje. Kocham Alaynę Withers, ale ta miłość jest podszyta bólem i nie potrafię rozdzielić tych dwóch uczuć.

Nie mogę powiedzieć nic więcej.

Nagle rozlega się pukanie i David zagląda do środka. Ignoruje mnie i od razu patrzy na Alaynę.

– Wszystko w porządku, Laynie?

– Nie – odpowiada zgodnie z prawdą.

Sugeruje mi tym, że mam wyjść. Mimo to próbuję jeszcze raz.

– Alayno...

Kręci głową. To nasz koniec.

– Wychodzę. – Chcę, by mnie zatrzymała, ale tego nie robi.

Odwracam się do Davida.

– Przykro mi, że popsułem twoją imprezę. Dziękuję, że się nią zajmowałeś.

Cieszę się, że gdy wyjdę, będzie przy niej, chociaż sprawia mi to ból. Wiem, że ona jest silna, ale nie chcę, żeby była teraz sama. Jak ja.

Patrzę na nią po raz ostatni. Ledwo mogę się ruszać, ledwo mogę oddychać.

Jakoś udaje mi się wyjść, bo wiem, że ona tego chciała. Tak wiele jej odebrałem, więc chociaż to mogę jej dać – wyjść i ją zostawić.

Udaje mi się przeżyć następne dni tylko dlatego, że robię wszystko, by ułatwić Alaynie życie. W poniedziałek zajmuję się tym, by zarzuty wobec niej zostały wycofane i wraz z Normą dokańczam sprawę z GlamPlay. Jordan obserwuje Alaynę, w razie gdyby Celia znowu próbowała coś zrobić. Zamawiam czytnik książek Kindle i ładuję do niego książki, żeby Alayna miała co robić, żeby nie musiała się skupiać na swoim cierpieniu i obsesji. Tym razem to ja cierpię i mam obsesję na jej punkcie.

Dzwonię do Liesl. Dowiaduję się, że Alayna jest z nią, a nie z Davidem. Cieszy mnie to. Nie proszę o kolejną szansę, nie wykręcam się. Mówię Liesl prawdę – że policja nie szuka Alayny, że ma nadal zapewnioną pracę, że może zostać w moim mieszkaniu, że jeśli chce, może ze mną porozmawiać. I że ją kocham.

Liesl najwyraźniej zależy na Alaynie i pozwala mi to wszystko powiedzieć, ale parska śmiechem, gdy słyszy o mojej miłości.

– Ona nie chce tego słyszeć – mówi.

– Ale te słowa nadal są prawdziwe.

Postanawiam coś zjeść, bo potrzebuję energii, by walczyć o Alaynę. Nie upijam się szkocką, chociaż mnie kusi. Pijany do niczego się jej nie przydam. Nie mogę spać. Wszystko mnie boli, ale staram się nie utonąć we własnych emocjach.

Gdy ból staje się nie do zniesienia, przypominam sobie, że jej cierpienie jest większe. Próbuję pogodzić się z konsekwencjami. W końcu zasłużyłem na to.

Piszę do niej esemesy. Nie wiem, czy je odczytuje, ale jest mi lepiej, gdy mówię to, co leży mi na sercu. Wysyłam bardzo dużo wiadomości i czuję się tak, jakby nasze role się odwróciły. Jakbym to ja był prześladowcą, który ją dręczy. Nie mogę się powstrzymać. Muszę jej o wszystkim powiedzieć.

„Tęsknię za tobą".

„Słyszałem dzisiaj w radiu piosenkę Phillipa Phillipsa. Pomyślałem o tobie...".

„Jack o ciebie pytał. Powinnaś czasem do niego zadzwonić. Na pewno się ucieszy".

„Kocham cię" – te słowa powtarzam wielokrotnie.

Boże, jak ja ją cholernie kocham.

We wtorek dzwonię do doktora Albertsa, żeby umówić się na wizytę. Mówi, że może się ze mną spotkać tylko u niego w gabinecie tego samego dnia. Zgadzam się.

Teraz łatwiej mi się z nim rozmawia. Alayna otworzyła we mnie drzwi, które uwolniły emocje, i te drzwi nie mogą już zostać zamknięte. Nie ukrywam przed doktorem niczego.

– Nauczyła mnie, jak czuć – mówię, patrząc w sufit. – Nauczyła mnie, jak to jest odczuwać emocje.

Doktor Alberts nie zgadza się ze mną.

– Nie nauczyła cię. Ty zawsze wiedziałeś, jak to jest. Po prostu robiłeś wszystko, żeby o tym zapomnieć, ale nigdy nie byłeś niezdolny do emocji. Gdy byłeś młody, utworzyłeś mury, które chroniły cię przed cierpieniem wywołanym przez twoją rodzinę. Nie przestałeś czuć, bo tak było łatwiej. To był tylko mechanizm obronny.

Zaciskam szczęki i zastanawiam się nad tym. Przypominam sobie o chwilach w dzieciństwie, kiedy emocje były takie żywe, że wszystko wydawało się bardziej kolorowe.

Czy to były czasy przed tym, zanim wytworzyłem te mechanizmy obronne?

Jeśli tak, to dlaczego doktor Alberts nie powiedział mi o tym wcześniej? Pytam go o to.

– Nie byłeś gotowy, żeby o tym usłyszeć. Pytanie brzmi, dlaczego teraz pozwoliłeś sobie na uczucia? Zobaczyłeś tę kobietę po raz pierwszy z daleka i od razu byłeś gotowy podjąć pierwsze kroki. Dlaczego?

Jestem pewny, że doktor Alberts nie jest człowiekiem, który chciałby teraz usłyszeć o miłości od pierwszego wejrzenia. Szczerze mówiąc, ja też w to nie wierzę. Przez chwilę próbuję wymyślić odpowiedź.

– Wydawała mi się podobna do mnie – stwierdzam w końcu. – Rozpoznałem, że ona też miała kiedyś problemy. I mimo to wyszła z tego. To było w niej piękne i chciałem poznać ją lepiej.

– I zrozumiałeś, że jeśli chcesz to zrobić, musisz znowu zacząć czuć.

– Chyba tak. – To bardzo uproszczona wersja.

Dociera do mnie, że mam inne pytania, na które potrzebuje prostych odpowiedzi. Może mój terapeuta będzie w stanie na nie odpowiedzieć. Siadam prosto i patrzę na niego.

– Nie przeszkadzało mi, że przez tak długi czas nie prowadziłem gry. Dlaczego nagle postanowiłem, że muszę w nią zagrać, żeby zbliżyć się do Alayny?

– A jak myślisz?

– Bo nie znałem innej drogi, żeby poznać ludzi. – A przynajmniej tak sądziłem.

– Myślę, że jest w tym trochę prawdy. – Zastanawia się nad tym przez chwilę. – Lubiłeś to robić, Hudsonie. Może już nie lubisz, zwłaszcza że sprawiasz wrażenie, jakbyś wygrał ze swoim uzależnieniem, ale kiedyś lubiłeś. Dzięki temu czułeś się na haju. To zastępowało ci prawdziwe emocje, które były w tobie, ukryte gdzieś głęboko. Manipulowałeś Alayną, bo część ciebie nadal tego chciała.

Nie podobają mi się te słowa i chcę zaprzeczyć, ale ostatecznie się powstrzymuję. On ma rację. Część mnie naprawdę tego chciała. Chciałem poczuć, jak moje serce bije mocniej, gdy zgadywałem, jak ona na coś zareaguje. Chciałem przewidzieć jej zachowania. Poczułem tę euforię, gdy ją po raz pierwszy zobaczyłem. I tylko gra pozwoliłaby mi się do niej zbliżyć. Ten dreszczyk został szybko zastąpiony miłością.

Jednak gdy pierwszy raz powiedziałem Celii „tak", wiedziałem, że to był błąd. Nie miałem wymówki. To była moja wina.

Doktor Alberts domyśla się, o czym myślę.

– Akceptacja to pierwszy krok do tego, by ruszyć dalej. To dlatego nigdy wcześniej nie mogłeś w pełni wyzdrowieć, nigdy tak naprawdę nie winiłeś się za coś. To świetne postępy. Następnym krokiem powinno być porozmawianie o tym ze swoimi najbliższymi.

Doktor Alberts pozwolił mi zostać dzisiaj dwie godziny, bo nie miał później pacjentów. Jesteśmy w jego gabinecie, a nie moim, więc nikt nam nie przeszkadza. Zapominam o pracy. Jestem skoncentrowany na sobie. Z jego pomocą udaje mi się przebrnąć przez wiele trudnych pytań. Czuję się wolny. Nabieram nowej perspektywy.

Jednak on nie może odpowiedzieć na moje najważniejsze pytanie, czy Alayna mi wybaczy?

# Rozdział 26

W środę Mirabelle odwiedza mnie w moim gabinecie. Odwołałem większość moich mniej ważnych spotkań, więc mogę się z nią zobaczyć.

Mina mojej siostry jest poważna. Wiem, że nie chodzi o jej zdrowie – zadzwoniłaby, gdyby coś złego działo się z dzieckiem albo z nią.

Zakładam, że chodzi o Alaynę.

– Zgaduję, że z nią rozmawiałaś – mówię, gdy siada na fotelu.

Marszczy brwi.

– Z kim? Z mamą?

– Nie, z Alayną. – Biorę butelkę wody z minilodówki i podaję jej. – Nie o niej mówisz?

– Teraz już tak. – Mruży oczy podejrzliwie. – Co się dzieje?

W końcu będę musiał jej powiedzieć, ale chyba jeszcze nie teraz. Nie jestem na to gotowy.

– Zapomnij, że coś mówiłem.

– O nie, mowy nie ma. – Pochyla się i kładzie rękę na mojej nodze. – Hudson? – Kręcę głową, ale ona jak zawsze mnie odczytuje. – O, Boże. Co się stało? Powiedz.

– Ona… – Biorę głęboki oddech, zanim skończę: – Zostawiła mnie, Mirabelle.

– Niemożliwe. – Patrzy na mnie uważnie. – Mówisz serio. Niestety.

– Powiedziałem jej o wszystkim, co chciała wiedzieć, a potem mnie zostawiła. – Trudno mi o tym mówić. Czuję, jak mój głos drży. Najwyraźniej nie umiem już ukrywać swoich uczuć.

– Jestem pewna, że przesadzasz. Ludzie się przecież kłócą. Poradzicie sobie z tym.

Nie chcę się z nią kłócić. Niech sobie wierzy, w co chce. Ja nadal mam nadzieję, więc mówię:

– Myślę, że wszystko jest możliwe.

– Ale nie wierzysz w to tak naprawdę. – Przechyla głowę i patrzy na mnie ze współczuciem. – Och, Hudsonie, co się stało? Może będę mogła pomóc?

Wiem, że mi nie pomoże i dlatego nie mam zamiaru mówić. Potem przypominam sobie, co doktor Alberts powiedział o otwarciu się na bliskie mi osoby. A żeby terapia przyniosła efekt, muszę na niego zapracować. A ja chcę zobaczyć postęp. Nie wiem, czy jest jakaś szansa na to, bym znowu był z Alayną, ale jeśli tak, muszę być najlepszą wersją siebie.

Po raz drugi w życiu opowiadam tę samą historię. Z Mirabelle jest trudniej. Nie ukrywa swojego rozczarowania. Często wyciera łzy, ale słucha, nie przerywając mi.

Gdy kończę, oddycha z trudem i kwituje:

– Ja pierdolę, Hudson.

Jestem zaskoczony – nie tym, że przeklina, ale dlatego, że się tego nie spodziewałem. Nie po niej.

– Kocham cię, naprawdę. – Jej głos jest przepełniony emocjami. – I będę przy tobie zawsze, ale tym razem spierdoliłeś. I jeśli tego nie widzisz, to nie ma dla ciebie nadziei.

Pochylam głowę. Nie mogę dłużej patrzeć jej w oczy. Jej rozczarowanie boli prawie tak jak rozczarowanie Alayny.

– Dociera to do mnie całkowicie.

Nawet nie może na mnie spojrzeć.

– To już coś.

– To najgorsza rzecz, jaką kiedykolwiek zrobiłem.

– Nie wątpię – rzuca kąśliwie.

Zawsze uważałem siebie za człowieka, którego nic nie zrani. A teraz rani mnie wszystko. Widzę, ile mam ran. Czy inni też to dostrzegają?

Jestem załamany i zagubiony, ale nagle chcę, żeby ona widziała, że zamierzam się podnieść z tej porażki.

– Gdy ją straciłem... sięgnąłem dna. Znowu widuję się z doktorem Albertsem. Kiedy wcześniej mnie do niego wysłałaś, próbowałem się zmienić. Teraz naprawdę tego chcę.

W końcu patrzy na mnie i widzę w jej wzroku dobroć oraz trochę współczucia.

– Cieszę się, że to słyszę, Hudsonie. Chcę tego, co dla ciebie najlepsze. I szczerze wierzę, że możesz być innym człowiekiem, jeśli tego pragniesz.

– Pragnę tego. – Dlaczego nie mogłem być innym człowiekiem, zanim spotkałem Alaynę? Gdybym wcześniej starał się zmienić, może poznałaby mnie już jako kogoś lepszego?

Nie ma sensu się teraz nad tym zastanawiać. Nie mogę cofnąć czasu. Odchylam głowę i zamykam oczy.

Mirabelle siada obok mnie i przeczesuje moje włosy palcami. To działa na mnie uspokajająco.

Przełykam ślinę, mimo że gardło mam ściśnięte.

– Spierdoliłem wszystko, ale szczerze ją kocham.

– Wiem – mówi miękkim głosem. – Ona nie jest jedynym powodem, dla którego chcesz się zmienić, prawda?

– Możliwe, że nie.

Ręka Mirabelle zatrzymuje się na chwilę, a potem znowu zaczyna mnie głaskać.

– Bo nie wiem, czy uda ci się ją odzyskać. Hudsonie, jest... jest bardzo źle. Możliwe, że tego nie da się naprawić.

Zmuszam się do śmiechu.

– Jesteś największą fanką stwierdzenia, że miłość pokona wszystko i masz wątpliwości? Kurde, naprawdę mam przesrane.

– Ja tylko jestem szczera. – Opiera głowę na moim ramieniu. – I chcę, byś był lepszą wersją siebie z nią lub bez niej.

Nie potrafię sobie wyobrazić siebie bez Alayny. Nawet jeśli nie jesteśmy razem, ona jest obecna w moim życiu. Wiem, o co chodzi Mirabelle, ale nie mogę sobie pozwolić na takie myślenie.

– To nie będzie problem. Nie przestanę kochać Alayny. Nigdy. I muszę być gotowy, gdyby zmieniła zdanie.

– Hudsonie, jestem na ciebie taka wściekła.

Mirabelle prostuje się i uderza mnie pięściami w pierś. Zadaje niezłe ciosy, ale ja je ledwo czuję, bo mój wewnętrzny ból przysłania wszystko. Właściwie to żałuję, że nie zbiła mnie na kwaśne jabłko.

Zamiast tego znowu kładzie głowę na moim ramieniu.

– I boli mnie serce z powodu waszej sytuacji. Ja też ją kocham.

– Wiem. – Nie mam w zwyczaju przytulać się do siostry, ale tym razem obejmuję ją i przyciągam bliżej.

Po chwili się odzywa:

– Och! Otwarcie! Laynie miała być modelką. Pewnie teraz się z tego wycofa.

– Jeśli ja tam będę, to na pewno. – Zastanawiam się nad tym chwilę i dodaję: – Więc lepiej nie przyjdę.

Mirabelle patrzy na mnie chyba zdziwiona moją powagą.

– Wiem, że powinnam się kłócić, ale szczerze mówiąc, nie chcę, żebyś przyszedł. Nie znienawidź mnie za to.

– Rozumiem. Jest twoją modelką. Potrzebujesz jej. I wiem, że ona chce tam być. Dlatego się wycofam. – Mam nadzieję, że dzięki temu Alayna wyjdzie ze swojej skorupy, że będzie pamiętać o tym, by żyć dalej. Już nie chodzi o to, czy Celia wygra, czy przegra – Alayna musi to przeżyć, bo ja nie będę osobą, która zniszczy ją całkowicie.

– Okej. Nie ma sprawy. Nie możesz się pokazać w sobotę. – Błysk w jej oku mówi, że całkowicie rozumie moją motywację. – I mówię poważnie. Nie możesz zmienić zdania i nagle się tam pojawić.

– Nie zrobię tego. Słowo skauta. – Tak naprawdę nigdy nie byłem skautem. I nigdy nie byłem honorowy.

Wyciągam rękę, by otrzeć łzy z jej policzka, które pozostały po wcześniejszym płaczu. Jestem poruszony zachowaniem mojej pięknej siostry. Poza Alayną, Mirabelle jest jedyną osobą, która widziała we mnie coś więcej niż kogoś, kogo udawałem. Możliwe, że nigdy jej o tym nie mówiłem.

Więc robię to teraz.

– Nigdy bym cię nie znienawidził, Mirabelle. Kocham cię. Chcę, byś była szczęśliwa. Chcę, byś była dumna z tego, że jesteś moją siostrą. Bo ja jestem dumny z tego, że jestem twoim bratem. Bardzo często byłaś jedyną osobą, która mnie wspierała. Jedyną, która we mnie wierzyła. Nie mogę znieść tego, że teraz patrzysz na mnie z takim rozczarowaniem.

W jej oczach pojawiają się łzy, ale się uśmiecha.

– Hudsonie, jestem rozczarowana, ale to nie znaczy, że nie czuję się dumna z bycia twoją siostrą. Nie rezygnuj z niej.

A co ważniejsze, nie rezygnuj z siebie. Ja nigdy z ciebie nie zrezygnuję.

Przytula mnie, a ja jej na to pozwalam. Przynajmniej przez chwilę, bo potem uwalniam się z jej uścisku. To miłe uczucie, ale nie taki jest mój plan – nie chcę się czuć dobrze. Moje myśli znowu skupiają się tylko na jednej osobie.

– Alayna może nie przyjść na otwarcie, nawet jeśli mnie tam nie będzie.

– Wiem. – Jej ton mówi, że nie jest tym zmartwiona. Jeśli ktokolwiek miałby przekonać do czegoś Alaynę, to na pewno jest to Mirabelle. – Będę myśleć optymistycznie. I o was też. Chyba nie powiem jej, że wiem, co się stało. Może być tym zawstydzona. Może lepiej, jeśli nie będzie się martwić, co ja o tym wszystkim myślę.

– To mądre. – Nawet nie przyszło mi do głowy, że Alayna może się czuć speszona, ale pewnie tak jest. Jakiś dupek zrobił ją w konia. Nic dziwnego. – Poprę cię, nieważne, jak to rozegrasz. – Krzywię się, gdy słyszę własne słowa. – Zgodzę się na wszystko, co powiesz.

Siostra wyłapuje moją pomyłkę i uśmiecha się smutno.

– Jesteś dobrym facetem, Hudsonie. Zrobiłeś coś okropnego, ale i tak jesteś dobrym facetem. – Ociera łzę, która właśnie spływa po jej policzku. – Boże, będę musiała stąd wyjść, a jestem w koszmarnym stanie.

– Dobrze wyglądasz. – Podnoszę się i pomagam jej stanąć na nogi. A potem sobie o czymś przypominam. – Ale nie po to tu przyszłaś tak naprawdę.

– Och, tak. Rzeczywiście. No mówię ci, przez te hormony jestem skołowana. – Zagryza wargę. – Niestety muszę ci to powiedzieć, mimo tego, co teraz przeżywasz. Potrzebuję twojej pomocy.

Nie podoba mi się to, że prosi mnie o to z takim niepokojem. Czy ona nie wie, że zrobiłbym dla niej wszystko?
– Oczywiście. O co chodzi?
– O mamę. Ma kłopoty.
Teraz rozumiem jej wahanie.
– Ona ma kłopoty od dłuższego czasu.
Mirabelle kiwa głową.
– I wcześniej nas przy niej nie było. Teraz jest na to pora.
– Chcesz przeprowadzić kolejną interwencję? – Wyraz jej twarzy mówi mi wszystko. – Och, no jasne, że tak.
– Myślisz, że to głupie?
Jestem zaskoczony, że nigdy wcześniej o tym nie rozmawialiśmy. Przez te wszystkie lata po prostu pozwalaliśmy Sophii pić, jakby nie miała z tym problemu. Nigdy nie zakładaliśmy, że może być inaczej. Dla nas to było normalne, bo innej „normalności" nie znaliśmy.
Teraz jednak dorośliśmy. Po drodze dotarło do nas, że jej zachowanie nie jest ani normalne, ani zdrowe. I mimo to nic z tym nie zrobiliśmy.
Mirabelle ma rację, gdy mówi, że musimy coś z tym zrobić.
– To nie takie głupie – mówię. – To piękne.
Jej oczy zaczynają błyszczeć.
– Naprawdę tak uważasz?
– Tak.
– Dziękuję. Co za ulga.
Po raz kolejny jestem poruszony zachowaniem mojej siostry, więc przytulam ją do siebie.
– Nie wiem, dlaczego musiałaś żyć w otoczeniu ludzi, którzy byli takimi zniszczonymi osobami. Nie zasługujemy na to. Ale myślę, że gdyby nie ty, żadne z nas nie zaszłoby tak daleko i nie byliśmy teraz razem. Jesteś takim spoiwem, które trzyma nas razem. Jesteś moim klejem.

Jezu, kiedy ja się stałem taki gadatliwy?

Mirabelle dźga mnie łokciem w bok.

– To było strasznie poetyckie, Hudsonie. Nie myślałam, że taki jesteś, ale jest jeszcze dla ciebie nadzieja.

Nie wiem, czy to prawda, ale byłoby cudownie, gdyby miała rację.

Tej nocy całkowicie przytłacza mnie ciężar moich kłamstw. Jestem w lofcie, siedzę na kanapie, w pokoju jest ciemno. Czuję się tak, jakby po mojej piersi przejechał buldożer. A właściwie boli mnie wszystko. Ręce, stopy, głowa mi pulsuje. Słyszę, jak krew szumi mi w uszach. Serce wali, jakby chciało uciec z mojej piersi. To mnie przytłacza, nie mogę oddychać. Zaczynam cicho szlochać.

Czuję się, jakbym umierał. Jakby kończyło się to, co było, i jakby zbliżało się odrodzenie. Otaczam się ramionami, wbijając palce w żebra, tak jak bym chciał powstrzymać się przed rozpadaniem. Pragnę, by świat wokół mnie przestał wirować. Zaczynam się pocić. Wykrzykuję jej imię.

Nie chcę przez to przechodzić. Nie chcę żyć bez niej. Nie chcę tęsknić za nią w ten sposób. Nie chcę odradzać się i znaleźć w nowym świecie, gdy jej przy mnie nie ma.

Nie chcę żyć bez niej.

Następnego ranka widzę nową wiadomość w telefonie. Wstrzymuję oddech, mając nadzieję, że to Alayna. Niestety nie, ale esemes i tak motywuje mnie do wstania z łóżka. To wiadomość od Normy: „Wszystkie papiery są na swoim miejscu. Jak przyjdziesz, będą czekać na twoim biurku".

W końcu mam to, co pozwoli mi pozbyć się Celii na dobre. Siedem godzin później siedzę na fotelu w lofcie, obracając lód w pustej już szklance po szkockiej, a Celia ogląda papiery dotyczące firmy, które załatwiłem. Przeciągałem ten moment i pozwalałem jej się wykłócać i narzekać, zanim pokazałem, jakie są fakty. To ostatnia gra, w której biorę udział, ale zamierzam się tym rozkoszować.

Tylko że nie czuję żadnej rozkoszy. Nie czuję żadnego haju. Żadnego dreszczyku. Może jestem zbyt otępiały po rozstaniu z Alayną. Myślę, że tak naprawdę straciłem już ochotę na jakiekolwiek gry.

Patrzę, jak Celia przegląda wszystkie kartki. Nie spieszy się. Jestem pewny, że język tych dokumentów musi być miejscami dla niej dość trudny, ale wiem, w którym momencie dociera do niej prawda. Jej twarz robi się biała, a oddech urywany.

W końcu mówi:

– Jak ty...?

– Byłem bardzo przebiegły. – Zrobiłem to dla Alayny i żałuję, że ona nie może tego widzieć. Jestem z siebie dumny. – Przyznaję, to nie było łatwe. Musiałem przekonać inną firmę, by sprzedała mi swoje udziały, a potem ją wykupiłem... Ale chyba nie chcesz słuchać o szczegółach, co?

Patrzy na mnie, marszcząc brwi. W jej oczach nie ma ani grama humoru.

– Umowy już zostały podpisane. Tylko to się teraz liczy. Oficjalnie posiadam większość firmy Werner Media Corporation.

Celia zaciska usta i zamyka teczkę.

– A ty powiedziałeś, że porzuciłeś grę.

– To był mój ostatni ruch. – Przez chwilę zastanawiam się, czy ona naprawdę mi wierzy. Czy myśli, że to była dla mnie ostatnia gra. Kiedyś mnie kochała. Czy jeszcze o tym pamięta?

Czuję nagłe ukłucie bólu, które mija równie szybko. Łatwo było winić ją za moje wybory. Jednak prędzej czy później trzeba wziąć odpowiedzialność za swoje czyny – jak powiedział doktor Alberts. Może i nauczyłem ją, by tak żyć, ale to ona postanowiła to kontynuować, gdy ja odszedłem. Za każdym razem, gdy pokazuję jej nową drogę życia, ona nie chce tego widzieć.

Nie jestem za nią odpowiedzialny. Przeciąłem ostatnią nić, która nas łączyła, i teraz oboje jesteśmy całkowicie wolni.

Ona też to widzi. Oddycha powoli.

– A więc szach-mat?

– Ty mi powiedz. – To godne podziwu, że gra do samego końca. Kiedyś byłbym pod wrażeniem. Teraz jestem ostrożny.

– Jakie są twoje plany co do Werner Media?

To dobre pytanie.

– Na tę chwilę nie mam żadnych planów. Firma radzi sobie nieźle. Warren Werner jest odpowiednim człowiekiem na odpowiednim miejscu. Ale jeśli z jakiegoś powodu uznam, że jego obecność w firmie nie jest potrzebna... – Urywam i pozwalam, by sama się tego domyśliła.

– Byłby zdruzgotany. – Marszczy brwi, a jej głos sugeruje, że jest zrezygnowana.

Czuję lekką ulgę. W tej kwestii postawiłem wszystko na jedną kartę. Mój plan zadziałałby tylko wtedy, gdyby Celii zależało na kimś innym poza sobą samą – czyli na jej ojcu.

To tylko kolejny dowód na to, że udaje kobietę bez serca, bo tak wybrała.

Ale nie wykluczam tego, że chodzi o fundusze – jestem przekonany, że Celia żyje za pieniądze ojca. Nawet jeśli on nadal je ma, mimo że zabrałem mu jego własność, to pewnie od teraz będzie mniej hojny. Nie od dziś wiadomo, że jeśli Warren jest zadowolony, to chętnie się dzieli swoimi pieniędzmi.

– Na pewno będzie zdruzgotany, jeśli się dowie, że już nie zarządza firmą. Na razie ta informacja jest tajna. On nie ma jeszcze o niczym pojęcia. Chciałabyś to zmienić?

– Nie – powiedziała.

– Czy planujesz zrobić coś, co spowoduje, że zmienię swój aktualny biznesplan?

– Nie – mówi, garbiąc się.

– A więc to szach-mat.

Siedzimy w ciszy przez kilka minut. To była długa walka. A to jest oficjalny koniec naszej przyjaźni. Przed oczami mam wszystkie wspomnienia z nią związane. Niektóre miały miejsce bardzo dawno i nie potrafię określić dokładnej daty. Inne są tak ważne, że nigdy nie zapomnę ich szczegółów. Pamiętam, jak wygrała ze mną w tenisa. Jak otworzyliśmy butelkę szampana na koniec naszej pierwszej wspólnej gry. Pamiętam jej dotyk, gdy położyła mi rękę na plecach i powiedziała, że mnie kocha.

Pozwalam sobie na te wspomnienia, bo to jedyna chwila, gdy mogę opłakiwać ten koniec.

Wreszcie Celia wstaje.

– Chyba lepiej już pójdę.

– Tak. Odprowadzę cię.

Patrzę na zegarek, idąc za nią. Muszę jechać do rodziców za pół godziny. Mirabelle planuje dzisiaj interwencję. Czeka mnie trudny dzień pełen nieprzyjemnych emocji. Czuję się tak, jakbym w ciągu ostatnich kilku dni nadrobił uczucia, których nigdy wcześniej nie doświadczałem.

Przytrzymuję drzwi dla Celii. Nie patrzy w moją stronę, gdy mnie mija. Albo ja nie patrzę na nią. Nie wiem, co jest prawdą. Zaczynam zamykać drzwi, ale nagle widzę na podłodze coś niespodziewanego – leży tam torba podróżna. To torba Alayny. Jestem tego pewny.

A może to tylko pobożne życzenie?

Nie, to na pewno jej. Spakowałem ją dla niej przed naszą wycieczką do Poconos. Ale co ona tutaj robi?

Nagle czuję niepokój i rozglądam się po pomieszczeniu, mając nadzieję, że zobaczę to, co chcę zobaczyć.

I tak jest.

Nasze spojrzenia się spotykają. Klęczy na podłodze przy wejściu do sypialni. Jej postawa sugeruje, że nie ma zamiaru tu zostać, że nie chciała, abym w ogóle ją zobaczył. Ta torba jest myląca. Ale ja się cieszę. Tęskniłem za jej twarzą, za samym jej spojrzeniem.

Bardzo chcę zostać i z nią porozmawiać. Chcę wiedzieć, dlaczego tu jest. Nagle dociera do mnie, że widziała zakończenie sprawy z Celią. Dobrze, że była tego świadkiem, bo to tylko udowadnia moją miłość do niej.

Chcę zostać, ale wiem, że nie mogę, bo muszę zdążyć na spotkanie z moją matką. To konieczność, muszę to zrobić. Dopiero potem będę mógł walczyć dalej o Alaynę.

Nie tylko ja nie jestem jeszcze gotowy – ona również. Czuję to w swojej duszy. Ona potrzebuje więcej czasu, żeby to przetrawić.

Dlatego muszę jeszcze poczekać.

– Zatrzymaj windę – mówię do Celii, nie odwracając wzroku od mojej cudownej Alayny. Zawsze było mi trudno ją zostawić. Teraz jednak czuję się silny, więc zamykam za sobą drzwi.

Celia czeka na mnie w windzie, przytrzymując dla mnie drzwi. Wchodzę, a drzwi się zamykają. Przez kilka chwil milczymy oboje, a potem ona się odzywa:

– Cóż, to niezręczne.

Szczerze mówiąc, nawet zapomniałem, że ona tu jest. Myślami ciągle jestem w swoim lofcie i skupiam się na Alaynie.

– Naprawdę? Ja nigdy tak wiele nie straciłem, więc się nie znam. – Jestem okrutny, ale winię za to fakt, że byliśmy podsłuchiwani przez Alaynę. Wytrąciło mnie to z równowagi.

Celii się to nie podoba.

– Jesteś dupkiem.

– Zasługujesz na dużo więcej niż to, co ci zrobiłem. – Mimo to jestem zadowolony ze swojego posunięcia.

Celia zakłada ramiona na piersi i patrzy na mnie.

– Wiesz, mój ojciec kiedyś przejdzie na emeryturę. Co wtedy będziesz na mnie mieć? – Wywracam oczami.

– Proszę... Twój ojciec będzie pracował aż do śmierci. Daję mu jeszcze ze dwadzieścia lat. Jeśli wtedy nadal będziesz chciała się zemścić... Cóż, ale nie sądzę, żebyś była aż tak żałosna.

Jej spojrzenie mówi, że może jednak jest i taki ma plan. Wkurza mnie to, że po takim czasie nadal pragnęłaby zemsty za to wszystko. Patrzę na nią uważnie i groźnym tonem oznajmiam:

– Ale jeśli potrzebujesz kolejnego powodu, by porzucić tę grę, to posłuchaj mnie uważnie. Rozwiązałem sytuację w sposób legalny i masz związane ręce. Wolałbym nie używać innych metod, ale jeśli będzie trzeba, zabiję dla Alayny. Więc proszę, nie sprawdzaj mojej cierpliwości.

Wzrusza ramionami.

– To było tylko pytanie. Nic przez to nie miałam na myśli. Gra się skończyła, a wy dwoje już mnie znudziliście. Najwyraźniej postawiłam złą hipotezę w tej grze, prawda? Nigdy bym nie pomyślała, że będziesz bohaterem.

To komplement, więc uśmiecham się lekko. Nie tylko ona nie wiedziała, że tak się stanie. Ja też nie zakładałbym, że się zakocham.

Tylko chwila... Dlaczego ona w ogóle o mnie wspominała?

– Kto w ogóle był twoim obiektem w tym eksperymencie, Celio?

Drzwi się otwierają, a ona wychodzi bez odpowiedzi. Jestem oszołomiony moim odkryciem. Idę kilka kroków za nią. Nie mam zamiaru jej gonić, ale wołam ją jeszcze raz.

– Celia?

Obraca się.

– Co?

Zmniejszam dystans między nami, a moje serce przestaje na chwilę bić.

– Nigdy nie bawiłaś się Alayną, prawda? Bawiłaś się mną, tak?

Iskierki w jej oczach mówią mi, że udaje mi się zgadnąć.

Nagle wszystko zaczyna do siebie pasować – na przykład to, jak bardzo nie chciała przerwać tej gry. Alayna była tylko pionkiem w tej grze. Cały ten czas Celia badała moje emocje, moje zachowanie. Ja byłem obiektem w jej intrydze.

To żałosne, ale wcześniej tego nie zauważyłem, bo nigdy bym się tego nie spodziewał. Ona planowała to od początku. Zasługiwałem na zemstę. To, że przespała się z moim ojcem, nie było żadną karą, nie w porównaniu z tym, przez co przeze mnie przeszła. Ale to jest zemsta na tym samym poziomie. Nagle w mojej głowie pojawia się dużo pytań. Jak wiele lat to planowała? Czy chciała, żebym się zakochał?

A może jej celem było udowodnienie, że tak naprawdę nie potrafię się zakochać? Czy chciała mnie zranić, czy tylko sprawić, bym wiedział, jak to jest zostać zranionym? Czy nadal by się mną bawiła, gdybym nie zgodził się brać w tym udziału? Czy to był jej cel? Czy cała ta nasza przyjaźń też była tylko grą?

Jestem zszokowany.

I pod wrażeniem. I wściekły.

A nawet trochę wdzięczny. To dzięki niej doszło do mojego związku z Alayną. Jestem wystarczająco mądry, aby wiedzieć, że nigdy nie zdobyłbym kobiety, którą kocham, gdyby moja stara przyjaciółka nie popchnęła mnie w tym kierunku.

To jej nie usprawiedliwia, ale trochę zmniejsza mój ból. Zawsze mówiła, że uratowałem ją, wprowadzając do mojego świata – czy to prawda, czy tylko część intrygi? Teraz to już nieważne, bo tym razem to ona mnie uratowała. Dzięki niej w moim życiu pojawiła się Alayna.

Obraca się na pięcie i zaczyna odchodzić. Oczywiście postanawia powiedzieć coś jeszcze na pożegnanie.

– Trzymaj się, Hudsonie. Jeśli kiedykolwiek postanowisz dołączyć znowu do mojej gry, to wiesz, gdzie mnie znaleźć.

Jestem już w apartamencie rodziców, ale mój umysł nadal skupia się na wcześniejszych wydarzeniach. Trudno mi zebrać myśli, ale jestem to winny Mirabelle, więc jadę na górę.

Jestem ostatni, który pojawia się na interwencji, mimo że przyjechałem nawet wcześniej. Cała rodzina jest obecna, łącznie z Adamem. A także Madge Werner. Najwyraźniej nie wini mojej matki za to, że Celia i mój ojciec ze sobą spali, ale widzę, że unika wzroku Jacka. I jakoś nie cieszy się na mój widok. Czuje się niekomfortowo, ale jest tu, by poprzeć Sophię. To godne podziwu.

Spotkanie przebiega tak, jak większość spotkań tego rodzaju. Matka płacze, siedząc na sofie i trzymając się blisko Madge. Ma nieprzeniknioną minę, a łzy spływają jej po policzkach. Każdy się wypowiada. Chandler mówi, że chce matki, której mógłby przedstawić swoją dziewczynę. Adam oświadcza, że nie chce w takim środowisku wychowywać dziecka. Madge wspomina o ich relacji z dawnych czasów, gdy matka jeszcze nie piła.

Mirabelle używa najcięższego argumentu.

– Wytrzeźwiej albo zniknij z mojego życia.

Dopiero po tych słowach Sophia zgadza się na odwyk. Zrobi wszystko dla swojego wnuka.

Mimo jej decyzji jeszcze dwie osoby się nie odezwały. Jack zaczyna:

– Wiem, że mężczyzna, którego poślubiłaś, zniknął dawno temu wraz z kobietą, którą też kiedyś byłaś. Skoro mam cię prosić, byś znowu nią była, to byłoby sprawiedliwie, gdybym ja też stał się tamtym mężczyzną. Zawsze byłaś moją miłością, Sophio, mimo że życie, które sobie stworzyliśmy, było do dupy. Ale jesteśmy jeszcze młodzi, do cholery. Możemy zacząć nowe życie nawet w tym momencie. Razem.

Moja matka nie mówi ani słowa, ale poklepuje kanapę po swojej drugiej stronie, by Jack tam usiadł. Od razu do niej idzie i otacza ją ramionami. Matka dopiero teraz się załamuje i ukrywa twarz na jego piersi. Mirabelle i ja wymieniamy zaskoczone spojrzenia. Nigdy nie widzieliśmy takiego uczucia między naszymi rodzicami. To nawet poruszające.

Moja przemowa jest ostatnia. Jestem ostrożny, bo nie chcę mieszać w to Celii – jest tu Madge, więc to nie miejsce, by rozgrzebywać moje lub jej sekrety – więc mówię o moim związku z Alayną. O tym, jak ją poznałem. Jak się zakochałem i jak ją zdradziłem. To dla nich szokujące i dołujące. Zastanawiam się, jak bardzo byliby w szoku, gdyby się dowiedzieli, że Celia zrobiła to samo mnie.

Boże, nadal nie mogę w to uwierzyć. Nie informuję ich jednak o tym, bo musiałbym opowiedzieć historię moją i Celii, a to nie jest odpowiednia chwila.

Dlatego mówię tylko o Alaynie.

Moje wyznanie jest krótkie. To nie jest moja interwencja, lecz ta historia ma znaczenie.

Sophia nie patrzy na mnie, ale moje słowa są skierowane do niej.

– Nie wiem już, co było najpierw, mamo – twoje picie czy zanik moich emocji. To trochę jak odwieczne pytanie odnośnie do tego, co było pierwsze: kura czy jajko. Nieważne, kto ponosi za to winę, ale wiem, że nasze zachowania są ze sobą powiązane. Przyczyniłem się do twojego uzależnienia, a ty przyczyniłaś się do mojego. W związku z tym myślę, że skoro mnie się mogło polepszyć, to tobie też może. Oboje możemy mieć lepsze życie. Matka patrzy mi w oczy.

Czuję, że moje gardło się zaciska, ale i tak mówię dalej:

– Oboje ukrywaliśmy nasze wady za tymi uzależnieniami. Czas się z nimi zmierzyć. Dla mnie. Dla Alayny. Dla ciebie. Zmienisz się? Dla nas? Dla mnie? Dla samej siebie?

Kiwa głową i to wszystko. Nigdy nie będziemy w stanie naprawić naszej przeszłości. Zawsze będziemy jakoś naznaczeni, może nawet będziemy okrutni dla siebie. Ale zawsze będę pamiętać moment, gdy prosiłem o jej miłość i ona mi ją dała. To może przetrwać wieczność.

# Rozdział 27

Następnego dnia, mimo że interwencja dobiegła końca, mam wrażenie, jakby to spotkanie wydarzyło się wieki temu. Siedzę w przebieralni w Mirabelle's Boutique. Nie planowałem tu przyjeżdżać – a właściwie obiecałem, że nie przyjadę. Zostałem jednak do tego przekonany. I to przez Jacka. Zawieźliśmy matkę do centrum uzależnień, a potem ojciec podał mi kluczyki.

– Ja i Chandler znajdziemy sobie podwózkę, a ty weź samochód, jedź do butiku i walcz.

Więc pojechałem.

I przegrałem.

Dałem z siebie wszystko, a Alayna i tak mnie nie chciała. Nie poddaję się jeszcze, ale nie wiem, jaki będzie mój następny ruch. Może czekam na jakąś wskazówkę. I to dlatego nadal tutaj jestem. Moja siostra dobija się do drzwi, bo siedzę tu od godziny, odkąd tylko Alayna stąd wyszła. Szczerze mówiąc, jestem zaskoczony, że siostra nie przyszła do mnie wcześniej. Przypuszczam, że była zajęta świętowaniem otwarcia swojego sklepu. Wiedziałem, że w końcu i tak mnie znajdzie.

Mirabelle wchodzi bez zaproszenia – najpierw jednak zagląda do środka, jakby sprawdzała, czy jest ze mną Alayna. Potem zamyka za sobą drzwi.

Wstaję z ławki, na której wcześniej siedziałem tyle czasu.

– Wyszła. Przykro mi. – Jestem pewny, że Alayna wykonała swoją pracę tutaj, więc tak naprawdę nie jest mi przykro.

Mirabelle podchodzi do mnie i uderza mnie w pierś.

– Odbiło ci, Hudson? Miałeś się tu nie pokazywać. – Uderza mnie jeszcze raz dla lepszego efektu.

Łapię ją za nadgarstki.

– A ty miałaś uważać, bo ci ciśnienie podskoczy. Przestań.

Uwalnia ręce z mojego uścisku.

– Jeśli ciśnienie mi podskoczyło, to na pewno nie od bicia. To przez ciebie. – Znowu chce mnie uderzyć, ale chwytam jej rękę.

– Ja nic ci nie zrobiłem, wszystko jest dobrze, więc usiądź.

Prowadzę ją w kierunku ławki, na której po chwili siada.

– Przynieść ci wodę?

– Nie – mówi groźnym tonem. – Jestem nawodniona, dziękuję bardzo.

Coś w jej wyglądzie sprawia, że przypomina mi się rozmowa, którą odbyliśmy przed jej ślubem. Wtedy też odciągnąłem ją od imprezy. Boże, jakim jestem okropnym bratem.

– Nie powinnaś być teraz ze swoimi gośćmi? – pytam na wszelki wypadek.

– Mam przerwę. Wszystko w porządku. – Mruży oczy, jakby rozbawiło ją moje pytanie. Kiedyś pytałem dokładnie o to samo. – I co masz na myśli, mówiąc, że wszystko w porządku? Rozmawiałeś z Alayną?

Opieram się ramieniem o drzwi.

– Tak.

– I? – Mirabelle również bardzo chce, żebyśmy do siebie wrócili. Miło mieć kogoś po swojej stronie.

– I oświadczyłem się.

– Eee... że co?

– Byłabyś z niej dumna. Nie zgodziła się. – Nie wyszło mi to najlepiej. Byłem zdesperowany i nakręcony. Nie miałem pierścionka. Wpadłem na ten pomysł, gdy wracałem do miasta. Myślałem, że gdy udowodnię, jak mi na niej zależy, to wszystkie nasze problemy się rozwiążą.

– Co jest zrozumiałe.

Alayna wyjaśniła mi to bardzo dobitnie – kocha mnie, ale nie może na mnie patrzeć. Nie może mi znowu zaufać. Jestem idiotą, myśląc, że chciałaby spędzić ze mną resztę życia.

– Wiem.

– Złamałeś jej serce, Hudsonie. Nie naprawisz tego oświadczynami – mówi łagodniejszym głosem.

Mam ochotę zapytać: „To jak mam to naprawić?".

Siadam obok niej.

– Ale to dobrze. I tak ją odzyskam. Nie poddam się, dopóki tak się nie stanie. – To samo wykrzyczałem do Alayny, gdy wcześniej ode mnie odchodziła. Nawet wtedy na mnie nie spojrzała. Udawałem, że to nic nie znaczy.

Mirabelle przygląda mi się uważnie.

– Kiedy ty się stałeś takim romantykiem?

Kręcę głową.

– Nie stałem się. Po prostu przypomniałem sobie, że jestem facetem, który dostaje to, czego chce. – A chcę Alayny. Potrzebuję jej tak jak powietrza, by oddychać.

– Okej, tylko jej tego nie mów, że jesteś facetem, który zawsze dostaje to, czego chce. To w ogóle nie jest romantyczne.

Nie miałem zamiaru jej tego powiedzieć, ale gdy już Mirabelle zaczęła ten temat, muszę zapytać:

– Dlaczego nie? Wcześniej ten tekst działał.

– Może wtedy, gdy chciałeś ją tylko zaliczyć. – Milczy przez chwilę. – Jak dla mnie to brzmi po prostu... strasznie. – Wzdryga się. – W każdym razie, będąc takim zarozumiałym i dominującym, nie odzyskasz jej zaufania i uczucia.

– No to jak, kurwa, mam odzyskać jej zaufanie? – Nie chciałem być tak wulgarny, ale jestem sfrustrowany.

Niestety, rozumiem to. Celia nie mogłaby zrobić nic, co sprawiłoby, że ponownie bym jej zaufał. Czy to samo czuje Alayna w stosunku do mnie? Pewnie powinna. Powiedziała, że tego rodzaju zdrady nie da się wybaczyć. I ja to wiem.

Powiedziała mi też, że mnie kocha. Widziałem to w jej oczach. Czułem, że bardzo chciała wpaść w moje ramiona. Gdyby powiedziała, że mnie nienawidzi, może bym odpuścił. Pozwoliłbym jej żyć beze mnie. Ale ona mnie kocha i nie mogę zrezygnować.

Cóż, może jednak stałem się romantykiem.

– Ona potrzebuje czasu – stwierdza Mirabelle. Nie oczekiwałem, że odpowie. – I przestrzeni. Pokaż jej, że dalej o nią walczysz, ale nie rób niczego, żeby otrzymać sądowy zakaz zbliżania się.

Czas i przestrzeń – tylko że mnie dobija każda sekunda bez niej. Ale spróbuję. Jeśli ona właśnie tego potrzebuje, mogę się postarać.

Mirabelle zaczyna delikatnie masować swój brzuch.

– Czy wymyśliłeś już, jak chcesz jej pokazać, że ciągle o niej myślisz?

Szczerze mówiąc, właśnie dlatego cały czas siedzę w tej szatni, nawet po jej wyjściu. Jestem sparaliżowany, bo nie wiem, co mam dalej robić. Jak na razie nic nie wymyśliłem.

Patrzę, jak siostra gładzi swój brzuch, i nagle coś mi się przypomina.

– Ktoś mi kiedyś powiedział – mówię – że chcąc zdobyć serce dziewczyny, należy robić coś, co udowodni, że naprawdę dostrzegasz, jaka ona jest.

Korzystałem z tej metody, by w przeszłości zdobywać dziewczyny. To zawsze było częścią gry i dlatego trudno mi było użyć tego teraz. Mimo to uważam, że to była dobra rada.

Mirabelle patrzy na mnie uważnie.

– Naprawdę zamierzasz ułożyć plan gry, opierając się na czymś, co powiedziałam ci jako niedoświadczona nastolatka?

Marszczę brwi.

– To nie gra, ale tak, mój plan opiera się na twojej sugestii.

Unosi brwi, a ja mam wrażenie, że nie jest zadowolona z mojego pomysłu.

– A masz coś lepszego? – Mam nadzieję, że nie wyglądam na zbyt zdesperowanego.

– Nie. To dobry pomysł. Prosty. Romantyczny. Najlepszy, jaki może być.

– No to co miało znaczyć to spojrzenie?

Uśmiecha się.

– Chodziło mi o ciebie. Pytasz o moją opinię w kwestii twojego życia miłosnego. Mówiłam, że kiedyś przydadzą ci się moje rady.

Jej uśmiech jest zaraźliwy.

– Nie bądź taka zarozumiała. To nie wpłynie dobrze na dziecko. – Dźgam ją w żebra, bo tam ma łaskotki.

Uderza ręką w moją dłoń, piszcząc.

– Przestań. Rozśmieszasz mnie, a mój pęcherz tego nie wytrzyma.

– No to wykorzystaj swoją przerwę i idź do łazienki. – Pomagam jej wstać, a potem otwieram dla niej drzwi.

Zatrzymuje się na korytarzu przy drzwiach do toalety i pyta:

– Poradzisz sobie?

Milczę przez chwilę.

– Tak. Myślę, że tak. – Wiem to dlatego, że wydawało mi się, że z Alayną będzie wszystko w porządku, a dla mnie najważniejsze jest jej szczęście. Mimo to będę próbował ją odzyskać, dopóki mi tego nie zakaże.

Wracając do samochodu, zastanawiam się nad tym, czy dać Alaynie trochę przestrzeni. Nie mogę całkowicie się od niej odciąć, chociaż ona pewnie właśnie tego potrzebuje. I jestem pewny, że rozumie, że nie potrafię jej całkowicie zostawić. Dociera do mnie, że mogę trzymać się od niej z daleka, ale i tak zrobię coś innego. W mojej głowie już tworzy się lista prezentów dla niej.

Większość będę mógł zamówić online, ale jedną rzecz mogę kupić osobiście. Udaję się do sklepu z biżuterią Tiffany. Alayna nie zgodziła się na moje oświadczyny, ale ja nadal chcę, by kiedyś została moją żoną. Jeśli będę miał okazję ponownie poprosić ją o rękę, będę przygotowany. Wybieram trzykaratowy brylant osadzony na platynie. Gdy tylko go dostrzegam, wiem, że musi być jej. Jest piękny i bardzo cenny, dokładnie jak ona.

Tego wieczoru zaczynam dawać jej prezenty. Upewniam się, że gdy przyjdzie do pracy, dostanie Kindle'a. Może go znienawidzić, może go oddać, może rzucić nim o podłogę, jak kiedyś swoim telefonem. A może go zaakceptować. Może go nawet pokocha. Nie wiem.

Niedługo potem dostaję esemesa z jej numeru. Zamykam oczy i modlę się cicho przed otwarciem wiadomości.

„Facet, jaki ty jesteś gadatliwy. Z tej strony Liesl, tak przy okazji".

Jestem zawiedziony i zdezorientowany. Co miała na myśli, mówiąc, że jestem gadatliwy? Potem dociera do mnie, że
odniosła się do tych wszystkich esemesów, które wysłałem
Alaynie. Pytam więc: „Czy przeczytała je wszystkie?".

„Nie, ale ja przeczytałam kilka".

Nie obchodzi mnie to. Gdybym wiedział, że Alayna mnie
usłyszy, wykrzyczałbym wszystko z dachu Empire State
Building.

Mogę wykorzystać Liesl, by wypytać o Alaynę. Widziałem
się z nią dzisiaj, ale chcę znać prawdę.

„Jak ona się czuje?".

„Dobrze, mimo wszystko. Ale nie chce używać wibratora,
którego jej dałam".

Śmieję się. Potem myślę o seksie z Alayną. Tęsknię za
tym. Za tym, jak komunikowaliśmy się za pomocą naszych
ciał. Pamiętam, jak to jest mieć ją pod sobą, jak to jest czuć
na skórze jej usta i jej język oplatający mój. Przez te wspomnienia czuję jeszcze większy ból. Robię się twardy, ale nie
chcę się dotknąć. Więc cierpię, bo wiem, że jeśli sobie ulżę,
to tylko poczuję się jeszcze bardziej samotny.

Ignoruję ból i skupiam się na esemesach.

„Czy ona je? Śpi?".

„Je. Pije. Aktualnie śpi na mojej kanapie".

A więc oboje sypiamy na kanapach. To dziwne, ale czuję
się przez to trochę lepiej.

„Jesteś w domu? Możesz zrobić zdjęcie?".

Po kilku chwilach dostaję zdjęcie i wiadomość: „Lepiej,
żebyś nie wykorzystał do jakichś zboczonych celów".

„Żadnych zboczonych celów. Dziękuję".

Ja po prostu chcę wiedzieć, gdzie ona przebywa. Chcę
wyobrazić sobie, jak śpi.

Patrzę na zdjęcie przez chwilę. Już mam pomysł na mój kolejny prezent. Zamówię dla niej materac. I jeszcze jeden dla siebie. Żeby nam było wygodniej niż na kanapach.

Dostaję kolejną wiadomość: „Będziesz do niej dalej pisał?".

„Będę. Myślisz, że to okej?".

„Myślę, że tak".

Zaraz dostaje kolejnego esemesa: „Odkładam już ten telefon. Możesz wrócić do pisania do niej. Postaram się nie czytać za wiele twoich wiadomości".

Wiem, że Liesl jest po stronie Alayny, ale pozwalam sobie myśleć, że jednak jest po naszej stronie, jej i mojej.

Jestem wykończony. To z powodu tego spania na kanapie. Wieczorem robię coś nowego – wyciągam iPada i szukam stacji radiowej. Zazwyczaj słucham klasyki: Mozarta, Brahmsa, Wagnera. Alayna woli bardziej nowoczesną muzykę. Taką ze słowami. Dzisiaj chcę posłuchać tego, czego ona by słuchała, gdyby tu była. Nie wiem, jaki gatunek muzyki lubi najbardziej, ale wybieram listę, która ma w nazwie „współczesna".

Nie skupiam się za bardzo na kilku pierwszych piosenkach playlisty. Gdy mija połowa utworów, zaczynam się układać na kanapie do spania. Nagle słyszę piosenkę, która od razu wpada mi w ucho – rozbrzmiewające w niej pianino sprawia, że kojarzy mi się z samotnością i udręką. Do melodii dołącza tenor. To prosta piosenka. Trochę jak blues.

A słowa...

Utwór opowiada o mężczyźnie, który tonie z miłości do kobiety. Tonie, ale jeszcze może oddychać. Kobieta ma wady, ale dla niego jest doskonała. Kręci mu się w głowie przez nią. Rozprasza go i inspiruje. Jest w niej szaleńczo zakochany. To piosenka o byciu otwartym, o tym, że nie można mieć przed sobą żadnych barier. Nim zasypiam, zapamiętuję jej słowa. Myślę jeszcze o tym, że jutro muszę wrócić do sklepu z biżuterią, bo chcę wygrawerować coś na pierścionku, i już wiem, jakie to będą słowa.

W niedzielę zaczyna odpowiadać na niektóre z moich wiadomości. Jestem wniebowzięty, ale staram się zachować kontrolę.

Codziennie daję jej prezent, który ma przypominać o naszym związku. Każdy z nich zostawiam na jej biurku, zanim pojawia się w pracy. W czwartek nie mam żadnego podarunku. Zamiast tego przyjeżdżam do Sky Launch i siadam na końcu baru. Prawie się do mnie nie odzywa, ale jestem szczęśliwy, mogąc siedzieć i patrzeć na nią. To mi przypomina o tym, jak się do niej pierwszy raz odezwałem. To było tuż przed tym, jak ukończyła studia.

Wydaje mi się, że od tamtego czasu minęła wieczność. Tyle się zmieniło, a jednocześnie wszystko jest takie samo. Jej uśmiech wciąż rozświetla mój świat. Nadal nie mogę oderwać od niej wzroku. Nadal jest najbardziej intrygującą osobą, jaką w życiu spotkałem.

Przez godzinę sączę szkocką. W końcu zostawiam jej w kopercie sto dolarów i bilet do mojego spa w Poughkeepsie, a następnie wychodzę.

Jestem już w połowie drogi na parking, gdy słyszę, jak mnie woła. Moje serce zaczyna bić szybciej. Czekam na nią. Martwię się tym, co chce mi powiedzieć. Ale jestem cholernie szczęśliwy, że w ogóle zamierza się do mnie odezwać.

Zbliża się do mnie i wyciąga w moją stronę kopertę.

– Nie mogę tego przyjąć. Ja tu wszystkim zarządzam i nie mogę wyjechać na tydzień do spa. – Spuszcza wzrok. – No chyba że nie chcesz, żebym tutaj pracowała.

– Nigdy tak nie myśl – mówię ostrym tonem. Sky Launch jest mój tylko dlatego, że ona go chce. – Jeśli uważasz, że nie możesz tu pracować, gdy ja jestem właścicielem, to mogę oddać ci ten klub.

Mruga kilka razy.

– Ja chcę tylko zatrzymać swoją pracę, więc dziękuję.

Czuję ulgę. Martwiłem się, że odejdzie. Nie tylko dlatego, że wtedy nie miałbym możliwości się z nią widzieć, ale też z tego powodu, że straciłaby pracę, którą kocha. Cieszę się, że chce zostać.

– Praca jest twoja tak długo, jak będziesz tego chciała.

Cofam jej rękę.

– A bilet do spa zatrzymaj. Możesz go wykorzystać, kiedy tylko chcesz. Nie ma na nim daty ważności. – Nasze ręce ocierają się o siebie. Czuję przebiegające między nami iskry.

Odsuwa się ode mnie.

– Dobra. Jak chcesz.

Nasza rozmowa dobiega końca, a ja odczuwam nagły smutek. Jednak Alayna znowu się do mnie odzywa:

– Muszę zabrać swoje rzeczy z twojego mieszkania.

Czuję skurcz w żołądku. Tego się obawiałem. Gdy jej rzeczy są w Bowery, mam wrażenie, jakbyśmy nadal byli razem. Jakby to wciąż był nasz dom. Jakbyśmy cały czas mieli szansę. W chwili, gdy się wyprowadzi, to będzie koniec.

Zaciskam szczęki.

– Nie chcę, żebyś się wyprowadziła.

Ignoruje mnie.

– W poniedziałek przyjdę po resztę moich rzeczy. – Zaczyna wykręcać palce i patrzy na jakiś punkt znajdujący się za mną. Przynajmniej widzę, że dla niej to również nie jest łatwe. To mnie pociesza.

– Mogę spakować wszystko za ciebie i wysłać ci to, jeśli chcesz. – Będę miał wtedy okazję, by kupić jej więcej nowych rzeczy i włożyć je do pudeł. Dostanie nowe ubrania, nową biżuterię...

– Wolę sama się spakować – mówi, jakby czytała mi w myślach.

Każda jej odmowa jest dla mnie kolejnym ciosem. Bardzo to przeżywam. Próbuję coś jeszcze z tym zrobić.

– Pozwól mi chociaż załatwić samochód, żeby to wszystko przewieźć.

Zamyka na chwilę oczy, po czym otwiera je, wzdychając.

– Okej. To możesz zrobić.

– No to ustalone. – Uśmiecham się. – Ale to nie oznacza, że skończyłem o ciebie walczyć.

– Ani przez sekundę tak nie pomyślałam. – Czy jej ton był nieco flirciarski, czy mi się wydawało?

Przechylam głowę i patrzę na nią. Rysy jej twarzy łagodnieją. W oczach pojawia się błysk rozbawienia i widzę, że próbuje walczyć z uśmiechem. Postanawiam to wykorzystać.

– Mówisz tak, jakby podobało ci się to, że tak się przed tobą płaszczę.

Wywraca oczami, a potem odwraca się w stronę klubu i mówi ponad ramieniem:

– Sama nie wiem, H. Jeszcze nie widziałam, żebyś się płaszczył.

Jestem zachwycony tym, że rozmawiałem z nią, a ona nie miała zamiaru się kłócić. Wsiadam do samochodu i wtedy to uczucie znika. Nie daję jednak tej sytuacji wpłynąć na mnie za bardzo. Alayna chce się wyprowadzić. Żyliśmy osobno, ale w mojej głowie nadal byliśmy razem, gdy jej rzeczy znajdowały się u mnie.

A teraz ona chce to zakończyć.

Czuję się tak, jakby to był koniec. Nie chcę tego.

Nagle dociera do mnie, że muszę jechać do Bowery. Od tygodni nie byłem w swoim apartamencie. Kiedy tam wchodzę, uderza mnie cisza. Jedynym dźwiękiem jest tykanie wielkiego zegara. Zapalam światło w salonie.

To miejsce wydaje się teraz takie puste i zimne. Wcześniej często wyjeżdżałem na długo, ale gdy wracałem, nie miałem wrażenia, że mieszkanie jest takie opustoszałe, niezamieszkane. Teraz wiem, że to dlatego, że ona tu była. Czuję jej obecność wszędzie. Jednak już jej tutaj nie ma.

Powoli przyglądam się pomieszczeniu. Widzę okno, przy którym kiedyś stała, a księżyc oświetlał jej twarz. Widzę stół w jadalni, przy którym jedliśmy i piliśmy wino po tym, jak przez dłuższy czas się nie widzieliśmy. Widzę podłogę, na której pieprzyliśmy się niczym króliki.

Mieszkałem tu cztery lata, a życie w tym mieszkaniu pojawiło się dopiero wraz z nią. Przed nią nie było nic.

Gdy dociera do mnie prawda, jestem wściekły. Wcześniej już opłakiwałem jej stratę, cierpiałem. Aż do teraz nie byłem zły.

Wybuch gniewu sprawia, że robi mi się gorąco. Zasłużyłem na to wszystko. Przez chwilę chciałem winić za to innych. Moją matkę i jej picie. Jacka i jego nieobecność w moim życiu. Celię i jej chorą grę. Tego oziębłego dupka, którym byłem, zanim Alayna pojawiła się w moim życiu.

To on był temu winny. Jego należy winić.

Całe to mieszkanie należy do niego. Jest idealnie urządzone dzięki sugestiom Celii Werner. Byli jak para, Hudson i Celia. Oboje byli chorymi, pokręconymi narcyzami, którym nie zależało na niczym innym i na nikim poza własną rozrywką.

Nie chcę mieć już nic wspólnego z tymi ludźmi.

W wybuchu złości zrzucam ze stołu lampę, którą Celia kupiła dla mnie na aukcji. Porcelana roztrzaskuje się na podłodze.

To takie wspaniałe uczucie, że postanawiam zrobić to ponownie. Tym razem atakuję stolik. Łapię go po bokach i przewracam. Dekoracyjna taca, która na nim leży, spada z hukiem na podłogę i rozpada się na kawałki. Podoba mi się ten dźwięk, więc zaczynam kopać i rozdeptywać potłuczone fragmenty. Potem zrywam zasłony i zrzucam ze ściany obrazy.

Następnie zaczynam niszczyć kanapę. Ściągam z niej poduszki i obicie. Nie umiem jej tak łatwo zniszczyć, więc idę do kuchni po najostrzejszy nóż i zaczynam rozdzierać nim skórzaną tapicerkę. Kilka razy głęboko zanurzam ostrze w obiciu kanapy. Gdy kończę, boli mnie ręka.

Rozmasowuję ramię i podziwiam swoją pracę. To miejsce wygląda paskudnie. Ten obraz przypomina moje życie bez Alayny.

Nagle cała moja energia i złość znikają.

Nie mogę już tu dłużej mieszkać. Nie sam. Nie znowu.

Dzwonię do swojego asystenta, który jest przyzwyczajony do moich późnych telefonów. Jest dziesiąta wieczorem. Proszę go, by załatwił samochód na poniedziałek dla Alayny.

– Potrzebuję również załogę od przeprowadzki na ten weekend. Mogę być w domu o dziesiątej w sobotę, żeby nadzorować pracę. Wszystko do niedzieli wieczorem musi stąd zniknąć.

Potem udaję się do sypialni. Tutaj spędzałem z Alayną najwięcej czasu. Opadam na łóżko i przytulam do siebie kołdrę, udając, że to ona, chociaż pościel już została zmieniona i nią nie pachnie. Pozwalam, żeby wspomnienia wróciły do mnie, a później zasypiam.

W niedzielę po południu wysyłam Alaynie płytę Johna Legenda z kartką, na której jest napisane: „Piosenka nr 6 sprawia, że myślę tylko o tobie – H.".

Do wieczora wszystko zostaje spakowane i wyniesione. Wszystko, poza kilkoma rzeczami należącymi do Alayny i materacem z naszej sypialni. Celia wybrała ramę łóżka, która teraz znajduje się na ciężarówce jadącej do ośrodka dla biednych. Materac zostawiłem dla siebie, bo wiąże się z nim zbyt wiele wspomnień.

Rozglądam się po pustej przestrzeni, przypominając sobie, jak po raz pierwszy zobaczyłem to mieszkanie. Przeszedłem się po nim tylko raz i postanowiłem je kupić. Gdy pojawiłem się w nim po raz drugi, już zostało urządzone przez Celię. Zapomniałem, jak wygląda bez wszystkich dekoracji. To mieszkanie ma taki potencjał, by być prawdziwym domem. Jest tu miejsce na zdjęcia i osobiste rzeczy. Na balkonie można postawić kwiaty i inne rośliny. Jest pomieszczenie, które rzadko było używane, a które mogłoby zostać zamienione w gabinet lub pokój dla dziecka.

Gdy znowu zamieszkam tu z Alayną, razem zdecydujemy, jak nasz dom będzie wyglądał.

Później tego dnia zastanawiam się nad skontaktowaniem się z Alayną. Kiedy zobaczy, że mój dom jest pusty, będzie mieć pytania. Mógłbym zadzwonić do niej wcześniej i poinformować ją o tym albo poczekać, aż ona do mnie zadzwoni. Albo mógłbym być w domu, gdy przyjedzie po swoje rzeczy.

Wydaje mi się, że ta rozmowa powinna zostać przeprowadzona osobiście, a ja wykorzystam każdą okazję, żeby się z nią zobaczyć.

Postanawiam zaryzykować i zadzwonić do Liesl. Jest z Alayną, ale pewnie będzie mogła odejść na chwilę.

– Laynie cały czas słucha tej twojej cholernej piosenki – mówi. – A ja uważam, że jesteś mi winny zatyczki do uszu.

Jestem wniebowzięty tą informacją, więc myślę nad tym, by kupić Alaynie zestaw stereo. Nie muszę długo namawiać Liesl, żeby przekonała Alaynę do przyjścia w poniedziałek do mojego mieszkania. Mówię jej, że ma przyjść sama. Może Liesl naprawdę jest po naszej stronie.

# Rozdział 28

W poniedziałek budzę się bardziej podekscytowany niż kiedykolwiek wcześniej. Całe życie odpychałem swoje emocje, ale teraz zawsze jestem zaskoczony, gdy doświadczam nowych uczuć. Nie jestem przygotowany na to, że w moich żyłach płynie adrenalina, a czoło zalewa się potem. Wiem, że Alayna nie lubi wstawać wcześnie rano, wiec idę pobiegać na bieżni na siłownię w Pierce Industries, a dopiero potem udaję się do mieszkania, żeby się z nią spotkać. Bieganie zawsze mnie uspokajało.

Zastanawiam się, czy to dlatego Alayna tak bardzo lubi sport.

Gdy przyjeżdżam do mieszkania, znowu czuję się podekscytowany. A może zaniepokojony. Zaczynam chodzić po wszystkich pomieszczeniach w kółko. Przechadzam się po nich już chyba po raz setny. To niewiarygodne, że to miejsce tak na mnie działa. Że potrafi powalić na kolana tak wpływowego mężczyznę jak ja. Bez niej jestem nikim. Bez niej nie mam już nadziei.

Czekając, próbuję się uspokoić. Myślę o tym, czego oczekuję od naszego spotkania. To podobne do stawiania hipotezy w moich eksperymentach. Jednak tym razem nie mam zamiaru nikim manipulować – chcę tylko przewidzieć, co się stanie. Robię to bardzo często przed ważnym biznesowym spotkaniem, próbując wymyślić, do czego może dojść. Właściwie to Jack mnie tego nauczył.

Moim marzeniem jest oczywiście to, że Alayna znowu będzie chciała być ze mną. Zaakceptuje moje błędy i wybaczy mi. Nie ma znaczenia, czy zostaniemy w Bowery, czy od razu się jej oświadczę. Chodzi o to, że chcę z nią być. I kropka.

To jednak nie jest dobra prognoza. Zwalniam tempo i wyobrażam sobie to, co jest bardziej prawdopodobne. Przyjedzie, zobaczy puste mieszkanie i może poczuje się nieswojo. Zaproponuję jej, by wprowadziła się tu z Liesl, ale mi odmówi – jest zbyt niezależna, by przyjąć taki prezent. Wtedy też dostrzeże, jak moje życie wygląda bez niej. Że jest puste. I może zrobi się jej mnie żal i umówi się ze mną.

Mam nadzieję, że tak będzie.

Jest jeszcze jeden scenariusz. Taki, o którym nie chcę myśleć. Teraz po raz pierwszy od czasu naszego rozstania wyobrażam sobie ją beze mnie. Ona jest silna i zdrowa. Kontroluje swoje emocje. Prowadzi Sky Launch i dzięki niej to jeden z najlepszych klubów w mieście. Jest szczęśliwa. Znajduje kogoś, kto ja pokocha, kogoś, kto jej nie okłamie, kto nie będzie apodyktyczny. Kto będzie otwarty i będzie mieć szczere zamiary.

Tak byłoby dla niej lepiej, ale nie podoba mi się ta wizja. Znam Alaynę. Wiem, że dokona złych wyborów. Wiem, że boi się o swoje obsesyjne tendencje. Będzie myśleć, że jest dla mężczyzn ciężarem, więc stanie się skryta i nie będzie chciała się do nikogo za bardzo zbliżyć.

Jeśli wiedziałbym na pewno, że jej przyszłość beze mnie będzie wyglądać lepiej niż ze mną, to odszedłbym, nawet jeśli to by mnie zabiło. Pozwoliłbym jej odejść. Wiem, że na nią nie zasługuję bardziej niż inni, ale nie wątpię, że jesteśmy sobie pisani. Pasujemy do siebie. Naprawiamy się nawzajem. Dopełniamy się.

Dzięki temu jestem przekonany, że nie ma znaczenia, co się dzisiaj wydarzy. Zobaczę się z Alayną, w jakiś sposób ruszymy dalej, nieważne, czy zrobimy małe kroczki, czy wielki skok, najważniejsze będzie to, że będziemy znowu razem i pójdziemy we właściwym kierunku.

Właśnie jestem w sypialni, kiedy słyszę, że przyjechała. Gdy winda wydaje piszczący dźwięk, serce podchodzi mi do gardła, a w ustach mi zasycha. Ukrywam się szybko, ale w końcu do niej idę.

Jest teraz w bibliotece i patrzy na pudła z książkami, które jej dałem, Rozmawiamy na spokojnie, jednak zerka na mnie ostrożnie. Jej wzrok zachłannie przesuwa się po moim ciele, a ja ledwo się powstrzymuję, by nie rzucić się teraz na nią.

Przypominam sobie Mirabelle, co sprawia, że moje brudne myśli i podniecenie od razu znikają. Poza tym siostra wytknęła mi, że moim zadaniem nie jest teraz zaliczyć. Dlatego postanawiam być dobrym chłopcem. A Alayna jest dobrą dziewczyną, mimo że uśmiecha się znacząco.

– Nie spodziewałam się, że tutaj będziesz – mówi, taksując mnie znowu wzrokiem. Jej ton sugeruje, że nie jest zła. Idę o zakład, że jest nawet z tego zadowolona. Idziemy w dobrym kierunku.

– Nie zakazałaś mi się tu pojawiać.

– Ale na pewno była taka sugestia – droczy się ze mną.

– Ale chyba nie jesteś na mnie wkurzona. – Patrzę jej wyzywająco w oczy.

Zagryza wargę. Widzę, że ze sobą walczy. Potrafię ją odczytać, ale nie wiem wszystkiego, co się dzieje w jej głowie.
Gdybym tylko wiedział, o czym teraz myśli.

Zmienia temat.

– Gdzie są wszystkie rzeczy?

– Twoje wszystkie rzeczą są w pudłach.

– Ale gdzie są twoje rzeczy?

Biorę głęboki oddech i mówię:

– Nie mogę mieszkać tu bez ciebie, Alayno.

Próbuje ukryć zdziwienie, ale jej nie wychodzi.

– A więc się wyprowadzasz?

Chyba nie podoba jej się ten pomysł. To dobrze, bo mnie
też nie.

– Właściwie mam nadzieję, że się tutaj wprowadzę.

– H, jestem przez ciebie zdezorientowana. – Słyszę w jej
głosie zniecierpliwienie. – Czy mógłbyś powiedzieć to tak,
żebym zrozumiała?

– Ja cię dezorientuję?

– A to dla ciebie jakaś nowość?

Wzruszam ramionami. Zapomniałem już, z jaką łatwością można się z nią droczyć. Tęskniłem za tym.

– Czyli się wprowadzasz? – pyta.

Widzę, że traci cierpliwość, a przecież nie chcę tego. Odpowiadam na jej pytanie.

– Kiedyś. Mam nadzieję. Ale na razie chcę, żebyś ty tu
mieszkała.

– Że co? – Teraz jest zirytowana i zaskoczona.

Myśli, że nie rozumiem, czego ode mnie oczekuje. Ale ja
rozumiem. Ona nie chce, bym był rozrzutny i kupował jej
drogie prezenty. Ale po prostu źle mnie zrozumiała. Ja nie
próbuję kupić jej miłości. Ja po prostu chcę, by wiedziała,
że ktoś się o nią troszczy. Chcę, by była w naszym domu.

Staram się, żeby to pojęła.

– Skarbie, nie potrafię tutaj żyć bez ciebie. Ale nie chcę sprzedawać tego mieszania, bo uwielbiam w nim z tobą przebywać. Mam nadzieję, że pewnego dnia znowu tu będziemy mieszkać. I podczas gdy czekam na twoje... nie, gdy błagam o twoje przebaczenie, nie chcę, by to miejsce stało puste. Ty i Liesl powinnyście się tutaj wprowadzić.

– Nie mogę się na to zgodzić, H. – Teraz wydaje się mniej wkurzona.

– Miałem przeczucie, że to powiesz. A więc będzie musiało zostać puste. – Wiedziałem, że się nie zgodzi, ale i tak musiałem zapytać.

Zagryza wargę, myśląc nad czymś, po czym sugeruje:

– Możesz je wynająć.

– Mógłbym wynająć je tobie.

Zaczyna się śmiać. Zrobiłbym wszystko, by zatrzymać uśmiech na jej twarzy. Wszystko, byle byśmy dalej rozmawiali w ten sposób, flirtując ze sobą. Przekomarzamy się. Alayna wciąż się uśmiecha, jej oczy błyszczą. Ten dzień był tego wart, bo mam okazję widzieć rozświetloną twarz Alayny.

– Ale pytam teraz poważnie, gdzie są twoje rzeczy? Masz już nowe mieszkanie?

Kręcę głową.

– Oddałem je na zbiórkę charytatywną. – To prawda, choć niecała. Nie mówię, że większość zniszczyłem.

– No tak, bogatym to wolno – droczy się ze mną.

Podoba nam się takie wzajemne przekomarzanie, ale to oczywiste, że nasze problemy nie znikły. Wciąż wiele trzeba jeszcze powiedzieć i wyjaśnić. Rany jeszcze się nie zagoiły.

Zbliżam się do niej, bo ta odległość między nami była dla mnie jak przepaść.

– Nie byłem przywiązany do żadnej z tych rzeczy. To mieszkanie zostało tak zaprojektowane, by wpasowało się w mój styl i wyczucie smaku, ale nigdy nie czułem się tu jak w domu. – Zatrzymuję się tuż przed nią. – Nie, dopóki ty się tutaj nie pojawiłaś. Ty sprawiłaś, że to miejsce ożyło. Te rzeczy, które tu były, zostały wybrane przez kogoś, kogo usunąłem już ze swojego życia. W tej chwili w tym mieszkaniu znajduje się wyłącznie to, co sprawiało, że to miejsce ożywało. I to są twoje rzeczy. I ty.

Otwiera usta, by coś powiedzieć, ale ostatecznie zmienia zdanie.

Wykorzystuję to.

– A gdy ponownie się tu wprowadzimy, możemy urządzić to mieszkanie od początku. Razem. Ty i ja.

Oddycha z trudem.

– Jesteś bardzo pewny, że wrócę tutaj któregoś dnia.

Patrzę na nią. Tak dobrze ją znam, potrafię lepiej odczytać jej emocje i mowę ciała niż siebie samego. Może próbuję się oszukać, może widzę to, co chcę widzieć, ale wszystko – jej zachowanie, twarz, mimika – mówi mi, że idziemy w dobrym kierunku.

Patrzy na mnie z miłością, jej oczy błagają, żebym wziął ją w ramiona, a mnie ponosi.

– Mam nadzieję – mówię z uśmiechem. – Chciałabyś zobaczyć, jak wielką mam nadzieję?

– Jasne – odpowiada bez wahania, a dla mnie to dobry znak.

Znajduję w kieszeni pierścionek. Gdy włożyłem go tam rano, powiedziałem sobie, że to na szczęście, bo nie miałem zamiaru dzisiaj go wyjmować. Najwyraźniej znowu się oszukiwałem.

Unoszę go do góry, trzymając między palcem wskazującym a kciukiem tak, by mogła zobaczyć brylant.

– Kupiłem to.

Dopiero po chwili dociera do niej, co to jest. Jej oczy się rozszerzają. Biorę jej dłoń i kładę na niej pierścionek. Jeszcze nie zdecydowałem, czy tylko go jej pokazuję, czy mam zamiar się oświadczyć. Ponownie.

W jej oczach zbierają się łzy, a mina świadczy o tym, że jest zdezorientowana i pełna nadziei. Wtedy podejmuję decyzję. Doskonale wiem, że w ten sposób nie daję jej czasu i przestrzeni. Jestem przygotowany na kolejną odmowę, lecz szczerze mówiąc, na trzecią i czwartą też będę gotowy. Mogę na nią zaczekać.

Ale ona musi wiedzieć, że jestem tu, jeśli tylko mnie zechce.

– Pierścionek ma napis – mówię miękkim głosem.

Słyszę, jak przestaje na moment oddychać, gdy odczytuje słowa: „Dałem ci siebie w całości".

Opadam na kolana.

– Gdy ostatni raz ci się oświadczałem, dotarło do mnie, że zrobiłem to źle. – Nie przygotowałem wcześniej żadnej przemowy, ale słowa same ze mnie wypływają z łatwością. – Po pierwsze, nie miałem pierścionka. A po drugie, powinienem był przyklęknąć. Ale przede wszystkim nie dałem ci najważniejszej rzeczy. Zaoferowałem ci wszystko, co miałem, myśląc, że w ten sposób wygram twoje serce. Ale ty nie chciałaś tego wszystkiego. Ty chciałaś tylko jednej rzeczy i nigdy wcześniej ci tego nie dałem. Nie dałem ci siebie.

Próbuje powstrzymać westchnienie, ale jej nie wychodzi.

– Ale daję ci siebie teraz. – Rozpościeram ramiona. – Jestem tu, skarbie. Oddaję ci siebie dobrowolnie. Jestem cały twój. Nie ma już murów, sekretów, gier czy kłamstw. Daję ci siebie i jestem szczery. Na zawsze, jeśli mnie zechcesz.

Nigdy nie czułem się taki obnażony. Narażony na zranienie. Byłem teraz całkowicie szczery.

Biorę od niej pierścionek i wsuwam go na jej palec. Jej ręka się trzęsie. A może to moja się trzęsie? Nie, nie sądzę. Po raz pierwszy w życiu czuję się całkowicie pewny siebie. Patrzy na pierścionek, a w jej oczach odbija się błysk brylantu. Mogę teraz bez przeszkód wyczytać wszystko z jej twarzy – widzę wątpliwości, zmartwienie, jednak na końcu pojawia się tylko miłość.

Głębsza niż kiedykolwiek.

Jestem pewny, że ona to samo jest w stanie odczytać z mojej twarzy. Nie mam na sobie już swojej maski. Moje uczucia są widoczne jak na dłoni, ale i tak chcę jej o tym powiedzieć.

– Alayno, kocham cię.

Odrywa wzrok od pierścionka i patrzy w moje oczy.

Czuję się zagubiony w jej spojrzeniu. Czekam z nadzieją i się modlę.

– Wyjdziesz za mnie? Nie dzisiaj, nie w Vegas, ale w kościele, w jakim tylko chcesz, albo w Mabel Shores w Hamptons...

– Albo ogrodach botanicznych na Brooklinie, gdy kwitną kwiaty czereśni?

– Tak, tam też. – Ma świetny gust. Potem dociera do mnie, co powiedziała. – Czy to znaczy, że...

– Tak. – Kiwa głową. – To znaczy tak.

Alaynie bardzo podoba się to, że się zaręczyła. Nosi pierścionek już od miesiąca, a nadal wszystkim się nim chwali. Nawet nasz odźwierny był zmuszony do tego, by się nim zachwycać. Poprzedniej nocy musiałem dać dostawcy chińszczyzny podwójny napiwek, bo przez siedem minut musiał słuchać o jej pierścionku. Gdybym nie znał jej lepiej, zacząłbym podejrzewać, że zgodziła się tylko po to, by móc się chwalić tym pierścionkiem.

Ale ją znam i rozumiem jej przymus, by zachwycać się obiektami związanymi z naszym uczuciem. Rozumiem, że z dumą paraduje z tym pierścionkiem. Takie zachowanie sprawiło, że inni faceci w przeszłości uciekali od niej. Nigdy tego nie rozumiałem. Ja byłem zachwycony uwagą, którą mi poświęcała. Oboje potrzebowaliśmy siebie nawzajem. Dzięki temu nasza miłość była silniejsza i pewniejsza.

Dwa razy w tygodniu widuję się z doktorem Albertsem, poza tym oboje chodzimy na terapię dla par co poniedziałek. Do doktor Lucille Parns, która nalega, by nazywać ją Lucy. Zwracam się tak do niej, bo wiem, że Alayna tego ode mnie oczekuje. Na początku martwiłem się, że Lucy nie spodoba się nasz związek. Że nazwie go niezdrowym. Jestem zaskoczony, że tego nie zrobiła. Zamiast tego pomaga nam go zrozumieć. Pomaga rozwiązywać problemy. Popiera nasze ogromne przywiązanie do siebie i seks. Uważa, że to nas łączy.

Lucy nie ma żadnego wpływu na nasze sprawy łóżkowe. Nie musi, bo ja nadal nie potrafię oderwać rąk od Alayny. Na szczęście ona też cięgle się do mnie klei.

Mimo naszej sytuacji Lucy oczekuje, że będziemy ciężko nad sobą pracować. Skupia się na naszym braku komunikacji i zaufania. Nie mam pojęcia, jak to jest, że chcę się dzielić wszystkim z Alayną, ale gdy Lucy bardziej nas naciska, nagle okazuje się, że trudno jest mi mówić o wszystkim.

– Niełatwo pozbyć się starych nawyków – przypomina nam. Potem zadaje pracę domową, która z pozoru brzmi banalnie, ale okazuje się, że to nie takie proste.

Dzisiaj wieczorem kończymy nasze zadanie. Ja je kończę. Alayna już pojęła, jak działały nasze gry z Celią i jak wyglądał eksperyment dotyczący jej samej, jednak ja nigdy nie opowiedziałem jej tego w całości. Ona nie jest nawet pewna, czy chce to usłyszeć.

Lucy naciska na to.

– Alayna już ci wybaczyła – powiedziała kiedyś. – Użyj tej wiedzy, by wymazać każdy strach, który jest w tobie. Ale nie ma dla was innego wyjścia, musicie oświetlić każdy mroczny zakamarek swojej duszy.

Dzisiejszego wieczoru postanawiam przyznać się do wszystkiego – mija dokładnie miesiąc, odkąd się jej oświadczyłem. Mój szef kuchni przygotował dla nas kolację, którą zjadamy przy świecach przy naszym nowym stole jadalnym. Nadal nie mamy mebli w salonie, ale wciąż jest ciepło na dworze, więc po posiłku postanawiamy wyjść na balkon.

Nowe meble balkonowe są bardziej miękkie niż poprzednie, ale ja nie mogę usiąść tak, by było mi wygodnie. Alayna oferuje mi drinka, lecz odmawiam, bo nie chcę zagłuszać swoich emocji, które będą towarzyszyć mojemu wyznaniu. To nie będzie łatwe, ale chcę czuć wszystko przy niej.

Siada naprzeciwko mnie, podkulając pod siebie nogi. Nie naciska, bym już zaczął, więc siedzimy w ten sposób przez kilka długich minut. A potem zaczynam.

Mówię najpierw o tym, że jako młody chłopak byłem zamknięty na większość emocji, że później chciałem zrozumieć związki, które mnie nie dotyczyły, bo nie potrafiłem czuć. Opowiadam o tym, jak eksperymentowałem na ludziach, których znałem. Jak poddałem eksperymentowi swoją najbliższą przyjaciółkę i zmieniłem ją w zgorzkniałą, pełną nienawiści kobietę.

Mówię jej o wszystkim – o tym, jak pocałowałem Celię, o tym, że pieprzyłem się z jej przyjaciółką, o tym, że ona pieprzyła się z moim ojcem i że potem zaszła w ciążę.

Alayna nie przerywa mi. Słucha uważnie, a jej mina się zmienia. Zaczyna płakać dopiero wtedy, gdy opowiadam jej o wieczorze, kiedy ją po raz pierwszy zobaczyłem i wtedy moje życie się zmieniło. Łzy spływają po jej policzkach. Przez nie trudniej jest mi kontynuować i dojść do momentu, w którym ją zdradziłem. Jednak i tak nie kryję tego przed nią. Mówię jej o wszystkich rzeczach, które czułem i o których myślałem, o tym, jaki byłem przekonany, że dobrze robię, ale jednocześnie zawsze wiedziałem, że to było złe.

Potem kończę na sytuacji w Sky Launch, gdzie Alayna poznała prawdę. To najgorsza część i jednocześnie najlepsza. To był moment, w którym wszystko straciłem, ale też w końcu poczułem się wolny i mogłem kochać ją tak, jak na to zasługiwała. To była chwila, w której wszystko zyskałem.

Nie mówię jej, że ta cała sytuacja była grą Celii. Powiem jej o tym któregoś dnia. Dzisiaj poświęcam uwagę tylko moim winom i błędom. Nie chcę robić z siebie ofiary. Przedstawienie całej tej historii zajmuje mi ponad dwie godziny, a gdy kończę, jestem wyczerpany. Fizycznie i psychicznie. I nie potrafię tego ukryć. Czuję się upokorzony. Zawstydzony.

Alayna patrzy w niebo za mną, a lekki wiatr rozwiewa jej włosy. Widzę jej twarz dokładnie. Trudno mi jest odgadnąć jej myśli. Sądzę, że teraz przydałby mi się drink, ale ona w tym momencie patrzy na mnie.

– W planie nie było nic o tym, że ja mam przemawiać – mówi – ale też muszę coś wyznać.

Nie martwi mnie to, co może mi powiedzieć. Ona uważa, że ma wady, jednak ja uwielbiam ją w całości. Mimo to jestem zaintrygowany.

Odchrząkuje.

– Łatwo było skupiać się na tym, co mówiłeś i jaki ból to wywołało. Ale chodzi o to, że twoje eksperymenty były przeprowadzane na ludziach dorosłych. Ludziach, którzy byli za siebie odpowiedzialni. Zraniłeś Celię. Miała szansę odejść, ale tego nie zrobiła. Jest odpowiedzialna za to, co się stało potem. To jej wina, H. Nie twoja.

Przechylam głowę i przyglądam się jej.

– Ty też miałaś szansę odejść.

– Miałam. Więc to moja wina, że do ciebie wróciłam. – Uśmiecha się lekko. – Ale postarałeś się. Doprowadziłeś do tego, że nie mogłam ci się oprzeć.

Odwzajemniam jej uśmiech.

Trochę mnie to pociesza.

Nagle Alayna siada na mnie okrakiem, co sprawia, że mój penis znajduje się tuż przy jej wejściu. Otacza mnie ramionami za szyję, a ja chwytam ją w talii.

– Oto moje wyznanie, H. Nie jest łatwo się do tego przyznać, bo nie chcę, żeby to zabrzmiało, jakbym umniejszała znaczenie tego, co ty zrobiłeś. – Bierze głęboki oddech. – Ale szczerze mówiąc, gdybyś mną nie manipulował, nie poświęciłabym ci ani jednego dnia swojego życia. Nieważne, jak długo byś mnie gonił. Nic by nie sprawiło, że chciałabym się z tobą związać.

Mrużę oczy. Kiedyś powiedziała mi, że od razu jej się spodobałem, tak jak ona mnie. Jej mowa ciała i twarz wyrażały to przy naszym pierwszym spotkaniu w klubie. Na pewno gdybym podszedł do niej i poderwał ją w tradycyjny sposób, to zwróciłaby na mnie uwagę.

– Nie zrozum mnie źle – mówi, najwyraźniej odczytując moje zdezorientowanie. – Od razu mi się spodobałeś. Przyciągało mnie do ciebie. Natychmiast mi odbiło na twoim punkcie. I dlatego trzymałabym się od ciebie z daleka. Zanim się pojawiłeś, od dłuższego czasu było ze mną lepiej, Hudsonie. Jestem pewna, że nie popadłabym w żadną nową obsesję. To by było trudne, ale unikałabym cię jak zarazy.

Głaszcze mnie dłonią po szczęce, a ja od razu czuję dreszcz.

– A potem zaproponowałeś mi pieniądze. Przekonałam siebie, że potrzebowałam ich na tyle, by złamać moje zasady i zrobić to, o co mnie prosisz. Gdybyś tego nie zrobił, Hudsonie, gdybyś się mną tak nie bawił... – Kręci głową.

– Szczerze mówiąc, nie sądzę, że w inny sposób mógłbyś zyskać moje zainteresowanie. No chyba że w zamian za spędzanie z tobą czasu zaoferowałbyś mi awans, ale to by było równie niewłaściwe.

Pochyla się i całuje mnie miękko w usta, a potem opiera swoje czoło o moje.

– Nigdy bym sobie nie pozwoliła się w tobie zakochać, gdybyś mnie do tego nie zmusił. Nie próbuję cię usprawiedliwiać, ale taka jest prawda. Mimo to wszystko potoczyło się chyba tak, jak powinno. Gdybym miała szansę, żeby coś zmienić, nie zmieniłabym nic. Taka ścieżka doprowadziła nas do miejsca, w którym teraz jesteśmy. To dlatego wróciłam do ciebie z taką łatwością – bo dotarło do mnie, że wolę żyć z twoją zdradą, ale z tobą, niż nigdy więcej cię nie mieć.

Całuje mnie znowu, tym razem głębiej. Wsuwa język w moje usta i agresywnie splata go z moim językiem. Jestem poruszony. I nie chodzi o to, że się podnieciłem tym, co robi – jestem poruszony tym, co powiedziała. Tak łatwo mi wybaczyła. Ma taki otwarty umysł. I jestem tak cholernie szczęśliwy, że jest tu teraz ze mną i jest moja.

Jej pocałunek staje się bardziej natarczywy. Wiem, czego potrzebuje i już chcę jej to dać, gdy nagle mnie zatrzymuje.

– Pozwól mi, Hudsonie. Powiedziałeś mi coś, co nie było dla ciebie łatwe. A teraz pozwól mi powiedzieć, jak niewiele to dla mnie znaczy. Jak bardzo cię kocham. Mimo wszystko.

Więc pozwalam jej. Zanim dotykam jej piersi, czekam, aż ona mnie o to poprosi. Pozwalam jej odpiąć pasek i uwolnić mojego fiuta. To ona sama podciąga kieckę i odsuwa stringi na bok. Ona sama siada na mnie i wsuwa mnie do środka. Jest ciasna, ale opiera się o moją klatkę i poprawia pozycję, by było jej wygodniej. Czuję ją doskonale, jej cipka pulsuje wokół mnie, gdy ona porusza się w górę i w dół.

Zaczynam dotykać jej piersi przez ubranie i stanik. Alayna wysuwa biodra do przodu i wiem, że natrafiła na odpowiednie miejsce, bo zaczyna jęczeć. Przyspiesza, a jej oddech staje się urywany.

– Kocham cię, Hudsonie Pierce. Każdą część ciebie. Każdą wadę, każdą bliznę. Tak jak ty kochasz mnie.

Zaciska się na mnie i czuję, że jest już blisko.

– Uwielbiam to, jak o mnie dbasz – mówi z trudem. – To, że akceptujesz moją niepewność i zazdrość. Uwielbiam twojego fiuta i to, jak się ze mną pieprzysz. I to, że mnie kochasz.

W tej chwili oboje jesteśmy już blisko.

Zaciska się znowu wokół mnie i oświadcza:

– Czy mówiłeś kiedyś, że nie dojdę, gdy to ja mam kontrolę? Cóż, właśnie dochodzę.

Zaczynam się śmiać, ale wtedy ja też szczytuję i obraz zamazuje mi się przed oczami. Napawamy się sobą, doznając jednoczesnego orgazmu, który jest mocniejszy i mocniejszy.

Jesteśmy w sobie całkowicie zatraceni, a równocześnie dzięki niej odnalazłem siebie.

Jestem nowym człowiekiem za każdym razem, gdy się dotykamy, gdy ze sobą rozmawiamy, gdy nasze spojrzenia się spotykają. Moja przeszłość doprowadziła mnie do tego momentu, ale już mnie nie powstrzymuje. Mimo że jest teraz ciemno w Nowym Jorku, przed sobą widzę tylko słońce.

## Epilog

---

TRZY LATA PÓŹNIEJ

---

Klik. Klik.

Rozbrzmiewa aparat za każdym razem, gdy robię zdjęcie. To jedyny dźwięk, który wypełnia ciszę szpitalnego pokoju. Klik. Patrzę na licznik na ekranie – osiemdziesiąt siedem zdjęć. Zanim tu przyjechaliśmy, karta pamięci była pusta. Ale cóż, jestem dumny z bycia ojcem.

Robię kolejne zdjęcie Alaynie. Klik. Obniżam aparat, a potem zaczynam się jej przypatrywać. Ma zamknięte oczy i oddycha nierównomiernie, ale wiem, że tylko odpoczywa. Jest wykończona. Nie było łatwo dojść do tego momentu. Chcieliśmy się postarać o dziecko od razu po ślubie, ale Alayna wcześniej dostała zastrzyk antykoncepcyjny, który zapewniał ochronę przez kolejne trzy miesiące. Potem jeszcze przez rok próbowaliśmy, zanim nam się udało. Jej lekarz powiedział, że po zastrzykach zazwyczaj są trudności z zajściem w ciążę. Ta sytuacja się na niej odbiła. I na mnie też. Alayna miała obsesję na punkcie tego, dlaczego nie mogła

481

zajść w ciążę. Ja się zastanawiałem, czy to stanowiło konsekwencję mojej przeszłości. A może to była karma. To był cud, gdy któregoś dnia Alayna wyszła z łazienki i pokazała mi pozytywny test ciążowy. To był dzień jej urodzin. Nie mogłem jej dać lepszego prezentu urodzinowego.

Sama ciąża przebiegła dobrze. Alayna miała typowe problemy – poranne mdłości, ból piersi, humorzastość. Chciałem, by na ten czas zostawiła pracę w klubie i oddała kierownictwo Gwen. Ale ona chciała zarządzać klubem aż do rozwiązania. Doszliśmy do porozumienia, więc pracowała na pół etatu, a miesiąc przed datą porodu przestała pracować. Dzięki temu mieliśmy czas dokończyć pokój dziecięcy, który udekorowaliśmy motywami z dziecięcych bajek. Na jednej ścianie Dorotka i Blaszany Drwal szli po kamiennej ścieżce. Na kolejnej Piotruś Królik niszczył ogródek pana McGregora. A dziecięce łóżeczko nawiązywało do Alicji w Krainie Czarów.

Mimo że Alayna nie pracowała przez ostatnie tygodnie, i tak była tym wszystkim wykończona. Ostatnio nawet nie sypiała dobrze. Potem zaczęła mieć skurcze, więc żadne z nas nie spało. Poród trwał cały dzień, a dziecko przyszło na świat dopiero o drugiej trzydzieści w nocy. Chciałem, żeby Alayna oddała je pielęgniarce, by ona sama mogła się trochę przespać, jednak uparła się, że zatrzyma malucha, więc teraz leżała z zawiniątkiem. Wyglądało to uroczo, jednak za każdym razem, gdy dziecko się poruszało, Alayna również to robiła.

Kieruję aparat na naszą córeczkę – moją córeczkę. Jej twarzyczka marszczy się i rozluźnia, jakby nie mogła się przyzwyczaić do uczucia powietrza na swojej skórze. Robię kilka kolejnych ujęć, chcąc uchwycić każdy jej ruch. Jest piękna i cudowna, a ja czuję się, jakby serce miało mi pęknąć ze szczęścia.

To dlaczego nadal trzymam aparat, a nie ją?

Odkładam cicho sprzęt na stolik, nie chcąc obudzić żony, a potem sięgam po moje dziecko. Alayna porusza się delikatnie, ale nie otwiera oczu. Mam nadzieję, że w końcu zasnęła.

I dobrze. Czas, żeby tatuś i córeczka się ze sobą zapoznali. Uśmiecham się do swojej ślicznej dziewczynki, odsuwając kocyk, by móc ją lepiej widzieć. Jest już czysta i umyta. Wcześniej bardzo dokładnie przyjrzałem się tej małej istocie – policzyłem wszystkie paluszki i odkryłem, że na plecach ma małe znamię. Potem musiała przejść badanie. Teraz jestem pochłonięty jej doskonałością.

Gładzę jej bardzo miękki policzek i wodzę palcem po małych usteczkach. Moje ciało zaczyna się kołysać w rytm melodii, którą słyszę tylko w swojej głowie. Nucę ją cicho. Nieudolnie próbuję śpiewać tekst, który nadal pamiętam: „Całym sobą kocham całą ciebie".

Nie ma lepszej piosenki na ten moment. Jestem totalnie zakochany.

– Śpiewaj dalej – mówi Alayna, zaskakując mnie.

Czuję, że robi mi się gorąco.

– Nie miałaś tego słyszeć. I powinnaś teraz spać.

– Ale nie śpię. I słyszałam to. Śpiewaj dalej.

Zazwyczaj trudno mi jej odmówić, ale tym razem to robię.

– Może później. A teraz, gdy już skończyliśmy to, co najłatwiejsze – mówiąc to, patrzę na nią – powinniśmy przejść do tych trudniejszych rzeczy. Musimy wybrać imię.

W trakcie ciąży myśleliśmy o wielu imionach. Gdy dowiedzieliśmy się, że to będzie dziewczynka, Alayna chciała, by na drugie imię miała Lousie – jak jej matka. Nie mogła się jednak zdecydować na pierwsze imię. Mówiła, że najpierw musi ją zobaczyć. Że imię musi do niej pasować.

A więc aktualnie mamy piękne, idealne, ale bezimienne dziecko.

Alayna mruży zmęczone oczy, słysząc mój komentarz.

– Myślisz, że to wszystko było takie łatwe?

Gestem wskazuję, by się przesunęła. Siadam na jej łóżku.

– Dla ciebie tak. Dla mnie to było niesamowicie trudne słyszeć, jak mnie wyzywasz i przeklinasz, szczególnie na końcu. Ale starałem się nie brać tego do siebie.

– Hudson!

Tak naprawdę nie uważam, żeby to było dla niej łatwe. Lekarze powiedzieli, że poród nie był trudny, ale pewnie porównywali go po prostu z innymi porodami. Z tego, co zauważyłem, wydanie dziecka na świat to istne piekło. Zawsze wiedziałem, że moja żona była silna i zdolna do wszystkiego, ale nigdy nie wyobrażałem sobie, jaki to wysiłek i jak długo trwa wypchnięcie na świat prawie trzyipółkilogramowego dziecka. Poza tym nigdy nie czułem się taki bezradny. Tak wiele mogłem zrobić dla Alayny, teraz jednak musiała sobie poradzić z tym sama.

Całuję ją w czoło.

– Tylko się z tobą droczę, skarbie. Jestem szczęśliwy i dumny z ciebie. To najlepszy prezent, jaki mogłabyś mi kiedykolwiek dać. Nie umiem wyrazić słowami, jaki jestem tobą zachwycony.

Rysy jej twarzy łagodnieją, a w jej oczach pojawiają się łzy. Znowu. Boże, kocham tę kobietę, ale w trakcie ciąży stała się strasznie emocjonalna. Dzisiejszy dzień to rozumiem. Gdy czuje się taki ból, płacz jest normalną rzeczą. I nie dziwię się, że płakała, gdy lekarz po raz pierwszy położył na jej piersi zawiniątko.

Teraz jednak wolałbym, żeby nie płakała – bo jeśli ona zacznie, to ja na pewno też. Patrzę na zegarek.

– Bardzo chciałbym tu z tobą jeszcze posiedzieć, Alayno, ale jest już prawie siódma. Niedługo zjadą się nasze rodziny, a ja chciałbym im powiedzieć, jak nasze dziecko ma na imię. I chociaż Dziewczynka Pierce brzmi uroczo, w szkole na pewno by się z niej naśmiewali. – Całuję w nosek naszą śpiącą córeczkę, a potem oddaję ją w ramiona matki. Następnie biorę tablet leżący na stoliku przy łóżku.

Alayna wygląda uroczo, gdy ją trzyma.

– No to wejdź na stronę z imionami dla dzieci i zdecydujmy. W innym wypadku twoja matka sama to zrobi za nas, a wolałabym do tego nie dopuścić.

Wcześniej zdecydowaliśmy, by nie zapraszać rodziny do szpitala przed porodem. Alayna powiedziała, że to będzie za duża szopka, a ja się zgodziłem. Dziecko urodziło się w środku nocy, więc dopiero o szóstej rano zacząłem dzwonić do rodziny. Mirabelle i Adam musieli ubrać i przygotować przed przyjazdem swoje dzieci – czteroletnią Aryn i rocznego Tylera – a moi rodzice nie są rannymi ptaszkami, więc byłem pewny, że trochę się spóźnią. Obstawiałem, że do ósmej rano będziemy mogli spędzić czas tylko z naszą córką, zanim pozna resztę Szaleńców, jak Alana lubiła nazywać moją rodzinę.

Otworzyłem stronę, którą wcześniej odwiedzaliśmy, by przeglądać imiona. Najpierw pojawiły się te najpopularniejsze: Charlotte, Sophia, Amelia, Emma.

– Słyszałam, że Celia Werner się zaręczyła.

Patrzę na swoją żonę.

– Dlaczego ty zawsze musisz rujnować tak piękne chwile, wspominając jej imię? – Wiem, dlaczego o niej pomyślała. Na stronie pojawiło się imię Celia.

– Zamknij się. Nie wspominałam jej imienia, odkąd się pobraliśmy. – Ma rację. Nie wspominała.

Celia nie była już częścią naszego życia od momentu, gdy po raz ostatni widziałem ją w swoim lofcie. Dotrzymała swojej umowy i zerwała kontakty z moją rodziną. Ja też dotrzymałem swojej umowy – Warren Werner nadal jest głową Werner Media.

Podczas naszego narzeczeństwa mówiliśmy o Celii tylko na terapii. To ona przyczyniła się do większości naszych konfliktów, więc nie mogliśmy uniknąć jej imienia. W końcu jednak wszyscy – ja, Alayna i Lucy – zgodziliśmy się, by nie wspominać o niej, bo to przestało być konieczne. Później już o niej nie rozmawialiśmy, aż nawet ja przestałem o niej myśleć. A przynajmniej rzadko myślałem.

– W każdym razie – mówi Alayna – twoja matka mi powiedziała.

– Mogłem się tego spodziewać. – Mnie też o tym poinformowała. Zawsze lubiła robić zamieszanie, nawet gdy teraz była trzeźwa.

Co prawda Sophia przestała lubić Celię – i na szczęście rzadko o niej wspominała – ale jej uczucia w stosunku do Alayny się nie occhpliły. Właściwie nie ocieplily się w stosunku do nikogo. No może poza moim ojcem. Najwyraźniej tych dwoje wybaczyło sobie. Pewnie Alayna i ja trochę ich przypominamy.

– Jakieś komentarze? – Nie sprawdza, jaka będzie moja reakcja. Nie ma już między nami sekretów. A już na pewno nie w kwestii mojej starej partnerki w grach.

– Co do Celii, to pewnie dla niej coś dobrego. – Tylko tyle mogę powiedzieć o tej kobiecie w dniu, gdy urodziło się moje dziecko. To nie oznacza, że nie myślę o niej czasem ani że nie zamyśliłem się na chwilę, kiedy usłyszałem wieści o niej. Mam nadzieję, że jej związek jest szczery i że naprawdę się zakochała. Czy to nie byłaby ironia?

Jednak jest też możliwość, że jej zaręczyny to po prostu kolejna intryga lub wymóg jej rodziców. Pewnie nadal jest zimna i bezuczuciowa. Może nawet nieszczęśliwa.

Nie będę kłamał. Większa część mnie taką właśnie ma nadzieję.

– Pewnie tak. – Alayna wydaje się niewzruszona, chociaż wyczuwam jej gorzki ton. Mimo to przestała się przejmować Celią, bo w jej życiu dzieją się ważniejsze rzeczy. Dostała nagrodę za prowadzenie najlepszego klubu w Nowym Jorku, według gazety „Village Voice". Obchodziła dwie rocznice z mężem, który kocha ją bardziej, niż da się to opisać. I właśnie została matką.

Alayna spogląda w dół na swoje różowe zawiniątko. Myślę, że mogłaby się jej przyglądać bez końca. Ja bym mógł wpatrywać się w Alaynę patrzącą na nasze dziecko w nieskończoność. Jezu, na stare lata robię się strasznie ckliwy.

Wracam do tabletu i wybieram zaawansowane szukanie. Wpisuję znaczenie, mając nadzieję, że coś będzie pasować. Pojawia się ponad pięćdziesiąt imion. Przeglądam je i nagle wstrzymuję oddech. Klikam jedno z nich.

– Alayno – mówię i nie wierzę własnym oczom. – Wiedziałaś, że twoje imię oznacza „skarb"?

– Poważnie?

– Skarb, promyk słońca. Widzisz? – Pokazuję jej stronę z definicją.

Mruga.

– Wiedziałeś o tym?

– Nie miałem pojęcia. – Nie jestem pewny, czy ona wie, jak często myślałem o niej jako swoim światełku w ciemności. Jej imię doskonale do niej pasuje. Idealnie pasuje do kobiety, która jest moja.

– To przeznaczenie – orzeka, uśmiechając się słodko. – Byłam tobie przeznaczona. Wiedziałeś o tym, zanim ja do tego doszłam.

Nie potrafię już wytrzymać. To zbyt piękne. Zbyt idealne. Znowu patrzę na tablet.

– Przypisujesz mi zbyt wiele.

– Wcale nie.

Może i ma rację. Może rzeczywiście jesteśmy sobie przeznaczeni. Może to wszystko, co przytrafiło się mnie, Celii i Alaynie, miało nas doprowadzić do tego szczęśliwego końca.

A może to tylko czysty przypadek. Tak naprawdę to nie ma znaczenia. Nasze dziecko zaczyna się ruszać.

– Budzi się. – Obserwuję je, przechyliwszy głowę. Porusza ustami i główką, jakby czegoś szukało.

– Patrz, to odruch szukania!

– Wygląda, jakby chciała się przyssać do twojej piersi. – Gładzę palcem policzek mojej córeczki. – Rozumiem cię, mała, ja też lubię się przyssać do jej piersi.

Alayna się śmieje.

– To się nazywa odruch szukania, ty głąbie.

– To się tak nie nazywa, gdy ja to robię.

– Nie, gdy ty to robisz, to przyjemność. – Wypowiadając te słowa, patrzy na mnie i uśmiecha się kusząco. Tak że jeśli nie będę uważał, od razu zrobię się twardy.

Odwracam wzrok.

– Przestań. Napalę się przez ciebie, a pielęgniarka powiedziała, że żadnego seksu przez sześć dni.

– Sześć tygodni.

Wzdycham.

– To chyba źle słyszałem.

– No chyba tak.

Ponownie skupiam się na liście imion.

– A jak ci się podoba Mina?

– Mina? Mina Louise – powtarza, sprawdzając, jak to brzmi. – Podoba mi się. A co oznacza?

– Skarb. W sanskrycie. – Patrzę na swoją córkę i widzę, jak próbuje otworzyć oczy, jak zaciska i rozluźnia powieki, aż w końcu udaje jej się je podnieść. – Patrz tylko na nią. Co myślisz? Pasuje?

– Zdecydowanie wygląda jak mały skarb.

– Jak jej mamusia.

Odkładam iPada na koniec łóżka i otaczam ramionami żonę i dziecko. Jak na kogoś, kto kiedyś czuł bardzo niewiele, teraz jestem pochłonięty przez emocje. Mam wrażenie, że serce mi zaraz pęknie od tej miłości.

Czasem nie chcę mi się wierzyć, że kiedyś byłem zupełnie innym mężczyzną. Nie kimś, kto robi zdjęcia swojej nowo narodzonej córce i roni łzy, gdy ta otwiera po raz pierwszy oczka. Nie kimś, kto znalazł swój promyk słońca, który rozświetlił ciemność.

Alayna Withers zmieniła wszystko w moim życiu. Z łatwością mogę podzielić je na dwa etapy – przed nią i po niej. Po tym, jak po raz pierwszy ją ujrzałem.

Mimo to takie określenie nie jest do końca właściwe. Przed nią nigdy nie czułem, że żyję. A więc istnieje świat tylko po niej.

Zaczynam się i kończę wraz z nią. To takie proste. Nasze światy splotły się ze sobą i otaczają nas kompletnie. Stworzyły razem coś nowego. Nie ma już jej historii ani mojej. Od teraz ta historia jest tylko nasza.

KONIEC

# PODZIĘKOWANIA

Kiedy byłam w liceum, na zajęciach teatralnych nasz nauczyciel nigdy nie podniósł kurtyny, dopóki nie byliśmy gotowi do wystąpienia. Innymi słowy, wszystko musiało być idealnie przygotowane. Czasami tak się czuję, pisząc podziękowania – nie mogę ich napisać, dopóki cała reszta nie będzie doskonała i książka nie jest skończona. Czułam się nieco niezręcznie, gdy poleciałam do Filadelfii, by podpisywać książki, gdy zostały mi jeszcze trzy rozdziały do napisania. Mimo to pragnę wspomnieć o wszystkich najbliższych i najważniejszych mi osobach, bez których historia Alayny i Hudsona by nie powstała. Serce pęka mi z dumy. Sądzę, że to odpowiedni moment na podziękowania.

Pytanie tylko, od kogo zacząć.

Tomie, mój ty najważniejszy optymisto, dziękuję ci za wszystko, nie tylko za inspirację. Kocham cię i jestem szczęściarą, mogąc być twoją księżniczką. Serwuj mi śniadanie do łóżka wraz z kawą tak długo, jak tylko się da. Okej?

Moje córeczki, wiem, że jestem pochłonięta swoim światem, ale mam nadzieję, że wiecie o tym, iż kocham was nad życie. Myślę o was zawsze, kiedy coś robię. Dorastacie tak szybko, a ja już nie mogę się doczekać, aż zobaczę, jakimi kobietami się staniecie.

Mamo, dziękuję, że zachęcałaś mnie do tego, żebym realizowała swoje marzenia. Gdybyś nie była taką wspierającą matką, niczego bym nie osiągnęła. Teraz musisz już tylko przeprowadzić się do Kolorado.

Bethany Hagen, trudno wyrazić słowami, ile dla mnie znaczysz. Jesteś moją edytorką, potrafisz konstruktywnie krytykować moje książki, ale poza tym jesteś moją bardzo dobrą przyjaciółką. Marzę o tym, byśmy kiedyś uciekły razem i zbudowały bazę z koców, jak w dzieciństwie. (PS Mam nadzieję, że aby to zrobić, nie będziemy musiały wypić za dużo szkockiej).

Melanie Harlow, przeszłyśmy ze sobą bardzo długą drogę. I chociaż już nie potrzebujesz mnie przy swojej pracy, mam nadzieję, że dalej będziesz mi przesyłać swoje rękopisy. Spróbujmy spotykać się częściej, okej?

Kayti McGee, jesteś moją drugą połówką. I szczerze mówiąc, to niesprawiedliwe, że dostałaś cały ten urok i błyskotliwość, podczas gdy ja ledwo się uśmiecham. Chociaż dzięki tobie uśmiech gości na mojej twarzy częściej niż zazwyczaj. Nieustannie mnie pocieszasz i kibicujesz mi, nawet jeśli często narzekam (i udajesz, że cię to nie męczy). Chyba jesteś tak święta, jak mój mąż. Dziękuję, że pozwalasz mi przebywać przy tobie.

Tamaro Mataya, twój seksowny głos i błyskotliwość nie są twoimi jedynymi dobrymi cechami, ale na pewno moimi ulubionymi. Rozśmieszasz mnie nawet, gdy nie jestem w humorze. Czyli cały czas. Daruj sobie uwielbienie wszystkiego, co kanadyjskie, a będziemy mogły się przyjaźnić do końca życia. Albo w sumie możesz dalej być Kanadyjką. Zobaczymy, jak się życie ułoży.

Gennifer Albin, jeśli kiedykolwiek będziesz chciała zmienić branżę, to powinnaś zostać coachem. Twoje słowa zawsze sprowadzają mnie na ziemię i pomagają. Uważasz, że nie jesteś cheerleaderką. Ja się z tym nie zgadzam. Może i nie jesteś aż tak rozmowna, ale gdy coś powiesz, biorę sobie wszystkie twoje słowa do serca. Mam nadzieję, że jeszcze wiele się od ciebie nauczę.

Amy McAvoy, moja ulubienico, zajmujesz specjalne miejsce w moim życiu. Byłaś pierwszym blogerem, który na moją prośbę o recenzję jednej z moich opowieści powiedział: „Och, zdecydowanie ta historia". Wiem, że sprzedaż moich książek wzrosła dzięki tobie. Twoje opinie są mocne i trafne. Poza tym uważam, że jesteś dobrą przyjaciółką. Jestem dumna z tego, że cię znam.

Patricio Mint, ta książka istnieje dzięki tobie. Gdybyś nie zamęczała mnie o motywy Hudsona, nigdy nie dotarłoby do mnie, że mam jeszcze jakąś historię do opowiedzenia. To miała być tylko krótka historyjka, ale stała się moją najdłuższą i najbardziej ulubioną książką. Jestem ci winna drinka.

Liso Otto, wiem, że jesteś dla mnie zbyt zajęta. I jeśli chcesz, żebym cię „zwolniła", to wiedz, że nie mogę tego zrobić. Nawet jeśli twój wkład w tę książkę jest niewielki, twoje słowa zawsze były tym, czego ta historia potrzebowała. Nie pozbędziesz się mnie tak łatwo.

Jackie Felger, byłaś ze mną przy wszystkich moich projektach, a to naprawdę godne podziwu, biorąc pod uwagę, że przebywałam w tylu miejscach podczas pracy. Jestem ci wdzięczna za komentarze i sugestie.

Tristino Wright, ty pierwsza przeczytałaś historię Hudsona i Alayny. Widziałaś ich (i mnie) w najgorszym stanie, a mimo to i tak nam kibicowałaś. Może i nie jesteś zbytnio zaangażowana w ostatnią książkę, ale twój wpływ na mnie od początku był ogromny. Dziękuję za udzielanie rad wtedy, gdy najbardziej ich potrzebowałam. Mam nadzieję, że kiedyś się odwdzięczę.

Shanyn Day, gdy byłam w liceum, moja koleżanka pracowała jako asystentka, chociaż jej szef powiedział, że to było coś więcej. Była opiekunką. Ty też jesteś moją opiekunką, która dbała o mnie w trakcie pracy, chociaż tak naprawdę zostałaś zatrudniona jako moja asystentka i publicystka. Bez ciebie bym zginęła.

K.P. Simmons, wiele razy mnie uratowałaś. Dziwnie jest myśleć o naszej relacji jak o czysto biznesowej, bo wcale tak nie czuję. Ale i tak jesteś dobra w biznesie! Agencja reklamowa InkSlinger jest najlepsza. Poza tym uważam cię za dobrą przyjaciółkę. Wypiję za to.

Rebecco Friedman, nasza relacja jest jeszcze świeża, ale czy to w tym nie jest najlepsze? Nie mogę się doczekać, dokąd nas to zaprowadzi.

Bobie Diforio, przez ostatnie dwa lata przeszliśmy długą drogę. Doceniam wszystko, co dla mnie zrobiłeś. Dziękuję.

Jestem wdzięczna reszcie mojej załogi: Anthony'emu Colletiemu, Sarze Norris i Danielle Nelson za oszczędzanie moich pieniędzy i przechodzenie przez skomplikowane procesy finansowe; Stacy Shabalin z Amazonu, Ianowi i Chrisowi z iBooks oraz Lauren i Carinie z CreateSpace za czas i poświęcenie, które sprawiło, że moje książki są perełką w waszych sklepach; Catlin Creer za szybką korektę i formatowanie; Jolindzie Bivins za piękne okładki; oraz Holly Atkinson i Eileen Rothschild, moim „drugim" edytorkom. Uwielbiam to, że tak dobrze się dogadujemy. Dziękuję za zrozumienie i nauczenie mnie, jak pisać lżejszym piórem.

Jennie Tyler i Angeli McLatin, dziękuję za to, że jesteście. Wasza przyjaźń jest dla mnie ważna.

Ponadto składam podziękowania innym pisarzom, którzy są cudownymi ludźmi. Wielu autorów stało się moimi przyjaciółmi, najpierw online, a potem poznawałam was coraz lepiej. Jestem pewna, że kogoś pominę, ale wymienię osoby, który miały na mnie szczególny wpływ: Lauren Blakely, Kyla Linde, Melody Grace, M. Pierce, Pepper Winters, Kristy Bromberg, Emma Hart, Kristen Proby. A także kobiety z NAaturals, FYW, WrAHM, Babes of the Scribe i innej grupy, której nazwy nie można wymawiać (ale wiecie, o kogo chodzi). Jesteście najlepsze.

Kiedyś wymieniałam wszystkich blogerów z imienia, ale teraz lista stała się za długa. Wiedzcie jednak, że o was pamiętam. Widzę, co robicie, i wiem, jaką ciężką pracę wykonujecie. Jestem wdzięczna za wasze wsparcie. Bez was by mnie tu nie było.

I na pewno nie byłoby mnie tutaj bez moich czytelników – chciałabym wysłać każdemu z was osobiste podziękowanie za to, że kupiliście moją książkę lub zachęciliście kogoś do jej przeczytania. Bez was byłabym bezrobotna. Jestem szczęśliwa, mogąc robić to, co robię, i jeszcze szczęśliwsza, wiedząc, że tak wielu z was czytało moje słowa. Jestem tym zachwycona. Dziękuję, dziękuję, dziękuję.

A nade wszystko chciałabym podziękować Bogu. Pomogłeś mi i mam nadzieję, że dalej będę się od Ciebie uczyć.